Eerbetoon

Nora Roberts

Eerbetoon

2009 – De Boekerij – Amsterdam

Oorspronkelijke titel: Tribute (G.P. Putnam's Sons, Penguin)
Vertaling: Iris Bol en Marcel Rouwé
Omslagontwerp: HildenDesign, München
Omslagfoto: HildenDesign using images of Shutterstock

ISBN 978-90-225-5091-5

© 2008 by Nora Roberts
© 2009 voor de Nederlandse taal: De Boekerij bv, Amsterdam

Aan Jason en Kat, voor wanneer jullie je leven samen beginnen.
Moge de planten in jullie tuin diep wortel schieten, tot bloei komen
met de kleuren en vormen die jullie elk meebrengen en die jullie
samen onderhouden, zodat de bloemen goed zullen gedijen.

Deel 1

Slopen

Het verleden kan nooit in het heden worden veranderd; we
kunnen niet weten wat we niet zijn. Maar het verleden, het heden
en de toekomst zijn versluierd…

HENRY DAVID THOREAU

1

Volgens de overlevering had Steve McQueen een keer spiernaakt tussen de lisdodden en waterleliebladen in de vijver van de Little Farm gezwommen. Als het waar was, en dat mocht Cilla graag geloven, dan had de *King of Cool* zijn kleren uitgetrokken en was hij erin gedoken na *The Magnificent Seven* en vóór *The Great Escape*.

In sommige versies van het verhaal had Steve meer gedaan dan afkoelen alleen op die zwoele zomeravond in Virginia, en dat meer had hij gedaan met Cilla's grootmoeder. Hoewel ze op dat moment allebei getrouwd waren met een ander, klonk er in de overlevering meer vrolijkheid dan minachting door. En aangezien beide partijen allang gestorven waren, konden ze het geen van beiden bevestigen of ontkennen.

Ach, dacht Cilla terwijl ze naar het troebele water van de door lelies verstikte vijver keek, ze hadden allebei niet de moeite genomen – voor zover zij wist – om het te bevestigen of te ontkennen toen ze daar de kans voor hadden.

Waar of niet, ze vermoedde dat Janet Hardy, de bekoorlijke, tragische, briljante, gekwelde vrouw, had genoten van de geruchten. Zelfs een idool moest haar opwinding ergens vandaan halen.

In de gele gloed van de zon met de verdovende maartse kou die haar gezicht afkoelde, kon Cilla het zo voor zich zien. De hete zomeravond, het blauwe waas van de felle bundel maanlicht. De tuinen die op het toppunt van hun pracht waren, zouden de lucht hebben overweldigd met geuren. Het water zou koel en zijdezacht op de huid zijn geweest en de kleur hebben gehad van kamillethee, en erboven zouden roze en witte bloesems hebben gehangen als glanzende parels.

Ook Janet zou op het toppunt van haar schoonheid zijn geweest, peinsde Cilla. Het gesponnen goud van haar haar dat los op haar room-blanke schouders viel… Nee, dankzij haar zomerkleurtje zouden die ook goudkleurig zijn geweest. Gebruinde schouders in het theekleurige water, haar Arctisch blauwe ogen glinsterend van de lach, en door een vermoedelijk stevige inname van sterkedrank.

Muziek die door het duister snelde en sprankelde, net zoals de vuur-vliegjes die over de vruchtbare velden en fluweelachtige gazons flitsten, stelde Cilla zich voor. De stemmen van de weekendgasten die over de ga-zons, veranda's en terrassen slenterden klonken even helder als de mu-ziek. Sterren, even stralend als die welke aan de hemel glansden als klei-ne edelstenen, uitgestrooid vanuit die bundel maanlicht.

Donkere schaduwplekken, banen gekleurd licht van de lantaarns.

Ja, zo moest het zijn geweest. De wereld van Janet was er een van stra-lend licht en ultieme duisternis geweest. Altijd.

Cilla hoopte dat ze onbeschaamd naakt, dronken, dwaas en gelukkig in die vijver was gedoken, zich volledig onbewust van het feit dat haar drukke, wanhopige, luisterrijke leven nauwelijks tien jaar later voorbij zou zijn.

Voor ze bij de vijver vandaan liep, maakte Cilla een aantekening in haar dikke notitieblok. Hij moest worden schoongemaakt, op bacteriën getest en ecologisch in balans worden gebracht. Ze schreef ook op dat ze meer te weten moest komen over vijveronderhoud voor ze daar zelf een poging toe zou doen of er een specialist bij zou halen.

Dan waren er de tuinen. Althans, wat daar nog van over was, dacht ze toen ze door het hoge, in pollen bijeen staande gras liep. De struiken, met lagen onkruid overwoekerd en waarvan de takken als bruine botten door de deken van onkruid staken, verpestten wat ooit simpelweg schit-terend was geweest. Nog een metafoor voor iets wat ooit stralend en mooi was geweest, maar nu was verstikt en begraven lag onder het inha-lige onkruid, dacht ze.

Voor dit deel zou ze hulp nodig hebben, besloot ze. Flink wat hulp. Hoe graag ze ook haar tanden in dit project wilde zetten, haar handen uit de mouwen wilde steken, het zou onmogelijk zijn om dit in haar een-tje in de oorspronkelijke staat terug te brengen.

Uit het budget zou ook een team hoveniers betaald moeten worden.

Ze schreef op dat ze de oude foto's van de tuin moest bestuderen, wat boeken over tuinarchitectuur moest kopen om zichzelf wegwijs te maken en contact moest opnemen met plaatselijke hoveniers om offertes te vragen.

Ze bleef staan en keek naar de verwilderde gazons, de verzakte hekken en de treurige, asgrijze, verweerde oude schuur. Er waren ooit kippen geweest – dat was haar tenminste verteld – een paar mooie paarden, keurige velden met gewassen, een kleine, goed gedijende boomgaard met fruitbomen. Ze wilde geloven, of misschien moest ze geloven, dat ze dat allemaal terug kon halen. Dat ze hier de volgende lente, en alle lentes daarna, kon kijken naar de ontluikende knoppen en de bloeiende tuinen; naar alles wat van haar grootmoeder was geweest en wat nu van haar was.

Met haar eigen Arctisch blauwe ogen, die werden beschermd tegen de zon door de klep van haar Rock the House-honkbalpet, zag ze hoe het er nu bij lag en hoe het vroeger was geweest. Haar haar, meer honing dan goudstof, zat in een lange, slordige staart die door de achterkant van de pet was getrokken. Over haar sterke schouders en lange bovenlijf droeg ze een dik sweatshirt met capuchon, haar lange benen waren in een vale spijkerbroek gestoken en ze droeg hoge schoenen die ze jaren geleden had gekocht voor een wandeltocht door het Blue Ridge-gebergte. Dezelfde bergen die ze nu glooiend tegen de hemel omhoog zag steken.

Het was jaren geleden, dacht ze. De laatste keer dat ze in het oosten was geweest, dat ze hierheen was gekomen. Vermoedelijk was toen het zaadje geplant voor wat ze nu ging doen.

Wilde dat niet zeggen dat de afgelopen vier, vijf jaar gedeeltelijk haar eigen schuld waren? Ze had eerder moeten aandringen, eerder moeten eisen. Ze had iets kunnen doen.

Je doet het nu, bracht ze zichzelf in herinnering. Ze zou de vertraging niet betreuren, net zomin als ze spijt zou hebben van de manipulatie en bittere ruzies die ze had gebruikt om haar moeder te dwingen afstand te doen van het perceel.

'Het is nu van jou, Cilla,' zei ze tegen zichzelf. 'Maak er geen zooitje van.'

Ze draaide zich om, zette zich schrap en baande zich een weg door het hoge gras en de braamstruiken naar de oude boerderij waar Janet Hardy schitterende feesten had gegeven of haar toevlucht had gezocht tussen twee rollen door. En waar ze zich, op wederom een zwoele avond in 1973, van het leven had beroofd.

Aldus de overlevering.

Er waren spoken. Het voelen van hun aanwezigheid was bijna even uitputtend als het evalueren van de bouwvallige drie etages, het zien van het vuil, stof en ontmoedigende verval. Cilla vermoedde dat de spoken ervoor hadden gezorgd dat vandalisme en kraken tot een minimum beperkt waren gebleven. Legenden hadden zo hun nut, dacht ze.

Ze had de elektriciteit weer aan laten zetten en ze had voldoende gloeilampen meegenomen, plus een hoeveelheid schoonmaakspullen waarvan ze hoopte dat het voldoende zou zijn om een begin te kunnen maken. Ze had vergunningen aangevraagd en haar licht opgestoken over de aannemers uit de buurt.

Nu was het tijd om iets te beginnen.

Nadat ze haar prioriteiten op een rijtje had gezet, begon ze met de eerste van de vier badkamers die al in zes jaar geen borstel hadden gezien.

Bovendien vermoedde ze dat de laatste huurders zich tijdens hun verblijf hier niet al te druk hadden gemaakt om dergelijke dingen.

'Het had nog veel smeriger kunnen zijn,' mompelde ze terwijl ze schraapte en boende. 'Het hadden ratten en slangen kunnen zijn. Jezus, hou je mond. Je roept het gewoon over jezelf af.'

Na twee uur zwoegen en het legen van ontelbare emmers vies water had ze het gevoel dat ze gebruik zou kunnen maken van de faciliteiten zonder eerst inentingen te hoeven halen. Drinkend uit een fles mineraalwater liep ze naar de achtertrap om de grote keuken van de boerderij onder handen te nemen. Ze keek naar het babyblauw met witte laminaat op de werkoppervlakken en vroeg zich af wiens idee het was geweest om te moderniseren en waarom die persoon had gedacht dat dit mooi stond bij het schitterende oude O'Keefe & Meritt-fornuis en de Coldspot-koelkast.

Esthetisch gezien was het vertrek meer dan afzichtelijk, maar hygiëne ging voor.

Ze deed de achterdeur open en zette hem vast om voor ventilatie te zorgen, trok haar rubberhandschoenen weer aan en opende heel voorzichtig het ovendeurtje.

'O, shit.'

Terwijl bijna de hele inhoud van een bus ovenreiniger zijn werk deed, schrobde zij de ovenroosters, het fornuis en de kap. Opeens zag ze in gedachten een foto. Janet die in een grote pan op het fornuis stond te roeren, met een strookjesschort over een jurk met wespentaille en haar zonnige blonde haren in een brutale paardenstaart. Glimlachend naar de camera terwijl haar twee kinderen vol bewondering toekeken.

Een publiciteitsfoto, wist Cilla. Voor een van de vrouwenbladen. *Redbook* of *McCall's*. Het oude fornuis van de boerderij, met de gril in het midden, had gefonkeld als nieuw. Dat zou het weer doen, zwoer ze. Op een dag zou ze in een pan roeren op datzelfde fornuis met waarschijnlijk evenveel gemaakte bedrevenheid als haar grootmoeder.

Ze hurkte neer om de ovenreiniger te controleren en slaakte een kreet van verrassing toen ze plotseling haar naam hoorde.

Hij stond in de deuropening en het zonlicht vormde een aureool om zijn zilverblonde haar. Hij glimlachte waardoor de lijntjes in zijn nog altijd heel knappe gezicht dieper werden en er een warme blik in zijn hazelnootbruine ogen verscheen.

Haar hart maakte een sprongetje van verrassing naar plezier en vervolgens naar schaamte.

'Pap.'

Toen hij naar voren stapte en zijn armen spreidde voor een omhelzing, hief ze snel haar armen op en deinsde achteruit. 'Nee, niet doen. Ik ben hartstikke smerig. Ik zit onder de… Ik wil het niet eens weten.' Met haar pols streek ze over haar voorhoofd en daarna deed ze onhandig de beschermende handschoenen uit. 'Pap,' zei ze weer.

'Ik zie een schoon plekje.' Met zijn hand hief hij haar kin op, en hij drukte een kus op haar wang. 'Je zou jezelf eens moeten zien.'

'Nee, liever niet.' Maar ze lachte toen bijna al haar aanvankelijke schroom verdween. 'Wat doe je hier trouwens?'

'Iemand herkende je in de stad toen je spullen kwam kopen en die heeft het tegen Patty gezegd. En Patty,' ging hij verder, verwijzend naar zijn vrouw, 'heeft mij gebeld. Waarom heb je niet verteld dat je zou komen?'

'Dat was ik van plan. Ik bedoel dat ik je wilde bellen.' Op een gegeven moment. Uiteindelijk. Als ik had bedacht wat ik wilde zeggen. 'Maar ik wilde hier eerst zijn, en toen…' Ze wierp nog een blik op de oven. 'Ik werd opgehouden.'

'Dat zie ik. Wanneer ben je hier aangekomen?'

Ze voelde zich schuldig. 'Zeg, waarom gaan we niet naar de veranda aan de voorkant? Daar is het redelijk uit te houden en in de koelkast ligt een broodje vlees voor ons klaar. Ik fris me even op, dan kunnen we bijpraten.'

De voorkant mocht dan minder erg zijn, hij was erg genoeg, dacht Cilla toen ze naast haar vader op de doorgezakte treden ging zitten. De met onkruid overwoekerde gazons en tuinen, het drietal misvormde Bradford-perenbomen en de wilde kluwen van wat volgens haar blauweregen was, konden allemaal worden aangepakt. En dat zou ook gebeuren. Maar de prachtige oude magnoliarozen met hun vele donkere, glanzende bladeren en de koppige narcissen schoten door het doornige pantser van klimrozen langs de stenen muren.

'Het spijt me dat ik niet heb gebeld,' begon Cilla toen ze haar vader een flesje ijsthee overhandigde voor bij zijn helft van het broodje. 'Het spijt me dat ik nooit heb gebeld.'

Hij gaf een klopje op haar knie en opende eerst haar flesje en vervolgens het zijne.

Dat was echt iets voor hem, dacht ze. Of het nou goed of slecht was, Gavin McGowan wond zich nergens over op. Het was haar een raadsel hoe hij ooit was gevallen voor haar emotioneel veeleisende moeder. Maar dat was lang geleden, peinsde ze.

Ze nam een hap van het broodje. 'Ik ben een slechte dochter.'

'De allerslechtste,' zei hij, waarop ze begon te lachen.

'Dat was Lizzy Borden.'

'De op een na slechtste, dan. Hoe gaat het met je moeder?'

Cilla nam nog een hap en sloeg haar ogen ten hemel. 'Lizzy staat op dit moment absoluut lager dan ik op de schaal van mam. Verder gaat het goed met haar. Nummer Vijf is bezig een cabaretnummer voor haar te regelen.' Bij het zien van haar vaders kalme blik haalde Cilla haar schouders op. 'Als je huwelijken gemiddeld drie jaar duren, is het praktisch en efficiënt om je echtgenoten een nummer te geven. Hij kan er mee door. Hij is beter dan nummer Vier of Twee en een stuk intelligenter dan nummer Drie. En het is dankzij hem dat ik hier een broodje eet met de nimmer te evenaren nummer Een.'

'Hoezo?'

'Het kost geld om een zang- en dansshow samen te stellen. Ik had wat geld achter de hand.'

'Cilla.'

'Wacht, wacht. Ik had geld en zij had iets wat ik wilde. Ik wilde dit huis, pap. Dat wilde ik al een hele poos.'

'Heb jij…'

'Ja, ik heb de boerderij gekocht.' Cilla wierp haar hoofd achterover en lachte. 'En ze is hartstikke kwaad op me. Zelf wilde ze het niet. Jezus, dat is toch wel duidelijk. Moet je het eens goed bekijken. Ze is hier in geen jaren geweest, in geen tientallen jaren zelfs, en ze heeft elke opzichter, manager of beheerder ontslagen. Ze wilde het niet aan me geven toen ik een paar jaar geleden zo dom was om erom te vragen. Toen wilde ze het ook niet aan me verkopen.'

Ze nam nog een hap van het broodje en kon er nu van genieten. 'Ze keek alleen maar zielig en ik moest het hele tragische verhaal over Janet weer aanhoren. Maar nu had ze geld nodig en ze wilde dat ik in haar zou investeren. Dat vertikte ik, waarop er een knallende ruzie en veel drama volgde. Ik zei tegen haar en nummer Vijf dat ik dit huis wilde kopen, ik heb een prijs genoemd en heel duidelijk gemaakt dat ik niet van dat bedrag zou afwijken.'

'Ze heeft het aan jou verkocht. Ze heeft de Little Farm aan jou verkocht.'

'Na veel tandengeknars, gehuil en verschillende negatieve uitspraken over mijn slechte gedrag als dochter dat ik al sinds mijn geboorte tentoonspreid. Et cetera. Dat doet er niet toe.' Althans, het had er niet veel toe gedaan, dacht Cilla. 'Zij wilde het niet, ik wilde het wel. Als het juridisch niet op allerlei manieren onmogelijk was geweest, had ze het allang verkocht. Maar het mocht alleen worden verkocht of doorgegeven aan familieleden tot, wanneer… 2012? Hoe dan ook, nummer Vijf slaagde erin haar te kalmeren en zo kreeg iedereen wat hij wilde.'

'Wat ga je ermee doen, Cilla?'

Er wonen, dacht ze. Ademhalen. 'Weet je nog hoe het er vroeger uitzag, pap? Ik ken het alleen van de foto's en oude familiefilmpjes, maar jij was hier toen het op zijn mooist was. Toen de tuinen prachtig waren en de loggia's glansden. Toen het karakter en elegantie had. Dat ga ik ermee doen. Ik wil alles in zijn oude luister herstellen.'

'Waarom?'

Ze hoorde het onuitgesproken 'hoe?' en hield zichzelf voor dat het niet belangrijk was dat hij niet wist wat ze kon. Of in elk geval niet erg belangrijk.

'Omdat zowel dit huis als Janet Hardy beter verdient dan dit. En omdat ik het kan. Ik knap al bijna vijf jaar huizen op. De afgelopen twee jaar praktisch in mijn eentje. Goed, die andere huizen waren niet zo groot als dit, maar ik heb er aanleg voor. Ik heb een flinke winst behaald met mijn projecten.'

'Doe je dit voor de winst?'

'Misschien zal ik de komende vier jaar van gedachten veranderen, maar voorlopig niet. Ik heb Janet nooit gekend, maar ze heeft elk aspect van mijn leven beïnvloed. Deze plek oefende een grote aantrekkingskracht op haar uit, zelfs aan het einde. Iets eraan trekt mij ook aan.'

'Het is ver weg bij alles wat je kent,' zei Gavin. 'Niet alleen qua afstand, maar ook qua sfeer en cultuur. De Shenandoah-vallei, dit deel ervan, is nog altijd relatief landelijk. In Skyline Village wonen een paar duizend mensen en zelfs de grotere plaatsen zoals Front Royal en Culpepper lijken in niets op Los Angeles.'

'Ik denk dat ik dat wil ervaren en ik wil in contact komen met mijn wortels aan de oostkust.' Ze wenste dat hij blij zou zijn in plaats van bezorgd dat ze voor de zoveelste keer zou mislukken of het zou opgeven.

'Ik heb mijn buik vol van Californië. Ik heb mijn buik vol van alles, pap. Ik heb nooit gewild wat mam voor mij of voor haarzelf wilde.'

'Dat weet ik, liefje.'

'Daarom ga ik hier een poosje wonen.'

'Hier?' Er verscheen een geschrokken blik op zijn gezicht. 'Wil je hier gaan wonen? Op de Little Farm?'

'Ik weet dat het gek is. Maar ik heb veel gekampeerd, en dat zal hier ook moeten, in elk geval de komende dagen. Daarna zal het binnen nog een poosje behelpen zijn. Het zal ongeveer negen à tien maanden tot een jaar kosten om alles te renoveren, om het goed te doen. Daarna zal ik weten of ik wil blijven of ergens anders heen wil gaan. Op het moment dat ik weg wil, zal ik bepalen wat ik ermee ga doen. Maar op dit moment heb ik mijn buik ook vol van weggaan, pap.'

Gavin zweeg even en sloeg zijn arm om Cilla's schouder. Had hij enig idee wat dat achteloze gebaar van steun voor haar betekende? Nee, hoe zou hij dat kunnen weten?

'Het was hier schitterend, mooi en hoopgevend en gelukkig,' vertelde hij. 'Er graasden paarden, haar hond sliep in de zon. De bloemen waren mooi. Ik geloof dat Janet vaak zelf in de tuin werkte als ze hier was. Ze zei dat ze hier kwam om zich te ontspannen. En dat deed ze ook, voor korte perioden. Maar dan had ze mensen nodig, althans, dat is mijn mening. Ze had het lawaai nodig, het gelach, de lichten. Maar af en toe was ze hier alleen. Zonder vrienden, familie of de pers. Ik heb me altijd afgevraagd wat ze hier deed tijdens die bezoekjes in haar eentje.'

'Jij hebt mam hier leren kennen.'

'Dat klopt. We waren nog kinderen en Janet gaf een feestje voor Dilly en Johnnie. Ze nodigde een heel stel kinderen uit de buurt uit. Janet mocht me, daarom werd ik elke keer dat ze hier waren teruggevraagd. Johnnie en ik speelden samen en we bleven vrienden toen we tieners werden, al trok hij toen steeds vaker op met een andere groep. Vervolgens overleed Johnnie. En daarna werd alles donker. Janet kwam hier steeds vaker in haar eentje. Als ik thuis was van de universiteit klom ik over de muur om te kijken of zij hier was, of Dilly bij haar was. Dan zag ik haar in haar eentje lopen, of het licht was aan. Na Johnnies overlijden heb ik haar nog een paar keer, misschien drie of vier keer gesproken. Daarna was ze weg. Sindsdien is niets hetzelfde geweest.

Het verdient inderdaad beter,' zei hij met een zucht. 'Net als zij. Jij bent degene die hun dat kan geven. Misschien ben je zelfs de enige die dat kan.'

'Dank je.'

'Patty en ik zullen je helpen. Kom bij ons wonen tot dit huis bewoonbaar is.'

'Ik neem het aanbod van hulp graag aan, maar ik wil hier wonen. Het huis leren kennen. En ik heb hier en daar mijn licht wel opgestoken, maar als je me wat plaatselijke werklui kunt aanbevelen, graag. Geschoold en ongeschoold. Loodgieters, elektriciens, schilders, hoveniers. En mensen met een sterke rug die goed bevelen kunnen opvolgen.'

'Pak je notitieblok maar.'

Ze stond op en liep naar binnen, maar keerde toen terug. 'Zeg, pap, was jij in het vak gebleven als het anders was gelopen tussen mam en jou? Was je dan in Los Angeles gebleven?'

'Misschien wel. Maar ik ben er nooit gelukkig geweest. Of misschien ben ik er niet lang gelukkig geweest. En ik was geen geboren acteur.'

'Je was wel goed.'

'Goed genoeg,' zei hij glimlachend. 'Maar ik wilde niet wat Dilly voor zichzelf en voor mij wilde. Dus ik begrijp wat je bedoelde toen jij hetzelfde zei. Maar Cilla, het is niet haar schuld dat zij iets anders wilde.'

'Jij hebt hier gevonden wat je zocht.'

'Ja, maar…'

'Dat wil niet zeggen dat ik dat ook zal doen,' zei ze. 'Dat weet ik. Maar misschien gebeurt het toch.'

Cilla veronderstelde dat ze er eerst achter moest zien te komen wat ze wilde. Meer dan de helft van haar leven had ze gedaan wat haar werd opgedragen en had ze dat als normaal geaccepteerd, had ze gedacht dat ze dat zelf ook wilde. En ze moest toegeven dat ze het grootste deel van de rest van haar leven had geprobeerd aan dat alles te ontsnappen of het te negeren, of het in te kaderen alsof het niet haarzelf maar iemand anders was overkomen.

Nog voor ze had kunnen praten was ze al actrice geweest, want dat was wat haar moeder had gewild. Tijdens haar hele kindertijd had ze een ander kind gespeeld, eentje dat veel schattiger, slimmer en liever was geweest dan zijzelf. Toen dat voorbij was, had ze zich door wat de agenten en producenten de onhandige jaren hadden genoemd geworsteld, waarin er niet veel werk was geweest. Ze had een afgrijselijk moeder-dochteralbum opgenomen met Dilly en een handjevol tiener-horrorfilms gemaakt, waarbij ze blij was dat ze op een afschuwelijke manier werd vermoord.

Voor haar achttiende verjaardag had ze het hoogtepunt van haar carrière als actrice al achter de rug, dacht Cilla toen ze zich op het bed in haar hotelkamer liet vallen. Ze had afgedaan, ze was iemand van wie men zich afvroeg wat er toch van haar geworden was. Iemand die een aantal gastrolletjes op tv had gespeeld en de voice-over had gedaan voor reclamespotjes.

Maar de langlopende tv-serie en een paar matige B-films hadden voor een appeltje voor de dorst gezorgd. Ze was er bedreven in geraakt dat appeltje te laten groeien en ze had er af en toe iets van gebruikt om haar vingers in verschillende potjes pap te steken om te kijken of de smaak ervan haar beviel.

Haar moeder had gezegd dat ze haar door God gegeven talent verspilde en haar therapeut had het ontwijkgedrag genoemd.

Zelf zag Cilla het als leerproces.

Hoe je het ook noemde, het had haar naar dit behoorlijk slechte hotel in Virginia gebracht, om de komende maanden aan een vermoeiende, zweterige en dure klus te werken. Ze zat te popelen om te beginnen.

Ze deed de tv aan, met de bedoeling het als achtergrondgeluid te gebruiken terwijl zij op de bobbelige matras haar aantekeningen nog een keer zou doornemen. Op de gang, op ongeveer een meter van haar deur, hoorde ze een paar blikjes uit de drankautomaat vallen. Achter haar hoofd hoorde ze door de muur de tv in de andere kamer.

Terwijl het plaatselijke nieuws doorzeurde op haar toestel, stelde ze haar prioriteitenlijstje voor de volgende dag op. Als eerste wilde ze een goed functionerende badkamer. Ze vond het geen probleem om in het huis te kamperen, maar als ze niet meer in het hotel zou slapen, wilde ze wel de basisfaciliteiten hebben. Zweterig werk vereiste een functionerende douche. Loodgieterswerk had voorrang.

Halverwege de lijst zakten haar ogen dicht. Ze bedacht dat ze om acht uur wilde hebben uitgecheckt en bij de bouwplaats wilde zijn en daarom deed ze de tv uit en vervolgens het licht.

Toen ze in slaap viel, zweefden de ontzielde geluiden uit de andere kamer door de muur. Ze hoorde hoe Janet Hardy's prachtige stem zich verhief tot een lied dat bedoeld was om harten te breken.

'Fantastisch,' mompelde Cilla toen het nummer haar de slaap in volgde.

Ze zat op het lieflijke terras dat een prachtig uitzicht bood op de mooie vijver en de groene, glooiende heuvels die zich helemaal uitstrekten tot de blauwe bergen in de verte. Rozen en lelies verspreidden een heerlijk parfum waardoor de bijen dronken zoemden en een kolibrie, zo kleurig als een smaragd, naderbij schoot voor de nectar. De zon scheen sterk en fel in een wolkeloze lucht en zette alles in een sprookjesachtig gouden schijnsel. Vogels zongen dat het een lieve lust was in een Disney-achtige harmonie.

'Ik verwacht elk moment Bambi met Stampertje te zien ravotten,' merkte Cilla op.

'Het is precies zoals ik het destijds voor me zag. In de goede tijd.' Jong, beeldschoon in een teer wit zomerjurkje, dronk Janet spuitlimonade. 'Volmaakt als een filmdecor, helemaal klaar voor mijn entree.'

'En in de slechte tijden?'

'Een ontsnapping, een gevangenis, een vergissing, een leugen.' Janet haalde haar mooie schouders op. 'Maar altijd een hemelsbreed verschil met mijn wereldje.'

'Die wereld nam je met je mee. Waarom?'

'Ik had hem nodig. Ik kon niet alleen zijn. Er is te veel ruimte als je alleen bent. Waar moet je die mee vullen? Met vrienden, mannen, seks, drugs, feesten, muziek. Toch kon ik wel een poosje kalm zijn. Hier kon ik doen alsof. Ik deed alsof ik weer Gertrude Hamilton was. Al stierf zij op mijn zesde, toen Janet Hardy werd geboren.'

'Wilde je Gertrude weer zijn?'

'Natuurlijk niet.' Een lachje, zo helder en scherp als de dag, danste door de lucht. 'Maar ik vond het leuk om te doen alsof ik dat wilde. Gertrude zou een betere moeder, een betere echtgenote en waarschijnlijk ook een betere vrouw zijn geweest. Maar Gertrude zou niet half zo interessant zijn geweest als Janet. Wie zou er nu nog aan haar denken?

Maar Janet? Niemand zal haar ooit vergeten.' Met haar hoofd achterover liet Janet de glimlach zien waar ze bekend om stond: humor en alwetendheid waar aan de randjes wat seks doorheen schemerde. 'Ben jij daar niet het bewijs van?'

'Dat zou best eens kunnen. Maar ik beschouw wat er met jou en met dit huis is gebeurd, als een grote verspilling. Ik kan jou niet tot leven wekken of je zelfs maar leren kennen. Maar dit kan ik wel doen.'

'Doe je dit voor jezelf of voor mij?'

'Allebei, denk ik.' Ze zag het groepje bomen, vol witte en roze bloesem, heerlijk geurend, en ze zag mogelijkheden. Ook zag ze paarden die graasden op groene weiden, goud en wit dat scherp afstak tegen de heuvels. 'Ik zie het niet als het volmaakte filmdecor. Ik beschouw het als jouw erfenis aan mij en als mijn eerbetoon aan jou als ik erin slaag het in zijn oude staat terug te brengen. Ik stam van jou af en via mijn vader kom ik uit deze omgeving. Dat wil ik niet alleen weten, maar ook voelen.'

'Dilly vond het hier verschrikkelijk.'

'Niet altijd, denk ik. Maar nu wel.'

'Ze wilde Hollywood, in grote, felle letters. Ze is geboren met het verlangen ernaar en het gebrek aan talent en lef om het te krijgen en vast te houden. Jij lijkt niet op haar of op mij. Misschien…' Met een glimlach nam Janet nog een slok. 'Misschien lijk jij meer op Gertrude. Op Trudy.'

'Wie heb je die nacht vermoord? Janet of Gertrude?'

'Dat is een goede vraag.' Glimlachend deed Janet haar hoofd achterover en sloot haar ogen.

Maar wat was het antwoord? vroeg Cilla zich af toen ze 's ochtends naar de boerderij reed. En wat deed het er eigenlijk toe? Waarom zou je vragen stellen aan een droom?

Dood was dood, nietwaar? Het project had niks met de dood te maken, maar met het leven. Het ging erom dat ze voor zichzelf iets schepte uit datgene wat tot een ruïne was vervallen.

Nadat ze was uitgestapt om de oude ijzeren hekken die de oprit blokkeerden te openen, overwoog ze om die te laten verwijderen. Zou dat symbool staan voor iets opengooien wat afgesloten was geweest of zou het een waanzinnig domme actie zijn die haar en het huis kwetsbaar zouden maken? Ze knarsten toen ze ze openduwde en lieten roest achter op haar handen.

Stik maar met je symbolen en domheid, dacht ze. Ze moesten worden weggehaald omdat ze lastig waren. Als het project klaar was, kon ze ze altijd weer neer laten zetten.

Ze parkeerde de auto voor het huis en liep met grote passen naar de voordeur om hem van het slot te halen. Ze liet hem openstaan in de ochtendlucht en trok haar werkhandschoenen aan. Eerst ging ze de keuken afmaken, dacht ze. Ze hoopte dat de loodgieter die haar vader had aanbevolen zou komen opdagen.

Hoe dan ook, zij zou blijven. Al moest ze een tent in de voortuin opzetten.

Ze had zich net voor het eerst die dag in het zweet gewerkt toen de loodgieter kwam, een man met grijs bebaarde wangen die Buddy heette. Hij liep met haar door het huis, luisterde naar haar plannen en krabde veel aan zijn kin. Toen hij haar een prijsopgave gaf, eentje waarvan zij het gevoel had dat hij die uit zijn duim had gezogen, reageerde ze met een effen blik.

Daar moest hij om grijnzen, en hij krabde zich opnieuw. 'Ik kan wel iets formelers voor je in elkaar draaien. Het zal een stuk goedkoper zijn als je zelf het sanitair en zo koopt.'

'Dat zal ik doen.'

'Oké. Ik zal een offerte voor je opstellen, dan kunnen we kijken hoe alles zit.'

'Prima. En hoe duur is het om het bad in de eerste badkamer boven te ontstoppen? Het water loopt niet goed weg.'

'Ik zal er even naar kijken. De prijsopgave is gratis en ik ben er nu toch.'

Ze bleef bij hem, niet zozeer omdat ze hem niet vertrouwde, maar omdat je nooit wist wat je ervan kon opsteken. Ze kwam erachter dat hij niet treuzelde en uit zijn prijs voor de kleine reparatie, en een snelle controle van de wastafel en het toilet, leidde ze af dat hij de klus graag wilde, waardoor ze er waarschijnlijk op kon rekenen dat zijn offerte heel redelijk zou zijn.

Tegen de tijd dat Buddy weer in zijn truck klom, hoopte ze dat ze evenveel succes zou hebben met de timmerman en elektricien die ze had gevraagd om offertes.

Ze viste haar notitieblok tevoorschijn om haar afspraak met Buddy door te strepen van haar lijst voor die dag. Vervolgens hief ze haar voorhamer op. Ze was in de stemming voor wat sloopwerk en de vermolmde planken van de veranda aan de voorkant waren precies de goede plek om te beginnen.

2

Met de hamer op haar schouder en haar veiligheidsbril op nam Cilla de man die over haar oprit liep grondig in ogenschouw. Een cartoonachtige, lelijke zwart-witte hond met een enorme vierkante kop op een klein, gedrongen lijf trippelde naast hem.

Ze hield van honden en hoopte er ooit zelf eentje te hebben. Maar dit was een vreemd uitziend schepsel met bolle ogen die uit zijn kop puilden en kleine, puntige duivelsoortjes die boven op die te grote kop stonden. Een kort dun zweepstaartje tikte tegen zijn achterste.

De man zelf zag er een stuk beter uit dan de hond. Zijn vale, bij de zomen versleten spijkerbroek en wijde grijze sweater bedekten een naar haar inschatting één meter negentig lange man met een slungelachtige bouw en lange benen. Hij droeg een zonnebril met een metalen frame en in een van de knieën van zijn spijkerbroek zat een horizontale scheur. Zijn wangen en kaken werden bedekt door een stoppelbaardje van een dag of twee, iets wat ze altijd een te bestudeerde look had gevonden om echt hip te zijn. Toch stond het wel bij zijn dikke bos bruin haar met highlights die rommelig over zijn oren krulde.

Ze wantrouwde mannen die highlights in hun haar namen en ze vermoedde dat hij zijn gouden huidskleur had gekocht in een hippe zonnestudio. Dit type had ze toch achtergelaten in Los Angeles? Hoewel de afzonderlijke elementen een geheel vormden dat volgens haar praktisch ongevaarlijk was en er een nonchalante 'hoe gaat het ermee'-glimlach om zijn mooi gevormde mond krulde, verstevigde ze toch haar greep op de hamer.

Als het nodig was, kon ze die gebruiken voor meer dan alleen het wegslaan van verrotte planken.

Ze hoefde zijn ogen niet te zien om te weten dat hij haar ook goed bekeek.

Onder aan de trap naar de veranda bleef hij staan terwijl de hond direct naar boven liep om aan haar laarzen te ruiken, al leek het geluid meer op het snuffelen van een varken. 'Hoi,' zei hij, en zijn glimlach werd nog wat breder. 'Kan ik je helpen?'

Ze hield haar hoofd schuin. 'Waarmee?'

'Met wat je van plan bent. Ik vraag me af wat dat is, aangezien je een behoorlijk grote hamer vasthoudt en dit privébezit is.' Hij stak zijn duimen in zijn voorzakken terwijl hij verder sprak met de gemoedelijke, lijzige tongval die typisch was voor Virginia. 'Je ziet er niet uit als een vandaal.'

'Ben jij politieagent?'

De glimlach veranderde bliksemsnel in een grijns. 'Ik lijk evenmin op een agent als jij op een vandaal. Hoor eens, ik vind het vervelend om je lastig te vallen, maar als je van plan bent om stukken van het huis af te slaan en die te verkopen op eBay, dan moet ik je echt vragen om daar nog eens over na te denken.'

Omdat de hamer zwaar was, tilde ze hem van haar schouder. Hij bewoog niet toen ze hem naar beneden bracht en de kop op de veranda liet rusten. Maar ze voelde dat hij zich schrap zette. 'eBay?'

'Het is de moeite niet waard. Wie zal geloven dat je een authentiek stuk van het huis van Janet Hardy verkoopt? Dus pak je spullen gewoon weer in. Ik zal de boel achter je afsluiten, dan is er niks aan de hand.'

'Ben jij de beheerder?'

'Nee. Die worden steeds door iemand ontslagen. Ik weet dat het erop lijkt alsof niemand iets om dit huis geeft, maar je kunt het niet zomaar kapot komen slaan.'

Gefascineerd schoof Cilla haar veiligheidsbril op haar hoofd. 'Als niemand iets om dit huis geeft, waar maak jij je dan druk om?'

'Ik kan er niks aan doen. En misschien heb ik bewondering voor het lef dat nodig is om op klaarlichte dag sloten open te breken en te staan zwaaien met een moker, maar je moet nu echt ophouden. Dat meen ik. Het mag de familie van Janet Hardy dan niet kunnen schelen of het huis bij de eerstvolgende stevige windvlaag zal omvallen, maar...' Hij hield op met praten, schoof zijn zonnebril omlaag over zijn neus en keek er-overheen voor hij hem afzette en er lui mee heen en weer zwaaide aan een pootje.

'Ik ben vanochtend heel traag,' zei hij. 'Dat komt doordat ik pas één slok koffie had genomen voor ik jouw pick-up zag en het open hek en zo. Cilla... McGowan. Het duurde even voor het tot me doordrong. Je hebt de ogen van je oma.'

Die van hem waren groen, zag ze, en in het zonlicht waren de randen en gouden vlekjes te zien. 'Beide keren raak. Wie ben jij?'

'Ford Sawyer. En de hond die je schoenen likt, heet Spock. Wij wonen aan de overkant van de straat.' Met zijn duim wees hij over zijn schouder en ze richtte haar blik op het grillige oude victoriaanse huis op een mooi heuveltje aan de overkant. 'Zul je me daar niet de hersens mee inslaan als ik de veranda op kom?'

'Dat denk ik niet. Als je me tenminste vertelt waarom je vanochtend hierheen bent gekomen terwijl je me gisteren de hele dag niet hebt ge-zien en hebt gemist dat Buddy de loodgieter en een hele verzameling on-deraannemers een half uurtje geleden zijn vertrokken.'

'Gisteren was ik nog op de Caymaneilanden. Een korte vakantie. Ik neem aan dat ik de verzameling onderaannemers heb gemist omdat ik een half uur geleden uit bed probeerde te komen. Ik wilde een kop kof-fie op de veranda aan de voorkant drinken. Toen zag ik de pick-up en het hek. Oké?'

Dat leek aannemelijk, vond Cilla. En misschien had hij de highlights en zijn gebruinde huid op natuurlijke wijze verkregen. Ze zette de ha-mer tegen de reling van de veranda. 'Als een van de mensen die zich wel iets aantrekken van het huis, wil ik je graag bedanken dat je er een oog-je op houdt.'

'Geen probleem.' Hij liep de trap op tot hij op de tree onder haar stond. Aangezien hun ogen op gelijke hoogte waren en zij één meter drieënzeventig was, meende ze dat haar inschatting van één meter ne-gentig precies goed was. 'Wat ga je doen met die hamer?'

'Verrotte planken. De veranda moet worden herbouwd. Om dat te kunnen doen, moet er eerst gesloopt worden.'

'Nieuwe veranda, Buddy de loodgieter, die overigens een goede vakman schijnt te zijn, een verzameling onderaannemers. Het lijkt erop dat je het huis flink wilt gaan opknappen.'

'Inderdaad. Jij lijkt me behoorlijk sterk. Wil je een baan?'

'Ik heb er al een en ik heb ontdekt dat gereedschap en ik niet samengaan. Maar bedankt. Zeg eens gedag, Spock.'

De hond ging zitten, hield zijn grote, vierkante kop schuin en stak een poot omhoog.

'Lief.' Cilla boog zich voorover en schudde de poot terwijl Spocks bolle ogen glinsterden. 'Wat voor soort is hij?'

'Eentje met vier poten. Het zal leuk zijn om deze kant op te kijken en het huis te zien zoals het er in mijn verbeelding vroeger uitzag. Ben je van plan het te verkopen?'

'Nee, ik ben van plan er te gaan wonen. Voorlopig.'

'Nou, het is een prachtige plek. Of dat kan het worden. Jouw vader is Gavin McGowan toch?'

'Ja. Ken je hem?'

'In mijn laatste jaar op de middelbare school heb ik Engels van hem gehad. Uiteindelijk had ik er een tien voor, maar daar zijn heel wat bloed, zweet en tranen aan voorafgegaan. Meneer McGowan liet je keihard werken. Nou, ik zal je alleen laten met het slopen van je planken. Ik werk thuis, dus ik ben er bijna de hele dag. Als je iets nodig hebt, geef je maar een gil.'

'Dank je,' zei ze, zonder van plan te zijn om dat ook echt te doen. Ze zette haar bril weer op haar neus en pakte de hamer toen hij de oprit af liep met de hond weer naast hem. Toen gaf ze toe aan haar impuls. 'Zeg! Wie vernoemt zijn kind nou naar een auto?'

Hij draaide zich om en liep achteruit. 'Mijn moeder heeft een groot en nogal ongewoon gevoel voor humor. Ze beweert dat mijn pa me in haar heeft geplant toen ze op een kille lenteavond de raampjes van zijn Ford Cutlass lieten beslaan. Het zou kunnen.'

'Als het niet zo is, zou het dat eigenlijk moeten zijn. Ik zie je nog wel.'

'Ongetwijfeld.'

Fascinerende ontwikkelingen, peinsde Ford toen hij met een verse kop koffie naar de veranda liep voor zijn verlate ochtendritueel. Daar was ze, de lange verschijning met haar ijsblauwe ogen die de oude veranda aan gort sloeg.

Die hamer moest verdomd zwaar zijn. Die meid had behoorlijk wat spierkracht.

'Cilla McGowan,' zei hij tegen Spock terwijl de hond achter onzichtbare katten in de tuin aanzat. 'Die is zomaar tegenover ons komen wonen.' Een donderslag bij heldere hemel. Ford herinnerde zich de heldenverering van zijn eigen zus voor Katie Lawrence, het meisje dat Cilla vijf jaar lang had gespeeld. Of was het zes of zeven jaar geweest? Wie zou het zeggen? Hij wist nog dat Alice met een *Our Family*-lunchtrommel had rondgelopen, met haar Katie-pop had gespeeld en vol trots haar Katie-rugzak had gedragen.

Aangezien Alice alles bewaarde, had ze de *Our Family*- en Katie-souvenirs vast nog ergens in Ohio waar ze tegenwoordig woonde. Hij moest niet vergeten haar te mailen om haar onder de neus te wrijven wie zijn nieuwe buurvrouw was.

Zelf had hij de langlopende serie destijds te saai gevonden. Hij had liever de actie van de *Transformers* en de fantasiewereld van *Knight Rider* gehad. Hij herinnerde zich dat hij na een bittere ruzie met Alice, over de hemel mocht weten wat, wraak op haar had genomen door Katie uit te kleden, haar met plakband te knevelen en haar aan een boom te binden, bewaakt door zijn leger Storm Troopers.

Hij had er vreselijk voor op zijn kop gekregen, maar het was het meer dan waard geweest.

Het leek een beetje pervers om nu hier te staan en de volwassen live-actie versie van Katie de moker voor een soort koevoet te zien verwisselen. En zich voor te stellen hoe ze er naakt uitzag.

Hij had een verdomd goed voorstellingsvermogen.

Vier jaar geleden was hij tegenover haar huis komen wonen, dacht Ford. Hij had twee beheerders zien komen en gaan, de tweede had het nog geen half jaar volgehouden. Maar vóór deze dag had hij nooit een familielid van Janet Hardy gezien. Als hij de bijna twee jaar die hij in New York had gewoond niet meetelde, had hij zijn hele leven in deze omgeving gewoond, zonder er ooit een te zien. Hij had wel gehoord dat Cilla, de dochter van meneer McGowan, een paar keer op bezoek was geweest, maar hij had nooit een glimp van haar opgevangen.

Nu praatte ze met loodgieters en sloopte ze veranda's en… Hij hield even op met denken toen hij de zwarte pick-up herkende die de oprit aan de overkant van de weg op reed. Die was van Matt Brewster, een plaatselijke timmerman. Toen er nauwelijks een halve minuut later nog een truck afsloeg, besloot Ford om nog een kop koffie te halen en misschien een kom cornflakes, en op de veranda te ontbijten zodat hij het hele gebeuren kon volgen.

Eigenlijk moet ik aan het werk, zei Ford een uur later tegen zichzelf. De vakantie was voorbij en hij had een deadline. Maar het was daar zo verdomd interessant. De twee trucks kregen gezelschap van een derde, en die kende hij ook. Brian Morrow, voormalig topatleet en American footballspeler en het derde lid van het praktisch al hun hele leven bestaande driemanschap van Matt, Ford en Brian, had zijn eigen hoveniersbedrijf. Vanaf zijn plekje keek Ford toe hoe Cilla door de tuinen liep met Brian, hij zag haar gebaren en vervolgens in het dikke notitieblok kijken dat ze bij zich droeg.

Hij moest de manier waarop ze zich bewoog wel bewonderen. Dat kwam vast door die lange benen, dacht hij. Daardoor bewoog ze zich efficiënt, hoewel het leek alsof ze er haar tijd voor nam. Al die energie, strak verpakt in dat lenige lijf; haar gletsjerblauwe ogen en porseleinkleurige huid die de spieren verhulden die nodig waren om…

'Ho eens eventjes.' Met samengeknepen ogen ging hij wat rechter op zitten en stelde haar opnieuw voor met de hamer weer over haar schouder. 'Een kortere steel,' mompelde hij. 'Een tweekoppige hamer. Ja, ja. Kennelijk ben ik toch aan het werk.'

Hij ging naar binnen, pakte een schetsboek en potloden, en was zo geïnspireerd dat hij zijn verrekijker opzocht. Weer op de veranda richtte hij via de kijker zijn aandacht op Cilla en bestudeerde de vorm van haar gezicht, haar kaaklijn, haar bouw. Ze had een fascinerende, sexy mond met dat diepe kuiltje in het midden van de bovenlip, peinsde hij.

Toen hij aan de eerste schets begon, liet hij scenario's door zijn hoofd gaan, maar schoof ze haast net zo snel als ze in hem opkwamen weer aan de kant.

Het zou hem nog wel te binnen schieten, dacht hij. Het concept ontstond vaak uit de schetsen. Hij zag haar… Diane, Maggie, Nadine. Nee, nee, nee. Cass. Eenvoudig, een tikje androgyn. Cass Murphy. Cass Murphy! Intelligent, intens, op zichzelf, misschien zelfs eenzaam. Aantrekkelijk. Hij keek nogmaals door de verrekijker. 'O, ja. Heel aantrekkelijk.'

Dat werd niet verhuld door de grove kleding, maar die zwakten het wel af. Hij bleef tekenen, het hele lichaam, een close-up van het gezicht, en profil. Daarna tikte hij met zijn potlood op het papier terwijl hij nadacht. Een bril was weliswaar een cliché, maar ook een teken van intelligentie. En het was altijd een goede vermomming voor het alter ego.

Hij tekende er een eenvoudig, donker montuur met vierkante glazen op. 'Daar ben je dan, Cass. Of moet ik dr. Murphy zeggen?'

Hij sloeg een bladzijde om en begon van voren af aan. Safarioverhemd, kaki broek, hoge schoenen, hoed met een brede rand. Vanuit het laboratorium of het klaslokaal naar het veldwerk. Zijn lippen krulden zich toen hij weer een pagina omsloeg en zijn gedachten gingen razendsnel toen hij tekende wie en wat zijn net gecreëerde Cass zou worden. Het leer, het borstschild en de prachtige rondingen die erboven opbolden. Zilveren armbanden, lange, blote benen, de wilde bos haar met de diadeem die haar positie aangaf als een kroon om het hoofd. Een riem met sieraden erin wellicht, vroeg hij zich af. Zou kunnen. Het oude wapen, de tweekoppige hamer. Glanzend zilver als hij wordt vastgehouden door een directe bloedverwant van de krijgsgodin…

O ja, hij moest nog een naam voor haar bedenken.

Romeins? Grieks? Keltisch?

Keltisch. Dat paste goed bij haar.

Hij hield het schetsboek op en merkte dat hij met een grijns naar de tekening keek. 'Hallo, schoonheid. Wij gaan samen flink wat mensen op hun donder geven.'

Hij keek naar de overkant van de straat. De trucks waren weg en Cilla was nergens te zien, maar de deur van de boerderij stond open.

'Dank je wel, buurvrouw,' zei Ford, en hij stond op en liep naar binnen om zijn agent te bellen.

Surreëel was het beste om te beschrijven hoe Cilla zich voelde toen ze op het mooie terras van haar vaders keurige bakstenen koloniale huis zat en ijsthee dronk die zenuwachtig werd geserveerd door haar stiefmoeder. Het plaatje paste gewoon niet bij alle voorgaande episoden van haar leven. Als kind had ze slechts sporadisch bezoekjes aan het oosten gebracht. Werk ging altijd voor de bezoekregeling, in elk geval in haar moeders optiek.

Hij was af en toe bij haar gekomen, wist Cilla nog. Dan had hij haar meegenomen naar de dierentuin of naar Disneyland. Maar in elk geval tijdens het hoogtepunt van haar serie waren er altijd paparazzi geweest of kinderen die om haar heen dromden en hun ouders die kiekjes schoten. Werk ging voor plezier, dacht Cilla, of je dat nou wilde of niet.

En daarna hadden haar vader en Patty natuurlijk hun eigen dochter Angie gekregen en hun eigen huis, hun eigen leven aan de andere kant van het land gehad. En dat, peinsde Cilla, stond gelijk aan de andere kant van de wereld.

Zij had nooit in die wereld gepast.

Had haar vader niet geprobeerd om haar dat duidelijk te maken? Het was ver weg, en niet alleen qua afstand.

'Het is mooi hierbuiten,' zei Cilla, zoekend naar een gespreksonderwerp.

'Ons favoriete plekje om te zitten,' reageerde Patty met een glimlach die te gemaakt was. 'Al is het natuurlijk nog een beetje fris.'

'Het is net lekker.' Cilla pijnigde haar hersens af. Wat moest ze zeggen tegen deze lieve, moederlijke vrouw met haar vriendelijke gezicht, donkere bobkapsel en zenuwachtige ogen? 'Ik, eh… durf te wedden dat de tuin er over een week of twee schitterend bij ligt, als alles in bloei staat.'

Ze keek naar de bloembedden, de struiken en druivenranken, het keurige gazon waarvan stukken in de schaduw zouden liggen als de rode esdoorn en treurkers blad zouden krijgen. 'Je hebt er veel werk in gestoken.'

'O, ik doe wel eens wat.' Patty streek met haar vingers over haar korte, donkere bob en trok aan het zilveren ringetje in haar oor. 'Maar Gavin is de echte tuinman.'

'O.' Cilla richtte haar blik op haar vader. 'Echt waar?'

'Ik hou ervan om in de aarde te wroeten. Blijkbaar ben ik daar nooit overheen gegroeid.'

'Zijn grootvader was boer.' Patty wierp Gavin een vrolijke glimlach toe. 'Dus het zit hem in het bloed.'

Had ze dat geweten? Waarom had ze dat niet geweten? 'Hier, in Virginia?'

Patty's ogen werden groot van verbazing en ze keek naar Gavin. 'Eh…'

'Ik dacht dat je het wist: jouw grootmoeder heeft mijn grootvaders boerderij gekocht.'

'Ik… Wat? De Little Farm? Was die van jou?'

'Hij is nooit van mij geweest, liefje. Mijn opa heeft hem verkocht toen ik nog een jochie was. Ik weet nog hoe ik er achter de kippen aanjoeg en dat ik daarvoor op mijn donder kreeg. Mijn vader wilde geen boer worden en zijn broers en zussen, degenen die toen nog in leven waren, waren in alle windstreken uitgewaaid. Dus, nou ja, hij heeft hem verkocht. Janet was toen hier om op locatie te filmen: *Barn Dance*.'

'Dat deel van het verhaal ken ik. Ze werd verliefd op de boerderij die ze gebruikten en heeft hem ter plekke gekocht.'

'Min of meer ter plekke,' zei Gavin glimlachend. 'En opa heeft een Winnebago-camper gekocht, echt, ik zweer het, en is er samen met oma opuit getrokken. De zes of zeven jaar daarna zijn ze overal heen gereisd, tot ze een beroerte kreeg.'

'Het was het land van de McGowans.'

'Dat is het nog steeds.' Nog altijd glimlachend nam Gavin een slokje thee. 'Ja, toch?'

'Ik vind het een prachtige cirkel.' Patty gaf een klopje op Cilla's hand. 'Ik weet nog hoe het licht glinsterde in dat huis als Janet Hardy er was. En als je er 's zomers langs reed met de raampjes open kon je muziek horen en misschien vrouwen in prachtige kleren zien, en vreselijk knappe mannen. Af en toe kwam ze naar de stad of reed ze rond in haar cabriolet. Ze was een echt plaatje.'

Patty pakte de kan nogmaals op, alsof ze haar handen iets te doen wilde geven. 'Ze is een keer bij ons geweest toen we een nest puppy's te koop hadden. Voor vijf dollar. Onze collie had een avontuurtje gehad met een

toevallige passant van onbestemd ras. Ze heeft een puppy van ons gekocht. Ze ging zo zitten en liet de hondjes op haar springen en over haar
heen kruipen. En ze lachte en lachte maar. Ze had een heel aanstekelijke
lach. Het spijt me. Ik ratel maar door.'

'Nee. Daar wist ik allemaal niks van. Ik weet veel te weinig. Was dat de
hond die…'

'Ja. Ze noemde hem Hero. De oude Fred Bates trof hem dolend op de
weg aan en hij heeft hem in zijn pick-up gezet en teruggereden. Hij was
degene die haar die ochtend heeft ontdekt. Het was een treurige dag.
Maar nu ben jij hier.' Patty legde haar hand opnieuw op die van Cilla.
'Nu zullen er weer lichtjes en muziek zijn.'

'Ze heeft de hond van jou gekocht en de boerderij van jouw grootvader,' mompelde Cilla, en ze keek Gavin aan. 'Nog een cirkel. Misschien
kun jij me helpen met de tuin.'

'Dat lijkt me leuk.'

'Ik heb vandaag een hovenier ingehuurd, maar ik weet nog niet wat ik
wil planten. Ik heb een boek over tuinieren in deze streek, maar ik kan
wel wat advies gebruiken.'

'Afgesproken. En ik heb nog een paar tuinboeken waar je misschien
nog wat ideeën uit kunt putten.'

'Een paar?'

Gavin grijnsde toen zijn vrouw haar ogen ten hemel sloeg. 'Wat meer
dan een paar. Wie heb je ingehuurd?'

'Morrow. Brian Morrow.'

'Goede keuze. Hij levert uitstekend werk en hij is betrouwbaar. Op de
middelbare school was hij een footballster en als hij zesjes haalde, vond
hij het wel best. Maar hij heeft een prima bedrijf en reputatie opgebouwd.'

'Dat heb ik gehoord. Ik heb vandaag nog een leerling van je ontmoet:
Ford Sawyer.'

'O, natuurlijk,' zei Patty. 'Die woont tegenover je.'

'Slimme jongen, altijd geweest.' Gavin knikte boven zijn thee. 'Had de
neiging om te dagdromen, maar als je hem ergens voor wist te interesseren, dan gebruikte hij zijn hersens. Hij is ook heel goed terechtgekomen.'

'O, ja? Wat doet hij dan?'

'Hij schrijft beeldromans, en illustreert die ook. Ik heb me laten vertellen dat dat niet gebruikelijk is. *The Seeker*? Die is van hem. Interessant werk.'

'*The Seeker*. Een soort supermisdaadbestrijder of iets dergelijks?'

'Min of meer. Een door pech achtervolgde privédetective komt per ongeluk achter het plan van een gek om de mooiste kunst van de wereld te vernietigen met behulp van een moleculaire vervormer die hem onzichtbaar maakt. Zijn hoop hem tegen te houden, en zelf beroemd en rijk te worden, resulteert in de dood van zijn toegewijde vriendin. Zelf wordt hij voor dood achtergelaten, maar hij is ook blootgesteld aan de vervormer.'

'En krijgt daardoor de gave van onzichtbaarheid,' maakte Cilla het verhaal af. 'Ik heb erover gehoord. Een paar mannen die hielpen met het opknappen van mijn huizen waren gek op beeldromans. Net als Steve,' zei ze, verwijzend naar haar ex-man. 'Ze konden de halve dag ruziemaken over de vraag wie beter was: de Seeker, de Dark Knight of X-Men. Toen ik iets zei over volwassen kerels en stripverhalen, keken ze me alleen heel kwaad aan.'

'Gavin vindt ze leuk. Nou, vooral die van Ford.'

'Echt waar?' Het beeld van de rustige schoolleraar die een strip over superhelden las, vond ze grappig. 'Omdat hij een oud-leerling van je is?'

'Dat speelt zonder meer een rol. En de jongen vertelt een goed, stevig verhaal dat draait om een gecompliceerd personage die verlossing zoekt door het kwade op te zoeken. Hij wilde doen wat goed is, maar om de verkeerde redenen. Hij wilde een gek tegenhouden om er zelf beter van te worden. En die ene daad heeft het leven gekost van de vrouw die van hem hield en die hij onverschillig behandelde. Zijn gave van onzichtbaarheid wordt een metafoor: hij wordt een held, maar zal nooit gezien worden. Heel interessant.'

'Hij is single,' voegde Patty eraan toe, en Gavin begon te lachen. 'Nou, ik zeg het alleen omdat hij tegenover haar woont en Cilla alleen op de boerderij zal zijn. Misschien wil ze af en toe wat gezelschap.'

Dit kon ze maar beter meteen de kop indrukken, dacht Cilla. 'Nou, overdag ben ik bezig met de verbouwing en 's avonds moet ik de volgende fasen van de klus plannen. Voorlopig zal ik het veel te druk hebben voor gezelschap. Sterker nog, ik moet weer aan de slag. Ik heb morgen een druk programma.'

'O, kun je niet nog even blijven?' protesteerde Patty. 'Blijf lekker eten. Ik heb al een lasagne klaarstaan, hij hoeft alleen nog in de oven. Dat duurt niet lang.'

'Dat lijkt me heerlijk.' En dat was ook zo, dacht Cilla. 'Ik wil graag blijven eten.'

'Blijf jij hier maar zitten en drink nog een glas thee met je vader.'

Cilla keek naar Patty die opsprong en over het terras het huis in liep. 'Moet ik haar niet even helpen?'

'Ze vindt het leuk om veel aandacht te schenken aan de maaltijden. Dat ontspant haar, zoals tuinieren mij ontspant. Ze vindt het prettiger als je hier blijft en haar haar gang laat gaan.'

'Ik maak haar zenuwachtig.'

'Dat gaat wel over. Geloof me, ze zou heel teleurgesteld zijn geweest als je niet was blijven eten. Lasagne is haar specialiteit. Elke zomer maakt ze de saus van mijn tomatenoogst en die doet ze in potten.'

'Dat meen je niet.'

Zijn lippen vertrokken zich bij het horen van haar onmiddellijke en totale verbazing. 'Het is een andere wereld, liefje.'

'Zeg dat wel.'

Cilla ontdekte dat de mensen in deze wereld zelfgemaakte lasagne en appeltaart aten en dat een maaltijd om het eten draaide en niet als een voorstelling werd gezien. En elke gast of familielid – en ze meende dat zij er een beetje tussenin viel – kreeg van alles een bord met restjes bedekt met aluminiumfolie mee naar huis. Als de gast of het familielid nog moest rijden, kreeg ze één glas wijn bij het eten en werd haar na afloop koffie voorgezet.

Cilla keek op haar horloge en glimlachte. En kon ze om acht uur haar eigen voordeur binnengaan.

Nadat ze de borden in haar trouwe koelkast had gedaan, zette ze haar handen in haar zij en keek om zich heen. De kale peertjes zorgden voor een hard licht en harde schaduwen en lieten duidelijk zien dat het pleister was gebarsten en de vloerplanken waren bekrast. Arme oude dame, dacht ze. Je bent hard toe aan een facelift.

Ze pakte haar zaklamp, deed hem aan voor ze de lampen aan het plafond uitdeed en gebruikte hem om zich bij te lichten. Ze liep naar de trap.

Ze wierp een blik uit het raam aan de voorkant en zag de lichtjes fonkelen in de huizen die verspreid over de heuvels en velden stonden. Ook andere mensen waren klaar met hun zelfgemaakte maaltijden en zaten nu tv te kijken of handelden nog wat administratie af, vermoedde ze. Misschien werden er kinderen naar bed gebracht of werd er tegen ze gezegd dat ze hun huiswerk moesten gaan maken.

Ze betwijfelde of er kinderen bij waren die de veranderingen in het script van de volgende dag moesten leren of al geeuwend nog een keer hun tekst oefenden. Dom om jaloers op ze te zijn omdat zij iets hadden wat zij nooit had gehad, dacht Cilla.

Terwijl ze daar stond zocht ze de lichtjes van Fords huis.

Werkte hij aan het volgende avontuur van de Seeker? Of at hij een diepvriespizza? Dat was volgens haar namelijk de vrijgezellenversie van een zelfgemaakte maaltijd. En wat deed een schrijver van stripverhalen – nee, sorry, beeldromans – in een prachtig gerenoveerd victoriaans huis op het platteland van Virginia?

Een beeldromanschrijver die single was, herinnerde ze zich met een grijns, een onbetwistbaar sexy lijzige manier van praten had en een lome tred die bijna stoer te noemen was.

Wat de redenen ook waren, het was prettig om de lichtjes aan de andere kant van de weg te zien. Dichtbij, maar niet te dichtbij. Vreemd gerustgesteld door de lichtjes, draaide ze zich om en ging naar boven, waar ze zich in haar slaapzak liet glijden om aan haar plannen te werken.

Haar mobieltje wekte haar uit een diepe slaap, haar ogen schoten open en gingen net zo snel weer dicht tegen de gloed van het licht dat ze niet had uitgedaan voor ze in slaap was gevallen. Vloekend deed Cilla een oog een stukje open en tastte met haar hand over de vloer naar haar telefoon.

Hoe laat was het in godsnaam?

Met kloppend hart las ze de tijd op de telefoon. 3.28 uur 's nachts. Ook stonden haar moeders naam en nummer op het schermpje.

'Shit.' Cilla klapte het mobieltje open. 'Wat is er aan de hand?'

'Wat is dat nou voor rare manier om op te nemen? Zeg je tegenwoordig geen gedag meer?'

'Dag, mam. Wat is er aan de hand?'

'Ik ben niet blij met je, Cilla.'

Dat is bepaald geen nieuws, dacht Cilla. En je bent dronken of stoned. Ook dat was niets nieuws. 'Het spijt me dat te moeten horen, vooral om half vier 's nachts, oostelijke tijd. En toevallig ben ik nu aan de oostkust, weet je nog?'

'Ik weet waar je bent.' De stem van Bedelia werd scherper, zelfs al sprak ze met dubbele tong. 'Dat weet ik verdomd goed. Je bent in het huis van míjn moeder, en je hebt me beduveld zodat ik het aan jou gaf. Ik wil het terug.'

'Ik ben in het huis van mijn grootmoeder dat je aan me hebt verkocht. En je krijgt het niet terug. Waar is Mario?' vroeg ze, verwijzend naar haar moeders huidige echtgenoot.

'Dit heeft niks met Mario te maken. Dit is iets tussen jou en mij. Wij zijn alles wat er nog van haar is! Je weet donders goed dat je me op een zwak moment hebt getroffen. Je hebt misbruik gemaakt van mijn kwetsbaarheid en mijn verdriet. Ik wil dat je onmiddellijk terugkomt om de overdrachtspapieren of hoe die dingen ook heten te verscheuren.'

'Verscheur jij dan de kascheque voor de verkoopprijs?'

Er volgde een lange, kille stilte en Cilla ging gapend weer liggen.

'Jij bent koud en ondankbaar.'

Het dunne vernisje tranen om de woorden was veel te berekenend, en werd te vaak gebruikt om een reactie op te roepen. 'Ja, dat klopt.'

'Na alles wat ik voor je heb gedaan, alle opofferingen die ik me heb getroost, die je allemaal aan de kant hebt geschoven. En in plaats dat je me nu wilt terugbetalen voor alle jaren dat ik jou op de eerste plaats heb laten komen, gooi je geld in mijn gezicht.'

'Zo kun je het zien. Ik hou de boerderij. En ga alsjeblieft niet mijn tijd, of de jouwe, verspillen door ons ervan proberen te overtuigen dat dit huis iets voor je betekent. Ik ben er binnen, ik heb met eigen ogen gezien hoeveel het voor je betekent.'

'Ze was mijn móéder!'

'Ja, en jij bent de mijne. Dat is het kruis dat we moeten dragen.'

Cilla hoorde de klap en stelde zich voor dat het glas met haar moeders favoriete nachtmutsje, Ketel One met ijs, de dichtstbijzijnde muur raakte. Ze vroeg huilend: 'Hoe kun je zoiets vreselijks tegen me zeggen?'

Op haar rug liggend, sloeg Cilla haar arm voor haar ogen en wachtte tot het getier en gesnik voorbij waren. 'Ga naar bed, mam. Je moet dit soort gesprekken niet voeren als je hebt gedronken.'

'Alsof jou dat iets kan schelen. Misschien doe ik wel hetzelfde als zij heeft gedaan. Misschien maak ik er gewoon een einde aan.'

'Dat mag je niet zeggen. Morgenochtend voel je je vast een stuk beter.' Of niet. 'Je moet gewoon een nachtje lekker slapen. Je moet je show plannen.'

'Iedereen wil dat ik haar ben.'

'Nee, dat willen ze niet.' Eigenlijk ben jij de enige die dat wil. 'Ga slapen, mam.'

'Mario. Ik wil Mario.'

'Ga naar bed. Ik regel het wel. Hij zal er zijn. Beloof me dat je naar bed gaat.'

'Goed, goed. Ik wil toch niet meer met jou praten.'

Toen ze de telefoon in haar oor hoorde klikken, bleef Cilla nog even in dezelfde houding liggen. De jammerende terechtwijzing aan het eind gaf aan dat Dilly klaar was, dat ze naar bed zou gaan, of op het dichtstbijzijnde geschikte oppervlak zou gaan liggen en het bewustzijn zou verliezen. Maar ze waren niet langer in de gevarenzone.

Cilla drukte op de sneltoets die ze had toegewezen aan nummer Vijf. 'Mario,' zei ze toen hij opnam. 'Waar ben je?'

In minder dan een minuut had ze de situatie samengevat, dus onderbrak ze Mario's bezorgde vragen en verbrak de verbinding. Cilla twijfelde er niet aan dat hij zich naar huis zou haasten om Dilly de genegenheid, aandacht en troost te bieden die ze zocht.

Klaarwakker en geërgerd kroop ze uit haar slaapzak. Met haar zaklamp in de hand ging ze naar de wc. Daarna liep ze naar beneden om een fles water te halen. Voor ze de keuken in ging, opende ze de voordeur en stapte op het kleine stukje van de veranda dat er nog was.

Alle mooie fonkelende lichtjes waren weg, zag ze, en de heuvels waren stikdonker. Een paar sterren slaagden erin de wolken te doorboren, maar zelfs met dat licht leek het net alsof ze een graftombe in stapte. Zwart, stil en koud. De bergen leken zich voor de nacht te hebben opgevouwen en de lucht was zo onbeweeglijk dat ze het huis achter zich bijna kon horen ademhalen.

'Vriend of vijand?' vroeg ze hardop.

Mario zou zich naar het huis in Bel Air spoeden, mompelen en stre-len, vleien en overreden en uiteindelijk zijn dronken wrak van een vrouw in zijn gespierde (en jongere) Italiaanse armen nemen en haar naar hun bed dragen.

Dilly zei altijd – en met grote regelmaat – dat ze zo eenzaam was. Maar ze wist niet eens wat het woord betekende, dacht Cilla. Ze wist niet hoe diep eenzaamheid kon zijn.

'Wist jij dat wel?' vroeg ze aan Janet. 'Ik geloof dat je heel goed wist hoe het was om alleen te zijn. Om omringd te worden door mensen, maar je toch eenzaam en ellendig te voelen. Nou, weet je, ik weet ook hoe dat is. En dit is beter.'

Het was veel beter om alleen te zijn in een stille nacht dan om alleen te zijn in een grote menigte. Veel beter.

Ze ging het huis weer in, deed de deur dicht en sloot hem af.

En ze liet het huis om zich heen zuchten.

3

Ford bracht twee hele uren door met het bekijken van Cilla door zijn verrekijker en haar vanuit verschillende hoeken te tekenen. Tenslotte had het concept niet alleen een zetje gekregen door haar uiterlijk, maar ook door de manier waarop ze zich bewoog. De lijnen, rondingen, de vorm, de kleur: het hoorde er allemaal bij. Maar beweging was de sleutel. Sierlijkheid en souplesse. Niet op een balletachtige manier, dat niet. Meer… het soort sierlijkheid van een sprinter. Kracht en wilskracht in plaats van kunstzinnigheid en lichtvoetigheid.

De kracht van een krijger, dacht hij. Spaarzaam en dodelijk.

Hij wenste dat hij haar goed kon observeren met haar haren los in plaats van in een staart. Een goede blik op haar armen én haar benen zou ook helpen. En als er ook nog andere lichaamsdelen in het vizier kwamen, zouden zijn gevoelens daar echt niet door gekwetst worden.

Hij had haar gegoogeld en een aantal foto's bekeken, en hij had haar films op NetFlix gezocht zodat hij die had om te bestuderen. Maar de laatste film die ze had gemaakt – *I'm Watching, Too!* – was acht jaar oud.

Hij wilde de vrouw, niet het meisje.

Het verhaal zat al in zijn hoofd, opgesloten en duwend om naar buiten te komen. De avond ervoor had hij vals gespeeld en een paar uur onttrokken aan zijn nieuwste Seeker-roman om de samenvatting op papier te zetten. Misschien speelde hij vandaag ook nog een beetje vals, maar hij wilde een paar tekeningen maken, en dat wilde hij pas doen als hij gedetailleerdere schetsen had.

Het probleem was dat zijn model te veel kleren aanhad.

'Ik wil haar echt heel graag naakt zien,' zei hij, en Spock liet een soort bijdehand gesnuif horen. 'Nee, niet op die manier. Nou, ja, ook op die manier. Wie zou dat niet willen? Maar ik bedoel het beroepsmatig.'

Daarop klonk gegrom en gekreun en Spock draaide zich op zijn zij. 'Het is nu eenmaal mijn beroep. Ik krijg er voor betaald en zo en daardoor kan ik eten voor jou kopen.'

Spock pakte het kleine, versleten beertje dat hij overal met zich meedroeg, rolde zich nog een keer om en liet het op Fords voet vallen. Daarna sprong hij hoopvol op en neer.

'Hier hebben we het al eerder over gehad. Jij moet voor zijn eten zorgen.'

Ford negeerde de hond en dacht weer aan Cilla. Hij zou nog een keer langsgaan zoals het een goede buurman betaamt. Eens kijken of hij haar kon overhalen om voor hem te poseren.

Binnen stopte hij zijn schetsboek, zijn potloden en een exemplaar van *The Seeker: Vanished* in een tas en hij vroeg zich toen af of hij iets in huis had dat als steekpenning kon dienen.

Uiteindelijk pakte hij een goede fles cabernet, deed die ook in de tas en begon aan de korte wandeling naar de overkant. Spock liet de beer in de steek en kwam overeind om hem achterna te gaan.

Ze zag hem komen toen ze de volgende lading troep en puin naar de container bracht die ze had gehuurd. Binnen in het huis was ze bezig met het aanleggen van stapels hout en lijsten die ze hoopte te kunnen redden. De rest moest weg. Rottend hout werd niet op magische wijze gerestaureerd door sentimentele gevoelens.

Cilla gooide de berg weg en zette haar gehandschoende handen in haar zij. Wat wilden haar ongelooflijke knappe buurman en zijn aantrekkelijk lelijke hondje deze keer?

Ze zag dat hij zich had geschoren. Dus zijn sjofele uiterlijk was waarschijnlijk eerder het gevolg geweest van luiheid dan van opzet. Luiheid had ze liever. Aan een van zijn schouders hing een grote leren pukkel en hij stak ter begroeting vriendelijk zijn hand op toen hij op haar inrit liep.

Spock snuffelde rond de container en leek die leuk genoeg te vinden om zijn poot op te tillen.

'Hoi. Je hebt het de laatste dagen heel druk gehad.'

'Tijd verspillen heeft geen zin.'

Zijn grijns werd langzaam en rustig breder. 'Soms heeft tijd verspillen wel degelijk zin.' Hij wierp een blik op de container. 'Ben je het huis van binnen aan het slopen?'

'Niet alles, maar meer dan ik had gehoopt. Bij verwaarlozing duurt het langer voor een huis is beschadigd dan bij opzettelijke vernieling, maar het uiteindelijke resultaat is hetzelfde. Dag, Spock.' Bij het horen van de begroeting liep de hond naar haar toe en stak een poot uit. Goed, dacht Cilla toen ze hem schudde. Hij is lelijk, maar wel charmant. 'Wat kan ik voor je doen, Ford?'

'Daar kom ik zo op. Maar eerst wil ik je dit geven.' Hij graaide in de tas en haalde de fles rode wijn tevoorschijn.

'Lekker. Dank je.'

'En dit.' Hij pakte de beeldroman. 'Wat te lezen voor bij je wijn aan het einde van de dag. Dit is wat ik doe.'

'Jij drinkt wijn en leest strips?'

'Ja, dat ook, maar ik bedoelde eigenlijk dat ik ze schrijf en teken.'

'Dat heeft mijn vader me verteld en ik was sarcastisch.'

'Dat begreep ik wel. Naast een aantal vreemde talen spreek ik ook vloeiend sarcasme. Lees jij ze wel eens?'

Grappige kerel, dacht ze, met zijn grappige hondje. 'Ik heb heel veel Batman gelezen toen ze aan het casten waren voor de rol van Batgirl in de film met Clooney. Dat heb ik verloren van Alicia Silverstone.'

'Dat is waarschijnlijk maar goed ook, als je bedenkt hoe die film is geworden.'

Cilla trok een wenkbrauw op. 'Ik zei dus: George Clooney.'

Ford kon slechts zijn hoofd schudden. 'Michael Keaton was Batman. Het gaat allemaal om de "ik ben een beetje gek"-blik in zijn ogen. Bovendien draaide de boel niet meer lekker na de Keaton-films. En breek me de bek niet open over Val Kilmer.'

'Goed. Hoe dan ook, ik heb me voorbereid op de audities door de voorgaande films te bestuderen, en ja, Keaton was fantastisch, en door een aantal van de albums te lezen en me te verdiepen in de mythologie. Waarschijnlijk heb ik er veel te veel werk van gemaakt.'

Ze haalde haar schouders op over iets wat op haar zestiende een grote klap voor haar was geweest. 'Doe jij je eigen illustraties?'

'Ja.' Hij bekeek haar terwijl zij de voorkant bekeek. Moet je die mond en de hoek van haar kin zien, dacht hij. Zijn vingers jeukten om zijn boek en potlood te pakken. 'Ik ben territoriaal en egocentrisch. Niemand kan het zoals ik het kan, dus krijgt niemand daar de kans voor.'

Ze bladerde door het boek terwijl hij sprak. 'Het is heel veel. Bij strips denk ik altijd aan twintig pagina's vol felle kleuren en personages die BOEM! en ZAP! doen. Jouw kunst is sterk en levendig met heel veel donkere randjes.'

'The Seeker heeft veel donkere randjes. Ik ben net de laatste hand aan een nieuwe aan het leggen. Die moet over een paar dagen klaar zijn. Als jij me niet had afgeleid, zou ik hem waarschijnlijk vandaag al af hebben gehad.'

De wijn die ze in haar gebogen arm hield, leek ineens een heel ander soort gewicht aan te nemen. 'Hoe heb ik dat dan gedaan?'

'Door hoe je eruitziet en hoe je je beweegt. Ik probeer je niet te versieren op het persoonlijke vlak.' Hij liet zijn blik omlaag glijden. 'Nog niet,' preciseerde hij. 'Het is iets beroepsmatigs. Ik heb een nieuw personage verzonnen, dat centraal staat in een andere serie, en niets met de Seeker te maken heeft. Een vrouw, vrouwelijke kracht, kwetsbaarheden, standpunten, problemen. En de dualiteit… Nee, dat doet er nu niet toe,' zei hij. 'Jij bent mijn vrouw.'

'Pardon?'

'Dr. Cass Murphy, professor archeologie. Een koele, stille, eenzelvige vrouw die leeft voor haar veldonderzoek. De ontdekking. Wonderkind. Niemand kan bij Cass in de buurt komen. Zo is ze opgevoed. Ze is emotioneel ongenaakbaar.'

'Ben ik emotioneel ongenaakbaar?'

'Dat weet ik nog niet, maar zij is het wel. Ze wil niet opgemerkt worden. Als de mensen haar zien, dan komen ze haar misschien in de weg te staan en laten ze haar dingen voelen die ze niet wil voelen. Zelfs tijdens een opgraving is ze… Zie je?'

'Hmm. Niet saai, maar efficiënt en praktisch. Mogelijk sexy op een subtiele manier, gezien de mannelijke snit van het overhemd en de broek. Zo voelt ze zich meer op haar gemak.'

'Precies. Je hebt hier aanleg voor.'

'Ik heb heel wat storyboards gelezen. Ik heb geen verstand van jouw metier, maar ik zie niet veel verhaal met dit personage.'

'O, Cass bestaat uit veel lagen,' verzekerde hij haar. 'We moeten ze stukje bij beetje blootleggen zoals zij artefacten bij een opgraving blootlegt. Zoals ze een eeuwenoud wapen en symbool van macht opgraaft als ze opgesloten zit in een grot op een mythisch eiland dat ik moet creëren, nadat ze de snode plannen heeft ontdekt van de geldschieter van het project, die ook een boze tovenaar is.'

'Uiteraard.'

'Het is nog lang niet af, maar hier is ze. Brid. Krijgshaftige godin.'

'Wauw.' Meer schoot haar niet te binnen. Ze leek louter uit leer, borstschild en borsten te bestaan. Het saaie en praktische was veranderd in brutaal, gevaarlijk en sexy. Haar benen waren in kniehoge laarzen gestoken, ze had een dikke bos wilde krullen en in haar hand hield ze een tweekoppige hamer met een korte steel die ze omhoog stak naar de hemel.

'Misschien heb je de cupmaat wat overdreven,' zei ze.

'De… O, nou ja, dat valt moeilijk in te schatten. En de vorm van het borstschild duwt ze natuurlijk omhoog. Maar daarmee geef je meteen aan wat jij voor me kunt doen. Namelijk poseren. Uit spontane schetsen kan ik in principe alles halen wat ik nodig heb, maar het is beter als ik…'

'Ho.' Ze sloeg haar hand over de zijne toen hij naar een pagina bladerde die vol stond met tekeningetjes van haar. 'Dat zijn geen karakterschetsen. Dat ben ik.'

'Ja, nou, in feite komt dat op hetzelfde neer.'

'Jij zat daar naar mij te kijken terwijl ik hier was en je maakte tekeningen van me zonder mijn toestemming? Vind je dat niet onbeleefd en opdringerig?'

'Nee, dat zie ik als werk. Als ik naar je huis sloop en door je raam gluurde, zou het onbeleefd en opdringerig zijn. Je beweegt je als een atlete, met een vleugje danseres. Zelfs als je alleen maar ergens staat, maak je nog indruk. Dat is precies wat ik zoek. Ik heb je toestemming niet nodig om een personage op jouw fysieke gestalte te baseren, maar als je meewerkt, kan ik haar beter neerzetten.'

Ze duwde zijn hand weg om terug te bladeren naar de krijgshaftige godin. 'Dat is mijn gezicht.'

'En het is een prachtig gezicht.'

'En als ik zeg dat ik mijn advocaat ga bellen?'

Bij Fords voeten gromde Spock. 'Dat zou kortzichtig en hard zijn. Maar die keuze is aan jou. Ik geloof niet dat het ergens toe zal leiden, maar om mezelf de rompslomp te besparen, kan ik wel wat veranderingen aanbrengen. Een bredere mond, langere neus. Ik kan haar rood haar geven, ja, dat is geen slecht idee. Scherpere jukbeenderen. Eens even kijken.'

Hij haalde een potlood tevoorschijn en bladerde naar een lege bladzijde. Terwijl Cilla toekeek, deed hij een snelle schets uit de losse pols.

'De ogen laat ik zo,' mompelde hij al werkend. 'Je hebt waanzinnige ogen. De mond breder, de onderlip iets meer aanzetten, de rand van de jukbeenderen zo scherp maken alsof ze met een diamant zijn gesneden, de neus verlengen. Het is nog ruw, maar dit is ook een prachtig gezicht.'

'Als je soms denkt dat je me op deze manier kunt bewegen om…'

'Maar ik vind het jouwe mooier. Kom op, Cilla. Wie wil er nou geen superheld zijn? Ik verzeker je dat Brid veel vaker zal vechten dan Batgirl.'

Ze vond het vreselijk om zich dom te voelen en te merken dat haar woede haar opjutte. 'Ga weg. Ik heb het druk.'

'Moet ik daaruit afleiden dat je niet voor me wilt poseren?'

'Daaruit mag je afleiden dat ik mijn eigen magische hamer zal pakken en je er een klap voor je kop mee zal geven als je niet weggaat.'

Haar handen balden zich tot vuisten toen hij naar haar glimlachte. 'Zo hoor ik het graag. Laat me maar weten als je van gedachten verandert,' zei hij, en hij liet het schetsboek in zijn tas glijden. 'Tot de volgende keer,' voegde hij eraan toe, en nadat hij zijn potlood achter zijn oor had gestoken, liep hij met zijn lelijke hondje haar oprit af.

Ze bleef erover piekeren. Door het fysieke werk kwam ze over haar kwaadheid heen, maar het gepieker zou uit zichzelf moeten ophouden. Het was godverdomme net iets voor haar om zowat midden in niemandsland te gaan wonen en vervolgens opgezadeld te zitten met een nieuwsgierige, opdringerige buurman die totaal geen respect had voor grenzen of privacy.

Haar grenzen. Haar privacy.

Haar enige wens was doen wat ze zelf wilde, in haar eigen tempo, op haar eigen manier, en voornamelijk in haar eentje. Ze wilde hier iets opbouwen, haar brood verdienen. Op haar eigen voorwaarden.

De pijn en het ongemak van zware lichamelijke arbeid konden haar niets schelen. Sterker nog, die beschouwde ze als een ereteken, net als elke blaar en eeltplek.

Ze verdomde het dat al haar bewegingen zouden worden gedocumenteerd door een of andere tekenaar.

'Krijgshaftige godin,' mompelde ze binnensmonds terwijl ze verstopte en doorgebogen goten schoonmaakte. 'Haar haren rood maken, haar collageenlippen en een D-cup geven. Echt iets voor een man.'

Ze klom de schuifladder af en, aangezien de goten haar laatste klus van die dag waren, ging ze direct op de grond liggen.

Alles deed pijn.

Ze wilde weken in een bubbelbad tot ze helemaal slap was en daarna een uur lang gemasseerd worden. Om het af te ronden met een paar glazen wijn en eventueel seks met Orlando Bloom. Misschien dat ze zich daarna weer mens zou voelen.

Omdat van die lijst alleen de wijn onder handbereik was zou ze daar genoegen mee nemen. Als ze zich weer kon bewegen.

Met een zucht besefte ze dat het pieker-deel van het programma erop zat en nu haar geest helder en haar lichaam uitgeput was, wist ze de belangrijkste reden voor haar reactie op Fords tekeningen.

De tien jaar therapie die ze had gehad wierp haar vruchten af.

Daarom kwam ze kreunend overeind en ging ze naar binnen voor de wijn.

Terwijl Spock en zijn beer majestueus snurkten, inktte Ford de laatste plaat. Hoewel het voltooide werk in kleur zou zijn, was het Fords gewoonte om het inkten te benaderen als een bijna definitieve versie van het uiteindelijke kunstwerk.

Hij had de randen van de platen en de omtrekken van de voorwerpen op de achtergrond al geïnkt met zijn 108 Hunt-kroontjespen. Nadat hij klaar was met de lichte kant van zijn voorgronden, deed hij een stap achteruit, kneep zijn ogen tot spleetjes, bestudeerde het geheel en keurde het goed. Weer glipte de Seeker, met afhangende schouders, neergeslagen ogen en zijn gezicht half afgewend, terug naar de schaduwen die zijn bestaan voortdurend plaagden.

Arme drommel.

Ford maakte de pen schoon en legde hem terug op zijn plekje op zijn werktafel. Hij pakte een penseel, doopte hem in Oost-Indische inkt en begon de schaduw met brede stroken over de lijntjes van zijn tekenpen in te vullen. Telkens als hij het penseel een paar keer in de inkt had gedoopt, maakte hij hem schoon. Het proces vereiste tijd en geduld en een vaste hand. Omdat hij grote stukken zwart in zijn laatste, sombere plaat wilde, vulde hij die alvast gedeeltelijk in, want hij wist dat door te veel inkt in één keer zijn pagina zou kromtrekken.

Toen het gebonk beneden op de deur en Spocks daaropvolgende angstige geblaf hem stoorden, deed hij wat hij altijd deed bij een onderbreking. Hij vloekte. Toen hij daarmee klaar was, bromde hij een reeks woorden: zijn kleine rituele bezwering. Hij haalde het penseel nog een keer door het water en nam het met zich mee toen hij naar beneden ging om open te doen.

Zijn ergernis maakte plaats voor nieuwsgierigheid toen hij Cilla op zijn veranda zag staan met de fles cabernet in haar hand.

'Niks aan de hand, Spock,' zei hij om de hevig blaffende hond die boven aan de trap stond te laten ophouden met trillen.

'Hou je niet van rood?' vroeg hij aan Cilla, de deur openend.

'Ik heb geen kurkentrekker.'

Ditmaal begroette de hond haar met een aantal vreugdesprongetjes en hij streek enthousiast met zijn lijf langs haar benen. 'Ik vind het ook leuk om jou te zien.'

'Hij is opgelucht dat je geen invasieleger van zijn thuisplaneet bent.'

'Ik ook.'

Ford grijnsde om haar reactie. 'Goed, kom binnen. Ik zal een kurkentrekker zoeken.' Hij liep een stukje de hal in en keerde zich toen weer om. 'Wil je een kurkentrekker lenen of wil je dat ik de fles open zodat we er samen van kunnen drinken?'

'Maak maar open.'

'Ga maar mee naar achteren. Ik moet eerst mijn penseel schoonmaken.'

'O, je bent aan het werk. Geef me dan de kurkentrekker maar.'

'O, dus jij bent zo iemand die eerst iets geeft en het dan terug vraagt. Het werk komt wel. Hoe laat is het eigenlijk?'

Ze zag dat hij geen horloge om had, en keek op dat van haar. 'Ongeveer half acht.'

'Dan komt het zeker wel, maar het penseel moet ik wel schoonmaken. Zeep, water, kurkentrekker en glazen zijn allemaal in de keuken. Heel praktisch.' Achteloos pakte hij haar arm, maar wel stevig genoeg om haar te krijgen waar hij haar hebben wilde.

'Ik vind je huis heel leuk.'

'Ik ook.' Hij ging haar voor door een brede gang met een hoog plafond, met langs de randen een roomkleurige bewerkte lijst. 'Ik heb het min of meer gekocht zoals het er nu uitziet. De vorige eigenaars hadden het netjes opgeknapt, dus ik hoefde er alleen meubels in te zetten.'

'Waarom heb je het gekocht? Meestal heeft een koper een of twee doorslaggevende redenen. Dit zou voor mij een reden zijn,' voegde ze eraan toe toen ze de ruime keuken binnen liep met de brede granieten bar, waarachter een gezellige huiskamer lag.

'Nou, eigenlijk het uitzicht en het licht van boven. Ik werk boven, dus dat was het belangrijkst.'

Hij opende een la en had de kurkentrekker zo snel te pakken dat ze eruit afleidde dat hij alles netjes opgeborgen had. Hij legde het gereedschap opzij en liep naar de gootsteen om het penseel te wassen.

Spock deed iets wat veel weg had van een springerig dansje met klikkende nagels en schoot toen door een deuropening. 'Waar gaat hij heen?'

'Ik ben in de keuken en dan gaat er een voedselsignaal naar zijn hersens. Dat was zijn dansje van geluk.'

'O, ja?'

'Ja, hij is een vrij primitieve kerel. Eten maakt hem gelukkig. In de bijkeuken staat een automatische voederbak en er zit een hondenluik. Maar goed, de keuken is nogal verspild aan mij, net als het eetgedeelte dat ze daar hadden gemaakt, omdat ik meestal niet ga zitten voor mijn maaltijden. Ik ben ook een vrij primitieve kerel. Maar ik heb graag ruimte om me heen.'

Hij zette het gewassen penseel in een glas. 'Ga zitten,' zei hij uitnodigend terwijl hij de kurkentrekker oppakte.

Ze ging aan de bar zitten en keek bewonderend naar de roestvrijstalen dubbele ovens, de kersenhouten kastjes en het fornuis met zes pitten en een grill onder de glimmende roestvrijstalen kap. En, aangezien ze vandaag niet zo moe was en weer oog had voor haar omgeving, keek ze ook naar zijn kontje.

Uit een van de kastjes met bewerkte glazen deurtjes haalde hij twee rode wijnglazen en hij schonk de wijn in. Hij liep naar haar toe en bood haar er een aan. Vervolgens tilde hij het zijne op, leunde op de bar en zei: 'Nou.'

'Nou. We zullen waarschijnlijk nog wel een poos tegenover elkaar blijven wonen. Het is verstandiger als we de zaken uitpraten.'

'Goed plan.'

'Het is heel vleiend om gezien te worden als een mythische krijgshaftige godin,' begon ze. 'Gek, maar vleiend. Ergens geeft het me wel een kick, iets als een kruising tussen Xena en Wonder Woman, maar dan in de stijl van de eenentwintigste eeuw.'

'Dat klinkt goed, en je zit er niet erg ver naast.'

'Maar het bevalt me niks dat je me hebt bekeken en getekend zonder dat ik het wist. Dat vind ik vervelend.'

'Omdat je het als inbreuk op je privacy ziet. En ik zie het als natuurlijke observatie.'

Ze nam een slok. 'Mijn hele leven hebben mensen naar me gekeken en foto's van me genomen. Me geobserveerd. Als ik een wandeling ging maken, schoenen ging kopen, een ijsje ging halen, alles was een gelegenheid om een foto te maken. Het kan best zijn dat de uitjes vaak om die reden werden geregeld, maar daar had ik geen enkele zeggenschap over. En zelfs al zit ik nu niet meer in dat wereldje, ik blijf de kleindochter van Janet Hardy, dus het overkomt me van tijd tot tijd nog steeds.'

'En dat vind je vervelend.'

'Ja, precies. Ik ben er klaar mee. Ik wil dat bijproduct van Hollywood niet mee hiernaartoe nemen.'

'Ik kan met het andere gezicht leven, maar ik wil wel de ogen hebben.'

Ze nam nog een slok. 'Dit is voor mij het lastige. Ik wil niet dat je het andere gezicht gebruikt. Het is stom, maar ik vind het wel leuk dat ik de inspiratie ben voor de heldin uit een stripverhaal. En ik had nooit gedacht dat ik mezelf dat zou horen zeggen.'

Inwendig deed Ford een dansje van geluk. 'Dus het gaat niet om het eindresultaat, maar om het proces. Wil je iets eten? Ik wel.' Hij draaide zich om, opende een ander kastje en pakte een zak Dorito's.

'Dat is geen echt eten.'

'Daarom is het zo lekker. Ik heb míjn hele leven naar mensen gekeken en tekeningen gemaakt,' vervolgde hij terwijl hij in de zak graaide. 'Ik ben gaan tekenen vanaf het moment dat ik een krijtje kon vasthouden. Ik heb ze geobserveerd, de manier waarop ze bewegen, gebaren, de manier waarop hun gezicht en lichaam zijn samengesteld. Hoe hun houding is. Het is net als ademen. Iets wat ik moet doen. Ik zou je kunnen beloven dat ik niet naar je kijk, maar dan zou ik liegen. Ik kan je wel beloven om alle schetsen die ik maak aan jou te laten zien, en te proberen me aan die belofte te houden.'

Ze nam een Dorito omdat de zak er nou eenmaal was. 'En als ik ze vreselijk vind?'

'Als je een beetje smaak hebt, gebeurt dat niet en als het dan toch gebeurt, dan is het jammer.'

Nadenkend at ze nog een chip. Zijn stem was gemoedelijk gebleven, dacht ze, maar er had een stalen klank in gelegen. 'Dat is een harde opstelling.'

'Wat mijn werk betreft ben ik niet bepaald flexibel. Wat de rest aangaat, kan ik me aanpassen.'

'Dat type ken ik. Wat gebeurt er na het schetsen?'

'Je moet een verhaal hebben. De tekeningen zijn slechts de helft van een beeldroman. Maar je moet wel… Pak je glas. We gaan even naar boven.'

Hij haalde eerst zijn penseel op. 'Ik was bezig het laatste plaatje van *Payback* te inkten toen je aanklopte,' zei hij toen hij voor haar de keuken uit liep en naar de trap ging.

'Is deze trap origineel?'

'Dat weet ik niet.' Er verscheen een rimpel in zijn voorhoofd toen hij naar de treden keek. 'Wie weet. Hoezo?'

'Het is prachtig werk. De spijlen, de leuning, de afwerking. Iemand heeft veel aandacht aan dit huis besteed. Een wereld van verschil met het mijne.'

'Nou, daar breng jij nu verandering in. En je hebt Matt, een vriend van me, aangenomen om een deel van het timmerwerk te doen. Ik weet dat hij aan dit huis heeft gewerkt voor ik het kocht. En sindsdien heeft hij nog wat klusjes voor me gedaan.' Hij liep zijn studio in.

Cilla zag de prachtige brede kastanjehouten vloerplanken, de mooie hoge ramen en de brede, glanzende sierlijsten. 'Wat een schitterende kamer.'

'Groot. Hij was bedoeld als ouderslaapkamer, maar ik heb niet zo veel plek nodig om te slapen.'

Cilla richtte haar aandacht weer op hem en de verschillende werkplekken in de ruimte. Vijf grote en bijzonder lelijke dossierkasten stonden langs een muur. Aan een andere hingen planken met een zeer precies uitgestalde verzameling kunstbenodigdheden en gereedschappen. Een ander deel had hij gewijd aan actiepoppen en accessoires. Een handjevol van de verzameling herkende ze en ze vroeg zich af waarom Darth Vader en Superman zo vriendschappelijk met elkaar om leken te gaan.

In het midden van de kamer stond een enorm tekenbord. Vermoedelijk waren de dingen die erop lagen de platen waar hij het over had gehad. In het verlengde daarvan waren aan twee kanten werkbanken met vakjes met daarin een verscheidenheid aan gereedschap, potloden, penselen en riemen papier. Foto's, schetsen, plaatjes die uit tijdschriften waren gescheurd of geknipt van mensen, plaatsen en gebouwen. Op weer een ander deel van de tafel stond een computer, printer, scanner en een pop van *Buffy the Vampire Slayer*.

Ertegenover, om een brede U te vormen, stond een passpiegel.

'Dat zijn een hele hoop spullen.'

'Je hebt er ook veel spullen voor nodig. Maar voor de kunst, en dat is wat je echt wilt weten, maak ik een paar miljoen schetsen om mijn personages te casten, ze in kostuum te hijsen, met de achtergrond, voorgrond en omgeving te spelen. Op een gegeven moment schrijf ik het script en verdeel dat in plaatjes. Dan doe ik de portretjes; klein, snelle tekeningetjes waarmee ik kan zien hoe ik de ruimte moet indelen, hoe ik ze moet samenstellen. Dan teken ik de platen. Vervolgens inkt ik ze, en dat is precies hoe het klinkt.'

Ze liep naar het tekenbord. 'Zwart en wit, licht en schaduw. Maar het boek dat ik van je heb gekregen, was in kleur.'

'Dat zal dit ook worden. Vroeger deed ik het inkleuren en het letteren met de hand. Dat is leuk,' vertelde hij, met een heup tegen een poot van de U leunend. 'Maar ook heel erg tijdrovend. En als je vertaald wordt in het buitenland, zoals ik, dan is het heel lastig om met de hand getekende tekstballonnen te veranderen zodat de vertalingen erin passen. Daarom heb ik dat gedigitaliseerd. Ik scan de geïnkte plaatjes in de computer en dan gebruik ik Photoshop om ze in te kleuren.'

'De tekeningen zijn ontzettend goed,' zei Cilla. 'Ze vertellen het verhaal bijna zonder de teksten. Dat zijn heel sterke beelden.'

Ford liet een tel voorbijgaan en toen nog een. 'Ik wacht.'

Ze keek hem over haar schouder aan. 'Waarop?'

'Tot je vraagt waarom ik geen echte kunstenaar ben, maar mijn talent verspil aan strips.'

'Dan kun je lang wachten. Ik vind het geen verspilling als iemand doet wat hij wil, en daar bovendien in uitmunt.'

'Ik wist wel dat ik je aardig zou vinden.'

'Bovendien heb je het tegen iemand die acht jaar lang een rol heeft gespeeld in een sitcom die een half uur duurde. Dat was bepaald geen Ibsen, maar het was zonder meer origineel. Mensen zullen me herkennen door jouw kunst. Tegenwoordig ben ik wat in de vergetelheid geraakt, maar ik lijk behoorlijk op mijn oma, en zij is nog altijd bekend. Dat zal ze ook altijd blijven. De mensen zullen het verband leggen.'

'Is dat een probleem voor je?'

'Wist ik het maar.'

'Je hebt een paar dagen om erover te denken. Of…' Hij verschoof iets, opende een la en haalde er wat papieren uit.

'Je hebt een afstandsverklaring opgesteld,' zei Cilla na een blik op de papieren te hebben geworpen.

'Nou, het leek me dat je toestemming zou geven of niet. Als je het wel deed, konden we dit probleem uit de weg helpen.'

Ze liep bij hem vandaan, naar de ramen. Het licht fonkelde weer, dacht ze. Kleine diamanten flitsten in het donker. Ze keek naar de lichtjes en de hond die schaduwen najoeg in Fords achtertuin. Ze nam een teugje wijn. Toen draaide ze haar hoofd om om hem aan te kijken. 'Ik ga niet in een borstschild poseren.'

Een seconde voor hij begon te grijnzen verscheen er een geamuseerde blik in zijn ogen. 'Daar weet ik wel een mouw aan te passen.'

'Geen naakt.'

'Alleen voor mijn persoonlijke verzameling.'

Ze liet een kort lachje horen. 'Heb je een pen?'

'Wel een paar honderd.' Hij pakte een gewone balpen terwijl zij de kamer door liep.

'Ik heb nog een voorwaarde. Een persoonlijke, kleinzielige eis. Ik wil dat ze veel beter haar mannetje staat dan Batgirl.'

'Dat kan ik je garanderen.'

Nadat ze de drie exemplaren had getekend, gaf hij er eentje aan haar. 'Voor je administratie. Wat zeg je ervan als we nog een glas wijn nemen, een pizza bestellen en onze overeenkomst vieren?'

Ze ging wat achteruit. Hij was haar niet te dicht genaderd; zij was in zijn persoonlijke ruimte gestapt. Maar de tinteling in haar bloed waarschuwde haar om voor voldoende afstand tussen hen te zorgen. 'Nee, dank je. Jij hebt nog werk liggen, en ik ook.'

'De avond is nog jong.' Hij liep samen met haar de kamer uit. 'Morgen duurt lang.'

'Niet meer zo jong als eerst en morgen duurt nooit lang genoeg. Bovendien heb ik de tijd nodig om te fantaseren over het laten installeren van een jacuzzi.'

'Ik heb er een.'

Ze richtte haar blik op hem toen ze de trap af liepen. 'Heb je toevallig ook een masseur bij de hand?'

'Nee, maar ik ben wel heel bedreven met mijn handen.'

'Dat zal best. Nou, als je Orlando Bloom was, zou ik dit opvatten als een teken van boven en over ongeveer negentig minuten met je naar bed gaan. Maar aangezien je hem niet bent…' Ze opende zelf de voordeur. '… wens ik je een goedenacht.'

Met een frons keek hij haar na, en hij stapte de veranda op terwijl zij naar de weg liep. 'Orlando Bloom?'

Ze hief enkel haar hand op als een soort laat maar zitten-gebaar en liep gewoon door.

4

Ze had een paar goede, productieve dagen achter de rug. Ze had een loodgieter, elektricien en een ervaren timmerman gevonden en de eerste van drie offertes voor nieuwe ramen was binnen. Maar voor haar gevoel had ze de meeste mazzel gehad met de ontmoeting van een oud mannetje dat Dobby heette, en diens energieke kleinzoon Jack. Zij zouden de originele bepleisterde muren redden en opknappen.

'De oude McGowan heeft mijn vader ingehuurd om deze muren te doen, zo rond 1922,' zei Dobby tegen Cilla terwijl hij op zijn kleine, gebogen benen in de woonkamer van de Little Farm stond. 'Ik was ongeveer zes en ik ging met hem mee om hem te helpen met het mengen van het pleister. Ik had nog nooit zo'n groot huis gezien.'

'Het is goed werk.'

'Hij was er trots op en hij heeft mij geleerd dat ook te zijn. Mevrouw Hardy heeft me ingehuurd om de boel wat bij te werken en sommige stukken opnieuw te doen toen ze een paar veranderingen aanbracht. Ik geloof dat dat zo rond 1965 was.'

Dobby's gezicht deed Cilla denken aan een stuk dun bruin papier dat helemaal was verfrommeld en daarna achteloos weer gladgestreken. Als hij glimlachte werden de lijntjes zo diep als groeven. 'Ik had nog nooit een vrouw als zij gezien. Ze zag eruit als een engel. Ze was heel lief en gedroeg zich helemaal niet arrogant zoals je van een filmster zou verwachten. Ze heeft zelfs een van haar platen voor me gesigneerd, toen ik de moed had verzameld om haar om een handtekening te vragen. Die mocht ik daarna niet meer draaien van mijn vrouw. Ik moest hem inlijsten om aan de muur te hangen en een nieuwe kopen om naar te luisteren. Hij hangt nog altijd in de zitkamer.'

'Ik ben blij dat ik u heb gevonden en dat ik die traditie mag voortzetten.'

'Het was vast niet zo moeilijk om me te vinden. In de tijd van mevrouw Hardy zouden de meeste mensen, vooral als ze zo veel geld hadden als zij, gipsplaten hebben gebruikt.' Hij richtte zijn diepbruine ogen op Cilla. 'Dat zouden de meeste mensen nu ook doen, in plaats van dit te behouden.'

'Ik kan niet alles redden, meneer Dobby. Sommige dingen moeten veranderen, en andere moeten weg. Maar ik wil zo veel mogelijk zien te behouden.' Ze liet haar vinger over een lange scheur in de muur van de woonkamer glijden. 'Ik vind dat ik het huis dat respect verschuldigd ben.'

'Respect.' Duidelijk tevreden knikte hij. 'Dat is een mooie manier om het te bekijken. Het is heel passend dat hier weer een McGowan woont, en dan nog wel eentje die afstamt van mevrouw Hardy. Mijn kleinzoon en ik zullen er iets moois van maken.'

'Daar twijfel ik niet aan.'

Om de afspraak te bezegelen gaven ze elkaar een hand, vermoedelijk op dezelfde plek waar zijn vader haar overgrootvader een hand had gegeven. En waar Janet Hardy een langspeelplaat had gesigneerd die ingelijst zou worden.

Ze verliet de bouwplaats een paar uur om naar een kastenmaker in de buurt te gaan. Respect was belangrijk, maar de oude metalen keukenkastjes moesten weg. Ze was van plan om er een paar af te krabben, opnieuw te verven en te gebruiken in de waskamer/bijkeuken die ze had ontworpen.

Toen ze weer thuiskwam, stond de geopende fles cabernet op de tijdelijke planken bij haar voordeur met een maffe lichtgevende stop erop die de vorm had van het hoofd van een marsmannetje. Ook lag er een kurkentrekker.

Op het briefje onder de fles stond:

Het spijt me dat ik niet eerder contact met je heb opgenomen, maar
Spock had me aan mijn bureau vastgeketend. Pas net ontsnapt,
maar jij was niet thuis. Iemand kan dit heel egoïstisch allemaal zelf
opdrinken of ze kan binnenkort een dorstige buurman een avondje
uitnodigen.
Ford

Geamuseerd overwoog ze om dat binnenkort te doen. Ze wierp een blik achterom en voelde een steek van teleurstelling dat hij niet op zijn loggia – nee, veranda, corrigeerde ze zichzelf – stond. En die steek waarschuwde haar dat ze voorzichtig moest zijn als ze een fles wijn dronk met opwindende kerels die aan de overkant van de weg woonden.

Terwijl ze daarover peinsde, en over hem, moest ze aan zijn studio denken, aan de ruimte en het licht. Zou het niet fijn zijn om zo'n ruimte en zulk licht te hebben in een kantoor? Als ze doorging met haar langetermijnplanning om huizen op te knappen of te renoveren, had ze thuis een mooi en efficiënt kantoor nodig.

De slaapkamer op de eerste verdieping die ze daarvoor had bestemd, was daar zonder meer geschikt voor. Maar terwijl ze de wijn op het oude aanrecht neerzette (dat de volgende dag gesloopt zou worden) en ze aan Fords studio dacht, leek haar toekomstige kantoor ineens klein, benauwd en nauwelijks afdoende.

Ze kon de muur tussen de tweede en derde slaapkamer laten weghalen, dacht ze. Maar daarmee kreeg ze niet de lichtval en de ruimte die ze zich nu voorstelde.

Ze dwaalde over de begane grond en deelde alles opnieuw in, stelde zich voor hoe het zou worden en overwoog de mogelijkheden. Het zou kunnen, maar ze wilde haar kantoor niet op deze verdieping. Ze had geen zin om met haar werk te leven, zogezegd. Niet op de lange termijn. En trouwens, als ze Fords waanzinnige studio niet had gezien, zou ze heel tevreden zijn geweest met haar omgebouwde slaapkamer.

Als haar zaak een succes zou worden, kon ze aan de zuidkant een overdekte gang laten aanleggen zodat…

'Wacht eens eventjes.'

Ze rende de trap op en ging de gang door naar de deur die toegang gaf tot de zolder. Die piepte toen ze hem opende, maar het kale peertje boven aan de steile, smalle trap ging wel aan toen ze op het knopje drukte.

Een blik op de stoffige treden was voldoende om terug te lopen en haar notitieblok en een zaklamp te halen, voor het geval dat.

Zolder schoonmaken. Nieuwe lampen installeren.

Ze liep omhoog en trok aan het koordje van de eerste van drie hangende gloeilampen.

'Ja. Precies wat ik dacht.'

Het was een lang, breed, schuin dak en het was er een grote troep van stof en spinnenwebben. En voor haar gevoel bood het ongekende mogelijkheden. Ofschoon ze het onder aan haar lijst van schoonmaak- en repareerwerkzaamheden had staan, had ze net niet alleen de lamp aan het plafond aangedaan, maar was er bij haarzelf ook een lichtje gaan branden.

De ruimte was enorm en het dak met de zichtbare dakspanten was hoog genoeg voor haar om makkelijk rechtop te kunnen staan, tot de plek waar het aan de zijkanten omlaag liep. Op dat punt waren er aan weerskanten slechts twee kleine ramen, maar daar kon verandering in komen. Daar zou verandering in komen.

Er stonden dozen, kasten, een bekraste ladekast, oude meubels en oude schemerlampen met vergeelde kappen waar een dikke laag stof op lag. Smoezelige spoken. Boeken, ongetwijfeld vol zilvervisjes, en oude elpees, waarschijnlijk kromgetrokken door de tientallen hete zomers, stonden opgepropt in een oude open boekenkast.

Ze was hier een keer eerder geweest, had er één huiverende blik op geworpen en besloten om de zolder later aan te pakken.

Daar dacht ze nu anders over.

De troep uitzoeken, dacht ze, snel schrijvend. Het kaf van het koren scheiden. Schoonmaken. Het trappenhuis en de trap aan de voorschriften laten voldoen. De ramen vergroten. Een buiteningang, en dat wilde zeggen dat er ook een buitentrap moest komen, misschien met een deur in atriumstijl. De dakspanten moesten worden geïsoleerd, geschuurd en gedicht, maar ze moesten niet worden weggewerkt. Bedrading, verwarming, airconditioning. Er moest ook sanitair worden aangelegd, want er was ruimte genoeg voor een toilet. Misschien een dakraam.

Lieve hemel, ze had haar uitgaven net met een ton verhoogd.

Maar wat zou het mooi worden.

Op de stoffige grond werkte ze in kleermakerszit een uur lang heel tevreden verschillende plannen en ideeën uit.

Hoeveel van deze spullen waren van haar overgrootvader geweest? Hadden hij of zijn zoon of dochter echt die oude witte lampetkom en -kan gebruikt om zich te wassen? Of in de stakerige schommelstoel gezeten om een huilende baby te wiegen?

Wie had de boeken gelezen, naar de muziek geluisterd en de dozen met een warboel aan kerstlichtjes met dikke, ouderwetse lampjes naar boven gesleept?

Weggooien, weggeven of houden? peinsde ze. Ze moest gaan sorteren. Er kwamen nog meer dozen met kerstversieringen tevoorschijn, en stukken stof waarvan ze vermoedde dat iemand ze had bewaard om er ooit iets van te naaien. Ze trof drie oude broodroosters aan met gerafelde snoeren die misschien aangevreten waren door muizen, gebroken porseleinen lampen en theekopjes met stukjes eruit. Mensen bewaarden de gekste dingen.

Bij het zien van vier muizenvallen, die gelukkig leeg waren, verhoogde ze in gedachten het aantal muizen. Omdat ze nieuwsgierig was, en toch al vuil, hurkte ze neer om een paar boeken te pakken. Mogelijk konden er een paar worden gered.

Wie had Zane Gray gelezen? vroeg ze zich af. Wie had genoten van Frank Yerby en Mary Stewart? Ze stapelde ze op en haalde er meer tevoorschijn. Steinbeck en Edgar Rice Burroughs, Dashiell Hammett en Laura Ingalls Wilder.

Ze wilde een exemplaar van *The Great Gatsby* pakken, maar haar vingers drukten de zijkanten in. Omdat ze bang was dat de pagina's erin waren vergaan, opende ze het boek voorzichtig. In een holte, omlijst door de ruwe randen van uitgesneden bladzijden, lag een stapel brieven die was samengebonden met een rood lint.

'Trudy Hamilton,' las Cilla. 'O, god.'

Ze zat met het opengeslagen boek op schoot, haar palmen tegen elkaar aan, alsof ze bad, en haar vingertoppen tegen haar lippen gedrukt. Brieven aan haar grootmoeder, gestuurd aan een naam die Janet sinds haar kindertijd niet meer had gebruikt.

Het adres op de bovenste envelop was van een postbus in Malibu. En het poststempel…

Eerbiedig tilde Cilla de stapel op en hield hem in het licht.

'Front Royal, Virginia, januari 1972.' Anderhalf jaar voor ze stierf, dacht Cilla.

Liefdesbrieven. Dat moest wel, anders zouden ze niet zijn vastgebonden met een lint of zijn verstopt. Het geheim van een vrouw die altijd onder een microscoop had gelegen vanwege haar roem, waardoor ze slechts weinig geheimen had mogen hebben. Ongetwijfeld had ze de brieven zelf verstopt voor ze, net als de grote Gatsby, jong en tragisch aan haar einde was gekomen.

Je bent aan het romantiseren, zei Cilla tegen zichzelf. Voor hetzelfde geld waren het briefjes over koetjes en kalfjes van een oude vriendin of een verre verwant.

Maar dat was niet het geval. Dat wist ze gewoon. Ze legde ze weer in het boek, sloot het en nam het mee naar beneden.

Eerst nam ze een douche, omdat ze de schat die ze had gevonden niet durfde aan te raken voor ze het vuil van de zolder van zich af had geboend.

Schoon, gekleed in een flanellen broek en een sweatshirt, haar natte haar in een staart, schonk ze een glas van Fords wijn in. Staand in het harde tl-licht – iets wat zonder meer moest verdwijnen – nipte ze van de wijn en staarde naar het boek.

De brieven waren nu van haar, daar was ze van overtuigd. O, haar moeder zou het er niet mee eens zijn, en dat luidkeels te kennen geven. Ze zou huilen om haar verlies, omdat ze vond dat ze recht had op alles wat van Janet was geweest. Vervolgens zou ze ze verkopen, laten veilen zoals ze in de loop der jaren met zo veel van Janets bezittingen had gedaan.

Voor het nageslacht, zou Dilly beweren. Voor het publiek dat haar had aanbeden. Maar dat was allemaal onzin, dacht Cilla. Het zou voor het geld zijn, en voor de roem die daardoor op haar zou afstralen, het stuk in *People* met foto's van Dilly die de stapel brieven in haar hand hield, haar ogen glinsterend van de tranen, met artikelen over haar en Janet.

Maar ze zou haar eigen verhaal geloven, dacht Cilla. Dat was een van Dilly's sterkste eigenschappen, even nutteloos als het op commando kunnen oproepen van betraande ogen.

Wat moest er mee gebeuren? Moesten ze opnieuw worden opgeborgen of worden teruggestuurd naar de afzender? Of moesten ze worden ingelijst als een elpee en worden opgehangen in de zitkamer?

'Eerst moet ik ze lezen.'

Cilla blies haar adem uit, zette de wijn aan de kant en sleepte een kruk naar het aanrecht. Heel voorzichtig maakte ze het verbleekte lint los en trok de bovenste brief uit zijn envelop. Het papier fluisterde toen ze het openvouwde. Een donker, duidelijk handschrift vulde twee pagina's.

Schat van me,

Mijn hart klopt sneller door de wetenschap dat ik het recht heb je zo te noemen. Schat van me. Waaraan heb ik zo'n kostbaar geschenk te danken? Ik droom elke nacht van je, van je stem, de geur van je huid, de smaak van je mond. Inwendig beef ik als ik terugdenk aan de pure gelukzaligheid van onze vrijpartij.
En elke ochtend dat ik wakker word, ben ik bang dat het niet meer dan een droom was. Heb ik het me ingebeeld, dat we op die koude, heldere avond voor de open haard zaten te praten zoals we nog nooit met elkaar hadden gepraat?
Alleen vrienden, omdat ik wist dat wat ik voor je voelde, wat ik met je wilde, nooit zou kunnen. Hoe zou een vrouw als jij ooit naar een man als ik kunnen verlangen? Maar gebeurde het toen werkelijk? Ben je in mijn armen gekomen? Hebben jouw lippen de mijne gezocht? Zijn we wild samengekomen terwijl het vuur brandde en de muziek speelde? Was dat een droom, schat van me? Als dat het geval is, wil ik de rest van mijn leven in dromen leven.
Mijn lichaam hunkert naar het jouwe nu we zo ver bij elkaar vandaan zijn. Ik verlang naar je stem, maar niet alleen op de radio of de platenspeler. Ik verlang naar je gezicht, maar niet alleen op foto's of het witte doek. Ik wil jou, de persoon die je echt bent. De mooie, hartstochtelijke vrouw die ik die avond, en de gestolen nachten daarna, in mijn armen hield.
Kom snel weer bij me, schat van me. Kom terug bij mij en in onze geheime wereld, waar alleen jij en ik bestaan.
Ik stuur je al mijn liefde, al mijn hunkering in dit nieuwe jaar.

Voor nu en altijd,
Alleen de jouwe

Hier? vroeg Cilla zich af terwijl ze de brief voorzichtig weer opvouwde. Was het hier in huis voor het vuur geweest? Had Janet in de laatste anderhalf jaar van haar leven in dit huis liefde en geluk gevonden? Of was het de zoveelste verhouding geweest, gewoon een van haar vele avontuurtjes?

Cilla telde de enveloppen en zag dat ze allemaal op dezelfde manier waren geadresseerd, al waren sommige poststempels anders. Tweeënveertig brieven en het poststempel van de laatste was slechts tien korte dagen voor Janet zichzelf in dit huis van het leven beroofde.

Met licht trillende vingers opende ze de laatste brief.

Die bestond slechts uit één pagina, zag ze.

Dit moet onmiddellijk ophouden. De telefoontjes, de dreigementen en de hysterie. Het is voorbij, Janet. De laatste keer was een vergissing en die zal ik niet nog eens maken. Hoe durf je naar mijn huis te bellen en met mijn vrouw te praten? Ben je soms gek geworden?

Maar goed, ik heb de ziekte in jou keer op keer gezien. Begrijp me goed, ik ga niet weg bij mijn vrouw en mijn gezin. Ik ga niet alles wat ik heb opgebouwd, mijn toekomst, voor jou op het spel zetten. Je zegt dat je van me houdt, maar wat weet een vrouw als jij nou van liefde? Jouw hele leven is gestoeld op leugens en illusies en daar heb ik me een poosje door laten verblinden, maar dat is nu voorbij.

Als je inderdaad zwanger bent, zoals je beweert, dan is er geen enkel bewijs dat ik daar verantwoordelijk voor ben. Waag het niet om me nogmaals te bedreigen met ontmaskering, want ik zweer je dat ik het je betaald zal zetten.

Blijf in Hollywood waar je leugens een betaalmiddel zijn. Hier zijn ze niets waard. Je bent hier niet gewenst.

'Zwanger.' Cilla's gefluisterde woord leek door het huis te weergalmen.

Bibberig stond ze op van de kruk om de achterdeur te openen, om daar te gaan staan en de koele lucht in te ademen en haar gezicht te laten verkoelen.

'Om het goed te begrijpen moet je bij het begin beginnen,' zei Janet tegen Cilla. 'Dit is vroeg genoeg.'

De hand die die van Cilla vasthield, was klein en zacht. Net zoals al
haar dromen over Janet, begon het beeld als een oude foto, verbleekt en
gerafeld, die langzaam meer kleur en diepte kreeg.

Twee lange vlechten hingen over de schouders van een gingang jurkje als touwen zonlicht op een wei met verblekende bloemen. Die fonkelende, koude en helderblauwe ogen keken de wereld in. De illusie van de
wereld.

Overal om Cilla en het meisje dat haar grootmoeder zou worden
heen waren mensen druk in de weer, te voet of in de pendelbusjes met
open zijkanten die over de brede laan reden. Fifth Avenue, zag Cilla, of
het filmequivalent ervan.

Dit was MGM op zijn hoogtepunt. Meer sterren dan aan de hemel en
het kind dat haar hand vasthield, zou een van de grootste worden.

'Ik ben zeven,' zei Janet tegen haar. 'Ik treed al drie jaar op. Eerst vaude-
ville. Ik wilde zingen, optreden. Ik was dol op applaus. Het is net alsof je
wordt omhelsd door duizend armen. Ik droomde ervan om een ster te
worden,' vervolgde ze terwijl ze Cilla met zich meetrok. 'Een filmster,
met mooie jurken in de schijnwerpers. Al het snoep uit de snoepwinkel.'

Janet zweeg even en voerde een ingewikkeld en energiek tapdans-
nummer uit. Haar bekraste lakschoenen leken te vliegen. 'Ik kan ook
dansen. Na één keer oefenen ken ik het nummer al. Ik heb een gouden
keel. Ik kan al mijn regels onthouden, maar wat belangrijker is: ik kan
acteren. Weet je waarom?'

'Nou?' vroeg ze, al kende ze het antwoord. Ze had de interviews gelezen, de boeken, de biografieën. Ze kende het kind.

'Omdat ik erin geloof. Elke keer geloof ik in het verhaal. Ik maak het
echt voor mezelf, zodat het echt is voor alle mensen die me komen bekijken in de film. Deed jij dat niet?'

'Soms wel. Maar dat betekende dat het pijn deed toen het ophield.'

Het kind knikte en haar ogen werden donker van verdriet. 'Het is net alsof je doodgaat als het is afgelopen, dus dan moet je dingen zoeken die het weer vrolijk maken. Maar dat komt nog. Dat weet ik nu nog niet. Nu is alles vrolijk.' Het kind spreidde haar armen alsof ze het wilde omhelzen. 'Ik ben jonger dan Judy en Shirley en de camera houdt bijna evenveel van mij als ik van hem. Ik zal dit jaar vier films maken, maar door deze word ik een echte ster. Ze zullen me de "kleine komeet" noemen nadat *The Family O'Hara* is uitgekomen.'

'Je zong "I'll Get By" en maakte er een liefdeslied voor je familie van. Het werd je herkenningsnummer.'

'Ze zullen het op mijn begrafenis draaien. Dat wist ik toen ook nog niet. Dit is plek één: Brownstone Street.' Haar stem werd wat stijfjes toen ze haar kleindochter onderwees en ze trok haar mee met haar kleine, zachte hand. 'De O'Hara's wonen in New York; een theatergezelschap dat met moeite het hoofd boven water kan houden. Ze denken dat het de zoveelste muzikale film over de depressie is. Gewoon een radertje in een grote onderneming. Maar hij zal alles veranderen. Ze zullen heel lang meeliften op het succes van de kleine komeet.

Ik ben al verslaafd aan drugs, maar dat is nog iets wat ik toen nog niet wist. Dat heb ik aan mijn mama te danken.'

'Seconal en benzedrine,' wist Cilla. 'Die gaf ze je 's morgens en 's avonds.'

'Een meisje moet een goede nachtrust hebben om 's ochtends fris en monter te zijn.' Bittere, volwassen ogen keken uit het knappe gezichtje van het meisje. 'Ze wilde zelf een ster worden, maar ze had het niet in zich. Ik wel, dus heeft ze gepusht en gepusht en me gebruikt. Ze knuffelde me nooit, maar dat deed het publiek wel. Ze heeft mijn naam veranderd en aan de touwtjes getrokken. Ze heeft een zevenjarig contract voor me ondertekend bij meneer Mayer die mijn naam opnieuw veranderde, en zij hield al het geld. Ze gaf me pillen zodat ik nog meer kon verdienen. Ik had een hekel aan haar, nu nog niet, maar binnenkort wel. Vandaag kan het me niet schelen,' zei ze schouderophalend, waardoor haar vlechten op en neer deinden. 'Vandaag ben ik gelukkig omdat ik weet wat ik met het lied moet doen. Ik weet altijd wat ik met een lied moet doen.'

Ze wees. 'Dat is de opnamestudio. Daar vindt de betovering plaats.

Hier zijn we niet meer dan schimmen, schimmen en dromen,' ging ze verder terwijl een pendelbusje vol acteurs in avondkledij en smoking recht door hen heen reed. 'Maar daarbinnen is het echt. Als de camera loopt, is het het enige wat bestaat.'

'Het is niet echt, Janet. Het is een baan.'

In de blauwe ogen verscheen een warme blik. 'Voor jou misschien, maar voor mij was het mijn ware liefde en mijn redding.'

'Het is je dood geworden.'

'Maar eerst heeft het me succes gebracht. Ik wilde dit. Dat moet je goed beseffen om de rest uit te kunnen vogelen. Ik wilde dit meer dan alles wat ik ooit eerder had gewild, of wat ik later nog zou willen, tot het bijna voorbij was. In die paar momenten waarin ik een scène speel, het nummer zing, krijgt zelfs de regisseur tranen in zijn ogen. Als de hele cast in applaus uitbarst nadat hij "Cut" heeft geroepen, vóél ik hun liefde voor me. Dat is het enige wat ik wil, en wat ik telkens weer opnieuw probeer te vinden. Soms lukte me dat. Ik was hier gelukkig, vooral op mijn zevende.'

Ze slaakte een zucht en glimlachte. 'Als ze het goed hadden gevonden, zou ik hier hebben gewoond. Dan zou ik van New York naar het oude Rome hebben geslenterd, van het Wilde Westen naar een klein stadje in het moderne Amerika. Is er een mooiere speeltuin denkbaar voor een kind? Dit was mijn thuis, meer dan waar ik eerder had gewoond. En ik was belachelijk dankbaar.'

'Ze hebben je kapotgemaakt.'

'Vandaag nog niet, vandaag nog niet.' Met een frons van ergernis wuifde Janet de opmerking weg. 'Vandaag is alles volmaakt en heb ik alles wat ik wil.'

'Je hebt de Little Farm gekocht, duizenden kilometers hier vandaan. Een heel andere wereld.'

'Maar dat was immers later? En bovendien kwam ik hier altijd terug. Ik had dit nodig. Ik kon niet leven zonder liefde.'

'Heb je daarom zelfmoord gepleegd?'

'Er zijn zo veel redenen voor zo veel dingen. Het is moeilijk om er eentje uit te kiezen. Dat wil jij doen. Dat zul je moeten doen.'

'Maar als je zwanger was…'

'Als, als, als.' Lachend danste Janet over de stoep, de trap van de façade van een chique herenhuis op en weer naar beneden. 'Als is voor morgen, voor volgend jaar. Na mijn dood zullen de mensen het voortdurend over "als" hebben. Dan ben ik onsterfelijk, maar ben ik helaas niet meer in de buurt om ervan te genieten.' Weer lachte ze, en ze draaide in de stijl van Gene Kelly om een lantaarnpaal heen. 'Behalve als jij over me droomt. Hou daar niet mee op, Cilla. Jij kunt mij en de Little Farm terugbrengen. Jij bent de enige die dat kan.'

Ze sprong omlaag. 'Ik moet gaan. Het is tijd voor mijn scène. Om iets magisch te creëren. Dit is echt het begin voor me.' Ze wierp Cilla een kushandje toe en rende weg over de stoep.

Terwijl de illusie van New York vervaagde en Cilla langzaam uit de droom ontwaakte, hoorde ze Janets volle, hartverscheurende stem opkomen.

'*I'll get by, as long as I have you.*'

Maar het is je niet gelukt, dacht Cilla toen ze door het raam naar het zachte zonlicht keek. Je hebt het niet gered.

Met een zucht kroop ze uit haar slaapzak om naar de heuvels en bergen te kijken. En ze dacht aan een wereld, een leven, ruim vierduizend kilometer verderop in het westen.

'Als je daar thuis was, als dat was wat je nodig had, waarom ben je dan helemaal hierheen gekomen om te sterven?'

Was het om hem? vroeg ze zich af. Was je zwanger en hebben ze dat verdoezeld? Of was het niet meer dan een leugen om te voorkomen dat je minnaar een einde zou maken aan jullie verhouding?

Wie was hij? Leefde hij nog, en woonde hij nog in Virginia? Hoe ben je erin geslaagd de verhouding niet op het plaatje onder de microscoop te laten belanden? Een betere vraag was waarom ze ervoor had gezorgd dat dat niet was gebeurd, dacht Cilla.

Was hij de reden dat je de telefoon er die avond hebt uitgetrokken en vervolgens de pillen met wodka hebt ingenomen en daarna wodka met nog meer pillen tot je er niet meer was? Dus niet vanwege Johnnie, peinsde Cilla. Niet, zoals zo velen dachten, vanwege het schuldgevoel en verdriet om het verlies van je verwende achttienjarige zoon. Althans, niet alleen daarom.

Maar een zwangerschap zo dicht op een sterfgeval? Was dat iets overweldigends of juist een sprankje licht in de duisternis?

Het was belangrijk, besefte Cilla. Het was allemaal belangrijk, niet alleen omdat Janet Hardy haar grootmoeder was, maar omdat ze in haar droom de hand van het kind had vastgehouden. Dat schattige meisje op de hoge rand van onmogelijke roem.

Het was belangrijk. Op de een of andere manier moest ze erachter zien te komen waarom.

Zelfs als haar moeder een betrouwbare bron van informatie was – iets wat Cilla betwijfelde – dan zou het nog uren duren voor ze Dilly kon bellen. Hoe dan ook, binnen een half uur zouden er werklui komen. Daarom zou ze erover blijven piekeren en er in gedachten mee bezig zijn terwijl ze aan het werk was.

Cilla pakte de stapel brieven die ze had gelezen, bond het vale lint er weer omheen en stopte ze terug in Fitzgerald. Vervolgens legde ze het boek op de klaptafel die op dat moment dienstdeed als werkplek, naast haar stapels dossiers en interieurtijdschriften, en Fords striproman.

Tot ze wist wat ze ermee aan moest, waren de brieven haar geheim. Zoals ze eerst het geheim van Janet waren geweest.

5

Even zenuwachtig als een moeder die haar oudste kind voor het eerst naar school stuurt, hield Cilla toezicht toen haar oude keukenapparaten in een vrachtwagen werden geladen. Als die eenmaal waren opgeknapt, zouden het de juweeltjes van haar gerenoveerde keuken zijn. Tenminste, dat was de bedoeling.

Voorlopig zou ze genoegen moeten nemen met een kleine koelkast, een kookplaatje en een magnetron, die allemaal meer thuis leken te horen op een studentenkamer dan in een echt huis.

'Ga toch gloednieuwe spullen halen bij Sears,' zei Buddy tegen haar.

'Laat me nou maar,' zei Cilla, die vermoedde dat hij haar voor gek versleet. 'Goed, we moeten de installatie van een wc op zolder bespreken.'

Het uur erna praatte ze op de muffe zolder met hem, de elektricien en een van de timmermannen. Ze vertelde hoe ze het voor zich zag en paste haar wensen aan als hun suggesties haar logisch in de oren klonken.

Begeleid door de harde muziek van hamers, boren en zagen begon zij de spullen op zolder uit te zoeken en naar de schuur te slepen, wat een hele klus was. Daar, waar de spookachtige geuren van hooi en paarden rondwaarden in de lucht, sloeg ze voorlopig zowel de rotzooi als de schatten op. Terwijl om haar heen de lente tot uitbarsting kwam, keek Cilla toe hoe de oude ramen werden vervangen door nieuwe en oude keramische tegels naar de container werden gebracht. Ze ademde de geuren in van zaagsel en gips, van houtlijm en zweet.

's Avonds verzorgde ze haar blaren en wondjes en herlas ze vaak de brieven die aan haar grootmoeder waren geschreven.

Toen ze zich een keer na het vertrek van de verschillende werkploegen te rusteloos voelde om te gaan zitten, liep ze de oprit af om haar ijzeren hekken te bekijken. Of eigenlijk gebruikte ze die als een excuus, gaf Cilla toe, aangezien ze Ford op zijn veranda had zien zitten. Zijn nonchalante zwaai toen ze aan haar kant van de weg stond, en Spocks kwispelende, dwergachtige zwiepstaart, maakten het haar gemakkelijk om over te steken. Dat vond ze zelfs heel natuurlijk.

'Ik zag dat je bezig was een nieuwe veranda te maken,' zei hij. 'Waar heb je eigenlijk geleerd om met elektrisch gereedschap om te gaan?'

'Overal en nergens.' Nadat ze de hond gedag had gezegd, draaide ze zich om en keek naar de boerderij. 'Vergeleken met de jouwe steekt mijn veranda niet al te schril af, vooral niet als je bedenkt dat hij nog afgewerkt en geschilderd moet worden. De nieuwe ramen zijn ook mooi. Op zolder laat ik er grotere in zetten, en er komen dakramen.'

'Dakramen op een zolder.'

'Als ik ermee klaar ben, is het geen zolder meer. Dan is het mijn kantoor. Dat is jouw schuld.'

Met een lome glimlach vroeg hij: 'O, ja?'

'Je hebt me geïnspireerd.'

'Leer om leer, zogezegd.' Hij hief zijn Corona op. 'Wil je een biertje?'

'Dolgraag.'

'Ga zitten.'

Ze nam plaats op een van zijn brede ligstoelen en kroelde over Spocks grote kop, tussen zijn kleine, spitse oortjes terwijl Ford binnen een biertje ging halen. Vanaf hier had ze een goed zicht op haar huis. Ze zag waar ze nieuwe bomen en struiken moest planten, wat een mooie plek aan de zuidkant zou zijn om een latwerk tegen de muur te maken, hoe de oude schuur leek te vragen om door een tegelpad met het huis verbonden te worden. Of een pad van bakstenen, dacht ze. Misschien van leisteen.

'Het geluid draagt hier ver, denk ik zo,' zei ze toen Ford weer naar buiten kwam. 'Al dat lawaai is vast vervelend.'

'Als ik aan het werk ben, hoor ik niet veel.' Hij overhandigde haar het bier en ging weer zitten. 'Tenzij ik het wil horen.'

'Een geweldig concentratievermogen?'

'Dat is een hoogdravende manier om te zeggen dat ik me gewoon afsluit voor dingen. Hoe gaat het daar?'

'Redelijk goed. Met vallen en opstaan, zoals bij elk project.' Ze nam een grote slok bier en sloot haar ogen. 'Jezus, koud bier na een lange dag. Dat zou bij wet geregeld moeten zijn.'

'Het lijkt een gewoonte te worden dat ik je alcohol aanbied.'

Ze wierp hem een blik toe. 'Zonder dat ik jou heb teruggevraagd.'

Met een glimlach strekte hij zijn benen voor zich uit. 'Dat is me opgevallen.'

'Mijn huis is op het ogenblik nog niet eens geschikt voor een kort bezoekje. Evenmin als ik. Zie je dat ijzeren hek?'

'Dat valt niet te missen.'

'Moet ik het laten opknappen of laten vervangen?'

'Waarom heb je het nodig? Het lijkt me een heel gedoe, de auto tot stilstand brengen, uitstappen, het hek opendoen, erdoorheen rijden, uitstappen, het weer sluiten. Zelfs als het een automatisch hek is, is het nog lastig.'

'Dat heb ik mezelf ook voorgehouden. Maar ik ben van gedachten veranderd.' Spock stootte een paar keer met zijn kop tegen haar hand en ze vertaalde het gebaar en ging verder met over zijn kop te krabben. 'Het is daar met een reden.'

'Ik begrijp waarom je grootmoeder het nodig had. Maar ik heb jou het hek niet zien gebruiken sinds je er woont.'

'Nee, dat is waar.' Ze glimlachte vaag terwijl ze een slok bier nam. 'Omdat het zo'n gedoe is. Het past er ook niet echt bij, vind je niet? Bij de grillige boerderij, de enorme oude schuur. Maar zij had het nodig. Eigenlijk is het niet meer dan een illusie.' De hemel wist dat Janet haar illusies nodig had gehad. 'Het is niet echt moeilijk om over het hek of de muren heen te klimmen. Maar ze had de illusie van veiligheid en privacy nodig. Ik heb wat oude brieven gevonden.'

'Brieven die zij heeft geschreven?'

Eigenlijk had ze er niets over willen zeggen. Was ze loslippig geworden door twee slokken bier of kwam het gewoon door zijn gezelschap? Ze dacht niet dat ze ooit iemand had gekend die van nature zo ontspannen was. 'Nee, ze zijn aan haar geschreven. Een stel brieven die ze in de laatste anderhalf jaar van haar leven heeft gekregen. Door iemand uit de buurt, vermoed ik, aangezien het grootste deel van de poststempels van hier is.'

'Liefdesbrieven.'

'Eerst wel. Hartstochtelijk, romantisch, intiem.' Ze hield haar hoofd schuin en bestudeerde hem terwijl ze nog een slok nam. 'Waarom vertel ik dat aan jou?'

'Waarom niet?'

'Ik heb er verder nog tegen niemand iets over gezegd. Ik heb geprobeerd ze te doorgronden, hém te doorgronden, zou je kunnen zeggen. Ik wil er met mijn vader over praten, want hij was bevriend met Janets zoon, mijn oom. En de verhouding lijkt te zijn begonnen in de winter voor Johnnie omkwam, en lijkt een paar maanden na zijn dood bergafwaarts te zijn gegaan.'

'Jij wilt weten wie ze heeft geschreven.' Traag wreef Ford met zijn voet over de hond toen Spock zich bewoog en tegen hem aanstootte. 'Hoe heeft hij ze ondertekend?'

'Alleen de jouwe, tot hij begon met een aantal variaties op "val dood". Hij was getrouwd,' ging ze verder. Spock, die kennelijk genoeg was geaaid, krulde zich op onder Fords stoel en begon te snurken. 'Het is geen geheim dat ze verhoudingen had met getrouwde mannen. Van avontuurtjes tot serieuze relaties. Ze werd even gemakkelijk verliefd als andere vrouwen van kapsel veranderden. Omdat het op het moment zelf een goed idee leek.'

'Ze leefde in een heel andere wereld dan de meeste vrouwen.'

'Dat heb ik altijd als een handig excuus of rechtvaardiging voor achteloosheid en egoïsme gezien.'

'Misschien wel.' Ford haalde zijn schouders op. 'Maar toch is het waar.'

'Ze hunkerde naar liefde, zowel fysieke als emotionele liefde. Ze was er evenzeer aan verslaafd als aan de pillen die haar moeder haar vanaf haar vierde heeft laten slikken. Ik geloof dat dit voor haar de ware was.'

'Omdat ze het geheimhield.'

Ze keek hem weer aan. Hij had goede ogen, dacht ze. Niet alleen vanwege hun vorm, met het randje goud om het groen en de vlekjes erin, maar vooral vanwege de manier waarop hij de dingen zag.

'Ja, precies. Ze hield het voor zichzelf omdat het belangrijk was. En misschien werd het door Johnnies dood nog intenser en wanhopiger. Ik weet niet wat ze hem heeft geschreven, maar uit zijn brieven kan ik haar wanhoop en die vreselijke hunkering voelen, even gemakkelijk als zijn afnemende belangstelling, zijn angst om ontdekt te worden en uiteindelijk zijn walging. Maar ze wilde hem niet laten gaan. De laatste brief is hier tien dagen voor haar dood gepost.'

Ze verschoof wat en richtte haar blik op de boerderij. 'Ze stierf in dat huis aan de overkant. Hij vertelde haar in niet mis te verstane, harde bewoordingen dat het voorbij was tussen hen, dat ze hem met rust moest laten. Vlak nadat ze de brief had gekregen, moet ze op een vliegtuig zijn gestapt. Onder het mom van uitputting is ze weggelopen van de set van haar laatste, onafgemaakte film en hierheen gevlogen. Dat was niks voor haar. Ze was dol op het werk en respecteerde het, maar die keer trok ze zich er niks van aan. Alleen die keer niet. Ze moet hebben gehoopt dat ze hem terug zou kunnen winnen, denk je ook niet?'

'Dat weet ik niet. Maar jij wel.'

'Ja, inderdaad.' Het deed pijn, wist ze. Een kleine steek in het hart. 'En toen ze besefte dat het hopeloos was, heeft ze zelfmoord gepleegd. Haar schuld. Haar eigen schuld,' zei ze voor Ford iets kon zeggen. 'Of ze nou per ongeluk een overdosis heeft genomen, zoals de lijkschouwer heeft geconcludeerd, of dat het zelfmoord was, wat een stuk realistischer lijkt. Maar deze man moet weten dat hij een rol heeft gespeeld in de beslissing die zij die avond heeft genomen.'

'Jij wilt de stukjes van de puzzel vinden zodat je kunt zien hoe die eruitziet als hij af is.'

De schaduwen waren nu lang, dacht ze. En ze werden nog langer. Weldra zouden de lichtjes op de heuvels fonkelen en zouden de bergen erachter opgaan in de duisternis.

'Toen ik opgroeide, was zij net een ander persoon in huis, of waar ik ook maar was en wat ik ook maar deed. Haar leven, haar werk, haar genialiteit, haar gebreken, haar dood. Onontkoombaar. En moet je zien wat ik nu heb gedaan.' Met het flesje wees ze op de boerderij. 'Mijn beslissing. Ik heb kansen gehad die ik nooit zou hebben gehad als Janet Hardy niet mijn oma was geweest. En ik heb in de loop der jaren een hoop gezeik gehad omdat Janet Hardy mijn oma was. Ja, ik wil graag de hele puzzel zien. Of in elk geval zo veel ervan als mogelijk is. Ik hoef hem niet mooi te vinden, maar ik wil heel graag de kans om alles te begrijpen. Misschien heb ik dat zelfs wel nodig.'

'Dat klinkt me heel redelijk in de oren.'

'Echt waar? Mij ook, behalve op de momenten dat het dat niet doet en het me meer als een obsessie voorkomt.'

'Ze maakt deel uit van je erfgoed en ze is slechts een generatie van je verwijderd. Ik kan je allerlei verhalen vertellen over mijn grootouders van beide kanten. Drie van hen zijn natuurlijk nog in leven en twee van die drie wonen hier in de buurt. En als je ze de kans geeft, kletsen ze je de oren van het hoofd.'

'Kennelijk doe ik dat ook. Ik moet weer eens terug.' Ze kwam overeind. 'Bedankt voor het bier.'

'Ik ben van plan om dadelijk iets op de grill te gooien.' Hij stond ook op en kwam achteloos naar voren, zodat ze klem stond tussen de leuning van de veranda en zijn lichaam. 'Op culinair gebied kan ik alleen met de grill en de magnetron uit de voeten. Neem nog een biertje, dan zal ik iets in elkaar draaien.'

Ze twijfelde er niet aan dat hij iets in elkaar kon draaien. Hij was lang, zijn haar zongebleekt en charmant, terwijl hij ook nog vaag iets klungeligs had. Veel te aantrekkelijk voor haar eigen bestwil. 'Ik ben al sinds zes uur op en morgen staat me een drukke dag te wachten.'

'Neem je wel eens een dag vrij?' Hij liet zijn vingertoppen, alleen zijn vingertoppen, over haar arm glijden. 'Nu probeer ik je officieel te versieren.'

'Dat dacht ik al. Op dit moment heb ik geen vrije tijd ingepland.'

'In dat geval kan ik maar beter gebruikmaken van dit moment.'

Door de manier waarop hij zijn hoofd naar het hare boog en de lome belangstelling in zijn met goud omrande ogen verwachtte ze iets glads, een aangename, rustige reis. Toen ze er even later rustig over na kon denken, kwam ze tot de conclusie dat ze ergens gelijk had gehad. Het was glad, zoals een flink glas goede whisky, puur en glad is.

Maar in plaats van een aangename, rustige reis kreeg ze een schok toen hij zijn mond op de hare drukte. Een schok die direct doortrok naar haar buik. De handen die haar armen beetgrepen gaven een gedecideerde ruk waardoor ze tegen hem aan gedrukt stond. Met een volgende subtiele beweging had hij haar rug tegen de paal gedrukt en eiste hij haar mond volledig op.

Van nul naar honderd, dacht ze. En ze had vergeten haar gordel om te doen.

Ze pakte zijn heupen vast en liet zich meevoeren door de snelheid.

Alles wat hij zich had voorgesteld – en zijn fantasie was ongebreideld – viel hierbij in het niet. Haar smaak was sterker, haar lippen guller, haar lichaam soepeler. Het leek alsof hij die eerste kus had geverfd met de helderste, stralendste kleuren op zijn palet.

En zelfs die waren niet intens genoeg.

Ze maakte een rit op een draak, een vlucht door de ruimte, een duik in de diepe wateren van een betoverde zee.

Zijn handen bewogen omhoog van haar schouders naar haar gezicht en doken vervolgens in haar haar waar ze het elastiekje lostrokken dat het bij elkaar hield. Hij ging wat achteruit om haar verwarde haren, haar ogen en gezicht te kunnen zien voor hij haar weer in zijn armen trok.

Maar ze drukte een hand tegen zijn borst. 'Dat kunnen we beter niet doen.' Ze liet voorzichtig een ademteug ontsnappen. 'Ik heb mijn portie vergissingen voor de komende tien jaar al gemaakt.'

'Voor mij leek dat anders niet op een vergissing.'

'Misschien wel, misschien niet. Ik moet erover nadenken.'

Hij liet zijn handen omlaag naar haar ellebogen gaan, en weer terug terwijl hij haar aankeek. 'Dat is verdraaid jammer.'

'Inderdaad.' Ze haalde nog een keer diep adem. 'Absoluut. Maar…'

Bij het voelen van haar zachte duw stapte hij bij haar vandaan. 'Weet je waar ik benieuwd naar ben? Kijk, je hebt volharding, je hebt kalm aan doen en je hebt onuitstaanbaar gedrag. Ik vraag me af in welke categorie het voor jou valt als ik af en toe bij jou langskom of je hier uitnodig met de bedoeling om je uit de kleren te krijgen.'

Onder de stoel liet de hond een vreemd gegorgel horen en Cilla zag een van zijn uitpuilende ogen opengaan. Alsof hij ook op haar antwoord wachtte.

'Om me uit de kleren te krijgen, zul je heel wat meer moeten doen, maar ik zal je laten weten wanneer je succes dreigt te krijgen.'

Ze deed een stap opzij. 'Maar voorlopig hou ik je aanbod van eten en naaktheid tegoed. Ik moet morgen een loggia, nee, een veranda, afmaken.'

'Dat wordt wel een afgezaagd excuus.'

Lachend liep ze de trap af, voor ze van gedachten zou veranderen. 'Bedankt voor de Corona, je luisterende oor en je versierpoging.'

Hij leunde op de reling toen ze de weg overstak en zwaaide terug toen ze bij het open hek naar hem wuifde. En hij boog zich voorover en pakte het blauwe elastische bandje dat hij uit haar haar had getrokken.

Eerst overwoog Ford om haar wat tijd en ruimte te geven, maar hij dacht uiteindelijk: bekijk het maar. Zijn nieuwste boek lag bij zijn redacteur en voor hij te veel opging in Brid, wilde hij wat visuele bijstand hebben. En aangezien Cilla niet afkerig leek te zijn van vasthoudendheid, zou hij haar laten zien dat hij dat had.

Nadat hij om tien uur was opgestaan, wat hij als een beschaafde tijd beschouwde, had hij in de achtertuin gekeken waar Spock al op was en achter zijn spookkatten aanzat. Hij nam een mok koffie mee naar buiten en keek naar haar terwijl ze aan het werk was op haar veranda.

Met zijn telelens zou hij ongetwijfeld een aantal heel mooie actieplaatjes van haar kunnen maken. Maar dat was op het randje en neigde wel heel erg naar griezelig gedrag. In plaats daarvan gooide hij Cheerio's in een kom, en hij at die staande op, onderwijl haar bestuderend.

Het lichaam was prachtig. Lang, mager, slungelig en eerder atletisch dan lenig en frêle. Cass zou een goede conditie hebben, besloot hij, maar instinctief haar… eigenschappen verbergen. Brid, nou ja, die zou niks verhullen.

Het haar zou dat diepe blond hebben van beschaduwd zonlicht, bepaalde hij. Ook dat zou een eenvoudige overgang zijn. Cass zou het hare altijd in bedwang houden terwijl dat van Brid zou zwaaien en golven. Dan het gezicht. Hij wenste dat hij dat van Cilla kon zien, maar dat werd afgeschermd door de klep van de honkbalpet die ze droeg wanneer ze werkte. Het kostte hem echter geen enkele moeite om het in gedachten te zien, de vorm, de hoeken, de tinten. Het zou een gezicht zijn dat Cass zou afzwakken, dat rustig en intellectueel zou lijken door de bril en het gebrek aan make-up.

Haar schoonheid zou ingetogen zijn, net als haar haren.

Maar voor Brid zou de schoonheid krachtig en stralend zijn. Niet alleen bevrijd, maar ook wild.

Tijd om te beginnen.

Binnen pakte hij zijn pukkel weer in en hing zijn fototoestel met de riem om zijn nek. Hij dacht even na over een nieuwe toenaderingspoging en stak een appel in de tas.

Het geluid van haar spijkerpistool peperde de lucht als gedempte geweerschoten. En het deed Ford denken aan veldslagen. Brid zou nooit een geweer gebruiken, veel te lomp en gewoontjes. Maar hoe zou ze zichzelf ertegen verdedigen? Met een zwaard en hamer, om kogels af te weren zoals de magische armbanden van Wonder Woman? Zou kunnen.

Toen hij dichterbij kwam, hoorde hij de schrille klanken van countrymuziek uit de radio van een van de werklui. Waarom was het toch altijd country, vroeg hij zich af. Was dat soms verplicht in de bouw?

Op elke bouwplaats moest op draagbare radio's te allen tijde countrymuziek (inclusief bepaalde cross-overmuzikanten) worden gedraaid.

Hij hoorde het gezoem van een zaag, het gejank van iets wat een boor zou kunnen zijn en allerlei gebonk van binnen komen. Dat bij elkaar opgeteld, samen met de aanblik van de container, het verplaatsbare toilet en de pick-ups, maakte hem blij dat hij zijn eigen huis kant-en-klaar had gekocht.

Bovendien betwijfelde hij ten zeerste of een van de werklui die hij zou hebben ingehuurd een kontje zou hebben gehad als hetgeen wat op dit moment in een stoffige Levi's gestoken was en vrolijk in zijn richting wees.

Hij had er weerstand aan kunnen bieden, maar waarom? Dus tilde hij het fototoestel op, stelde het scherp en nam er al lopend een foto van.

'Weet je waarom er in werkplaatsen van die kalenders hangen met schaars geklede dames die elektrische boren en zo vasthouden?' riep hij.

Cilla wierp een blik achterom en keek Ford aan door haar veiligheidsbril. 'Zodat de mannen net kunnen doen alsof hun lul een elektrische boor is?'

'Nee, zodat we ons kunnen inbeelden dat vrouwen dat denken.'

'Aha, ik begrijp het.' Ze schoot de laatste twee spijkers vast. 'Waar is je trouwe metgezel?'

'Spock? Die heeft het druk, maar je moet de groeten hebben. Waar heb je geleerd om met dat pistool te schieten?'

'In de praktijk. Ik moet nog meer planken op maat zagen en vastzetten, als jij het een keer wilt proberen.'

'Er gebeuren verschrikkelijke en tragische dingen als ik gereedschap ter hand neem. Daarom doe ik dat niet, en op die manier red ik levens.' Hij stak zijn hand in zijn tas. 'Ik heb een cadeautje voor je.'

'Heb je een appel voor me meegenomen?'

'Je moet op krachten blijven.' Hij gooide hem naar haar toe en trok zijn wenkbrauwen op toen ze hem behendig met een hand ving. 'Dat dacht ik al.'

Ze bekeek de appel en nam toen een hap. 'Wat precies?'

'Dat je alles wat op je afkomt het hoofd biedt. Vind je het goed als ik een paar foto's van je neem terwijl je aan het werk bent? Ik wil aan wat gedetailleerde tekeningen beginnen.'

'Dus je zet het krijgshaftige godin-idee door?'

'Brid. Ja, inderdaad. Ik kan wel wachten tot je een pauze neemt als je de camera vervelend vindt.'

'Ik heb meer dan mijn halve leven voor de camera's gestaan.' Ze ging overeind staan. 'Die storen me niet.'

Voor ze naar de stapel planken liep, gooide ze het klokhuis in de afvalcontainer. Ford maakte de ene foto na de andere terwijl zij selecteerde, de maat opnam en de plank op de bank van de zaagmachine legde. Hij keek naar haar ogen toen het blad jankte en door het hout sneed. Hij betwijfelde of de camera de concentratie erin kon vastleggen.

Maar hij legde wel de vorm van haar biceps vast en de rimpeling van gestaalde spieren toen ze de planken optilde en ze naar de afgewerkte vloer droeg.

'Je woonde in Californië, dus je was vast vaak in de sportschool.'

Cilla legde de plank op haar maatstrepen en gaf de tussenmaten aan met afstandhouders. 'Ik hou wel van een goede sportschool.'

'Ik moet zeggen dat het resultaat er mag zijn.'

'Anders heb ik de neiging om te mager te worden. Door het opknappen van huizen blijf ik in vorm,' ging ze verder, de eerste spijker vastschietend. 'Maar ik mis de discipline van een goede sportschool. Ken je er een in de buurt?'

'Toevallig wel. Weet je wat, waarom kom je niet langs als je klaar bent voor vandaag? Dan laat ik je de sportzaal zien en daarna kunnen we samen een hapje eten.'

'We zien wel.'

'Je bent niet het type om schuchter te doen. Wat betekent "we zien wel"?'

'Het ligt eraan wanneer ik klaar ben.'

'De sportzaal is dag en nacht open.'

'Echt waar?' Ze wierp hem een korte blik toe en werkte vervolgens de hele plank af met haar spijkerpistool. 'Dat komt goed uit. In dat geval verander ik het in waarschijnlijk.'

'Dat is prima. Zeg, ben je wat het eten betreft toevallig een vegetariër of een fruitariër of een andere "tariër" die beperkingen op het menu vereist?'

Lachend ging ze op haar hurken zitten. 'Ik ben een etariër. Ik eet zowat alles wat je me voorzet.'

'Fijn om te weten. Mag ik even binnen kijken om te zien wat al het gebonk en gezaag te betekenen heeft? Dat geeft me meteen de kans om Matt te pesten met alles wat me te binnen schiet.'

'Ga je gang. Ik zou je wel een rondleiding willen geven, maar mijn bazin is een harde tante die geen ongeoorloofde pauzes toestaat.'

'Mijn baas laat over zich heen lopen.' Hij liep de trap op en boog zich toen voorover om aan haar te ruiken. 'Dat is de eerste keer dat ik merk dat de geur van zaagsel sexy is.'

Hij liep naar binnen en zei: 'Godsamme.'

Hij had wel een zekere mate van chaos, activiteit en rotzooi verwacht. Maar niet deze maniakale verwoesting. Het moest allemaal een doel hebben want Cilla wekte de indruk bij haar volle verstand te zijn, maar wat dat was kon hij niet zien.

Gereedschap lag verspreid over de vloer op een manier die zijn gestructureerde inborst schrik inboezemde. Hoe kon iemand hier iets terugvinden? Snoeren krulden en kronkelden. Aan het plafond hingen kale peertjes. Om onduidelijke redenen waren hier en daar gaten in de muren gehakt. Over de brede vloerplanken lag een soort lappendeken van bevlekte doeken en stukken karton.

Verbaasd en enigszins ontsteld slenterde hij verder en in elk vertrek kwam hij dezelfde soort dwaze vernieling tegen.

Hij trof Matt in een van de andere kamers, zijn blonde krullen onder een rode honkbalpet, gereedschapsriem om zijn middel en een meetlint klaar voor gebruik. Hij wierp Ford een vrolijke glimlach toe en zei: 'Hoi.'

'Heb jij deze troep gemaakt?'

'Een deel ervan. De bazin zit vol ideeën. Goede ideeën. Die vrouw weet wat ze doet.'

'Als jij het zegt. Hoe gaat het met Josie?'

'Prima. We hebben een foto van het Beest.'

Ford wist dat het Beest de baby was van wie Josie op dat moment zwanger was. Hun tweejarige zoontje had de Buik geheten.

Hij pakte de foto van de echo die Matt uit zijn zak haalde, bestudeerde hem, draaide hem om en vond uiteindelijk de vorm. Benen, armen, lichaam, hoofd. 'Hij ziet er precies zo uit als de andere. Een buitenaards dwergwezen van de planeet Baarmoeder.'

'Zij. Dat weten we net. Het is een meisje.'

'O, ja?' Ford keek naar de brede grijns van zijn vriend en merkte dat die van hem ook groter werd. 'Van elke soort een. Goed gedaan.'

'Ze mag pas met jongens uit als ze dertig is.' Matt nam de foto terug, wierp er een liefdevolle blik op en stopte hem weer in zijn zak. 'Nou, ben je klaar voor de pokeravond bij Bri?'

Ford kreeg nog liever een wortelkanaalbehandeling dan dat hij naar de pokeravond ging. Maar Matt, Brian en hij waren al praktisch hun hele leven met elkaar bevriend. 'Als het echt niet anders kan.'

'Mooi zo. Ik kan het geld goed gebruiken. Hou die kant van het meetlint eens vast.'

'Je weet wel beter.'

'O, ja.' Matt zette het lint zelf vast. 'Als jij het aanraakt, is de kans groot dat het in mijn hand ontploft. Ik zou een vinger kunnen kwijtraken. Heb je het hele huis al gezien?'

'Ik ben nog maar net begonnen.'

'Ga maar eens rondkijken. Je zult niet weten wat je ziet als het af is.'

'Ik weet nu al niet wat ik zie.'

Omdat hij de verleiding niet kon weerstaan, liep hij de kamer uit en ging naar boven. Daar was het niet veel beter. Wat eens een badkamer was geweest, was een leeg vertrek met kale muren en blootliggende buizen en ruwe gaten in de vloer en het plafond. Er waren twee slaapkamers zonder deur, op de ramen waren de stickers van de fabrikanten nog te zien en op de vloer lag morsige vloerbedekking.

Maar toen hij de deur van de volgende slaapkamer opende, veranderde zijn verbijstering in woede. Wat bezielde haar in godsnaam? Een luchtbed en een slaapzak, kartonnen dozen en een oud kaarttafeltje?

'Ik neem alles terug over haar volle verstand,' mompelde hij, en hij ging weer naar beneden.

Hij trof haar aan voor de opnieuw betimmerde veranda waar ze dorstig uit een fles water dronk. De combinatie van de stijgende temperatuur en het werk zorgde voor een donkere zweetstreep in het midden van het witte T-shirt dat ze op haar jeans droeg. Het feit dat hij een zweterige, mogelijk labiele vrouw zo aantrekkelijk vond, vergrootte zijn ergernis alleen maar.

'Ben je gek of alleen maar dom?' wilde hij weten.

Langzaam liet ze de fles zakken. En heel traag deed ze haar hoofd weer omlaag tot die ijzig blauwe ogen hem aankeken. 'Wat?'

'Wie woont er nou zo?' Met zijn duim wees hij achter zich op het huis terwijl hij op haar af beende. 'Het huis is helemaal aan flarden gerukt, je hebt niet meer dan een kookplaatje in de keuken en je slaapt op de grond en je spullen zitten in een kartonnen doos. Wat mankeert jou in vredesnaam?'

'Ik zal je vragen een voor een beantwoorden. Ik woon zo omdat ik midden in een groot project zit, en daarom ligt het huis uit elkaar, al is aan flarden wat overdreven. Ik heb alleen een kookplaatje omdat ik de keukenapparatuur laat opknappen. Ik slaap op een luchtbed, niet op de grond, omdat ik nog niet weet wat voor bed ik wil. En er mankeert me niks.'

'Ga naar boven en pak wat je nodig hebt. Je slaapt in mijn logeerkamer.'

'Ik volg al heel lang geen bevelen meer op. Niet van mijn moeder en niet van agenten, managers, regisseurs, producenten en allerlei anderen die vonden dat ze wisten wat goed voor me was, wat ik wilde, wat ik zou moeten doen. Ik ben bang dat je te laat bent.'

'Je woont als een kraker.'

'Ik woon zoals ik zelf wil.'

Hij zag de opflitsende hitte in het ijzige blauw, maar drong desondanks toch aan. 'Ik heb een slaapkamer met een heerlijk bed, eentje met lakens.'

'O, als het echte lakens heeft… nee. Ga weg, Ford. Mijn pauze zit erop.'

'Je bazin, de harde tante, moet je nog maar een paar minuutjes extra gunnen. Je kunt dit huis nota bene zien vanuit het mijne en je kunt er 's ochtends in nog geen anderhalve minuut heen lopen, nadat je lekker hebt geslapen in een echt bed en een badkamer hebt gebruikt die niet bont en blauw ziet als een psychedelische kneuzing en groter is dan een postzegel.'

Vreemd genoeg verminderde zijn overduidelijke kwaadheid die van haar en ze lachte geamuseerd. 'Ik geef toe dat de badkamer vreselijk is. Maar dat is niet genoeg om me te laten verkassen. Ik heb de indruk dat jij veel veeleisender bent dan ik.'

'Ik ben niet veeleisend.' Woede maakte abrupt plaats voor verontwaardiging. 'Oude mannen in vest zijn veeleisend. Willen slapen in een bed en willen pissen in een toilet dat niet ouder is dan vijftig jaar maakt me nog niet veeleisend. En je hand bloedt.'

Ze keek even omlaag. 'Ik moet hem ergens aan hebben opengehaald.' Achteloos veegde ze met de ondiepe snee langs haar spijkerbroek.

Hij staarde naar haar. 'Wat mankeert mij in godsnaam?' vroeg hij zich af, en hij greep haar vast.

Hij trok haar omhoog tot ze op haar tenen stond. Hij wilde die ijsblauwe ogen op dezelfde hoogte als de zijne, haar smakelijke mond recht voor de zijne. Verder dan dat dacht hij niet voor hij zijn hoofd boog en haar kuste.

Ze was bezweet, zat onder het zaagsel en mankeerde misschien heel wat aan haar hoofd. En hij had in zijn hele leven nog nooit zo heftig naar iemand verlangd.

Hij negeerde haar sprongetje van schrik. De bliksem van wellust die bij hem insloeg, verjoeg elke gedachte aan verfijning. Hij wilde, dus hij nam. Zo elementair was het.

De waterfles viel uit haar hand en stuiterde op de grond. Voor het eerst in tijden was ze volledig verrast. Ze had het niet zien aankomen en zelfs de kracht van de kus van de avond ervoor had haar niet voorbereid op de intensiteit van deze.

Hij was rauw en heet en doorkliefde haar in een keer, waardoor haar spieren trilden en haar zenuwuiteinden tintelden. Een dwaze tel wilde ze met een gulzige hap worden verslonden, wilde ze dat hij haar over zijn schouder zou gooien en haar naar een donkere grot zou dragen.

Toen hij haar weer van zich afduwde, tolde haar hoofd zowaar.

'Veeleisend, ammehoela.'

Terwijl ze naar Ford staarde, hoorde ze Buddy, de loodgieter, achter zich haar naam roepen. 'Ik wil niet storen,' zei hij, 'maar misschien moet je even kijken wat ik met de badkamer ga doen. Als je een momentje hebt.'

Zonder om te kijken hief ze een hand op en zwaaide er zwakjes mee. 'Je bent een gevaarlijke kerel, Ford.'

'Dank je.'

'Ik begrijp niet hoe dat me heeft kunnen ontgaan. Meestal herken ik een gevaarlijke man uit duizenden.'

'Ik vermoed dat het niet opvalt, omdat ik het zelf mijn hele leven ook niet heb gemerkt. De deur van de logeerkamer kan op slot. Ik kan je beloven dat ik de deur niet zal intrappen, behalve als het huis in brand staat. En zelfs dan zul je het waarschijnlijk aan horen komen, aangezien ik nog nooit een deur heb ingetrapt.'

'Als ik ooit in jouw huis slaap, zal het niet in de logeerkamer zijn. Maar voorlopig blijf ik hier. Je bent een gevaarlijke kerel, Ford,' zei ze weer, voor hij iets kon zeggen. 'En ik ben een vastberaden vrouw. Ik vind het niet alleen fijn om hier te wonen, het is iets wat ik moet doen. Anders zat ik in het dichtstbijzijnde motel. Goed, ik moet naar binnen. Ik ben een komwastafel met blootliggende leidingen en muuraccessoires aan het installeren. Net als jij kan Buddy mijn gedachtegang niet volgen.'

Over haar schouder keek hij naar het huis, en hij schudde zijn hoofd. 'Volgens mij ben jij op dit moment de enige die je gedachtegang kan volgen.'

'Daar ben ik aan gewend.'

'Kom naar mij toe als je klaar bent, dan gaan we die sportzaal bekijken.' Hij pakte zijn pukkel en fototoestel op. Vervolgens de waterfles. 'Je schoenen zijn nat,' zei hij tegen haar en daarna ging hij naar huis.

Cilla keek naar haar voeten. Ze mocht een boon wezen als het niet zo was. Soppend liep ze het huis in om met Buddy te praten.

6

Cilla bracht bijna de hele middag door met het bekijken van toiletten en het uitkiezen van wastafels. Ze woog de voordelen van travertijn en graniet, kalksteen en keramiek tegen elkaar af. Bij de eerdere huizen die ze had opgeknapt was het budget het belangrijkst geweest. Ze had geleerd het niet te overschrijden, om de beste waar voor haar geld te kiezen en niet alleen naar het huis maar ook naar de buurt te kijken. Als ze het budget te veel overschreed, of er te veel onder bleef, zou de winst worden weggezogen als stofnesten in een Dyson.

Maar ditmaal lagen de zaken anders. Al kon het budget nooit worden genegeerd, dit was voor haar eigen huis, niet voor een huis dat zou worden doorverkocht. Als ze op de Little Farm wilde gaan wonen, daar haar leven wilde leiden en een carrière opbouwen, dan was zij degene die nog een hele poos met de dingen die ze uitzocht zou moeten leven.

Toen ze per ongeluk in het onroerendgoedspel was gerold, had ze ontdekt dat ze een scherp oog had voor mogelijkheden, voor kleuren, texturen en evenwicht. En ze kwam erachter dat ze pietluttig was. Een kleine verandering in tint, vorm of maat van de tegels voor de badkamer was van belang in haar vak. Ze kon uren doen over de keuze van het juiste handvat voor een lade.

En ze ontdekte dat dat, en het daadwerkelijk ontdekken van het juiste handvat, haar belachelijk gelukkig maakte.

Toen ze terugkwam in haar inmiddels verlaten huis de bouwput, keek ze met een grijns naar de nieuwe planken van haar veranda. Dat had zíj gemaakt, net zoals ze de reling en de spijlen zou maken en ze vervolgens fris wit zou schilderen. Waarschijnlijk wit, corrigeerde ze zichzelf. Misschien crème. Of ivoorkleurig.

Het geluid van haar voeten die over die planken kletsten klonk haar als muziek in de oren.

Ze sjouwde de stalen die ze had meegenomen omhoog naar de badkamer en nam de tijd om ze uit te spreiden en te bestuderen. En ze koesterde haar visie: warm, charmant, eenvoudig. Precies goed voor een gastenbadkamer.

De met olie ingewreven bronzen armaturen die ze al had gekocht en waar ze de rest van de badkamer omheen plande, zouden prachtig worden gecompleteerd door de subtiele tinten van de tegels en de ouderwetse wastafel in de vorm van een vat.

Buddy zou zijn woorden moeten terugnemen als het vertrek klaar was, dacht ze.

Ze liet de stalen waar ze waren – ze wilde ze nog een keer goed bekijken in het natuurlijke ochtendlicht – en danste zowat naar de douche om het werk van die dag weg te wassen.

Ze zong en liet haar stem weerkaatsen tegen de gebarsten en treurige tegels van haar eigen badkamer die binnenkort zouden worden uitgebroken. Geen enkele opname in een opnamestudio had haar ooit meer vreugde verschaft.

Toen Ford de deur opendeed, stak Cilla hem de bereisde fles cabernet toe. Hij nam hem aan, hield hem omhoog en schatte dat hij nog bijna halfvol was.

'Zuiplap.'

'Erg, hè? Het is echt een probleem. Wat denk je van een glaasje voor we die sportzaal gaan bekijken?'

'Prima.'

Hij zag dat ze haar haar los had laten hangen, zodat het kaarsrecht tot iets over haar schouders viel. Haar geur riep een snelle zintuiglijke herinnering bij hem op aan de welig tierende jasmijn bij het huis van zijn oma in Georgia die 's avonds bloeide.

'Je ziet er goed uit.'

'Ik voel me ook goed. Ik heb vandaag drie wc's gekocht.'

'Nou, dat verdient absoluut een drankje.'

'Ik heb tegels voor de badkamer uitgezocht,' ging ze verder terwijl ze achter hem aan liep naar de keuken. 'Handvatten voor kasten, lampen en een badkuip. Een prachtig ouderwets bad op klauwpoten. Dat is niet niks. En ik overweeg om de hoofdbadkamer in art-decostijl te doen.'

'Art deco?'

'Ik zag vandaag een schitterende wastafel en ik dacht: ja, dat is het. Ik kan er veel chroom en lichtblauw glas in verwerken. Zwart-witte tegels, of misschien zwart en zilver. Wat metallic accenten. Opzichtig en retro. Weelderig. Je zou in de verleiding komen om een zijden kamerjas met maraboeveren te dragen.'

'Dat wil ik altijd. En ik heb me altijd afgevraagd wat een maraboe is en waarom hij veren heeft.'

'Geen idee, maar misschien koop ik de kamerjas wel om in de badkamer te hangen. Dat zou het helemaal af maken. Het wordt fantastisch.'

'En dat allemaal door een wastafel?' Hij reikte haar een glas wijn aan.

'Zo gaat het meestal bij mij. Ik zie een ding en dat doet me iets, en dan zie ik in gedachten hoe de rest van het vertrek daar omheen kan worden ingericht. Maar goed.' Ze hief haar glas op om te proosten. 'Ik heb een fijne dag gehad. En jij?'

Ze straalde helemaal, dacht hij. Een bezoekje aan Home Depot, of waar ze ook was geweest, en ze straalde als een zonnestraal. 'Nou, ik heb geen toilet gekocht, maar ik mag niet mopperen. Ik krijg grip op het boek, op de verhaallijn, en dat heb ik voor een deel op papier weten te zetten.' Hij nam een slok en keek haar onderzoekend aan. 'Ik geloof dat ik dat met je wastafel toch snap. Ik zag jou, en je deed me iets. En de rest ontstaat om jou heen.'

'Mag ik het lezen?'

'Tuurlijk. Als ik het wat meer heb bewerkt.'

'Dat is wel heel normaal en ontemperamentvol. De meeste schrijvers die ik ken zijn in twee groepen te verdelen. Degenen die je smeken elk woord te lezen zodra het geschreven is en degenen die je ogen zouden uitsteken met een garnalenvork als je toevallig een glimp opving van een ongepolijste bladzijde.'

'Ik durf te wedden dat de meeste schrijvers die jij kent in Hollywood wonen.'

Daar dacht ze even over na. 'Daar heb je gelijk in,' gaf ze toe. 'Toen ik nog acteerde, konden de pagina's van het script nog op je afvliegen als je de scène al aan het opnemen was. Dat vond ik eigenlijk wel fijn. Het was spontaan en het gaf je energie. Maar ik vroeg me wel af hoe moeilijk het nou helemaal kon zijn. Je schrijft het idee dat je hebt gewoon in woorden op papier. Nou, toen ik een scenario ging schrijven, kwam ik erachter hoe lastig het is.'

'Heb jij een scenario geschreven?'

'Ik ben eraan begonnen. Over een vrouw die opgroeit in het showbizzwereldje, de ervaringen van een ingewijde, de opkomst en teloorgang, het geploeter, de triomfen en vernederingen. Ik dacht dat je moest schrijven over waar je verstand van hebt, en daar had ik natuurlijk verstand van. Ik ben ongeveer tien pagina's ver gekomen.'

'Waarom ben je ermee opgehouden?'

'Ik had met één ding geen rekening gehouden. Ik kan niet schrijven.' Lachend schudde ze haar haren naar achteren. 'Dat je een miljoen scripts hebt gelezen, wil nog niet zeggen dat je er zelf een kunt schrijven. Zelfs al is het een slecht script. En aangezien ongeveer negenhonderdduizend van de miljoen die ik heb gelezen slecht waren, kan ik een waardeloos scenario zo herkennen. Met acteren moest ik erin geloven, niet doen alsof, maar er echt in geloven. Dat was de belangrijkste regel van Janet Hardy. Opeens besefte ik dat het met schrijven precies hetzelfde is. En ik kon het niet opschrijven zodat ik het geloofde. Dat kun jij wel.'

'Hoe weet je dat?'

'Dat zag ik toen je me vertelde over je nieuwe idee, over het nieuwe personage. En het is te zien in je werk, de woorden en de tekeningen.'

Hij wees op haar. 'Je hebt het boek gelezen.'

'Ja, inderdaad. Ik wilde er snel doorheen bladeren, zodat ik wist waar het over ging en ik jouw eventuele vragen erover zou kunnen beantwoorden. Maar ik raakte erdoor gegrepen. Jouw Seeker heeft gebreken, hij is duister en heel menselijk. Zelfs als hij een superheld is, zijn zijn menselijkheid en zijn wonden nog te zien. En daar gaat het waarschijnlijk ook om.'

'Dat klopt. En daarmee heb je nog een drankje verdiend.'

'Nee, dat kan ik beter niet doen.' Ze legde een hand over haar glas toen hij de wijn wilde pakken. 'Misschien straks, tijdens het eten. Nadat je me de sportschool hebt laten zien. Je zei dat die dichtbij was.'

'Ja, dat is hij ook. Kom maar kijken.'

Hij wees en opende een kersenhouten deur met een dun paneel die ze eerder had bewonderd. Die leidde naar de benedenverdieping, vermoedde ze, en omdat ze het altijd leuk vond om een huis te bekijken, ging ze samen met hem de trap af.

'Alweer zo'n mooie trap,' zei ze. 'Degene die dit huis heeft laten bouwen, heeft echt een prima… O. Wauw.'

Vol bewondering, en meer dan een tikje jaloers, bleef ze onder aan de trap staan. Dankzij de ronding van de heuvel had de onderste verdieping aan de achterkant van het huis brede openslaande glazen deuren en ramen hebben, met daarachter een mooi klein terras waar de hond op dat moment diep in slaap op zijn rug lag met zijn poten recht in de lucht.

Maar binnen stonden de apparaten op veiligheidsmatten op brede eiken vloerplanken. Zwijgend liep ze rond, ze bekeek de ellipstrainer, de gewichtsbank, het rek met gewichten, de ligfiets en de roeimachine.

Het echte werk, dacht ze.

Aan een muur hing een gigantische flatscreen-tv. Ze zag de bijbehorende componenten in een inbouwkast en er was een koelkast met een glazen deur waar flessen water in stonden. En in de hoek, waar het hout samenkwam met de leisteen, stond een glanzend zwart bubbelbad.

'Heeft Matt dat gedaan?'

'Voor het grootste deel wel.'

'Ik word steeds blijer dat ik hem heb aangenomen. Je hoeft hier nooit weg.'

'Daar ging het ook om. Ik vind het prettig om me hier voor lange perioden schuil te houden. Het was oorspronkelijk een familiekamer, maar omdat ik hier niet met mijn familie woon, dacht ik: waarom zou ik naar een sportschool gaan als de sportschool ook naar mij kan komen? En je hoeft geen contributie te betalen. Je kunt natuurlijk niet langer naar gespierde en bezwete vrouwenlichamen kijken, maar je moet er wat voor over hebben.'

'Ik heb een kelder,' zei Cilla peinzend. 'Een ondergrondse kelder, maar hij is wel groot. Ik was van plan om er uiteindelijk iets mee te doen, maar dan meer als een soort opslagruimte. Maar met de juiste belichting…'

'Tot die tijd ben je van harte welkom om deze te gebruiken.'

Met een frons draaide ze zich naar hem om. 'Waarom?'

'Waarom niet?'

'Geen ontwijkende antwoorden geven. Waarom?'

'Dat was geen ontwijkend antwoord.' Wat was ze toch een vreemde mengeling van behoedzaamheid en openheid, dacht hij. 'Maar als je meer redenen nodig hebt: ik gebruik hem maar een paar uur per week. Dus jij mag hem ook best een paar uur per week gebruiken. Noem het maar zuidelijke gastvrijheid.'

'Wanneer train jij meestal?'

'Ik heb eigenlijk geen vaste tijd. Meer als ik in de stemming ben. Al probeer ik vijf of zes dagen per week in de stemming te zijn, anders ga ik op Skeletor lijken.'

'Op wie?'

'Skeletor, je weet wel. Masters of the Universe? Aartsvijand van He-Man. Ach, nee, natuurlijk weet je dat niet. Ik zal je wel een boek geven. De vergelijking gaat sowieso mank, want ondanks zijn naam is Skeletor hartstikke gespierd. Ik zal niet eens merken dat je er bent. Maar mocht ik mazzel hebben en komt mijn stemming overeen met die van jou, dan kan ik eindelijk weer een gespierd en bezweet vrouwenlichaam bekijken.'

Ze kneep haar ogen tot spleetjes. 'Trek je overhemd op.'

'Ik dacht dat je het nooit zou vragen.'

'Hou je broek maar aan. Alleen je overhemd, Ford. Ik wil je borstspieren zien.'

'Je bent een raar mens, Cilla.' Toch trok hij zijn overhemd op.

Ze porde met een vinger in zijn buik. 'Goed, ik wilde alleen even zeker weten dat je deze apparaten ook daadwerkelijk gebruikt en die stemming meer een bijkomend voordeel is dan een doel op zich.'

'Ik heb wel degelijk een doel waar het jou betreft.'

'Dat begrijp ik en daar is niks mis mee. Ik wil graag gebruikmaken van je aanbod, maar dan wel zonder verplichtingen of verwachtingen. Ik stel je gastvrijheid echt op prijs, Ford. Bovendien kun je Matts goedkeuring wegdragen en ik vind hem aardig.'

'Gelukkig maar, want ik betaal hem vijfhonderd per jaar voor die goedkeuring.'

'Hij houdt van je. Dat bleek toen ik hem subtiel en sluw over jou heb uitgehoord.'

Hij voelde een snelle steek van blijdschap. 'Heb je hem uitgehoord over mij?'

'Subtiel en sluw,' zei ze weer. 'En het is een aardige kerel, dus…' Ze liet haar blik nogmaals door de kamer en langs de apparaten gaan, en hij kon haar hunkering bijna voelen. 'Zullen we er een ruilhandeltje van maken? Ik maak graag gebruik van jouw apparatuur en als er bij jou thuis iets gerepareerd moet worden, dan zal ik daarvoor zorgen.'

'Word jij dan mijn klusjesman?'

'Ik ben heel goed in klusjes opknappen.'

'Doe je dan je gereedschapsriem om en trek je een heel kort rokje aan?'

'De gereedschapsriem wel, maar het rokje niet.'

'Verdorie.'

'Als ik het niet kan maken, zal ik een van de jongens sturen. Misschien wil een van hen een heel kort rokje dragen.'

'Ik zal ervoor duimen.'

'Afgesproken?'

'Afgesproken.'

'Fantastisch.' Met een glimlach liet ze haar blik nogmaals door de kamer dwalen. 'Ik ga er morgenochtend vroeg direct gebruik van maken. Wat zeg je ervan dat ik jou mee uit eten neem om onze afspraak te bezegelen?'

'Een andere keer graag. Ik heb namelijk al een maaltijd gepland bij Chez Sawyer.'

'Ga je koken?'

'Mijn specialiteit.' Hij pakte haar arm beet en draaide haar naar de trap. 'Ik heb er maar een waar geen magnetron aan te pas komt. Het komt erop neer dat ik een paar biefstukken op de grill gooi, een stel paprika's aan een prikker doe en een paar aardappels pof. Hoe wil jij je biefstuk?'

'Nog zachtjes loeiend.'

'Cilla, je bent een vrouw naar mijn hart.'

Dat was ze niet. Ze wilde alleen haar eigen doelen nastreven en ze was heel tevreden als ze daarin slaagde. Maar ze moest toegeven dat Ford het heel verleidelijk maakte. Hij zette haar aan het denken, stelde haar op haar gemak en hield haar bezig. Dat was een handige vaardigheid, dacht Cilla. Ze vond het leuker om bij hem te zijn dan goed voor haar was, vooral omdat ze van plan was geweest bijna al haar tijd alleen door te brengen.

En hij zag er verdraaid goed uit als hij over een rokende grill gebogen stond.

Ze aten op zijn achterveranda terwijl de goed doorvoede Spock snurkte na een festijn aan restjes. En ze vond de simpele maaltijd precies goed. 'Jezus, wat is het hier mooi. Heel vredig.'

'Geen behoefte aan nachtclubs of een snelle strooptocht op Rodeo Drive?'

'Dat is me lang geleden al de keel gaan uithangen. In het begin lijkt het wel leuk, maar als het niet echt jouw wereldje is, dan gaat de lol er heel snel af. En ik vond het er niet leuk. Hoe zit het eigenlijk met jou? Je hebt toch een tijdje in New York gewoond? Geen zin om nog een hap uit de Big Apple te nemen?'

'Het was opwindend en ik vind het leuk om af en toe terug te gaan om de energie op te snuiven. Maar weet je, ik dacht dat ik daar hoorde te wonen, vanwege het werk dat ik wilde doen. Na een poosje besefte ik dat ik meer werk verzette als ik een paar dagen op bezoek ging bij mijn ouders en optrok met mijn vrienden dan in een even lange periode in de stad. Eindelijk drong het tot me door dat er daar gewoon te veel mensen zijn, op elk uur van de dag en nacht. En hier kon ik beter nadenken.'

'Grappig,' zei ze.

'Wat?'

'In een interview vroeg een journalist een keer aan mijn oma waarom ze dit boerderijtje in Virginia had gekocht. Ze zei dat ze hier haar eigen gedachten kon horen, en dat die de neiging hadden om overstemd te raken door die van alle anderen als ze in Los Angeles was.'

'Ik weet precies wat ze bedoelde. Heb je veel interviews van haar gelezen?'

'Gelezen, herlezen, naar geluisterd, bekeken. Ik kan me geen tijd herinneren dat ze me niet fascineerde. De briljante ster, de tragische idool, van wie ik afstam. Omdat ik niet aan haar kon ontsnappen, moest ik haar leren kennen. Toen ik klein was, had ik een hekel aan haar. Ik werd voortdurend met haar vergeleken, en ik schoot altijd tekort.'

'Vergelijkingen zijn per definitie bedoeld om iemand tekort te laten schieten.'

'Dat is waar. Op mijn twaalfde en dertiende kon ik er ontzettend kwaad om worden. Daarom begon ik haar heel doelbewust te bestuderen om erachter te komen wat haar truc of geheim was. En ik ontdekte een vrouw die van nature ontzagwekkend getalenteerd was. Vergeleken bij haar zou iedereen tekortschieten. Toen ik dat begreep, had ik niet langer een hekel aan haar. Dat is net zoiets als een diamant verwijten dat hij fonkelt.'

'Tijdens mijn jeugd heb ik veel over haar gehoord omdat ze hier een huis had. En omdat ze hier is gestorven. Mijn moeder draaide haar platen vaak. En ze is een paar keer naar een feestje op de boerderij geweest,' voegde hij eraan toe. 'Mijn moeder.'

'O, ja?'

'Ze gaat er prat op dat ze de zoon van Janet Hardy heeft gezoend. Jouw oom, dus. Het is wel een beetje vreemd dat jij en ik hier zitten terwijl mijn moeder en jouw oom jaren geleden met elkaar hebben gezoend aan de overkant van de weg. En het wordt nog vreemder als ik je vertel dat mijn mama hetzelfde heeft gedaan met jouw papa.'

'O, god.' Proestend van de lach pakte Cilla haar wijn en nam een slok. 'Dat verzin je toch niet?'

'Het is niets dan de waarheid. Dat was natuurlijk vóór ze voor mijn vader koos en jouw vader jouw moeder naar Hollywood volgde. Nu ik erover nadenk, was het een gecompliceerde zaak.'

'Zeg dat wel.'

'Het was heel gênant voor me toen ze het me vertelde. En dat deed ze met enig leedvermaak toen ik op de middelbare school bij je vader in de klas kwam. De gedachte dat mijn moeder haar lippen op die van meneer McGowan had gedrukt, was in die tijd heel traumatisch.' In zijn ogen verscheen een vrolijk lichtje. 'Nu vind ik het een grappige parallel dat mijn moeders zoon zijn lippen op die van de dochter van meneer McGowan heeft gedrukt.'

Cirkels, dacht Cilla. Ze had aan cirkels gedacht toen ze hier was gekomen om de boerderij van haar grootmoeder weer op te bouwen. Nu was er nog een cirkel die daarmee verbonden was. 'Ze moeten heel jong zijn geweest,' zei ze zacht. 'Johnnie was nog maar achttien toen hij stierf. Het moet vreselijk zijn geweest voor Janet en voor de ouders van de andere jongens, van wie er een is gestorven en de ander verlamd is geraakt. Ze is er nooit overheen gekomen. Op elk stukje film en op elke foto die na die nacht is genomen kun je zien dat ze nooit meer de oude is geworden.'

'Toen ik oud genoeg was om te mogen rijden, gebruikte mijn moeder dat ongeluk om ons bang te maken. Af en toe zag je Jimmy Hennessy in zijn rolstoel in de stad, en die gelegenheid nam ze altijd te baat om me te vertellen wat er kon gebeuren als ik zo onvoorzichtig was om beschonken aan het stuur te gaan zitten, of bij iemand in te stappen die had gedronken.'

Hij schudde zijn hoofd en werkte zijn biefstuk naar binnen. 'Ik kan nog altijd niet naar een café gaan en daar zonder schuldgevoel van een biertje genieten als ik zelf naar huis moet rijden. Moeders kunnen heel wat voor je verpesten.'

'Woont hij hier nog? De jongen, nou ja, hij is nu natuurlijk geen jongen meer, die het ongeluk heeft overleefd?'

'Hij is vorig jaar overleden. Of het jaar daarvoor, dat weet ik niet precies.'

'Daar heb ik niks over gehoord.'

'Hij heeft zijn hele leven thuis gewoond. Zijn ouders hebben voor hem gezorgd. Moeilijk.'

'Ja. Zijn vader heeft het Janet kwalijk genomen. Hij beschuldigde haar ervan dat ze haar Hollywood-immoraliteit had meegenomen, dat ze haar zoon zijn gang liet gaan en dat ze die snelle auto voor hem had gekocht.'

'Er zaten nog twee andere jongens in die auto. Niemand heeft ze gedwongen om in te stappen,' merkte Ford op. 'Niemand heeft het bier met geweld bij hen naar binnen gegoten. Ze waren alle drie jong en dom. En daar hebben ze een hoge tol voor moeten betalen.'

'En zij heeft hun betaald. Mijn moeder zegt, en door haar verbittering erover weet ik dat het waar is, dat Janet de familie van ieder van die jon gens een behoorlijk bedrag heeft betaald. Het bedrag is geheim, zelfs voor mijn moeder. En Janet heeft, ook weer volgens Dilly, de boerderij alleen aangehouden als een soort nagedachtenis aan Johnnie en het om dezelfde reden tot tientallen jaren na haar dood vastgezet in trusts. Maar dat geloof ik niet.'

'Wat denk jij dan?'

'Ik denk dat Janet het heeft aangehouden omdat ze hier gelukkig was. Omdat ze hier haar eigen gedachten kon horen, zelfs als die duister waren en pijn deden.' Met een zucht leunde ze achterover. 'Wil je me nog een glas wijn inschenken, Ford? Dan heb ik er drie gehad, en dat is mijn absolute persoonlijke limiet.'

'Wat gebeurt er na drie?'

'Ik heb al jaren niet meer dan drie glazen gedronken, maar als het net zo gaat als vroeger, dan word ik van ontspannen, misschien licht en prettig aangeschoten, dronken genoeg om er nog één of twee te drinken. Dan ben ik ladderzat, bespring ik je en word ik morgen wakker met niet meer dan een wazige herinnering aan onze samenkomst.'

'In dat geval krijg je hierna niet meer.' Hij schonk de wijn in. 'Als wij samenkomen, zal je dat de volgende ochtend nog glashelder voor de geest staan.'

'Daarover heb ik nog geen besluit genomen, hoor.'

'Dat geeft niet. Ik wel.' Hij legde zijn kin op zijn vuist en staarde haar aan. 'Ik kan mijn blik maar niet van je ogen afwenden, Cilla. Ze blijven me naar binnen trekken.'

'De ogen van Janet Hardy.'

'Nee. Die van Cilla McGowan.'

Met een glimlach dronk ze het laatste slokje wijn. 'Ik had een excuus willen verzinnen, of daar zelfs niet eens de moeite voor willen nemen, om vanavond niet te komen.'

'Echt waar?'

'Ja. Omdat je heel bazig had gedaan over mijn woonomstandigheden.'

'Ik zou "bazig" liever als "verstandig" omschrijven. Waarom ben je toch gekomen?'

'Ik ben heel vrolijk geworden door het kopen van de toiletten. Echt waar,' zei ze, toen hij bijna stikte van de lach. 'Ik heb mijn stiel gevonden, Ford. Maar ik heb er heel lang naar gezocht.'

'Je hebt je stiel in toiletten gevonden.'

Nu was het haar beurt om te lachen. 'Nee, ik heb ontdekt dat ik er heel goed in ben om iets wat kapot, verwaarloosd of alleen een beetje vermoeid is weer te laten stralen. Het beter te maken. En door dat te doen, voel ik me beter. Dus aangezien ik in een goed humeur was, ben ik de weg overgestoken. En ik ben blij dat ik dat heb gedaan.'

'Ik ook.'

Toen ze zichzelf de volgende ochtend binnenliet in zijn privéfitnesszaal, waren Spock en hij nergens te bekennen. Cilla deed haar iPod in en ging aan de slag. Ze gaf zichzelf een heel uur en op een gegeven moment slenterde de hond de achtertuin in en hief zijn poot een aantal keer op. Er was nog altijd taal noch teken van Ford te bespeuren toen ze weer wegging, na nog een verlangende blik op zijn bubbelbad te hebben geworpen.

Geen tijd voor harde waterstralen en verwennerij, hield ze zichzelf voor. Maar toen Spock op haar af rende, duidelijk dolblij om haar te zien, bleef ze hem wel tien minuten aaien terwijl hij dusdanig knorde en gromde dat het een vorm van communicatie leek. De workout, de rare hond, en gewoon de dag zelf, zorgden ervoor dat ze een uitstekend humeur had toen ze de weg over rende. Ze douchte het zweet van de workout van zich af, dronk een kop koffie en at een bosbessenyoghurtje. Tegen de tijd dat ze haar gereedschapsriem om had gedaan, arriveerden haar werklui en haar onderaannemers.

Het kostte elke ochtend tijd, maar dat had Cilla er graag voor over. Praten, evalueren, brainstormen om problemen op te lossen.

'Ik ga de badkamer vergroten, Buddy,' zei ze tegen hem, en zoals ze had verwacht slaakte hij een diepe zucht.

'Degene die ik nu gebruik, niet die jij in grote lijnen al hebt gedaan.'

'Dat is dan in elk geval iets.'

'Ik heb al met Matt gepraat,' zei ze. 'Ga mee naar boven, dan zal ik je laten zien wat we gaan doen.'

Hij kuchte en aarzelde, maar ook dat had ze verwacht. Sterker nog, ze was zich erop gaan verheugen. 'Omdat we mijn kantoor boven gaan maken, in plaats van in deze slaapkamer, ga ik deze plek gebruiken om een grote badkamer te creëren. Deze muur moet weg,' begon ze.

Hij luisterde, krabde zich achter zijn oor en zei daarna hoofdschuddend: 'Dat gaat je flink wat kosten.'

'Ja, dat weet ik. De details komen nog, maar voorlopig is dat het idee.' Ze sloeg haar notitieblik open op de schets die ze met Matt had gemaakt. 'We houden de oude badkuip met klauwpoten, laten hem opknappen en zetten hem hier. Vloerpijpen en afvoer. Hier een dubbele wastafel en ik neig naar een voet eronder.'

'Dan wil je zeker een plank van graniet of zo.'

'Nee, zink.'

'Wat zeg je nou?'

'Het materiaal wordt zink. En hier neem ik een stoomdouche. Ja,' zei ze, voor hij iets kon zeggen. 'Hollywood-ideeën. Hier een glazen blok om de wc te vormen. Uiteindelijk zal het de architectuur weerspiegelen en respecteren, een eerbetoon brengen aan retro en het zal echt heel gaaf worden, Buddy.'

'Jij bent de baas.'

Ze grijnsde. 'Reken maar.'

De baas ging naar buiten om de palen en planken voor haar hek in het aprilzonnetje te maken.

Toen haar vader aan kwam rijden, had Cilla de zijkanten gedaan en was ze opnieuw bezweet geraakt.

'Dat ziet er goed uit,' zei hij.

'Het begint ergens op te lijken.'

Hij knikte naar het huis en de kakofonie van bouwwerkzaamheden. 'Zo te horen begint het binnen ook ergens op te lijken.'

'Het sloopwerk van de eerste fase is af. Ik heb een paar dingen veranderd, dus er moet op de eerste verdieping nog meer worden gesloopt. Maar morgen komt de inspecteur om het voorlopige loodgieterswerk en elektriciteitswerk goed te keuren. Daarna kunnen we er echt tegenaan gaan.' Ze tilde haar hand op en kruiste haar wijs- en middelvinger.

'In de stad wordt nergens anders over gepraat.'

'Dat geloof ik graag.' Ze wees naar de weg. 'Er komt veel meer verkeer langs dan anders. Mensen gaan langzamer rijden en sommigen stoppen zelfs om te kijken. Ik ben gebeld door de plaatselijke krant voor een interview. Ik wil nu nog niet dat er foto's van worden genomen. De meeste mensen kunnen zich in dit stadium nog niet voorstellen hoe het zal worden, dus ik heb telefonisch even vlug met de journalist gesproken.'

'Wanneer staat het in de krant?'

'Op zondag. In het woonkatern. Janet Hardy fascineert de mensen nog steeds.' Cilla schoof haar pet naar achteren zodat ze met de rug van haar hand over haar voorhoofd kon strijken. 'Jij hebt haar gekend, pap. Zou dit haar goedkeuring kunnen wegdragen?'

'Volgens mij was ze dol op dit huis en ik denk dat ze blij zou zijn dat jij dat ook bent. En dat je je stempel erop drukt. Cilla, ben je dat hek zelf aan het maken?'

'Ja.'

'Ik wist niet dat je dat kon. Ik dacht dat jij de ideeën had en vervolgens mensen inhuurde om die uit te werken.'

'Dat is ook zo. Eigenlijk gebeurt dat het meest. Maar ik hou van het werk. Vooral van dit soort werk. Ik wil een vergunning voor aannemer zien te halen.'

'Je… Nee, maar.'

'Ik ga een bedrijf beginnen. Dit huis is al het onderwerp van gesprek en uiteindelijk zal me dat inkomsten opleveren. Ik denk dat de mensen het wel leuk vinden om de vrouw in dienst te nemen die de Little Farm van Janet Hardy heeft verbouwd, vooral als ze Janets kleindochter is. En na een poosje huren ze me in omdat ik goed ben.' Haar ogen versmalden en glinsterden.

'Je wilt hier echt blijven.'

Dus hij had haar niet geloofd. Waarom zou hij ook? 'Ja, ik wil hier echt blijven. Ik vind het hier lekker ruiken en ik voel me er prettig. Heb je haast?'

'Nee.'

'Wil je wat rondlopen en voor tuinarchitect spelen?'

Hij glimlachte langzaam. 'Heel graag.'

'Even mijn notitieblok halen.'

Door naast hem te lopen, naar hem te luisteren als hij ergens naar wees en bepaalde struiken en groeperingen beschreef, kwam Cilla meer over hem te weten.

Zijn bedachtzame manier van luisteren en reageren, de stiltes waarin hij dingen overdacht. Zijn rust, de tijd die hij overal voor nam.

Aan de rand van de vijver bleef hij met een glimlach staan. 'Hier heb ik een paar keer in gezwommen. Je moet wat van die leliebladeren en lisdodden weghalen.'

'Dat staat op mijn lijst. Brian zei dat we misschien wat gele lissen kunnen nemen.'

'Dat is een goede keus. Je zou daar een wilg kunnen planten. Die zou heel mooi staan, met zijn hangende takken over het water.'

Ze krabbelde snel wat neer. 'Misschien is een stenen bankje een idee. Dan kun je ergens zitten.' Opeens moest ze ergens aan denken en ze keek hem aan. 'Zeg, is dit de plek waar je de moeder van Ford Sawyer hebt gezoend?'

Zijn mond viel open van verbazing en tot Cilla's vermaak verscheen er een blos op zijn wangen. Hij grinnikte en liep verder. 'Jeetje, van wie heb je dat gehoord?'

'Ik heb zo mijn bronnen.'

'En ik de mijne. Ik heb gehoord dat je Penny Sawyers zoon in de voortuin hebt gezoend.'

'Buddy.'

'Ik heb het niet direct van hem, maar het bericht komt wel van hem.'

'Dat is wel een beetje vreemd.'

'Een beetje wel,' beaamde Gavin.

'Je hebt de vraag niet beantwoord.'

'Ach, ik kan wel opbiechten dat ik Penny Quint, want zo heette ze nog in die tijd, inderdaad meer dan eens heb gekust. En in sommige gevallen hier. Op de middelbare school hebben we een aantal maanden verkering gehad. Voor ze mijn hart brak.'

Hij glimlachte toen hij het zei, waardoor Cilla ook begon te glimlachen. 'De middelbareschooltijd is een echte hel.'

'Dat kan het zonder meer zijn. Toevallig is dit ook de plek waar mijn hart is gebroken. Daarachter, bij de vijver, hebben Penny en ik ruziegemaakt, Joost mag weten waarover, en zijn we uit elkaar gegaan. Ik geef toe dat ik werd verscheurd tussen het verlangen haar voor me terug te winnen of je moeder te versieren.'

'Van twee walletjes eten, hè?'

'Welke jongen van achttien doet dat niet? Ik betrapte Penny toen ze Johnnie kuste bij de vijver.' Hij slaakte een zucht en herinnerde het zich zelfs nu nog als de dag van toen. 'Dat was een hele klap. Mijn meisje, althans, ik beschouwde haar nog half als mijn meisje, en een van mijn vrienden. Dat was tegen de regels.'

'Vrienden beginnen niks met elkaars ex,' zei Cilla. 'Dat is nog steeds tegen de regels.'

'Johnnie en ik hebben er daar meteen ruzie om gemaakt, en Penny heeft me eens goed de waarheid gezegd. Op dat moment kwam je moeder langs. Die heeft altijd van dramatiek gehouden. Ik ben met haar meegegaan en heb mijn hart en mijn ego door haar laten troosten. Dat was de laatste keer dat Johnnie en ik met elkaar hebben gesproken. Onze laatste woorden aan elkaar waren verwijten. Daar heb ik altijd spijt van gehad.'

De glimlach was verdwenen en had plaatsgemaakt voor oud verdriet, zag Cilla. 'Twee dagen later is hij overleden. Net als een andere vriend van me en Jimmy Hennessy raakte verlamd. Eigenlijk zou ik die avond met ze meerijden.'

'Dat wist ik niet.' Iets in haar werd samengeperst. 'Dat heeft niemand me ooit verteld.'

'Eigenlijk hoorde ik ook in die auto te zitten, maar omdat Penny Johnnie had gezoend en Johnnie en ik ruzie hadden gekregen, ben ik niet met ze meegegaan.'

'Jezus.' Er liep een rilling over Cilla's rug. 'Ik ben Fords moeder heel wat verschuldigd.'

'De volgende herfst ben ik naar de universiteit gegaan, zoals de bedoeling was. Na een paar jaar heb ik mijn studie eraan gegeven en ben ik naar Hollywood gegaan. Daar kreeg ik een contract. Ik denk dat dat in elk geval gedeeltelijk de reden was dat je moeder me nog een blik waardig keurde. Ze was te jong toen die blik serieus werd. Dat waren we allebei. We verloofden ons in het geheim en we zijn en plein public weer uit elkaar gegaan. Aan en uit, aan en uit, jarenlang. Vervolgens zijn we er samen vandoor gegaan.

Nauwelijks een jaar daarna kregen we jou.' Hij sloeg een arm om Cilla's schouder. 'We deden ons best. Ik weet dat het niet erg goed was, maar we hebben ons best gedaan.'

'Het is lastig om te weten dat zo veel van wat er is gebeurd, van wat er is gedaan, in het ergste geval voortkwam uit de dood en in het beste uit vergissingen.'

'Jij was geen vergissing.'

Daar ging ze niet op in. Hoe zou ze dat kunnen? Ze was er vaak genoeg een genoemd. 'Studeerde je nog toen Janet overleed?'

'Ik was net klaar met mijn eerste jaar.'

'Heb je ooit iets gehoord over een man met wie ze iets had, iemand uit de omgeving?'

'Er deden voortdurend roddels en geruchten de ronde over Janet en allerlei mannen. Ik kan me niks bijzonders herinneren over iemand uit de buurt. Geen enkel gerucht. Hoezo?'

'Ik heb brieven gevonden, pap. Brieven die een minnaar aan haar heeft geschreven. Ze zijn hier afgestempeld, of althans, veel zijn hier afgestempeld. Ze heeft ze verstopt. De laatste was van nadat hij een einde had gemaakt aan hun verhouding, heel bitter. Die is slechts tien dagen voor haar dood op de post gedaan.'

Ze waren teruggelopen naar het huis en stonden vlak voor de achterveranda. 'Ik denk dat ze hierheen is gegaan om hem te zien, hem erop aan te spreken. Zelfs als slechts de helft van de verhalen uit die tijd waar zijn, was ze diep ongelukkig. En ik geloof dat ze verliefd was op die man; een getrouwde man met wie ze ruim een jaar een hartstochtelijke, turbulente verhouding had voor die bekoelde.'

'Denk je dat hij hier woonde? Hoe heette hij?'

'Hij heeft ze niet ondertekend. Ze…' Cilla wierp een blik om zich heen en zag hoe dicht ze bij de open ramen stonden. Ze pakte haar vaders arm beet en trok hem wat verder weg. 'Ze had de man verteld dat ze zwanger was.'

'Zwanger? Cilla, er is een lijkschouwing geweest.'

'Dat kan best geheim zijn gehouden. Misschien was het niet zo, maar als het wel waar was, als het geen leugen was om hem terug te krijgen, kan het in de doofpot zijn gestopt. Hij heeft haar bedreigd. In de laatste brief schreef hij dat ze zou boeten als ze hun relatie aan de grote klok zou hangen.'

'Jij wilt niet geloven dat ze de hand aan zichzelf heeft geslagen,' begon Gavin.

'Zelfmoord of niet, dood is dood. Ik wil de waarheid achterhalen. Dat heeft ze verdiend, en ik ook. Mensen hebben het al tientallen jaren over moord en samenzwering. Misschien hebben ze gelijk.'

'Ze was verslaafd, liefje. Ze was een verslaafde die niet over de dood van haar kind heen kon komen. Een ongelukkige vrouw die voor de camera's en op het podium straalde, maar die daarbuiten nooit echt geluk heeft gehad. Na Johnnies overlijden is ze aan haar verdriet ten onder gegaan. Ze probeerde haar smart te smoren met pillen en alcohol.'

'Ze nam een minnaar. En ze is hier teruggekomen. Johnnie kuste jouw meisje en daardoor leef jij nog. Kleine momenten kunnen levens veranderen. En levens kosten. Ik wil erachter komen welk moment, welke gebeurtenis, haar het leven heeft gekost. Zelfs al heeft ze zelfmoord gepleegd.'

7

Las Vegas
1954

Janet hield de mouwloze jurk met wijde rok omhoog en maakte een pirouette voor de spiegelwand. 'Hoe vind je hem?' vroeg ze aan Cilla. 'De roze is eleganter, maar ik wil heel graag in het wit. Iedere vrouw hoort wit te kunnen dragen op haar trouwdag.'

'Je zult er prachtig uitzien. Je zult er prachtig, jong en ongelooflijk gelukkig uitzien.'

'Dat ben ik ook. Dat ben ik allemaal. Ik ben negentien en een grote filmster. Mijn langspeelplaat staat nummer één in het land en ik ben verliefd.' Ze draaide nog een rondje, en nog een, waardoor het gesponnen goud van haar haren als een glanzende golf in het rond vloog.

Zelfs in dromen danste haar oprechte geluk door de lucht en dwarrelde neer op Cilla's huid.

'Ik ben smoorverliefd op de geweldigste, knapste man ter wereld. Ik ben rijk, beeldschoon en de hele wereld ligt aan mijn voeten.'

'Dat blijft nog een hele tijd zo,' zei Cilla tegen haar. Maar niet lang genoeg. Het is nooit lang genoeg.

'Eigenlijk moet ik mijn haar opsteken.'

Janet gooide de jurk op bed waar het pakje van roze brokaat al achteloos was neergegooid. 'Ik lijk volwassener als mijn haar is opgestoken. Van de studio mag ik het nooit opsteken. Ze willen nog niet dat ik een echte vrouw ben. Altijd het brave buurmeisje, altijd de maagd.'

Lachend stak ze haar gladde bos haar op tot een wrong. 'Op mijn vijftiende ben ik ontmaagd.' In de spiegel ontmoetten Janets ogen die van Cilla. Naast de vreugde en de geamuseerdheid was er ook een vage minachting in te zien. 'Geloof jij dat het het publiek iets kan schelen of ik seks heb?'

'Voor sommige mensen maakt het wel uit of zal het wat uit gaan maken. Maar het is jouw leven.'

'Inderdaad. En mijn carrière. Ik wil volwassen rollen en die zal ik krijgen ook. Frankie gaat me helpen. Als we zijn getrouwd, wordt hij mijn manager. Hij zal alles regelen.'

'Ja, dat zal hij zeker doen,' mompelde Cilla.

'O, ik weet heus wel wat je denkt.' Gekleed in haar witte onderjurkje bleef Janet spelden in haar haar steken. 'Binnen het jaar zal ik een echtscheiding aanvragen. En dan raak ik tijdens een korte verzoeningspoging zwanger van mijn tweede kind. Ik ben nu ook zwanger, maar dat weet ik nog niet. Johnnie is al begonnen in me. Nog maar een week, maar hij zit al in me. Vandaag wordt alles anders.'

'Je bent ervandoor gegaan naar Las Vegas om te trouwen met Frank Bennett, een man die bijna tien jaar ouder was dan jij.'

'Vegas was mijn idee.' Janet pakte een bus haarlak en begon er verstikkende wolken mee te spuiten. 'Ik denk dat ik het hen goed wilde inpeperen. Janet Hardy, en alle personages die ze speelt, hoorde niet eens van het bestaan van Vegas te weten. Maar hier ben ik, in het penthouse van het Flamingo Hotel, om me te kleden voor mijn bruiloft. En alleen Frankie en ik weten ervan.'

Cilla liep naar het raam en keek naar buiten.

Beneden glinsterde een zwembad en daarachter strekten weelderige tuinen zich uit. Verderop lagen kleine, ietwat haveloze gebouwen. Vale kleuren en vage vormen, als op de oude foto's waarvan Cilla vermoedde dat ze ze had samengevoegd om de omgeving van de droom te creëren.

'Eigenlijk is het nog helemaal niet zoals het uiteindelijk zal worden. Vegas, bedoel ik.'

'Wat niet?'

'Je zult trouwen met Bennett en de studio's zullen er een draai aan geven en telkens met andere verklaringen komen om de schade te beperken. Maar eigenlijk zal er geen echte schade zijn. Jullie vormen zo'n spectaculair koppel dat dat bijna voldoende is. De illusie dat twee knappe mensen verliefd op elkaar zijn. En je krijgt je eerste echte volwassen rol van Sarah Constantine in *Heartsong*. Je zult genomineerd worden voor een Oscar.'

'Na Johnnie. Ik krijg Johnnie voor *Heartsong*. Zelfs mevrouw Eisenhower zal de baby een geschenk sturen. Ik ben minder pillen gaan slikken.' Ze tikte tegen het potje op haar toilettafel voor ze zich omdraaide om de jurk op te tillen. 'Daar ben ik nog steeds toe in staat, minderen met pillen en alcohol. Dat is makkelijker als ik gelukkig ben, zoals nu.'

'En als je wist wat je te wachten stond? Als je wist dat Frankie Bennett je zou bedriegen met andere vrouwen, te veel van je geld zou vergokken en nog meer de balk zou smijten? Als je wist dat hij je hart zou breken en dat je iets meer dan een jaar later je eerste zelfmoordpoging zou doen, zou je het dan toch doorzetten?'

Janet stapte weer in de jurk. 'Als ik dat niet zou doen, zou jij niet bestaan.' Ze draaide haar rug naar Cilla toe. 'Doe de rits eens dicht.'

'Later zul je zeggen, dat je moeder je als een maagd heeft aangeboden aan de studio en dat de studio stukje bij beetje de onschuld uit je heeft gerukt. En dat Frankie Bennett die stukjes heeft gepakt en ze heeft versnipperd als confetti.'

'De studio heeft een ster van me gemaakt.' Ze deed oorknopjes met parels in haar oren. 'Ik ben niet weggelopen. Ik hunkerde naar alles wat ze me gaven, en ik heb hun mijn onschuld gegeven. Ik wilde Frankie, en heb hem gegeven wat er over was.'

Ze hief een dubbel parelsnoer op en Cilla begreep de wenk. Ze pakte het snoer en maakte het vast om Janets hals.

'Ik zal de aankomende tien jaar verbazingwekkende acteerprestaties leveren. Mijn beste rollen. En ook de tien jaar daarna zal ik nog flink wat verduveld goed werk laten zien. Nou ja, bijna tien jaar,' zei ze lachend. 'Ach, wie houdt dat precies bij? Misschien heb ik beroering nodig om de grens van mijn kunnen te bereiken. Wie zal het zeggen? Wie kan het wat schelen?'

'Mij.'

Met een tedere glimlach draaide Janet zich om zodat ze een kus op Cilla's wang kon drukken. 'Ik ben mijn hele leven op zoek geweest naar liefde, en ik heb de mijne te vaak en te intensief weggeschonken. Als ik niet zo driftig op zoek was geweest, had iemand me wellicht liefde teruggegeven. De rode riem!' Ze danste weg om een brede scharlakenrode riem te pakken van de stapel kleren die op bed was gegooid. 'Die maakt het helemaal af en rood is Frankies lievelingskleur. Hij ziet me graag in rood.'

Ze gespte hem om, als een riem van bloed, en stapte in bijpassende schoenen. 'Hoe zie ik eruit?'

'Perfect.'

'Ik wou dat je meekon, maar alleen Frankie en ik zullen er zijn, en een rare oude vrederechter en de vrouw die spinet speelt. Frankie zal het laten uitlekken naar de pers zonder het tegen mij te zeggen, en zo komt de foto van ons tweeën als we dat ordinaire trouwkapelletje uit komen in de *Photoplay* terecht. En daarmee begint het gelazer.' Ze lachte. 'Wat een sensatie.'

Omdat ze haar gedachten weg wilde laten dwalen van het lawaai en alle afleidingen, bracht Cilla de twee dagen erna bijna helemaal door met het uitzoeken van de tientallen dozen en grote koffers die ze naar de schuur had gesleept.

Toen ze de spullen de eerste keer bekeek, had Cilla al gezien dat haar moeder alles wat zij als waardevol beschouwde al had uitgezocht en meegenomen. Maar Dilly had een paar schatten over het hoofd gezien. Naar Cilla's mening deed ze dat wel vaker, omdat ze zo'n haast had om de meest glinsterende voorwerpen te pakken te krijgen. Daardoor miste ze vaak de ruwe diamantjes.

Zoals de oude foto die in een boek zat. Janet die hoogzwanger op een ligstoel bij de vijver zat en samen met de onwaarschijnlijk knappe Rock Hudson gezichten trok voor de camera.

Of het script van *With Violets*, de film waarmee Janet haar tweede Oscarnominatie in de wacht had gesleept, dat onder in een hutkoffer vol oude dekens lag. Ze vond een muziekdoosje dat de vorm van een vleugel had en 'Für Elise' speelde. Daarin lag een met de hand geschreven briefje waar Janet in haar hanenpoten met grote lussen op had geschreven: *van Johnnie, Moederdag 1961.*

Aan het einde van een regenachtige middag lag er een grote hoop die naar de container moest en een kleine stapel dozen die ze wilde bewaren.

Toen ze een lading afvoerde in een kruiwagen, ontdekte ze dat de regen had plaatsgemaakt voor teer zonlicht en dat haar voortuin vol mensen stond. Ford en haar tuinarchitect stonden op het natte gras te lachen met elkaar, samen met een man met staalgrijs haar die een licht windjack droeg. De eigenaar van het dakbedekkingsbedrijf dat ze had ingehuurd liep van zijn kleine rode pick-up naar hen toe, gevolgd door een jongen van ongeveer tien en een grote witte hond.

Nadat hij zich wat had opgeblazen, en tussen Fords benen door had gekeken, liep Spock op zijn tenen – als honden al op hun tenen konden lopen – naar de witte hond, snuffelde wat, en ging vervolgens liggen om zijn buik onderdanig aan te bieden.

'Goedemiddag.' Cleaver van Cleaver Roofing en Gutters knikte haar toe. 'Ik moest een stukje verderop zijn voor een klusje en ik dacht dat ik wel even langs kon gaan om te zeggen dat we morgen beginnen als het niet regent.'

'Geweldig.'

'Dit zijn mijn kleinzonen Jake en Lester.' Hij gaf Cilla een knipoog. 'Ze bijten niet.'

'Fijn om te horen.'

'Opa.' De jongen sloeg zijn ogen ten hemel. 'Lester is mijn hond.'

Toen Cilla hurkte om de hond te begroeten, stond Spock op en botste tegen haar aan om haar hand op te eisen. Hij bedoelde duidelijk: o, nee, je moet mij eerst begroeten.

Cleaver begroette drie mannen die op hen af liepen. 'Tommy, jij grote…' Hij keek even naar zijn kleinzoon en trok een grimas. '… kerel. Denk maar niet dat je deze dame kunt overhalen om haar huis te verkopen. Ik ga het dak doen.'

'Hoe gaat het ermee, Hank? Ik wil niks kopen. Ik kom alleen even kijken hoe het met mijn jongen gaat.'

'Cilla, dit is mijn vader.' Brian, de tuinarchitect, pakte zijn vaders schouders beet. 'Tom Morrow.'

'Hij is zo glad als een aal, mevrouw McGowan,' waarschuwde Hank haar met een knipoog. 'Pas maar op. Voor je het weet, heeft hij je overgehaald om de boerderij te verkopen en laat hij er twaalf huizen bouwen.'

'Op een stuk van deze grootte? Nee, hoogstens zes.' Glimlachend stak Tom zijn hand uit. 'Welkom in Virginia.'

'Dank je. Ben je aannemer?'

'Ik ben projectontwikkelaar voor zowel particulieren als bedrijven. Met dit huis heb je flink wat hooi op je vork genomen. Ik heb gehoord dat je goede mensen hebt ingehuurd om je met het project te helpen. Met uitzondering van de aanwezigen,' zei hij met een grijns tegen Hank.

'Zeg, voor deze twee aan de gang blijven,' onderbrak Brian hen. 'Ik heb wat schetsen van de tuin die ik je wilde geven zodat je ze kunt bekijken. Heb je hulp nodig met die lading?'

Cilla schudde haar hoofd. 'Het lukt wel. Ik ben de spullen aan het uitzoeken die ik van zolder heb gehaald en in de schuur heb gezet. Echt een klus voor regenachtige dagen.'

Brian tilde een gebutste broodrooster uit de kruiwagen. 'Mensen bewaren de gekste dingen.'

'Nou, zeg dat wel.'

'Na het overlijden van mijn moeder hebben we de zolder leeggehaald,' merkte Hank op. 'Daar vonden we een hele doos vol gebroken serviesgoed en een stuk of tien dozen vol papier. Bonnen van kruideniers die dertig jaar oud waren, en de hemel mag weten wat nog meer. Maar zoek alles goed uit, mevrouw McGowan. Tussen de troep vonden we ook brieven die mijn vader haar had geschreven toen hij in Korea gelegerd was. Ze had al onze schoolrapporten bewaard tot aan de laatste klas van de middelbare school, en we zijn met zes kinderen. Ze heeft nooit iets kunnen weggooien, maar er zitten belangrijke dingen tussen.'

'Ik neem er de tijd voor. Tot nu toe is het een interessante mengeling van mijn moeders en vaders familie.'

'O, ja, dit was vroeger de boerderij van McGowan.' Tom bekeek de omgeving. 'Ik weet nog dat je oma het kocht van de oude McGowan, zo rond 1960. Mijn vader had zijn zinnen gezet op dit land, in de hoop het te kunnen ontwikkelen. Nadat Janet Hardy het had gekocht, heeft hij een maand lopen piekeren, maar daarna besloot hij dat ze er toch niet langer dan een half jaar zou blijven wonen en dat hij het dan voor een appel en een ei van haar zou kunnen kopen. Maar dat pakte anders uit.

Het is een mooi plekje,' voegde hij eraan toe, waarna hij zijn zoon een por gaf. 'Zorg dat je het nog mooier maakt. Ik moet ervandoor. Veel suc-

ces, mevrouw McGowan. Als je aanbevelingen wilt voor goede onderaannemers, bel me dan.'

'Dank je.'

'Ik moet ook maar eens gaan.' Hank tikte even tegen de rand van zijn
pet. 'Mijn kleinzoons moeten naar huis voor het avondeten.'

'Opa.'

'Die blijven nog minstens twintig minuten praten,' zei Brian toen zijn
vader en Hank naar de rode pick-up slenterden. 'Maar ik moet echt
weg.' Hij overhandigde Cilla een grote, gele envelop. 'Laat me maar weten wat je ervan vindt en wat je wilt veranderen.'

'Doe ik, bedankt.'

Nadat Brian het broodrooster in de container had gegooid, wees hij
met een vinger naar Ford. 'Tot ziens, Rembrandt.'

Met een kort lachje zwaaide Ford. 'Ik zie je nog wel, Picasso.'

'Rembrandt?'

'Kort verhaal. Wacht. Jezus.' Nadat ze hem de envelop had gegeven en
de kruiwagen tegen de schuine klep van de container begon op te duwen, duwde Ford haar aan de kant. 'Ik vind het prima dat je je spieren
laat rollen, maar niet terwijl ik hier alleen wat papier vasthou en er andere mannen in de buurt zijn.'

Hij duwde haar de envelop weer in de hand en reed de kruiwagen
omhoog om hem leeg te gooien. 'Brian en ik konden allebei goed tekenen en op de een of andere manier raakten we verzeild in een wedstrijd-
je seksonderdelen en -posities tekenen. We zijn betrapt toen we tekeningen aan elkaar gaven in de studiezaal. Daar kregen we allebei drie dagen
voor.'

'Drie dagen wat?'

Hij keek omlaag terwijl hij de vracht stortte. 'Schorsing. Jij hebt zeker
niet op een reguliere school gezeten?'

'Privéonderwijzers. Hoe oud was je toen?'

'Rond de veertien. Mijn moeder heeft me opgehaald en onderweg naar
huis heb ik niet alleen een vreselijke uitbrander gekregen maar ook veertien dagen huisarrest. Veertien dagen, maar liefst. Dat was de eerste en
laatste smet op mijn blazoen op school. Veel te streng bestraft. Hmmm.'

'Wedden dat ze ze nog steeds hebben,' zei ze toen hij de kruiwagen weer naar beneden reed. 'En toekomstige generaties zullen ze op zolder ontdekken.'

'Denk je dat echt? Nou, ze waren heel veelbelovend en gaven blijk van een bijzonder gezonde fantasie. Wil je een ritje maken?'

'Een ritje?'

'We kunnen ergens gaan eten, een bioscoopje pakken.'

'Wat draait er?'

'Geen idee. Ik zie de film meer als excuus voor popcorn en geflikflooi.'

'Goed plan,' vond ze. 'Zet jij de kruiwagen maar terug in de schuur, dan ga ik me even opfrissen.'

Nadat haar nieuwe bedrading was goedgekeurd, keek Cilla naar Dobby en zijn kleinzoon die de muren van de woonkamer opnieuw bepleisterden. Kunst kwam in vele gedaanten, dacht ze, en ze had een stel echte kunstenaars gevonden. Het ging niet snel, maar het zou absoluut volmaakt zijn.

'Doen jullie ook tierelantijntjes?' vroeg ze aan Dobby. 'Medallions, sierlijsten?'

'Af en toe. Daar is tegenwoordig niet veel vraag naar. Het is goedkoper om het kant-en-klaar te kopen, daarom doen de meeste mensen dat.'

'Ik ga nooit met de massa mee. Tierelantijntjes passen hier niet.' Met haar handen in haar zij draaide ze een rondje in de wanordelijke woonkamer waar overal afdeklakens lagen. 'Maar iets eenvoudigs en interessants misschien wel. Net als in de slaapkamer en de eetkamer. Niet iets baroks,' zei ze, hardop denkend. 'Geen engeltjes met vleugels of druiventrossen. Misschien een ontwerp. Iets Keltisch… Dat slaat zowel op de McGowan- als de Moloney-kant.'

'Moloney?'

'Hè?' Afwezig wierp ze Dobby een blik toe. 'Moloney zou de achternaam van mijn grootmoeder zijn geweest, alleen heeft háár moeder die kort na Janets geboorte veranderd in Hamilton en de studio heeft er Hardy van gemaakt. Van Gertrude Moloney naar Trudy Hamilton naar Janet Hardy. Toen ze een klein meisje was, werd ze Trudy genoemd,' voegde ze eraan toe, en ze dacht aan de brieven.

'O, ja?' Hoofdschuddend liet Dobby zijn troffel zakken. 'Trudy is een mooie, ouderwetse naam.'

'Maar niet glanzend genoeg voor Hollywood, in elk geval niet in haar tijd. In een interview heeft ze een keer gezegd dat niemand haar ooit nog Trudy heeft genoemd nadat ze Janet was geworden. Zelfs haar familie niet. Maar soms ging ze voor de spiegel staan om Trudy gedag te zeggen, gewoon om zichzelf eraan te herinneren. Hoe dan ook, als ik wat ontwerpen zoek, kunnen we overleggen hoe we die boven kunnen inpassen.'

'Geen probleem.'

'Ik zal wat in de boeken neuzen. Misschien kunnen we... Sorry,' zei ze toen de telefoon in haar zak ging. Ze haalde hem tevoorschijn en onderdrukte een zucht toen ze haar moeders nummer op het display zag. 'Sorry,' zei ze weer, en ze liep de kamer uit om op te nemen.

'Hallo, mam.'

'Dacht je soms dat ik er niks over zou horen? Dat ik het niet zou lezen?'

Cilla leunde tegen een pilaar van de veranda en staarde naar Fords mooie huis aan de overkant van de straat. 'Met mij gaat het prima, leuk dat je het vraagt. En hoe gaat het met jou?'

'Je hebt het recht niet om me te bekritiseren, me te veroordelen. Om mij de schuld te geven.'

'In welke context?'

'Hou je sarcasme maar voor je, Cilla. Je weet precies wat ik bedoel.'

'Nee, echt niet.' Wat was Ford aan het doen? vroeg Cilla zich af. Zat hij te schrijven? Was hij aan het tekenen? Toverde hij haar om tot een krijgshaftige godin? Iemand die ten strijde trok tegen het kwaad in plaats van uit te rekenen of er een gaatje in het budget kon worden gevonden voor met de hand gemaakte pleistermedaillons of die interlokaal een woedeaanval van haar moeder het hoofd moest bieden.

'Dat stuk in de krant. Over jou en de boerderij. Over mij. AP heeft het overgenomen.'

'Echt waar? Maar waarom vind je dat vervelend? Het is toch publiciteit?'

'"Het doel van McGowan is om haar verwaarloosde erfgoed op te knappen en te koesteren. Boven het geluid van vele hamers en zoemende zagen uit, zegt ze: 'Mijn oma heeft altijd vol genegenheid over de Little Farm gesproken en aangegeven dat ze zich er vanaf het eerste moment thuis heeft gevoeld. Het feit dat ze het huis en het land heeft gekocht van mijn overgrootvader van vaders kant zorgt ervoor dat ik er een extra sterke band mee voel."'

'Ik weet wat ik heb gezegd, mam.'

'"Je zou kunnen zeggen dat het mijn doel, of zelfs mijn roeping is, om eer te bewijzen aan mijn erfgoed, mijn wortels hier, niet alleen door het huis en het land in oude staat te herstellen, maar door ze te laten stralen op een manier die de integriteit en de gemeenschap respecteert."'

'Het komt wat hoogdravend over, maar het is wel correct,' zei Cilla.

'Het gaat maar door, "tijdens de bezoekjes van Janet Hardy was het een fraaie omlijsting voor de sterren van die tijd. Voor haar kinderen was het een idyllische omgeving, maar nu bladdert de verf af, is het hout verrot en zijn de tuinen overwoekerd omdat het een generatie lang heeft geleden onder verwaarlozing en desinteresse terwijl Bedelia Hardy, de dochter van Janet Hardy, haar best deed om in haar moeders glanzende voetstappen te treden." Hoe kon je ze dat laten schrijven?'

'Jij weet net zo goed als ik dat je de media niet kunt voorschrijven wat ze moeten publiceren.'

'Ik wil niet dat je nog meer interviews geeft.'

'En jij moet weten dat je mij niet kunt voorschrijven wat ik wel of niet moet doen. Niet meer. Geef er maar een positieve draai aan, mam. Je weet heel goed hoe dat moet. Je bent weggebleven uit verdriet of zo. Hoe gelukkig je hier vroeger ook bent geweest, die herinneringen werden overschaduwd of zelfs verstikt door het feit dat je moeder hier is gestorven. Dat zal je wat sympathie en nog meer publiciteit opleveren.'

Uit de lange stilte begreep Cilla dat haar moeder nadacht over de verschillende invalshoeken. 'Hoe kan ik die plek nou als iets anders dan een graftombe zien?'

'Precies.'

'Voor jou is het gemakkelijker. Heel anders. Jij hebt haar nooit gekend. Voor jou is ze niet meer dan een beeld, een stukje film, een foto. Voor mij was ze vlees en bloed. Ze was mijn moeder.'

'Goed.'

'Het zou voor iedereen beter zijn dat je interviews eerst met mij of met Mario bespreekt. En je mag toch verwachten dat een journalist die voor een gerespecteerde krant werkt, contact zou hebben opgenomen met mijn mensen voor commentaar of een citaat. Zorg ervoor dat ze dat de volgende keer doen.'

'Wat ben je trouwens vroeg op,' zei Cilla ontwijkend.

'Ik heb repetities en ik moet kostuums passen. Ik ben al moe voor ik begin.'

'Je bent een kanjer. Ik wilde je iets vragen. Weet je ook met wie Janet iets had, zo ongeveer in het laatste jaar voor ze stierf?'

'Romantisch, bedoel je? De eerste weken na Johnnies dood kon ze nauwelijks in haar eentje uit bed komen. Of ze was helemaal hyper en wilde mensen om zich heen en feesten geven. Het ene moment klampte ze zich aan me vast en het volgende duwde ze me van zich af. Het heeft me voor het leven getekend, Cilla. Ik ben mijn broer en moeder vlak na elkaar kwijtgeraakt. Of liever gezegd ben ik ze allebei kwijtgeraakt op de avond dat Johnnie stierf.'

Omdat Cilla geloofde dat dat de absolute en pijnlijke waarheid was, werd haar stem zachter. 'Dat weet ik. Ik kan me niet voorstellen hoe vreselijk dat was.'

'Dat kan niemand. Ik was helemaal alleen. Nauwelijks zestien en ik had niemand meer. Ze heeft me verlaten, Cilla. Ze heeft me bewust verlaten. In dat huis dat je per se in een monument wilt veranderen.'

'Dat doe ik helemaal niet. Met wie had ze een relatie, mam? Een geheime affaire, een getrouwde man. Een verhouding die mislukte.'

'Ze had verhoudingen. Waarom zou ze die niet hebben gehad? Ze was beeldschoon en levendig en ze hunkerde naar liefde.'

'Een specifieke relatie tijdens die specifieke periode.'

'Dat weet ik niet,' snauwde Dilly. 'Ik probeer zo min mogelijk aan die tijd te denken. Het was een ware hel voor me. Wat kan jou het schelen? Waarom rakel je dat nou weer op? Ik haat die theorieën en veronderstellingen.'

Voorzichtig zijn, bracht Cilla zichzelf in gedachten. 'Ik ben alleen nieuwsgierig. Je hoort wel eens wat, en ze is hier het laatste jaar, de laatste anderhalf jaar, vaak geweest. Ik heb nooit gehoord dat ze een echte relatie had met iemand in Los Angeles. Het was niks voor haar om lang zonder man, zonder minnaar, te zijn.'

'Mannen konden haar niet weerstaan. Waarom zou zij hen dan weerstaan? Maar ze lieten haar altijd zitten. Dat doen ze altijd. Ze doen beloften die ze niet waarmaken. Ze bedriegen en stelen en iedereen weet dat ze het niet kunnen uitstaan als de vrouw succesvoller is.'

'En hoe gaat het met jou en Num… en Mario?'

'Hij is de uitzondering die de regel bevestigt. Ik heb eindelijk het soort man gevonden dat ik nodig heb. Dat heeft mama nooit gedaan. Zij heeft nooit een man ontmoet die haar waard was.'

'Maar ze is altijd blijven zoeken,' hield Cilla vol. 'Ze had troost, liefde en steun nodig, vooral na Johnnies dood. Misschien is ze hier in Virginia gaan zoeken.'

'Geen idee. Na Johnnie heeft ze me nooit meer meegenomen naar de boerderij. Ze zei dat ze alleen moest zijn. Niet dat ik terug wilde. Het was veel te pijnlijk. Daarom ben ik al die jaren nooit teruggeweest. Het is nog altijd een open wond in mijn hart.'

En de cirkel is weer rond, dacht Cilla. 'Zoals ik al zei: ik ben gewoon nieuwsgierig. Dus mocht je iets te binnen schieten, laat het me weten. Ik zal je niet langer ophouden. Je moet naar je repetitie.'

'O, laat ze maar wachten! Mario had een fantastisch idee. Het is fenomenaal en een geweldige kans voor jou. We verwerken een duet voor jou en mij in de show, in het tweede bedrijf. Een medley van mama's nummers met stukjes films en foto's uit haar films op het scherm achter ons. We besluiten met "I'll Get By", door als een trio op te treden, met haar naast ons op het podium, zoals ze hebben gedaan met Elvis en Céline Dion. Cilla, hij onderhandelt met HBO om het uit te zenden.'

'Mam…'

'We hebben je volgende week hier nodig voor de repetities en om de kostuums te ontwerpen en voor de choreografie. We werken nog aan de compositie, maar het nummer zal ongeveer vier minuten duren. Vier spectaculaire minuten, Cilla. We willen je een echte kans geven op een comeback.'

Cilla sloot haar ogen en aarzelde tussen haar tong afbijten of ongezouten haar mening geven. Ze koos voor een tussenweg. 'Dat vind ik echt heel aardig. Maar ik wil niet terugkomen. Niet geografisch en niet professioneel. Ik wil niet optreden. Ik wil bouwen.'

'Maar dan bouw je toch?' Haar enthousiasme borrelde naar de andere kant van het continent. 'Je bouwt aan je carrière en je helpt mij. De drie Hardy-vrouwen, Cilla. Het zou een mijlpaal zijn.'

Ik heet McGowan, dacht Cilla. 'Volgens mij kun je beter alleen in de schijnwerpers staan. En het duet met Janet kan prachtig en hartverscheurend worden.'

'Het duurt maar vier minuten, Cilla. Je kunt me godverdomme toch wel een paar weken lang vier minuten per avond gunnen? Mario zegt…'

'Ik heb net mijn leven helemaal anders ingericht en het bevalt me prima zo. Ik moet gaan. Ik moet aan de slag.'

'Waag het niet…'

Cilla klapte de telefoon dicht en stak hem heel opzettelijk in haar zak. Achter haar hoorde ze iemand zijn keel schrapen en toen ze zich had omgedraaid, zag ze Matt in de deuropening staan.

'Ze zijn net klaar met het voegen van de tegels in de badkamer. Ik dacht dat je dat wel zou willen zien.'

'Ja. Dan kunnen we morgen de armaturen installeren.'

'Inderdaad.'

'Ik pak even mijn voorhamer, dan kunnen we die muur boven uitbreken. Ik ben echt in de stemming om wat te slopen.'

Er was maar weinig zo bevredigend als iets aan gort slaan, dacht Cilla. Het verlichtte frustratie, zorgde voor een snelle en wilde opleving van blijdschap en vervulde allerlei duistere fantasieën. In feite was het, op een ander niveau, even therapeutisch als goede seks.

En aangezien ze op dat moment geen seks had – goed of anderszins – was het aan diggelen slaan van muren een prima alternatief. Ze zou seks kunnen hebben, dacht ze toen ze het huis uit liep, een spoor van pleisterstof achter zich aan trekkend. Dat hadden Ford en zijn magische mond vrij duidelijk gemaakt.

Maar ze had een soort onthouding ingesteld, als onderdeel van haar 'begin een nieuw leven'-programma. Een nieuwe wereld, een nieuw leven, een nieuwe stijl. En daarbij had ze de echte Cilla McGowan gevonden.

Die mocht ze wel.

Ze had het huis om op te knappen, ze moest blokken voor haar aannemersvergunning en ze moest een bedrijf opzetten. En ze had een familiegeheim om te ontrafelen. Het zou niet slim zijn om ook nog seks met haar sexy buurman in te plannen.

Uiteraard stond hij op zijn veranda toen ze naar buiten liep en aan seks dacht. En bij het voelen van de tinteling in haar onderbuik vroeg ze zich af of het echt noodzakelijk was om aan onthouding te doen. Ze waren allebei volwassen en ongebonden en ze hadden zin, dus waarom kon ze niet naar hem toe gaan met het voorstel de avond samen door te brengen? Om iets energiekers te doen dan alleen een biertje te drinken?

Recht voor zijn raap. Er niet omheen draaien, geen smoesjes, geen bedrog. Was dat niet wat de echte Cilla wilde? Ze hield haar hoofd een beetje schuin terwijl ze daarover nadacht. Er regende pleisterstof van de klep van haar pet.

Misschien moest ze eerst een douche nemen.

'Je bent zwak en zielig,' mompelde ze, en grinnikend om zichzelf wilde ze om het huis heen lopen om naar de hoveniers aan de achterkant te gaan.

Ze hoorde het diepe gebrom van een eersteklas motor en wierp een blik achterom. De gestroomlijnde zwarte Harley schoot als een kogel over de weg en leek af te ketsen op haar open hek. Terwijl hij nog kiezeltjes leek uit te spugen, rende ze er al lachend op af.

De berijder sprong van de motor, landde op zijn bekraste legerkistjes en ving Cilla rennend op.

'Hé, pop.' Hij draaide haar een keer snel rond en gaf haar vol enthousiasme een zoen.

8

Wie was die vent in godsnaam? En waarom zoende ze hem verdomme nog aan toe? Ford stond met zijn na de koffie voor het bier colaatje in zijn hand en staarde naar de man aan wie Cilla op dat moment leek vastgekleefd als... als een sumak op een eik.

Waar sloeg die paardenstaart eigenlijk op? En die legerkistjes? En waarom streelden die handen – die kerel had nota bene een heel stel ringen om – over Cilla's kont?

'Draai je eens om, maat. Draai je om zodat ik die tronie met de Wayfarer-zonnebril beter kan zien.'

Bij het horen van Fords stem gromde Spock laag en instemmend.

'Jezus, zie je dat? Zijn arm is getatoeëerd tot aan de mouw van zijn zwarte T-shirt. Zie je?' vroeg hij scherp, en Spock mompelde dreigend.

En die glinstering? Ja, hoor. Een oorbel.

'Haal je handen weg, vriend. Als je dat niet doet, dan...' Ford keek naar zijn eigen handen en zag tot zijn verbazing dat hij het blikje cola had samengeknepen en dat de inhoud over zijn vingers schuimde.

Interessant, dacht hij. Jaloers? Hij was toch zeker niet jaloers aangelegd? Goed, op de middelbare school had hij misschien een paar keer last gehad van jaloezie, en die ene keer op de universiteit. Maar dat hoorde gewoon bij het volwassen worden. Hij ging zich echt niet druk maken over een getatoeëerde oorbeldrager die een vrouw zoende die hij pas een maand kende.

Goed, misschien was hij haar leuk gaan vinden. Net als Spock, gaf hij toe toen zijn hond waakzaam bij hem kwam staan, grauwend en brommend. Maar dat kon voor een groot deel worden toegeschreven aan het boek en haar glansrol daarin. Als hij zich al territoriaal voelde, was dat niets meer of minder dan een nevenproduct van zijn werk.

Misschien was het iets meer, maar een man vond het natuurlijk niet leuk om te moeten toekijken hoe een vrouw haar lippen op die van een vreemde drukte, als ze ze een paar dagen eerder nog op die van hém had gedrukt. Ze kon op zijn minst het fatsoen hebben om het niet recht voor zijn neus doen en naar binnen gaan om…

'Shit. Shit. Ze gaan naar binnen.'

'Niet te geloven dat je hier bent.'

'Ik zei toch dat ik langs zou komen als ik tijd had.'

'Ik had niet verwacht dat je tijd zou hebben, of dat je je zou herinneren dat je langs zou komen.'

Steve liet zijn Wayfarers een stukje omlaag glijden en keek Cilla met zijn diepbruine, dromerige ogen over het randje aan. 'Wanneer ben ik jou ooit vergeten?'

'Moet ik een lijstje voor je maken?'

'Alleen de keren dat het echt telde.' Lachend stootte hij tegen haar heupen toen ze over de veranda liepen. 'Jezusmina.' Hij bleef vlak achter de deuropening staan en bekeek het woongedeelte, de stukken drogend pleisterwerk, de lapjesdeken van beschadigde vloeren en bespatte dekkleden. 'Geweldig.'

'Vind je ook niet? Dat gaat het worden.'

'Prima ruimte. De vloeren zullen weer mooi worden. Notenhout?'

'Ja zeker.'

'Tof.' Hij slenterde rond en zei achteloos 'hoe gaat het?' tegen de paar werklui die nog aan het opruimen waren voor die dag.

Zijn tred was licht en hij zag er tenger uit, maar Cilla wist dat het uiterlijk misleidend kon zijn. Onder het T-shirt en de spijkerbroek zaten harde spieren. Steve Chensky hield zichzelf in vorm met de toewijding van een evangelist.

Als hij half zo hard aan zijn muziek had gewerkt, had hij zich van sappelende muzikant tot een grote rockster kunnen ontwikkelen, dacht Cilla. Dat had ze hem tenminste talloze malen verteld. Maar ja, als hij naar haar had geluisterd, had hun leven wel eens heel anders kunnen verlopen.

In de keuken bleef hij staan en hij hing zijn zonnebril in de hals van zijn T-shirt terwijl hij de ruimte observeerde. 'Wat ben je hier van plan?'

'Kijk zelf maar.' Ze bladerde door het notitieblok dat op het enig over- gebleven werkblad lag en liet hem haar beste schets van het concept zien.

'Leuk, Cill. Dit is echt mooi. Genoeg ruimte, royale werkoppervlak- ken. Roestvrij staal?'

'Nee. Ik laat de apparatuur uit de jaren vijftig aanpassen. God, Steve, die dingen zijn echt gaaf. Ik overweeg om daar koper te gebruiken. Een beetje ouderwets.'

'Duur.'

'Ja, maar het is een goede investering.'

'Granieten werkbladen?'

'Ik heb even gespeeld met de gedachte aan glansbeton, maar hiervoor moet je echt graniet nemen. Ik heb het nog niet uitgezocht, maar de kastjes zijn besteld. Glazen deurtjes, met koperen stroken eromheen. Ik had bijna wit genomen, maar ik wil een warme uitstraling, dus wordt het kersenhout.'

'Ach, je moet iets nemen.' Ditmaal gaf hij haar een por met zijn elle- boog. 'Je hebt er altijd oog voor gehad.'

'Jij hebt de deur op een kier gezet, zodat ik er doorheen kon.'

'Ik heb hem opengezet, maar jij hebt hem uit zijn hengsels geslagen. Voor ik naar New York ging, ben ik langs het huis in Brentwood gereden. Als herinnering aan vroeger. Het ziet er nog altijd prima uit. Zeg, heb je een biertje?'

Ze opende de minikoelkast en pakte voor hen allebei een biertje. 'Wanneer moet je terug naar Los Angeles?'

'Over een paar weken. Ik zal mijn arbeid ruilen tegen een slaapplek.'

'Echt waar? Je bent aangenomen.'

'Net als vroeger,' zei hij, en hij tikte met zijn biertje tegen het hare. 'Laat me de rest zien.'

Ford wachtte een gunstig moment af. Pas een uur nadat de werklui waren vertrokken, ging hij op pad. Het kon geen kwaad om er even heen te gaan, hield hij zichzelf voor. Alleen voor een vriendschappelijk be- zoekje. Hij wierp een boze blik op de Harley en nadat Spock uitgebreid tegen de voorband had gepiest, hurkte hij even neer om zijn loyale beste vriend een snelle high five te geven.

Het was toevallig niet zo dat hij nooit op een motor had gereden. Vroeger had hij een aantal ritjes gemaakt. Nou goed, eentje dan. Hij hield nou eenmaal niet van insecten tussen zijn tanden.

Maar als hij wilde, kón hij erop rijden.

Hij stopte zijn handen in zijn zakken en weerstond de aandrang om de Harley een zachte trap te geven. Hij hoorde de muziek – ditmaal harde rock – en in plaats van naar de voordeur te gaan, liep hij achterom, het geluid achterna.

Ze zaten lui op de treden van de veranda met een paar flesjes bier en een zak Dorito's. De Dorito's hadden de smaak die hij lekker vond, zag Ford. Cilla leunde met haar hoofd tegen de pilaar en lachte hard zodat het geluid boven dat van de muziek uitklonk. En rechtstreeks Fords binnenste in schoot.

De manier waarop Tatoeageknul met zijn vinger naar haar priemde wees op liefde, intimiteit en een gezamenlijk verleden.

'Jij verandert ook nooit. Stel je voor dat je… Hé, Ford.'

'Hoi.'

Spock liep met stramme pootjes naar Tatoeageknul. 'Steve, dit is Ford, hij woont aan de overkant. En dat is Spock. Steve is op de terugweg van New York naar Los Angeles en heeft een omweg gemaakt.'

'Hallo. Hé, dag, jochie, dag, makker.' Hij aaide Spocks grote kop met zijn beringde hand. Fords lippen vertrokken vol walging toen zijn hond, zijn loyale beste vriend, zijn kop liefdevol tegen Steves knie liet rusten.

'Wil je een biertje?' bood Steve aan terwijl hij Spocks hele lijf streelde.

'Ja, lekker. Rij je op die Harley het land door?'

'Dat is de beste manier om te reizen.' Steve opende een flesje en overhandigde het aan Ford. 'Mijn meisje daar is mijn enige ware liefde. Op Cilla na, dan.'

Cilla snoof. 'Ik hoor dat de motor nog steeds op de eerste plaats komt.'

'Zij zal me nooit verlaten, in tegenstelling tot jou.' Steve legde een hand op Cilla's knie. 'We zijn ooit getrouwd geweest.'

'Jij en de motor?'

Bij het horen van die koele opmerking gooide Steve lachend zijn hoofd achterover. 'Wij zijn nog steeds getrouwd. Met Cilla ben ik getrouwd geweest.'

'Ja, wel vijf hele minuten.'

'Toe, nou, het was minstens een kwartier. Neem plaats,' zei Steve uitnodigend.

Het zou beleefd en verstandig zijn om weg te lopen, zich terug te trekken. Maar Ford was verdomme niet van plan om beleefd of verstandig te zijn. Hij ging zitten. En de korte, zure blik die hij Spock toewierp, zorgde ervoor dat de hond zijn kop berouwvol liet hangen. 'Dus je woont in Los Angeles?'

'Dat is mijn stad.'

'Door Steve ben ik gaan opknappen. Huizen opknappen,' voegde Cilla eraan toe. 'Hij had een keer wat slavenarbeid nodig bij een verbouwing en lijfde mij in. Ik vond het leuk. Daarom heeft hij de volgende klus samen met mij gedaan.'

'Toen jullie getrouwd waren.'

'Jezus, nee. Jaren later.'

'Je schreef een script toen we getrouwd waren.'

'Nee, ik deed voice-overs en opnamen. Aan het script ben ik erna pas begonnen.'

'O, ja. Ik heb een sessie met Cilla gedaan, om wat geld te verdienen en contacten te leggen terwijl ik probeerde mijn band van de grond te krijgen.'

'Dus je bent muzikant.' Hoe kon het ook anders?

'Op dit moment ben ik een aannemer met vergunning die als bijverdienste wat gitaar speelt en iets doet voor HGTV.'

'*Rock the House*,' legde Cilla uit. 'Een klusprogramma dat de kijker alle fasen van een opknapbeurt en renovatie laat zien. Genoemd naar Steves bouwbedrijf.'

Tv-gozer, dacht Ford. Dát was natuurlijk logisch.

'Met bouwen verdiende ik mijn geld in de tijd dat ik nog hoopte door te breken als rockster,' ging Steve verder. 'En ik heb Cilla overgehaald om het eerste pand dat ik ging verbouwen te financieren toen ik zag welke kant de onroerendgoedmarkt opging en toen het niks werd met de band. Ik had precies het juiste moment uitgekozen. Woon jij in dat victoriaanse huis aan de overkant?'

'Ja.'

'Leuk. Zeg, weet jij ook waar we hier een pizza kunnen krijgen?'

Pizza was een sleutelwoord voor Spock die zijn beschaamde kop ophief en zijn dansje van blijdschap deed. 'Wil je uit eten of moet hij bezorgd worden?'

'Bezorgd, kerel. Ik betaal.'

'Ik heb het nummer van de pizzeria,' zei Cilla tegen hem. 'Wil je het gebruikelijke recept?'

'Waarom zou je iets veranderen wat lekker is?'

'Ford?'

'Ik vind alles lekker.'

'Ik zal even bellen.'

Toen Cilla naar binnen ging, zette Steve zijn flesje aan zijn lippen. 'Heb je het huis zelf opgeknapt?'

'Nee, ik heb het zo gekocht.'

'En waar verdien jij de kost mee? Wat doe je daar aan de overkant?'

'Ik schrijf beeldromans.'

'Dat meen je niet.' Met zijn biertje stootte Steve tegen Fords arm. 'Iets als *The Dark Knight* of *From Hell*?'

'Eerder Dark Knight dan Campbell. Hou je van beeldromans?'

'Toen ik klein was heb ik stripboeken verslonden. Maar beeldromans heb ik pas een paar jaar geleden ontdekt. Misschien heb ik wel iets van je gelezen. Wat... Verdomme, ben jij Ford Sawyer?' De bruine ogen werden kinderlijk groot en er verscheen een opgewonden blik in. 'Shit, ben jij de Seeker?'

Misschien was die vent toch niet zo'n grote zak, dacht Ford. 'Ja, dat klopt.'

'Ongelooflijk. Het is surreëel. Kijk hier maar eens naar.' Steve ging staan, trok zijn T-shirt uit en draaide Ford zijn rug toe. Daar, tussen de rest van de kunst die Steves schouder sierde, was een tatoeage van de Seeker die met grote passen over zijn linkerschouderblad liep.

'Jeetje... wauw.' Fords anders zo actieve hersens kwamen tot stilstand.

'Die kerel is hartstikke gaaf. Echt, hij is onwijs. Hij lijdt en dat vóél ik.'

Steve sloeg met zijn vuist op zijn borst. 'Maar toch hij gaat door. Hij pakt de draad weer op en doet wat hij moet doen. En die eikel kan door muren lopen. Hoe heb je dat in vredesnaam verzonnen?'

'Jezus, Steve, ben je nou alweer aan het strippen?' vroeg Cilla toen ze de achterdeur weer uit kwam.

'Ford Sawyer woont tegenover je. Shit, hij is de Seeker.'

Cilla bestudeerde de tatoeage waar Steve op tikte. 'Wanneer hou je daar nou eens mee op?'

'Als mijn hele lichaam een verhaal vertelt. Jij staat nog altijd op mijn kont, pop.'

'Waag het niet je broek naar beneden te trekken,' zei ze, omdat ze hem kende. 'De pizza wordt uiterlijk over een half uur bezorgd.'

'Ik ga even douchen.' Steve stompte tegen Fords schouder en gaf de opgetogen Spock een snelle aai. 'Dit is echt vreselijk, waanzinnig gaaf.'

Toen de hordeur achter Steve dichtsloeg, keek Ford naar zijn biertje. 'Dat was bizar.'

'Dat was gewoon Steve.'

'Met wie je vijf minuten getrouwd bent geweest.'

'Om precies te zijn vijf maanden.' Ze ging weer zitten en strekte haar lange benen uit. 'Jij wilt zeker het hele verhaal horen?'

'Het zou dom zijn om dat niet te willen.'

'Er valt niet zo veel te vertellen. We leerden elkaar kennen en we konden goed met elkaar opschieten. Hij wilde rockster worden en ik was, op mijn zeventiende, een actrice die een comeback probeerde te maken. Alleen wilde ik dat zelfs toen eigenlijk niet. En Steve had precies het tegenovergestelde imago van wat iedereen van me verwachtte. Dus hij was volmaakt.'

'Het brave meisje met de ruige jongen.'

'Zo zou je het kunnen zeggen. Maar ik was niet zo braaf en hij was niet zo ruig. We hielden van elkaar, maakten elkaar aan het lachen en de seks was heerlijk. Wat wil je nog meer? Dus zodra ik achttien was, zijn we er samen vandoor gegaan om te trouwen. Het duurde nog geen vijf minuten voor we ons afvroegen waarom we dat in godsnaam hadden gedaan.'

Ze wierp haar hoofd in de nek en lachte. 'We wilden helemaal niet getrouwd zijn, niet met elkaar en niet met iemand anders. We wilden vrienden zijn, met elkaar optrekken en misschien af en toe waanzinnige seks hebben. Daarom hebben we er wat aan gedaan, lang voordat het vervelend werd of er schade ontstond, en we houden nog steeds van elkaar. Hij is de beste vriend die ik ooit heb gehad. En, afgezien van zijn tatoeages, de standvastigste en betrouwbaarste.'

'Hij heeft je niet laten vallen.'

Cilla keek naar hem en knikte. 'Niet één keer. Nooit. Als Steve er niet was geweest, zou ik niet doen wat ik nu doe. Hij heeft het me geleerd. Hij is een vijfde generatie aannemer. Op een bepaalde manier zou je kunnen zeggen dat hij rockster wilde worden om zich daar tegen af te zetten. "Kijk, ik speel gitaar in plaats van dat ik met een hamer sla." Maar uiteindelijk snapte hij dat hij beter was met de hamer, en geloof me, dan bedoel ik ook veel beter. Ik heb hem wat geld geleend voor het eerste huis dat hij ging opknappen, een treurige kleine bouwval in Los Angeles-Zuid. Hij heeft er iets moois van gemaakt, me terugbetaald en het volgende huis gekocht. Hij vroeg of ik mee wilde doen, en van het een kwam het ander. Nu heeft hij zijn eigen bedrijf en dat tv-programma. Hij verbouwt nog altijd treurige bouwvallen, maar ook huizen die een miljoen waard zijn. Hij gaat een filiaal openen in New York en er is sprake van dat ze een spin-off van het programma gaan maken voor de oostkust. Hij is in New York geweest voor zaken en daarom kwam hij hier langs voor hij teruggaat naar Los Angeles.'

'En hij heeft jou op zijn kont getatoeëerd.'

'Als herinnering aan vroeger. Heb jij er ook een?'

'Een tatoeage?' Vreemd genoeg voelde hij zich ineens dom. 'Nee. En jij?'

Met een glimlach nam ze een slok bier. 'Er kan veel gebeuren tijdens een huwelijk van vijf minuten.'

Uiteindelijk zat Ford pizza te eten terwijl hij zich afvroeg wat voor tatoeage Cilla had en waar ze hem had laten zetten.

Omdat het idee hem niet met rust liet, vond hij dat Brid er ook een nodig had. Eenmaal thuis verdiepte hij zich in verschillende symbolen zodat hij niet de hele tijd zat te piekeren of Cilla en Steve de verbouwingsplannen bespraken of dat ze waanzinnige seks hadden.

Om twee uur 's nachts hielden zowel zijn ogen als zijn energie het voor gezien. Toch liep hij uit nieuwsgierigheid naar een van de ramen aan de voorkant om nog een blik op het huis aan de overkant te werpen. Er verscheen een trage glimlach om zijn lippen toen hij de straal van een zaklantaarn door de duisternis naar de schuur zag snijden.

Als Steve in de schuur sliep, stond er die nacht geen waanzinnige seks op de agenda.

'Laten we het vooral zo houden,' mompelde Ford. Hij trok zijn kleren uit en liet zich voorover op bed vallen.

'Heb je dat gehoord?' Steve porde Cilla wakker, wat heel gemakkelijk ging omdat ze samen in haar slaapzak lagen.

'Wat? Nee. Hou je kop.' Cilla draaide zich om en nam zich heilig voor dat Steve voor de volgende avond een andere slaapplek moest vinden.

'Ik heb iets gehoord. Een gepiep, zoals een deur in een verlaten huis klinkt als hij wordt geopend in een griezelfilm. We moeten gaan kijken wat er aan de hand is.'

'Weet je nog wat ik zei toen je voorstelde om met elkaar naar bed te gaan?'

'Toen zei je nee.'

'Hier geldt hetzelfde antwoord. Ga slapen.'

'Ik snap niet hoe je kunt slapen in deze stilte.' Hij draaide zich om, en nog eens, tot ze tegen hem gromde. 'Kwam er maar wat verkeer langs.'

'Ik heb meer aan een aparte slaapzak voor jou.'

'Wat hard van je.' Hij drukte een zoen op haar hoofd. 'Daar krijg je nog spijt van als hier een of andere bergbewoner met een wilde blik in zijn ogen binnenstormt met een bijl.'

'Ik beloof je dat ik mijn verontschuldigingen zal aanbieden als dat gebeurt. Hou nou je mond of ga weg. De werklui komen om zeven uur.'

Het bewerkte koperen hoofdeinde botste ritmisch tegen de rode muur en het geluid werd extra benadrukt door haar kreten van genot. Een straal maanlicht verlichtte die kristalblauwe ogen die nu glazig waren toen hij in haar stootte. Ze riep zijn naam, zong hem bijna, terwijl haar lichaam onder het zijne spande.

Ford. Ford.

Hé, Ford.

Hij werd wakker met een spectaculaire ochtenderectie, de zon die in zijn ogen scheen en een vaag gevoel van schaamte omdat het Steve was die zijn naam riep. Maar in elk geval zorgde dat besef ervoor dat zijn erectie al afnam.

Ford stak zijn hoofd uit het raam en riep: 'Wacht even.' Hij trok snel de spijkerbroek aan die hij de vorige avond had uitgetrokken en strompelde naar beneden.

'Ik heb donuts,' zei Steve toen Ford de deur opentrok.

'Hè?'

'Jeetje, kerel. Lag je nog te maffen?'

Ford staarde naar Steves minzame glimlach en de doos Krispy Kremes. 'Koffie.'

'Ik begrijp wat je bedoelt.' Toen Ford zich omdraaide en zich tastend een weg naar de keuken baande, kwam Steve achter hem aan. 'Fantastisch huis, man. Echt waar. De ruimte wordt goed gebruikt, de materialen zijn goed gekozen. Ik dacht dat je wel op zou zijn aangezien Cilla al gebruik heeft gemaakt van je fitnesszaal. Ik wilde vragen of ik wat donuts kon ruilen voor gebruik van die zaal.'

'Best.' Ford zette een mok klaar, drukte op het knopje van het koffiezetapparaat en opende de doos die Steve op het aanrecht had gezet. De geur trof hem als een bliksemschicht.

'Cafeïne en suiker.' Steve grijnsde toen Ford een donut gevuld met jam pakte. 'Beste manier om de dag te beginnen, op een potje vrijen na dan.'

Ford gromde en pakte een tweede mok.

'Het is vanochtend een gekkenhuis bij Cill dus ik ben even weggegaan om donuts te halen. Mannen in de bouw zijn er gek op. Hé, moet je je hond zien.'

Ford keek naar het raam en zag Spock rennen, springen en zijn neus naar de grond brengen om te sluipen. 'Ja, het zijn de katten.'

'Hè?'

'Hij jaagt op katten. Magische katten die alleen hij kan zien.'

'Godsamme, dat is precies wat hij doet.' Steve keek grijnzend uit het raam, met een beringde duim door zijn riemlus gestoken. 'Dus ik kan 's ochtends vroeg een keertje met Cill trainen, of laat op de dag naar de fitnesszaal gaan? Loop ik je dan niet in de weg?'

'Geen probleem.' Dankzij de suiker in zijn bloedsomloop gingen Fords ogen open en de eerste slok koffie zorgde voor de rest. 'Ik dacht dat je vanochtend wel langer zou blijven slapen. Je hebt gisteren een lange dag gehad en je hebt vast niet erg lekker geslapen in de schuur.'

'Ik hou van lange dagen.' Steve pakte de koffie die Ford hem toestak en gooide er melk in die Ford op het aanrecht had gezet. 'Welke schuur? Die van Cill? Cill laat me echt niet in de schuur slapen. Ik heb een stukje van haar slaapzak gekregen.'

'O.' Verdomme. 'Ik was nog laat aan het werk en ik zag je naar de schuur lopen. Ik dacht dat…'

'Ik ben niet buiten geweest. Het is daar ongelooflijk donker. Pikkedonker. Ik ben een stadsjongen.' Hij hield zijn hoofd schuin. 'Heb je daar iemand buiten gezien?'

'Ik zag een zaklamp, de straal ervan. Geloof ik. Het was al laat, dus misschien heb ik…'

'Nee, dat bestaat niet.' Hij liet zijn hand zo hard op Fords arm neerkomen dat Ford naar achteren struikelde. 'Ik zei nog tegen haar dat ik iets hoorde, maar het enige wat ze terugzei was dat ik mijn mond moest houden en weer moest gaan slapen. Hoe laat was dat?'

'Weet ik niet. Eh… iets na tweeën.'

'Dat klopt precies. Iemand ging naar de schuur. Dat moeten we uitzoeken.'

'Shit.' Ford nam nog een slok koffie. 'Dat moet dan maar. Ik heb een overhemd en mijn schoenen nodig.'

'Mag ik mee naar boven? Ik vind je huis te gek.'

'Ga je gang.' Het was irritant om vriendschap te sluiten met de man die naar bed ging met de vrouw met wie híj wilde vrijen. Maar er leek geen manier te zijn om zijn hakken in het zand te zetten en zich te verzetten. 'Dus… Je had zeker niet je eigen slaapzak meegenomen?'

'Nee, zeg, ik logeer altijd in hotels. Roomservice, bars, matrassen met kussens. Cill is degene die van dat primitieve gedoe houdt. Je hebt er zeker niet een over?'

'Nou, toevallig…'

'Ho! Godverdomme. Dat is Cilla.'

Voor Ford kon reageren liep Steve met grote passen zijn kantoor in naar de schetsen die daar waren opgehangen.

'Super-Cilla. Jeetje.' Steve tikte met een vinger tegen een hoek van een tekening. 'Die zijn fantastisch. Je bent geniaal. Dit is geen Seeker-spul.'

'Nee. Nieuw personage, nieuwe serie. Ik ben er net aan begonnen.'

'Met Cill als de… wat? Een soort model? Weet ze ervan?'

'Ja. We hebben iets geregeld.'

Steve knikte en bleef grijnzend naar de schetsen kijken. 'Ik voelde de vonken toen je gisteren langskwam. Maar nu ik dit heb gezien, begrijp ik waarom ze gisteren nee zei tegen een potje neuken met haar.'

'Ze…' In gedachten stak Ford vol vreugde zijn vuist omhoog. 'Dus… Jullie zijn niet…'

'Er staat je niks in de weg. Maar ik zal eerlijk tegen je zijn. Haar neuken is één ding, als zij ermee instemt. Maar haar verdriet doen is iets anders. Als je dat doet, ruk ik je nog kloppende hart uit je lijf. Maar anders is er geen vuiltje aan de lucht.'

Ford bekeek Steves gezicht en besefte dat de man elk woord oprecht had gemeend. 'Ik snap het. Ik ga mijn schoenen halen.'

Steve wierp even een blik op de badkamer en daarna op Fords slaapkamer. 'Je hebt hier goed licht. Waarom heb je nog niks geprobeerd?'

'Hoe bedoel je? Wat zou ik met het licht moeten proberen?'

'Toe nou.' Steve schudde zijn hoofd terwijl Ford een T-shirt aantrok. 'Met Cilla. Waarom heb je nog niks met haar geprobeerd? Als je dat wel had gedaan, zou ik het weten. En ze is hier al ruim een maand.'

'Ik zie niet in wat jou dat aangaat. En daar bedoel ik niks mee.'

'Dat weet ik. Maar ik weet hoe het zit, want er is niemand die meer voor me betekent dan zij. Ik zal niet zeggen dat ze als een zus voor me is, want dat zou ziek zijn, gegeven de omstandigheden.'

Ford ging op de rand van zijn bed zitten om zijn schoenen aan te trekken. 'De dame lijkt het langzaam aan te willen doen. Dus doe ik dat. Dat is alles.'

'Heel goed. Ik mag jou wel, dus ik zal je een goede raad geven. Je zou haar taai en veerkrachtig kunnen noemen. Ze biedt alles het hoofd wat op haar pad komt. Maar ze heeft diep weggestopt oud zeer, dus je moet voorzichtig zijn.'

'Ze zou hier niet op deze manier kunnen werken als ze geen emotioneel verleden had.'

'Goed. Dan gaan we ons als echte mannen gedragen en de schuur bekijken.'

In de kamer die haar bijkeuken annex washok zou worden, ging Cilla rechtop staan om haar rug te strekken. Zoals ze had vermoed, ging er onder het oude en vergeelde linoleum een bekraste maar nog te redden hardhouten vloer schuil. Ze zou liever boven zijn om zich te vermaken met de elektrische apparaten, maar het was logischer om haar energie te stoppen in het lostrekken van het linoleum. Haar timmerman had haar daar niet nodig, vooral niet nu Steve er was, dus…

Door het raam zag ze Steve, die kennelijk niet boven was, samen met Ford naar haar schuur lopen. Ze legde haar gereedschap aan de kant en ging naar buiten om erachter te komen waarom Steve een ochtendwandeling maakte in plaats van toezicht te houden op de verbouwing van de grote slaapkamer en badkamer.

De schuurdeur stond open en de twee mannen waren binnen tegen de tijd dat zij er was. Ze leken te overleggen wie van hen de ladder naar de hooizolder zou beklimmen.

'Wat doen jullie in godsnaam?' vroeg ze.

'We controleren de boel,' zei Steve. 'Kun je ook zien of er iets weg is?'

'Nee, en waarom zou er iets weg zijn?'

'Ford zag hier vannacht iemand rondsluipen.'

'Ik heb het woord "rondsluipen" niet gebruikt. Ik heb gezegd dat ik hier vannacht iemand met een zaklamp heen zag gaan.'

'Als je midden in de nacht op het terrein van iemand anders bent, dan sluip je rond.' Steve wees naar Cilla. 'Ik zei toch dat ik iets hoorde.'

Cilla schudde haar hoofd en wendde zich tot Ford. 'Dus jij zag helemaal vanaf de andere kant van de weg iemand rond mijn schuur sluipen?'

'Al ben ik het eens met de definitie van "rondsluipen", ik heb gezegd dat ik een licht zag, een lichtstraal. De straal van een zaklamp die in de richting van de schuur bewoog.'

'En,' onderbrak Steve hem, 'toen we de deur openden, kraakte die. Dat geluid heb ik vannacht ook gehoord. Er is hier iemand binnen geweest. Je hebt hier flink wat troep staan, Cill.'

'En het is duidelijk te zien dat alle troep nog altijd hier is.'

'Het kan best zijn dat er een of meer dingen weg zijn,' zei Ford. 'Er staat hier een flinke voorraad en ik zie dat er een dappere poging is gedaan om het te ordenen, maar ik betwijfel of je precies weet wat hier allemaal staat of waar je het hebt gezet de laatste keer dat je hier bezig was.'

'Nee, inderdaad, dat weet ik niet.' Met haar handen in haar zij keek ze naar de bergen en stapels, de ordening. Had zij die dozen zo opgestapeld? Had ze die kapotte schommelstoel naar links gedraaid?

Hoe moest ze dat in godsnaam nog weten?

'Ik moet nog heel wat bekijken, maar tot nu toe heb ik niet echt iets van waarde gevonden. En ja,' ging ze verder voor Steve iets kon zeggen, 'een theelepeltje dat Janet Hardy in een suikerpot heeft gedoopt, is voor veel mensen wel een inbraakje waard.'

'Wie weet dat je hier spullen hebt liggen?'

'Iedereen,' beantwoordde Ford Steves vraag. 'Er werkt een hele groep mensen in het huis, plus alle mensen die Cilla de spullen hierheen hebben zien slepen of haar daarmee geholpen hebben. En iedereen die met een van hen heeft gepraat weet ervan, net als iedereen die met die iedereen heeft gepraat enzovoort.'

'Ik zal een hangslot regelen.'

'Goed idee. Hoe zit het met die brieven?'

'Welke brieven?' wilde Steve weten.

'Heb je behalve aan mij nog iemand anders verteld over de brieven die je op zolder hebt gevonden?'

'Mijn vader, maar ik denk echt niet…'

'Heb je brieven op zolder gevonden?' onderbrak Steve hen. 'Geheime brieven? Shit, het lijkt wel een detective van de BBC.'

'Jij kijkt nooit naar BBC-detectives.'

'Wel als er sexy Britse meiden in meespelen. Wat voor brieven?'

'Brieven die zijn geschreven aan mijn grootmoeder door een man met wie ze een verhouding had in het jaar voor ze stierf. En ja, geheime brieven. Ze had ze verstopt. Ik heb het alleen aan Ford en mijn vader verteld, die het waarschijnlijk ook tegen mijn stiefmoeder heeft gezegd. Maar daar is het vast bij gebleven.' Hoopte ze. 'Alleen…' Ze blies haar adem uit. 'Toen ik het tegen mijn vader zei, zag ik dat we vlak bij een open raam stonden dus heb ik hem weggetrokken om het verhaal af te maken. Maar als een van de mannen dicht bij het raam stond, heeft die genoeg kunnen horen.'

Ze wreef in haar ogen. 'Dom. En bovendien heb ik gisteren druk uitgeoefend op mijn moeder met de vraag of Janet voor ze stierf een minnaar had, eentje hier uit de buurt. Zij zou het zo vertellen als ze zich daartoe geroepen voelt. Daar komt nog bij dat ze kwaad op me is.'

Steve gaf een klopje op haar schouder. 'Dat is niks nieuws, pop.'

'Nee. Maar gezien haar huidige stemming, kan ze best iemand hierheen hebben gestuurd om wat rond te snuffelen, op zoek naar iets van waarde.'

'Geef de brieven en alle andere dingen waar je je zorgen over maakt maar aan mij. Niemand zal er bij mij thuis naar gaan zoeken,' voegde Ford eraan toe toen ze hem fronsend aankeek.

'Ik zal erover denken.'

'Maar goed,' zei Steve. 'We kunnen de bergbewoner met de wilde blik en de bijl dus uitsluiten. Of niet soms? In elk geval zodra Ford naar boven is geklommen om te kijken of er geen lijken of afgehakte lichaamsdelen liggen.'

'O, verdomme nog aan toe.' Cilla draaide zich om naar de ladder.

Ford ging voor haar staan en duwde haar terug. 'Ik doe het wel.'

Op weg naar boven controleerde hij bij elke sport of die zijn gewicht kon dragen omdat hij zichzelf al naar beneden zag storten en met gebroken botten op de betonnen vloer zag liggen. Toen hij bovenkwam, begon hij hartgrondig te vloeken.

'Wat is er?' riep Cilla omhoog.

'Niks. Een splinter. Er is hier niks. Niet eens het eenzame afgehakte hoofd van een rondtrekkende boerenknecht.'

Toen hij weer omlaag was geklommen, nam Cilla zijn hand in de hare en ze huiverde toen ze het stuk van de ladder in het vlezige deel van zijn handpalm zag. 'Die zit goed diep. Kom mee naar binnen, dan zal ik hem er voor je uit halen.'

'Ik kan gewoon…'

'Terwijl jullie doktertje spelen, gesp ik mijn gereedschapsriem om en ga ik echt mannenwerk doen.'

Cilla wierp Steve een blik toe. 'Dat wordt tijd ook.'

'Ik moest donuts halen. Tot straks,' zei hij tegen Ford, waarna hij naar buiten slenterde.

'Heeft hij je donuts gebracht?' vroeg Cilla.

'Ja. Als omkoopsom om de fitnessruimte te gebruiken.'

'Hmm. Ga mee naar binnen en neem dat stuk van mijn ladder mee. Hij heeft je zeker ook wakker gemaakt?'

'Dat heb je goed geraden.' Ford duwde de schuurdeur achter hen dicht. 'En nog wel uit een bijzonder interessante droom over jou, een rode kamer en een koperen hoofdeinde. Maar de jamdonuts maakten dat weer goed.'

'Steve gelooft heilig in de magische kracht van de donut. Zeg, wat deed ik eigenlijk in een rode kamer met een koperen hoofdeinde?'

'Lastig te omschrijven. Maar ik denk dat ik het je wel kan laten zien.'

Ze keek in zijn ogen waarin het felgroen afstak tegen de gouden randen. 'Ik heb geen rode kamer. En jij ook niet.'

'Ik ga direct de verf kopen.'

Lachend arriveerde ze bij de deur van de bijkeuken en opeens stond ze met haar rug tegen de muur van het huis. Het was telkens weer een verrassing hoe effectief, hoe gevaarlijk zijn mond was. De mond, dacht ze vaagjes terwijl die de hare aanviel, die zo charmant glimlachte en zo gemoedelijk temend over alledaagse dingen sprak. Vervolgens sloot hij zich over de hare en baande zich als een vlam een weg door haar lichaam.

Hij beet zacht in haar onderlip waarna hij een stap achteruit deed. 'Ik dacht vannacht dat Steve naar de schuur liep. Om daar te gaan slapen.'

'Waarom zou Steve in de schuur slapen?' Het duurde nog een minuutje voor haar hersens weer normaal werkten. 'O. We zijn allemaal volwassen, Ford. Ik ga niet vragen of Steve in de schuur wil slapen.'

'Ja, dat heb ik begrepen. Maar hij mag mijn oude slaapzak gebruiken. Die ligt al vijftien jaar niets te doen, niet sinds de tijd dat ik het opwindend vond om in een slaapzak op de grond te liggen. Hij zal hem leuk vinden. Het is een Spider-Man-slaapzak.'

'Heb jij een slaapzak met Spider-Man erop?'

'Die heb ik voor mijn achtste verjaardag gekregen. Het was een hoogtepunt dat zijn glans nooit heeft verloren.' Hij boog zich voorover, streek met zijn lippen over de hare en deed de deur achter haar open. 'Ik vind het geen probleem om hem uit de berging te halen zodat Steve erin kan slapen zolang hij hier is.'

'Wat ben je toch een goede buur.'

'Niet echt.'

Ze opende de EHBO-doos en bekeek de inhoud. 'Ik heb hier alles wat ik nodig heb. Laten we het buiten doen. In het licht.' Toen ze de veranda op stapten, gebaarde ze dat hij moest gaan zitten. Ze doordrenkte een watje met peroxide en maakte de wond schoon.

'Het is niet omdat ik een goede buur ben,' ging Ford verder. 'Ik handel puur uit eigenbelang. Ik wil niet dat hij met jou slaapt.'

Ze richtte zijn blik op de zijne terwijl ze een naald en een pincet begon te ontsmetten met alcohol. 'O, nee?'

'Als je met hem naar bed wilt, heb ik pech.'

'Hoe weet je dat ik dat niet doe? Dat ik dat niet al heb gedaan?'

'Omdat je met mij naar bed wilde. Au!' Hij keek naar zijn hand en het gat dat ze met de naald boven de splinter had gemaakt. 'Jezus.'

'Hij is te diep om naar buiten te duwen, maar heeft wel een uitweg nodig. Bijt maar op je tanden. Als ik met jou wil vrijen, waarom heb ik dat dan nog niet gedaan?'

Behoedzaam keek hij naar de naald in haar hand. 'Omdat je er nog niet klaar voor bent. Ik kan wachten tot je dat bent. Maar, en waag het niet om me nog een keer met dat ding te prikken, ik mag een boon wezen als ik wil dat je met een ander naar bed gaat terwijl ik wacht, ook al is het alleen om de goeie ouwe tijd te laten herleven. Ik wil mijn handen over je hele lijf laten gaan. En ik wil dat jij daarover nadenkt.'

'Dus jij leent Steve je geliefde Spider-Man-slaapzak zodat ik erover na kan denken zonder dat ik toegeef aan mijn wellust of met hem naar bed ga omdat hij toevallig in de buurt is.'

'Zoiets.'

'Moet je dat eens zien.'

Hij draaide zijn hoofd in de richting die ze aangaf. Bij het voelen van de scherpe, snelle prik ging er een schok door hem heen. Toen hij vloekte, hield Cilla de flinke splinter met haar pincet omhoog. 'Souvenirtje?'

'Nee, dank je.'

'Je bent klaar.' Ze pakte de EHBO-doos weer in, greep hem vervolgens bij zijn haar en drukte haar mond gretig op de zijne. Even snel verbrak ze de zoen weer, en stond ze op. 'Denk daar maar aan terwijl je wacht.'

Met een koele glimlach liep ze het huis in, en ze liet de hordeur met een harde klap achter zich dichtslaan.

9

Cilla raakte zo gewend aan de auto's die langzamer gingen rijden of stopten aan het begin van haar oprit dat ze er nauwelijks meer aandacht aan schonk. De kijkers, aangapers, zelfs de mensen van wie ze vermoedde dat ze foto's namen hoefden geen probleem te zijn. Vroeg of laat zouden ze gewend raken aan haar, dus volgens haar was het het beste om ze te negeren of af en toe even naar hen te zwaaien.

Om deel uit te maken van de gemeenschap moest ze haar laten zien wat haar oogmerk en haar verlangen was, stelde ze vast. Daarom deed ze boodschappen bij de plaatselijke supermarkt, huurde ze plaatselijke werklui in en kocht ze bijna al haar materiaal in de buurt. En ze babbelde met winkelhulpjes en onderaannemers en deelde handtekeningen uit aan de mensen die haar nog altijd als Katie van de tv zagen.

Ze beschouwde het symbolisch, en met dat doel voor ogen volgde ze Fords raad en haar eigen eerste ingeving op en liet ze de hekken verwijderen. Vervolgens liet ze de oprit flankeren door kersenbomen met hangende takken. Een duidelijke boodschap, dacht Cilla toen ze bij de berm van de weg stond en het resultaat bekeek: nieuw leven. De volgende lente als ze in bloei zouden komen, zou ze er zijn om dat mee te maken. Vanaf de plek waar ze stond keek ze naar het huis. Er zouden bloembedden en jonge boompjes zijn, maar ook de indrukwekkende, oude magnolia. Háár indrukwekkende, oude magnolia waarvan de wasachtige witte bloemen een zoete geur zouden verspreiden. De verf van het huis zou vers en nieuw zijn in plaats van groezelig en afbladderend. Op de veranda zouden stoelen en bakken met gemengde bloemen staan. En, als ze nog wat geld uit het budget kon persen, tegels in aarden tinten op de oprit die de weelderig groene gazons doorsneed.

Uiteindelijk zouden de mensen hier vaart minderen omdat ze vol bewondering naar een mooi huis met een mooie tuin keken en niet omdat ze zich afvroegen wat die vrouw uit Hollywood in godsnaam aan het doen was met het huis waarin Janet Hardy te veel pillen had geslikt en die had weggespoeld met wodka.

Bij het geluid van een naderende auto liep ze terug naar de muur, maar ze draaide zich om bij het horen van het snelle toet-toet toen het kleine rode Hondaatje tot stilstand kwam naast de berm.

Het kostte haar een paar tellen – wat haar even een schuldgevoel bezorgde – voor ze de knappe blondine die in een driekwart broek en een gehaakt topje uit de auto sprong herkende.

'Hoi!' Met een parelende lach rende Angela McGowan, Cilla's halfzus, naar voren om Cilla stevig te omhelzen.

'Angie.' De frisse, brutale geur omhulde haar net zo compleet als haar armen. 'Je hebt je haar geknipt. Laat me je eens bekijken. Nee! Omhels me niet nog een keer. Ik ben helemaal smerig.'

'Ja, zeg dat wel.' Angie lachte nog een keer parelend en ze deed een stap naar achteren, waarna ze Cilla aankeek met haar grote hazelnootbruine ogen. Hun vaders ogen, dacht Cilla. Hun vaders dochter. 'En je stinkt ook een beetje.' Stralend, een ander woord was er niet voor, greep Angie Cilla's handen beet. 'Alles bij elkaar genomen hoor je eigenlijk niet nog altijd zo mooi te zijn.'

'Jij ziet er fantastisch uit.' Cilla liet haar vingertoppen over de zeer kortgeknipte lokken van Angies haar glijden. 'Wat ontzettend kort.'

'Het kost me 's ochtends maar twee seconden om het in model te krijgen.' Angie schudde even met haar hoofd zodat de zonnige dos omhoog ging, even golfde en weer neerdaalde. 'Ik had zowat een blinddoek en een sigaret nodig om het te laten doen.'

'Het is schitterend. Wat doe je hier? Ik dacht dat je op de universiteit was.'

'Het semester zit erop, dus ik ben een tijdje thuis. Ik kan niet geloven dat jij hiér bent. En dit.' Ze wees naar het huis. 'Dat je hier echt woont en het opknapt en zo.'

'"En zo" is nogal veelomvattend.'

'Deze zijn ontzettend mooi. Veel mooier dan het oude hek.' Angie raakte een gebogen tak met zijn bloesems van zacht lenteroze aan. 'Iedereen heeft het over wat hier gebeurt. Ik ben pas een dag thuis en mijn oren tuitten nu al van alle praatjes.'

'Goede of slechte praatjes?'

'Waarom zouden ze niet goed zijn?' Angie hield haar hoofd schuin. 'Dit huis was iedereen een doorn in het oog. Goed, het is nu ook nog niet erg mooi, maar jij doet er tenminste iets aan. Dat heeft verder niemand gedaan. Is het moeilijk? Ik bedoel niet het werk, want dat is nogal wiedes. Ik bedoel is het moeilijk om hier te zijn, om hier te wonen?'

'Nee.' Typisch iets voor Angie om die vraag te stellen, dacht Cilla. Angie was oprecht belangstellend. 'Sterker nog, het is gemakkelijk. Het geeft me juist een goed gevoel, meer dan wat of waar ook. Heel vreemd.'

'Dat vind ik niet. Ik geloof dat iedereen is voorbestemd zich ergens thuis te voelen, en de mensen die geluk hebben vinden die plek ook. Dus jij hebt geluk.'

'Nou je het zegt.' Cilla herinnerde zich dat Angie altijd ongelooflijk optimistisch was geweest. Echt een dochter van haar vader. Een dochter van hún vader, verbeterde Cilla zichzelf. 'Wil je even binnenkomen om rond te kijken? Er wordt nog druk gewerkt, maar we boeken vooruitgang.'

'Dolgraag, maar mag het een ander keertje? Ik ben op weg naar wat vrienden, en ik heb even een omweg gemaakt om jou te zien. Ik had niet verwacht je aan de kant van de weg aan te treffen, dus had ik ook geluk. Dus als ik… O-o.'

Cilla volgde Angies blik en zag het witte bestelbusje dat naast de berm aan de overkant van de weg stopte.

'Weet je wie dat is?' vroeg Cilla. 'Ik heb dat busje hier al een paar keer zien staan.'

'Ja, dat is het busje van meneer Hennessy. Zijn zoon was…'

'Ik weet het. Een van de jongens die samen met Janets zoon betrokken was bij het ongeluk. Goed. Blijf hier.'

'Jezus, Cilla, ga niet naar hem toe.' Angie greep Cilla's arm beet. 'Het is een vreselijke vent. Heel gemeen. Tuurlijk, het was vreselijk wat er is gebeurd, maar hij haat ons.'

'Ons?'

'Ons allemaal. Omdat we met elkaar verwant zijn, zegt pap. Je kunt maar beter bij hem uit de buurt blijven.'

'Maar hij komt wel bij mij in de buurt, Angie.'

Cilla stak over en zag door de voorruit de bittere ogen in het magere gezicht met de samengeknepen mond toen ze naar de passagierskant liep. Toen zag ze dat het busje een lift had. Eentje die was bedoeld voor de rolstoel van zijn zoon.

De helling van de berm zorgde ervoor dat ze zich in een nadelige positie bevond: ze stond niet helemaal stevig op haar benen en ze bevond zich een stukje lager dan de man die kwaad naar haar keek.

'Meneer Hennessy, ik ben Cilla McGowan.'

'Ik weet wie je bent. Je lijkt precies op haar, is het niet?'

'Het speet me te horen dat u uw zoon vorig jaar hebt verloren.'

'Ik had hem in '72 al verloren toen zijn wervelkolom werd vermorzeld door jouw waardeloze bloedverwant. Hij was dronken en high en hij gaf alleen om zichzelf, want zo was hij opgevoed. Verder gaf hij om niemand.'

'Dat zou best kunnen. Ik weet dat die jongens die avond een hoge tol hebben betaald. Ik kan me niet…'

'Jij bent geen haar beter dan zij. Je voelt je zo veel verheven boven alle anderen omdat je geld hebt en je verwacht dat iedereen voor je buigt.'

De bron van Cilla's medeleven begon op te drogen. 'U kent me helemaal niet.'

'Reken maar van wel. Ik ken jou, jouw soort, jouw bloed. Jij denkt dat je hier zomaar kunt komen waar die vrouw hoereerde en haar kinderen liet rondrennen als wolven, waar het mijn zoon zijn armen en benen en zijn leven heeft gekost?' Zijn woede sloeg via zijn knokige vingers in korte, broze klappen naar buiten. 'Denk je nou echt dat je wat hout en verf kunt kopen en de stank van dat huis kunt verhullen? Ik had het jaren geleden al in brand moeten steken. Het had verdomme tot de grond toe moeten affikken.'

'Het is maar een huis, meneer Hennessy. Hout en glas.' En jij bent gek, dacht ze zonder een greintje medeleven.

'Het is even vervloekt als zij was. Als jij bent.' Hij spuugde uit het raampje, en miste op een haartje na de teen van Cilla's schoen. 'Ga terug naar waar je vandaan komt. Wij willen jou of jouw soort hier niet.'

Hij trok zo snel op dat het busje slingerde en Cilla snel terug moest deinzen. Ze gleed uit op de helling, verloor haar evenwicht en viel op haar knieën terwijl Angie de weg over rende.

'Gaat het wel? Godsamme, hij heeft je toch niet geraakt?'

'Nee. Nee.' Maar ze keek het hard wegrijdende busje met samengeknepen ijsblauwe ogen na. 'Met mij gaat het prima.'

'Ik bel de politie.' Huiverend van verontwaardiging haalde Angie een felroze mobieltje uit haar zak. 'Hij heeft naar je gespuugd! Ik heb het gezien en hij reed je bijna omver en...'

'Niet doen.' Cilla legde een hand op de telefoon toen Angie hem openklapte. 'Laat maar zitten.' Met een zucht wreef ze over haar knie. 'Laat alsjeblieft zitten.'

'Heb je pijn? Je kwam heel hard neer. We moeten even naar de knie kijken.'

'Er is niks aan de hand, mammie.'

'Nee echt, ik meen het. Ik rij je naar het huis, dan kunnen we kijken of je ermee naar een dokter moet. Wat een oude klerelijer is het ook.'

'Met mijn knie is niks aan de hand. Ik ben niet gewond, ik ben kwaad.'

Angie haalde een paar keer hoorbaar adem, alsof ze weer tot rust wilde komen. Ondertussen nam ze Cilla nauwkeurig op. 'Je kijkt anders niet kwaad.'

'Geloof me. Hoereren, wolven, vervloekt, jouw bloedverwant. Klootzak.'

Angie lachte. 'Dat is beter. Ik rij je naar het huis en geen gemaar.'

'Prima. Bedankt. Doet hij ook zo tegen jou?' vroeg Cilla toen ze naar Angies Honda liepen.

'Hij gromt en werpt me blikken toe die dodelijk te noemen zijn en hij mompelt dingen. Hij spuugt niet. Ik weet dat hij tekeer is gegaan tegen pap. En, jezus, ken je iemand met meer mededogen dan pap? Alleen omdat hij bevriend was met de zoon van meneer Hennessy en de anderen, wil dat nog niet zeggen dat hij verantwoordelijk was voor wat er is gebeurd. Hij was er die avond niet eens bij. En jij was nota bene nog niet eens geboren.'

'Volgens mij gelooft hij echt in dat "zonden van de vaders"-gedoe.

Als hij wil langsrijden of stoppen, om boos te kijken en slechte dingen te denken, moet hij dat zelf weten.'

Aan het einde van de oprit opende Cilla het autoportier. Ze haalde zelf een keer diep adem en besefte dat ze zich beter voelde, evenwichtiger, vermoedde ze, omdat Angie er was. 'Dank je, Angie.'

'Voor ik ga wil ik je knie zien.'

'Die mankeert niks.' Om het te bewijzen en de stemming op te vrolijken, deed Cilla een snelle tapdans op het onregelmatige gazon. Ze eindigde met een zwierige beweging terwijl Angie giechelde.

'Wauw. Goed, blijkbaar is hij in orde.'

'Mooie benen, pop.' Steve stapte de veranda op, tatoeages en gereedschapsriem. 'En wie is je vriendin?'

'We zijn geen vriendinnen,' zei Angie. 'We zijn zussen.'

'Angela McGowan, Steve Chensky. Steve is een vriend uit Los Angeles. Hij komt me een paar dagen een handje helpen.'

'Misschien wel langer.' Steve glimlachte, breed en brutaal.

'Angie is net thuis van de universiteit en ze is op weg naar een stel vrienden.'

'Inderdaad. En ik ben al laat. Vertel hem over meneer Hennessy,' beval Angie terwijl ze weer in haar auto stapte.

'Meneer wie?'

'Zal ik doen. Veel plezier.'

'Absoluut. Ik kom terug. Leuk je te hebben ontmoet, Steve.' Ze zwaaide door het raampje, maakte een mooie driekwartdraai en reed weg.

'Je zus is een stuk.'

'En nog maar net achttien, dus handen thuis.'

'"Nog maar net", daar gaat het om. Je moet het McGowan-DNA wel bewonderen.'

'Nee. Nee, dat moet je helemaal niet. Hoe gaat het op zolder?'

'Het is er walgelijk heet. Ze moeten de airconditioning nog installeren en aansluiten. Maar er zit schot in. Pak je gereedschap, pop. We verspillen goed daglicht.'

'Ga maar voor.'

Wat de hitte betrof had hij gelijk gehad. Cilla vermoedde dat ze alleen door te zweten al een paar pond had verloren tegen de tijd dat ze haar gereedschapsriem aan het eind van de dag afdeed. Ze trakteerde zichzelf op een lange, koele douche in de enige badkamer die al bijna klaar was. Hij moest alleen nog worden geverfd en de lampen moesten worden opgehangen. En ze dacht erover om een reusachtige sandwich voor zichzelf te maken.

Die at ze in haar eentje op haar achterveranda waar ze zich vol overgave kon volproppen. Ze stelde zich de bloeiende struiken, sierbomen, kleurige planten voor in plaats van de weggehakte wildgroei. Ze stelde zich een ruwe stenen bank voor onder de brede takken van de grote plataan en zag in gedachten de nieuwe leisteen en bakstenen op de terrassen en paden. De hangende takken van de wilgen bij de vijver, de schaduw van de rode esdoorns, de glanzende pracht van de magnolia's.

Niet vervloekt, dacht ze, zacht wrijvend over haar knie die een beetje stijf en pijnlijk was. Genegeerd, te lang verwaarloosd, maar niet vervloekt, wat een verbitterde oude man ook beweert.

Ze zou een zwaluwkastje en voederbakjes voor kolibries ophangen. En de vogels zouden komen. Ze zou eigenhandig een bloementuin planten, nadat ze had uitgezocht welke planten geschikt waren. Daardoor zou ze meer vogels en vlinders aantrekken die rond zouden vliegen terwijl zij bloemen afsneed om in vazen te zetten.

Ze ging een hond kopen, eentje die achter takken, eekhoorns en konijnen aan zou gaan, en die zíj op haar beurt achterna zou zitten als hij in de tuin ging graven. Misschien zou ze zelfs kijken of ze er een kon krijgen die even aandoenlijk lelijk was als Spock.

Ze zou feestjes geven met gekleurde lampen en muziek, waarbij er mensen door het huis en over het gazon zouden dwalen en ze vulden met geluid en beweging. Hartslagen en stemmen.

En ze zou elke morgen wakker worden in een huis. Haar thuis.

Ze keek naar het papieren bordje op haar schoot en zag de traan vallen. 'O, hemel, wat krijgen we nou?' Ze wreef met haar handen over haar natte wangen en drukte ze tegen het strakke gevoel in haar borst. 'Wat is dit nou?'

Ze zat in haar eentje op de scheefhangende veranda die uitkeek op de geruïneerde tuinen terwijl de zon omlaag naar de bergen gleed. En ze gaf zich over aan gesnik. Je stort in, dacht een deel van haar hersens. Daar kon je op wachten.

Honden, mensen, gekleurde lampen? Een mislukking lag veel meer voor de hand. Nee, het huis was niet vervloekt. Het had een goed skelet en goede spieren. Maar was zij niet vervloekt? Had zij ooit iets wezenlijks gedaan? Wat had ze ooit afgemaakt? Hier zou ze ook mislukken. Mislukken was iets waar ze goed in was.

'Hou op. Hou op met die onzin,' zei ze tegen zichzelf.

Ze onderdrukte de volgende snik terwijl ze overeind kwam. Ze pakte het bordje en de half opgegeten sandwich, beende naar binnen en gooide alles weg. Ze haalde langzaam adem en spetterde net zolang koud water over haar gezicht tot ze kon kiezen tussen verdrinken of op haar tanden bijten. Wat beheerster ging ze naar boven waar ze zich heel bewust opmaakte om haar uitbarsting van zelfmedelijden te verbergen. Daarna pakte ze haar exemplaar van *The Great Gatsby*.

Daarmee stak ze de weg over, en ze klopte op Fords deur.

'Dat komt goed uit,' zei hij toen hij opendeed. Spock hield op met zijn 'buitenaardsen voor de deur'-getril en spurtte naar voren om zijn lijf tegen Cilla's benen te drukken. 'Ik liep net in gedachten een kort lijstje met redenen na om te bepalen welke ik moest gebruiken als excuus om naar jou te gaan. Ik zat achter zodat het minder opviel dat ik je huis in de gaten hield.'

Ze stapte naar binnen en overhandigde hem het boek. 'Je zei dat ik dit hier mocht bewaren.'

'Tuurlijk. De brieven?'

'Ja.' Omdat de hond haar aankeek met een blik vol liefde in zijn uitpuilende ogen, hurkte ze even neer om hem te krabben en te strelen tot hij in extase verkeerde. 'Ik ben in een slechte bui. Ik wil ze op dit moment niet in huis hebben.'

'Goed.'

'Wil jij ze een keertje lezen, als je er tijd voor hebt? Ik wil er graag de mening van een ander over horen.'

'Dat is een hele opluchting. Dan hoef ik tenminste niet elke dag een strijd te voeren tussen nieuwsgierigheid en integriteit. Ik zal ze in mijn kantoor leggen. Wil je even mee naar boven? Ik heb een paar tekeningen die je vast leuk zult vinden.'

'Ja.' Rusteloos, dacht ze. Ze voelde zich rusteloos, ongedurig en ze had een beetje hoofdpijn. Het was beter om in beweging te blijven, om iets omhanden te hebben. 'Ja, waarom niet?'

'Wil je een biertje of een glas wijn?'

'Nee, nee. Niks.' Alcohol was geen goed idee na een instorting.

'Waar is Steve? Ik dacht dat ik zijn motor een poosje geleden hoorde.'

'Hij is uitgegaan. Hij zei dat hij wat actie wilde, dat hij misschien een partijtje ging poolen met een paar van de werklui. Volgens mij hoopt hij een van de leden van de tuinploeg te versieren. Ze heet Shanna.'

'Shanna en ik kennen elkaar al heel lang. Niet op die manier,' zei hij snel. 'We zijn al bevriend sinds onze kindertijd. Zij, Brian, Matt en ik.'

'Leuk. Het is leuk om vrienden te hebben die je al heel lang kent. O, wauw.'

Er waren twee borden die bedolven waren onder de tekeningen. Actiehoudingen, dacht ze. Halverwege een sprong, een stap, een draai. Het was onmiskenbaar haar gezicht en op alle tekeningen leek ze sterk, fel, dapper en geniaal.

Zo voelde ze zich op dat moment juist niet, dacht ze.

'Ik overweeg een tatoeage. Daar werd ik helemaal door gebiologeerd. Nu probeer ik erachter te komen wat voor plaatje en waar.' Hij stak zijn handen in zijn achterzakken terwijl hij de schetsen kritisch bestudeerde. 'Onder op de rug, op de schouderbladen of biceps. Ik denk aan iets kleins en symbolisch, ergens waar mensen het niet zullen zien bij Cass. Of nog beter: Cass heeft hem niet, hij komt pas tevoorschijn als ze in Brid verandert. Op die manier is het niet alleen een symbool, maar maakt het deel uit van haar krachtbron.'

Hij kneep zijn ogen samen toen hij de tekeningen bekeek. 'Ik moet het definitief bepaald hebben voor ik aan de panelen begin. Ik heb de verhaallijn uitgestippeld en die bevalt me. Het zit goed in elkaar, maar...'

Omdat Spock begon te jammeren, keek Ford op. En zijn gedachtestroom brak in kleine stukjes uiteen bij het zien van de tranen die over Cilla's gezicht stroomden.

'O, verdomme. Shit. Wat is er? Waarom?'

'Sorry. Het spijt me. Ik dacht dat het over was. Ik dacht dat ik klaar was.' Ze liep naar achteren en veegde over haar wangen. 'Ik moet gaan.'

'Nee, nee.' Er mocht zich dan onder in zijn maag een steeds groter wordend gat vormen, maar hij pakte haar arm stevig beet. 'Wat is er aan de hand? Wat heb ik gedaan?'

'Alles. Niks.'

'Welke van de twee?'

'Er is van alles aan de hand. Jij hebt niets gedaan. Het ligt niet aan jou, maar aan mij. Het ligt aan mij, aan mij! Dat ben ik niet.' Ze gebaarde wild naar de tekeningen. Door haar toon en het gebaar sloop Spock naar zijn bed toe. 'Daar lijk ik helemaal niet op. Ik kan mezelf er niet eens toe zetten om met jou naar bed te gaan. En wil je weten waarom?'

'Daar ben ik wel benieuwd naar.'

'Omdat ik het zal verpesten en dan heb ik niemand meer om mee te praten. Bij mij lopen dingen nooit goed af. Ik verknal alles, alles mislukt bij mij.'

'Daar merk ik anders helemaal niks van.' Verbijsterd schudde hij zijn hoofd. 'Waar komt dit ineens vandaan?'

'Uit de realiteit. Uit het verleden. Daar weet jij niets van.'

'Vertel het me dan.'

'Ik was godverdomme al op mijn twaalfde mislukt. Ik had de mogelijkheden, ik had het podium en ik heb het verbruid. Ik heb gefaald.'

'Dat is onzin.' Zijn toon was zakelijk en dat was veel troostender dan zacht medeleven. 'Je bent veel te slim om dat te denken.'

'Het maakt niet uit dat ik wéét dat het niet waar is. Althans, niet precies. Maar als je telkens te horen krijgt dat je een mislukking bent, ga je het vanzelf geloven. Die verrekte serie was mijn familie en toen, *bam!* Weg. Ik kon het niet meer terugkrijgen, de familie noch het werk. Toen was het: ga concerten en liveshows doen en dat kon ik niet. Plankenkoorts, paniekaanvallen. Ik wilde die pillen niet nemen.'

'Welke pillen?'

'Shit.' Ze drukte haar vingers tegen haar ogen, dankbaar dat de tranen opgedroogd waren. Spock sloop weer naar haar toe en liet een half kapot gekauwde teddybeer bij haar voeten vallen. 'Mijn manager, mijn moeder, mensen. Je hebt alleen iets nodig om de scherpe randjes er vanaf te halen, zodat je het podium op kunt. Zodat je geld kunt blijven verdienen en het publiek je naam niet vergeet. Maar ik wilde niet. Ik heb het niet gedaan, punt uit. Vervolgens kwamen er slechte films, negatieve berichten in de pers en daarna wordt er helemaal niks meer over me geschreven, wat volgens sommigen nog veel erger is. En Steve.'

Opgewonden stak ze haar armen uit en ijsbeerde door de kamer. 'Twee seconden nadat ik achttien werd, ben ik getrouwd omdat er eindelijk iemand was die van me hield, die om me gaf, die het begreep. Maar dat liep ook mis.

Ik ben naar de universiteit gegaan en ik vond het vreselijk. Ik was er diep ongelukkig en ik voelde me dom. Ik was er niet op voorbereid en ik had niet verwacht dat er zo veel mensen waren die hoopten dat ik er zou mislukken. Dus deed ik dat. Ik voldeed aan hun lage verwachtingen over me. Eén semester en ik lag eruit. Daarna kwamen de voice-overs en vernederende bijrolletjes. Ik ging een scenario schrijven, o nee, dat lukte ook niet. Fotografie, dan? Nee, dat kon ik voor geen meter. Ik had een inkomen dankzij Katie, en dankzij het feit dat mijn vader ervoor had gestreden dat mijn inkomen wettig beschermd was tot ik meerderjarig was, iets wat ik pas jaren later te weten ben gekomen.

Op mijn veertiende was ik al in therapie en op mijn zestiende overwoog ik om zelfmoord te plegen. Een warm bad, roze kaarsen, muziek, scheermesje. Maar toen ik in bad zat, dacht ik: dit is stom. Ik wil niet dood. Dus heb ik gewoon een bad genomen. Ik heb dingen geprobeerd. Misschien kon ik iemands manager worden of choreografie gaan doen. Wat je ook kunt bedenken, ik heb het geprobeerd en gefaald. Bij mij lopen dingen nooit goed af. Ik hou nooit iets vol.'

'Even diep ademhalen,' zei Ford zo streng en autoritair dat ze hem slechts knipperend met haar ogen kon aankijken. 'Je was een schattig kind, een schattig, getalenteerd kind op tv.'

'O, verdomme.'

'Hou nou eens even je mond. Ik weet niet precies hoe die dingen gaan, maar ik vermoed dat de serie door zijn onderwerpen heen was.'

'Ja, nogal.'

'Maar niemand hield er rekening mee dat er een kind bij betrokken was, eentje dat was opgegroeid in die serie en die het gevoel had dat ze plotseling van haar familie was weggerukt. Dat ze wees was geworden. Dat ze het idee had dat het allemaal haar schuld was.'

'Precies. Zo voelde ik me precies. Ik weet wel beter, maar...'

'Iedereen die een veertienjarig meisje kalmeringstabletten geeft, of eigenlijk opdringt, om haar te laten optreden, moet worden afgeknald. Dat staat voor mij als een paal boven water. Die gebeurtenissen mag je niet uitroepen tot mislukkingen. Sorry, die tellen niet langer mee. Eigenlijk blijft er niks over,' ging hij verder terwijl zij hem aankeek. 'De universiteit werd niks, schrijven niet, fotograferen niet, wat dan ook. Cilla, dat is geen falen. Dat is proberen. Onderzoeken. Je hebt een huwelijk gehad dat niets werd, maar je bent erin geslaagd om bevriend te blijven met je ex. Goed bevriend, nota bene. Dat is toch geen mislukking? Ik zie dat als iets heel positiefs. En hoe zit het met die huizen in Californië die je hebt opgeknapt en verkocht? Als je aan de overkant een probleem bent tegengekomen, moet je het zien op te lossen.'

'Ik heb geen problemen.' Ze streek haar haar uit haar gezicht en slaagde erin om een keer opgelucht en vrij adem te halen. 'Eigenlijk gaat alles heel voorspoedig. Het spijt me. Het spijt me. Ik kan niet geloven dat ik jou hiermee heb lastiggevallen. Ik was daarstraks al ingestort, maar ik dacht dat het over was. Op de een of andere manier maakten die tekeningen me weer aan het huilen.'

Ze bukte zich en streelde Spock die haar uiterst bezorgd bleef aankijken. Ze pakte zijn kleine haveloze beertje op. 'Dit ding is echt walgelijk.'

'Ja. Hij heeft het al een hele poos. Hij geeft het alleen aan mensen van wie hij houdt.'

'Jeetje.' Ze boog zich voorover en kuste Spock op zijn neus. 'Dank je, schatje. Hier, neem jij hem maar weer terug.'

Zijn staart kwispelde, alsof hij wilde zeggen: de crisis is voorbij, en hij nam de beer mee terug naar zijn slaapplek.

'Waarom ben je eigenlijk ingestort?'

'O, jee.'

Ze liep weg van Ford en de tekeningen, naar het raam. De zon was laag achter de bergen gezonken zodat zijn licht hun fiere toppen met een stralenkrans omgaven. De aanblik van de bergen – ver weg, een tikje afstandelijk – gaf haar troost.

'Mijn halfzus kwam vandaag langs. Angie, die ik vaak als mijn vaders dochter beschouw. Zo denk, of dacht, ik niet vaak aan mezelf. Dat was gemakkelijker. Ze is altijd zo aanwezig. Opgewekt, slim, knap. Een lieve meid, maar niet zo lief dat ze je op de zenuwen werkt. Ik heb nooit veel moeite voor haar gedaan, en ook niet voor mijn stiefmoeder. Kaarten en de juiste cadeautjes voor Kerstmis en hun verjaardag. Ik herkende haar eerst niet, ze heeft haar haar geknipt, maar daar kwam het niet door. Niet echt. Mijn hoofd was gewoon even helemaal leeg. Ik voelde me stijfjes en ongemakkelijk, maar zij niet. Dus daar moest ik me schuldig om voelen, waardoor ik me nog stijver en ongemakkelijker voelde en zij is hartstikke vrolijk en blij om me te zien. Ze veinst niks, ze heeft geen bijbedoelingen.'

Ze zuchtte en ergerde zich aan zichzelf. Huilebalk, dacht ze. Je kunt er gewoon niet tegen dat alles goed gaat. 'Ik feliciteerde mezelf er net mee dat ik de hekken had laten weghalen, wat heel symbolisch is, en bomen heb laten planten. Ik laat dingen openen, ik laat dingen wortel schieten, met het oog op de toekomst, en door haar besef ik dat ik mensen en relaties heel oppervlakkig behandel. Als een steen die over de rivier stuitert. Ik wil me er niet in onderdompelen.'

'Misschien ben je nu al een tijdje aan het watertrappelen.'

Ze keek om. Wat zag hij er toch lekker uit in zijn oude sweatshirt, gescheurde spijkerbroek en met zijn ruige haar. 'Misschien wel. Hoe dan ook, terwijl we staan te praten en ik de zaken op een rijtje probeer te zetten, stopt meneer Hennessy aan de overkant van de weg. Ik heb zijn busje al eerder gezien, dan stond het er gewoon. Angie herkende het.'

Ze draaide zich om. 'Wist je dat hij tekeer is gegaan tegen mijn vader en zijn gezin?'

'Nee. Kan best. Hij is een harde kerel, Cilla.'

'Daar ben ik achter gekomen toen ik naar hem toe liep om met hem te praten. Hij geeft mij en al mijn bloedverwanten, zoals hij het noemt, min of meer de schuld van wat zijn zoon is overkomen. Het huis is vervloekt, ik ben een hoer, net als mijn grootmoeder enzovoort. Hij spuugde zelfs naar me.'

'Klootzak.'

'Zeg dat wel. Vervolgens trekt hij zo snel op dat ik mijn evenwicht verlies en gaat Angie zich ineens als een moederkloek gedragen.'

'Bel de politie. Die gaat wel met hem praten.'

'Wat moeten ze dan zeggen? Dat hij niet op mijn schoenen mag spugen? Ik kan er maar beter voor zorgen dat hij niet de kans krijgt om het nog eens te doen. Ik heb er genoeg van om medelijden met hem te hebben voor iets wat voor mijn geboorte is gebeurd. Ik dacht dat ik alleen kwaad was, daarom ben ik weer aan het werk gegaan om het uit te zweten. Maar opeens drong het allemaal tot me door wat resulteerde in die gigantisch aanval van zelfmedelijden die je net mee hebt mogen maken.'

'Ik zou het liever een gemiddelde aanval noemen en dit bewijst alleen maar dat je veel te hard bent voor jezelf. Ik weet niks van huizen bouwen, maar ik ken degene die de leiding heeft van het hele gebeuren aan de overkant van de weg. Die vrouw is geen mislukkeling. Ze is slim en doortastend en ze werkt hard om te krijgen wat ze wil. Ze heeft misschien niet de mystieke krachten van de godin, maar...' Hij tikte op een van de tekeningen. 'Dit is zij. Dit ben jij, Cilla. Zo zie ik jou.' Hij haalde er een schets van Brid af die een tweekoppige hamer in beide handen hield. Haar gezicht straalde kracht en vastberadenheid uit.

'Neem deze mee, hang hem ergens op. Kijk ernaar als je weer zo'n aanval voelt aankomen. Dit ben jij.'

'Jij bent anders wel de eerste die me als krijgshaftige godin ziet.'

'Ze is meer dan dat.'

Cilla keek van de tekening in zijn ogen. Haar borst voelde weer strak aan, maar dit was geen voorbode van tranen. Het was het gevoel van iets wat weer openging, dacht ze. 'Bedankt hiervoor, en voor de rest. Als vergoeding...'

Ze wendde zich van hem af en zijn polsslag versnelde toen ze de achterkant van haar shirt optilde, een klein stukje bij de taille, zodat er tussen haar spijkerbroek en haar rug een opening ontstond. Daar, onderaan, in donkerblauw, waren de drie lijnen van de drievoudige spiraal te zien.

Hij voelde de klap in zijn libido op hetzelfde moment dat zijn intellect erdoor geraakt werd. 'Het Keltische symbool van vrouwelijke kracht. Maagd, moeder, oude vrouw.'

Met opgetrokken wenkbrauwen keek ze achterom. 'Wat weet je toch veel.'

'Ik heb er onderzoek naar gedaan.' Hij stapte dichterbij om de tatoeage te bekijken. 'En dat symbool stond boven aan mijn lijstje voor Brid. Dit moet verdomme wel lotsbestemming zijn.'

'Hij moet eigenlijk op haar biceps.'

'Wat? Sorry. Heel erg afgeleid.'

'Biceps.' Cilla draaide zich om en spande die van haar. 'Daar is het stoerder. Misschien minder sexy, maar stoerder, volgens mij. En als je het inderdaad wilt laten vormen als ze zich transformeert, dan is het een stuk veelzeggender.'

'Je hebt naar me geluisterd.'

'Jij ook naar mij.' Ze legde een hand op zijn wang. 'Daar ben je heel goed in.'

'Oké. We moeten nu naar buiten gaan.'

'O, ja?'

'Ja. Want ik kan je nu het bed in praten en daar heb ik heel veel zin in. Maar dan zullen we ons allebei afvragen of het is gebeurd omdat jij een slechte dag had en ik toevallig in de buurt was. Met als resultaat dat we ons onzeker en opgelaten voelen. Dus… laten we een ijsje gaan eten.'

Bij het horen van dat sleutelwoord sprong Spock op en liet zijn beer en zijn slaapplek in de steek.

Met een glimlach liet ze haar vingers naar zijn kaak glijden. 'Ik wil dat je me nu het bed in praat.'

'Ja. Hou je mond. IJs. Snel.'

Hij pakte haar hand en trok haar mee. De hond rende langs hen heen om zo snel mogelijk bij de voordeur te zijn.

'Je laat me keer op keer versteld staan, Ford.'

'Ik begrijp mezelf vaak niet eens.'

10

Steve kende bijna geen beter gevoel dan over een plattelandsweg te scheuren en de bochten te nemen terwijl de warme avondwind langs hem heen stroomde. Succes bij die lekkere brunette, Shanna de tuinier, zou beter zijn geweest, en dat had maar weinig gescheeld.

Nou ja, volgende keer beter.

Hoe dan ook, hij had er even van kunnen proeven en hij had het gevoel dat de volledige maaltijd de belofte van het voorproefje zeker zou inlossen. Ja. Hij grijnsde in de wind. De volgende keer.

Maar voorlopig raakte rijden over de verlaten weg na een paar biertjes, een partijtje pool en het voorspel met Shanna precies de juiste snaar. Het was een goede zet geweest om hierheen te gaan en een paar weken vrij te nemen om bij Cilla te zijn.

Ze had zich een flinke klus op de hals gehaald, peinsde hij. Een groot, ingewikkeld project dat ook nog eens nare, persoonlijke kanten had. Maar dat bleek voor haar een goede zet te zijn. Dat zag hij aan hoe ze eruitzag en hoe ze praatte. En ze had iets voor zichzelf gecreëerd, iets groots, gecompliceerds en persoonlijks. Precies wat ze altijd nodig had gehad.

Hij kon haar nog een week, hooguit tien dagen geven. Verdomd als het niet waar was, hij genoot van de verbouwing en wilde er graag nog een poosje bij betrokken zijn. Ook wilde hij nog wat langer met Cilla optrekken en haar het geraamte van haar nieuwe leven zien opbouwen.

En hopelijk kon hij Shanna versieren als hij toch bezig was.

Een week moest genoeg zijn, dacht hij terwijl hij de bocht nam en Cilla's weg op reed. Tegen die tijd zou de plattelandscharme van de Shenandoahvallei hem de keel uithangen. Hij had de drukte van de grote stad nodig en al was hij graag voor korte perioden in New York, de glitter en glamour van Los Angeles was zijn thuis.

Dat gold niet voor Cilla. Steve keek lui naar een auto die geparkeerd stond langs de berm bij een lang, oplopend pad. Nee, voor Cilla was Los Angeles altijd een plaats als alle andere geweest. Dat was ongetwijfeld nog een reden dat hun huwelijk zo'n stom idee was geweest. Zelfs toen had zij een ontsnappingsmogelijkheid gezocht en hij een mogelijkheid om in het showbizzwereldje te komen.

En op de een of andere manier hadden ze allebei gevonden wat ze zochten.

Hij sloeg haar oprit in en glimlachte toen hij zag dat ze niet alleen een lamp op de veranda voor hem aan had gelaten, maar dat er ook eentje binnen achter een van de ramen brandde. Typisch Cilla, dacht hij. Die dacht aan de kleine dingetjes en lette op de details.

Het licht achter het raam herinnerde hem eraan dat het al na twee uur 's nachts moest zijn. In de stilte van het platteland brulde zijn Harley als een tornado. Ze zou er waarschijnlijk wel doorheen slapen, want als Cilla sliep, was ze helemaal van de wereld, maar toch zette hij halverwege de oprit de motor uit en liet hem uitrollen in zijn vrij.

Binnensmonds zingend sprong hij van de motor om hem verder naar de schuur te rijden. Hij zette zijn helm af en maakte hem vast op de motor, en trok vervolgens de schuurdeur open. Hij had de koplamp aangelaten zodat er een lichtstraal was om het duister te doorboren. Met een boer die de herinnering aan de Corona die hij had gedronken terugbracht, schopte hij de standaard omlaag. Toen hij het voorwiel draaide, viel de koplamp op een van Cilla's opslagdozen. Die stond open, met de deksel ernaast en er lagen overal foto's en papieren.

'Hé.'

Hij deed een stap naar voren om het beter te bekijken. Hij hoorde niks, zag niks en voelde slechts heel even een verscheurende pijn voor hij voorover op het beton klapte.

Even na zevenen had Cilla haar eerste overleg met Matt, wat ze in gedachten 'de koppen bij elkaar steken' noemde. Ze had nog meer gesprekken gepland, met de elektriciens en de loodgieter, maar ze wilde dat

Steve daarbij zou zijn. Zolang hij hier was, zou ze gebruik van hem maken, dacht ze.

Bovendien wilde ze dat hij met haar meeging op kooptocht. Ze moest tegels en apparatuur uitzoeken, armaturen, en ze moest meer hout bestellen. Om half acht werd het huis gevuld door de kakofonie van zagen, hamers en radio's. Ze vermoedde dat het een latertje was geworden voor Steve en uit medeleven bracht ze een kop koffie naar de kamer waar hij in zijn geleende Spider-Man-slaapzak sliep.

Toen ze zag dat Spidey op dat moment leeg was, blies ze langzaam haar adem uit. 'Iemand heeft vannacht gescoord,' mompelde ze, en ze dronk de koffie zelf op terwijl ze weer naar beneden ging.

Ze pakte haar lijsten, haar notitieblok en haar handtas. Op het moment dat ze naar buiten liep, arriveerde de tuinploeg. Cilla's wenkbrauwen gingen omhoog toen ze Shanna zag. Bij wie had Steve dan gescoord? vroeg ze zich af. Shanna zwaaide even en liep vervolgens naar haar toe met een beker meeneemkoffie in haar hand.

'Goedemorgen. Brian moest vanochtend naar een andere klus, maar hij komt over een paar uur.'

'Prima. Ik moet wat materiaal halen. Heb je me nog ergens voor nodig?'

'Nee, we redden ons wel. Maar je moet echt even achter komen kijken als je terug bent. We gaan vandaag beginnen met de bestrating. Het terras en de paden.' Shanna wierp een blik op het huis. 'Is Steve al in het land der levenden?'

'Ik heb hem nog niet gezien.'

'Dat verbaast me niks.' Met een glimlach trok Shanna haar pet wat beter over haar donkere vlecht. 'We zijn tot sluitingstijd in die tent gebleven. Steve kan goed dansen.'

'Inderdaad.'

'Hij is een schatje. Hij is me naar huis gevolgd om er zeker van te zijn dat ik veilig aankwam en hij drong er niet op aan om binnen te komen, althans, niet erg. Wie weet wat er was gebeurd als hij wat meer had aangedrongen.' Ze liet een bulderende lach horen.

'Heeft hij niet bij jou geslapen?'

'Nee.' Shanna's glimlach verdween. 'Is hij wel goed thuisgekomen?'

'Dat weet ik niet. Ik heb hem binnen niet gezien, dus ik ging ervan uit…' Cilla haalde haar schouders op en rinkelde met haar sleutels. 'Ik ga even kijken of zijn motor in de schuur staat.'

Shanna kwam naast haar lopen. 'Toen hij wegging, was er niks met hem aan de hand. Ik bedoel, hij had niet veel gedronken. Niet meer dan een paar biertjes verspreid over de hele avond. Ik woon nog geen twintig minuten hiervandaan.'

'Ik heb hem binnen vast gemist.' Maar Cilla's maag begon te draaien toen ze bij de schuurdeur kwam. 'Misschien is hij naar boven gegaan toen ik naar beneden ging.'

Zonlicht viel de schuur binnen en vormde een baan van stofdeeltjes. Cilla knipperde een paar keer om haar ogen aan het licht te laten wennen en ze voelde een golf van angst toen ze de Harley niet direct zag.

Ze liep naar binnen en zag dat een aantal van haar opslagdozen omver lag en de inhoud eruit was gevallen. Een oude stoel lag op zijn kant. Toen zag ze de Harley, op de grond met het stuur omhoog, alsof de berijder was omgevallen. Steve lag onder het zware gewicht, zijn armen en benen uitgestrekt.

'O, god.' Ze rende naar voren, met Shanna naast zich, om de motor van Steve af te tillen. Zijn haar klitte samen door bloed en er zat nog meer op zijn geschaafde en gekneusde gezicht. Cilla durfde hem niet te verplaatsen en drukte haar vingers op zijn keel. En ze begon bijna te trillen toen ze zijn ader voelde kloppen.

'Hij leeft nog. Hij heeft nog een hartslag. Bel…'

'Doe ik al.' Neerhurkend belde Shanna het alarmnummer op haar mobieltje. 'Moeten we geen deken pakken? Moeten we…'

'Zeg dat ze moeten opschieten. Blijf van hem af.' Cilla sprong op en rende naar het huis.

Meestal sliep hij overal doorheen. Maar het geschreeuw schraapte langs Fords bewustzijn en de sirenes reden er recht naar binnen. Te wazig om die twee samen te voegen, rolde hij zijn bed uit en strompelde de veranda op. Gapend keek hij naar de overkant van de weg en hij wenste dat hij met zijn gedachten een kop koffie tevoorschijn kon toveren. Door de aanblik van een ambulance voor Cilla's schuur schrok hij wakker. Hij liet zijn blik snel en paniekerig rondgaan en toen hij haar niet zag, rende hij naar binnen om vlug in de kleren te schieten.

Hij racete de weg over, spurtte over Cilla's oprit, met opzet nergens aan denkend. Als er één beeld bij hem op zou komen, zou het worden gevolgd door een tiental gruwelijkere. Hij duwde zich door de menigte werklui heen en zei eenmaal haar naam hardop, als een persoonlijk gebed.

Toen hij haar achter de brancard zag staan, ging zijn hart weer kloppen. Maar het zakte hem weer in de schoenen toen hij Steve op de brancard zag liggen.

'Ik ga met hem mee. Ik ga mee.' Haar stem hield het midden tussen zelfbeheersing en hysterie. 'Hij gaat niet alleen.' Ze greep de rand van de brancard beet alsof ze eraan zat vastgelijmd toen ze hem naar de ambulance brachten.

De angst in haar ogen verkilde Ford tot op het bot. 'Cilla, ik rij achter je aan. Ik zal er zijn.'

'Hij wil niet bijkomen. Ze kunnen hem niet wakker maken.' Voor iemand haar kon tegenhouden, klom Cilla achter in de ambulance.

Hij pakte haar handtas omdat Shanna die had opgeraapt en in zijn handen had gedrukt. Shanna, dacht Ford, de tranen stroomden over haar gezicht.

'Hij was in de schuur,' zei Shanna gesmoord, en ze drukte zich tegen Ford aan op zoek naar troost. 'Hij lag op de grond onder de motor. Het bloed.'

'Oké, Shan. Rustig, schatje. Ik moet gaan. Ik zal uitzoeken hoe het met hem gaat.'

'Bel me, alsjeblieft. Bel me.'

'Zo snel mogelijk.'

Na een wilde rit naar het ziekenhuis, droeg Ford Cilla's handtas de eerstehulp in, te ongerust om zich ook maar een beetje dom te voelen.

Hij trof haar aan voor een stel dubbele deuren met een hulpeloze blik op haar gezicht.

'Ik heb hun zijn medische geschiedenis verteld, alles wat ik me ervan kon herinneren. Wie onthoudt al dat soort dingen nou?' Ze greep naar de hals van haar shirt, alsof ze iets zocht om zich aan vast te klampen.

'Maar ik kon ze wel zijn bloedgroep vertellen. Die wist ik nog. A negatief. Dat wist ik nog.'

'Mooi. Kom even zitten.'

'Ze laten me niet binnen. Ik mag niet bij hem blijven. Hij is nog steeds buiten bewustzijn.'

Ford sloeg een arm om haar schouder en leidde haar vastberaden weg van de deuren naar een stoel. In plaats van te gaan zitten, hurkte hij voor haar neer zodat haar ogen op zijn gezicht waren gericht. 'Ze gaan hem nu beter maken. Daar zijn ze mee bezig. Oké?'

'Hij bloedde. Zijn hoofd. Zijn gezicht. Hij lag daar te bloeden. Ik weet niet hoe lang hij daar heeft gelegen.'

'Vertel me eens wat er is gebeurd.'

'Dat weet ik niet!' Ze drukte haar handen tegen haar mond en wiegde heen en weer. 'Echt niet. Hij was niet op zijn kamer en ik dacht: hij heeft gescoord. Dat is alles. Ik was bijna weggegaan. O, god, ik was bijna weggegaan zonder zelfs maar te kijken. Dan had het uren langer kunnen duren.'

'Rustig ademhalen.' Hij zei het scherp, pakte haar handen en kneep erin. 'Kijk me aan en haal rustig adem.'

'Oké.' Ze haalde adem en ze trilde, maar Ford zag dat haar wangen weer een beetje kleur kregen. 'Ik dacht dat hij bij Shanna was blijven slapen, dus ik wilde materiaal gaan kopen, maar dat had hij niet gedaan. Ik bedoel, zij kwam en vertelde dat hij dat niet had gedaan. Ik was bang dat hij was verdwaald of zo. Ik weet het niet precies. Maar ik ging kijken of zijn motor er stond. En toen hebben we hem gevonden.'

'In de schuur.'

'Hij lag onder zijn motor. Ik begrijp niet wat er is gebeurd. Zijn hoofd, zijn gezicht.' Nu wreef ze met een hand tussen haar borsten, en Ford kon haar hart er bijna tegen horen bonzen. 'Ik hoorde ze zeggen dat hij waarschijnlijk een paar gebroken ribben heeft omdat de motor op hem is gevallen. Maar hoe kon die motor op hem vallen? En… en de hoofdverwondingen. Zijn pupillen. Ze zeiden iets over een kapotte pupil. Ik weet dat dat ernstig is. Ik heb namelijk een keer een gastrol in *ER* gehad.'

Ze haalde drie keer ruw adem en blies alle lucht in een keer uit. En tegelijk daarmee kwamen de tranen. 'Wie heeft er nou in godsnaam een motorongeluk in een schuur? Het is zo verrekte stom.'

Ford vatte de tranen en de glimp van kwaadheid op als een gunstig teken en hij ging naast haar zitten en hield haar hand vast.

Toen de deur openvloog, schoten ze tegelijk overeind. 'Wat is er? Waar brengen jullie hem heen? Steve.'

'Mevrouw.' Een van de eerstehulpverpleegkundigen blokkeerde Cilla de weg. 'Ze gaan uw vriend opereren.'

'Wat gaan ze opereren? Wat is er?'

'Hij heeft een bloeding in zijn hoofd door de hoofdwond. Ze moeten hem opereren. Ik neem u mee naar de wachtkamer bij de operatieafdeling. Een van de artsen zal u de procedure uitleggen.'

'Hoe erg is het? Dat kun je me toch wel vertellen? Hoe erg is het?'

'We doen wat we kunnen. We hebben een bekwaam stel chirurgen die zich nu klaarmaken voor de operatie.' Ze gebaarde dat ze naar een lift moesten lopen. 'Weet u misschien of meneer Chensky bij een vechtpartij betrokken was?'

'Nee. Hoezo?'

'Vanwege de wond op zijn achterhoofd. Alsof hij is geslagen. Dat strookt gewoon niet met een val. Maar als hij zonder helm reed...'

'Het is niet gebeurd terwijl hij reed. Het is niet onderweg gebeurd.'

'Dat zei u al.'

'Cilla.' Ford legde een hand op de hare voor ze in de lift kon stappen. 'We moeten de politie bellen.'

Hoe kon ze nadenken? Hoe kon ze in dit vertrek zitten terwijl Steve elders geopereerd werd? Een operatiekamer. Operatiezaal. Ze noemden het soms toch een zaal? Net als een filmzaal. Zouden de patiënt en de arts elkaars tegenspeler zijn? Wiens naam zou er boven aan het affiche staan?

'Mevrouw McGowan?'

'Wat?' Ze staarde in de ondoorgrondelijke ogen van de agent. Hoe heette hij ook alweer? Ze was zijn naam al vergeten. 'Het spijt me.' Ze probeerde de vraag die hij haar had gesteld in haar verwarde gedachten op te roepen. 'Ik weet niet precies hoe laat hij terugkwam. Ik ben rond twaalf uur naar bed gegaan en toen was hij er nog niet. Shanna zei dat hij even voor twee uur was vertrokken. Vlak voor tweeën, zei ze.'

'Kent u Shanna's achternaam ook?'

'Shanna Stiles,' zei Ford. 'Ze werkt voor Brian Morrow van Morrow Landscape and Design.'

'U hebt meneer Chensky rond half acht vanochtend gevonden?'

'Dat zei ik toch. Heb ik dat niet gezegd?' Cilla duwde haar haar uit haar gezicht. 'Hij was niet in huis, daarom ging ik naar de schuur om te kijken of zijn motor er stond. En toen heb ik hem gevonden.'

'Wonen u en meneer Chensky samen?'

'Hij is op bezoek. Hij helpt me een paar weken.'

'Op bezoek waar vandaan?'

'Los Angeles. Nee, New York. Ik bedoel, hij was in New York en hij gaat terug naar Los Angeles.' Wat er ook in haar maag kolkte, het wilde omhoog komen naar haar keel. 'Wat maakt dat nou uit?'

'Agent Taney.' Ford legde een hand op die van Cilla en kneep erin. 'Het zit zo. Een paar nachten geleden zag ik iemand rondlopen en naar Cilla's schuur gaan. Het was al laat. Ik had tot diep in de nacht gewerkt en toen ik naar bed ging, keek ik uit het raam en zag ik iemand, of liever een zaklantaarn. Ik dacht dat het Steve was en heb er verder geen aandacht aan geschonken.'

'Maar hij was het niet.' Cilla sloot haar ogen bij de herinnering. 'Ik had een hangslot zullen kopen, maar dat heb ik niet gedaan. Ik ben het vergeten, heb er niet meer aan gedacht en nu…'

'Wat staat er in de schuur?' vroeg Taney.

'Ik heb de zolder leeggehaald en de spullen zolang in de schuur opgeslagen. Heel veel dingen die ik nog moet uitzoeken. En er stonden ook andere dingen. Oud tuig, gereedschap, machines.'

'Waardevolle spullen?'

'Voor sommige mensen is alles wat met mijn grootmoeder te maken heeft waardevol. God wat stom dat ik kon denken dat ik alles anders kon maken. Dat ik het nieuw kon maken.' Dat het van mij zou worden, dacht ze. Stom.

'Is er iets meegenomen?'

'Dat weet ik niet. Ik heb echt geen idee.'

'Meneer Chensky is rond acht uur gisteravond uitgegaan, naar een café. U weet de naam van het café niet…'

'Nee, die weet ik niet. U kunt het Shanna Stiles vragen. En als u denkt dat hij dronken was en er op de een of andere manier in geslaagd is om zichzelf een klap tegen zijn achterhoofd te geven, zijn gezicht in het beton te drukken en zijn motor op zichzelf te laten vallen, dan hebt u het mis. Steve zou nooit dronken op zijn motor gaan zitten. Vraag dat maar na aan Shanna of alle anderen die gisteravond in dat café waren.'

'Dat ga ik ook doen, mevrouw McGowan. En als u het goedvindt, zou ik ook graag een kijkje in uw schuur nemen.'

'Ja, ga uw gang.'

'Ik hoop dat uw vriend het redt. Ik neem nog contact met u op,' voegde hij eraan toe toen hij overeind kwam.

Ford zag hem naar de verplegerspost lopen en een kaartje pakken.

'Hij denkt dat het door dronken onhandigheid kwam of dat Steve stoned en dom was.'

'Misschien wel.' Ford wendde zich weer tot Cilla. 'Dat kan. Maar hij gaat het onderzoeken en met mensen praten. En als Steve er weer toe in staat is, kan hij de leemtes invullen.'

'Hij kan doodgaan. Dat hoeven ze niet hardop te zeggen, dat begrijp ik zo ook wel. Misschien wordt hij nooit meer wakker.' Haar lippen trilden voor ze erin slaagde om ze strak te krijgen. 'En ik blijf hem daar maar zien, net een scène uit *Grey's Anatomy*, met coassistenten die op dat balkon met het raam ervoor zitten en neerkijken op Steve. En iedereen denkt meer aan seks dan aan Steve.'

Ford nam haar gezicht in zijn handen. 'Allerlei mensen doen hun werk terwijl ze aan seks denken. Dat gebeurt voortdurend. Anders zou er nooit iets afkomen.' Toen ze een zwak lachje liet horen, kuste hij haar voorhoofd. 'We gaan een wandeling maken, even wat frisse lucht happen.'

'Ik kan niet weggaan. Ik moet hier blijven.'

'Ze zijn nog wel even bezig. Een frisse neus en wat fatsoenlijke koffie.'

'Goed. Een paar minuten. Je hoeft niet te blijven.' Ze keek omlaag naar haar hand toen ze naar de lift liepen en zag dat die alweer in de zijne lag. 'Ik dacht niet na. Je hoeft niet te blijven. Je kent Steve nauwelijks.'

'Doe niet zo stom. Ik ken hem wel en ik mag hem graag. Hoe dan ook, ik laat jou niet alleen.'

Ze kon geen woord uitbrengen toen ze naar beneden gingen. Haar ogen prikten en wilden vol tranen stromen. Haar lichaam hunkerde ernaar om zich stevig tegen het zijne te drukken, om omsloten te worden door hem. Veilig. Daar kon ze zich aan vastklampen, dacht ze. Daar mocht ze zich aan vasthouden.

'Wil je iets eten?' vroeg hij toen ze uitstapten op de begane grond.

'Nee, ik krijg geen hap door mijn keel.'

'Waarschijnlijk is het toch nog steeds smerig.'

'Nog steeds?'

'Een paar jaar geleden heeft mijn vader hier een dag of wat gelegen, en toen heb ik twee keer iets gegeten in de cafetaria. Het was nog niks beter sinds ik hier zelf als kind had gelegen.'

'Waarvoor was je hier dan?'

'Ze wilden me een nachtje ter observatie houden. Hersenschudding, gebroken arm. Ik, eh… had het idee gekregen om klittenband op mijn sneeuwhandschoenen en -sokken te doen. Ik dacht dat ik dan net als Spider-Man tegen gebouwen kon opklimmen. Gelukkig was mijn slaapkamerraam niet zo hoog.'

'Misschien had je eerst moeten proberen om omhoog te klimmen, in plaats van omlaag.'

'Achteraf is het makkelijk praten.'

'Je leidt mijn gedachten af van Steve, en dat waardeer ik. Maar…'

'Vijf minuten,' zei Ford terwijl hij haar mee naar buiten trok. 'Frisse lucht.'

'Ford?'

Net als hij keek Cilla naar de knappe vrouw die een knalrood pakje droeg. Er speelde een lach om de lippen die in dezelfde felle kleur waren gestift en toen ze haar zonnebril afzette, werden er een stel diepbruine ogen zichtbaar.

Haar armen gingen wijd open en sloten zich om Ford in een harde, bezitterige omhelzing. Ze voegde er wat geluidseffecten aan toe, hoorde Cilla. Een diep mmmmm! voor ze zich losmaakte en haar korte bob van glanzend donkerbruin haar naar achteren gooide. 'Dat is lang geleden.'

'Wel een poosje,' beaamde Ford. 'Je ziet er geweldig uit.'

'Ik doe mijn best.' Ze draaide haar ogen en haar glimlachende lippen naar Cilla. 'Hallo.'

'Cilla, dit is Brians moeder Cathy Morrow. Bri doet een klus voor Cilla.'

'Ach, natuurlijk,' zei Cathy. 'De kleindochter van Janet Hardy. Ik kende haar vaag. Je lijkt veel op haar. En je knapt de oude boerderij op.'

'Ja.' Het gesprek was onwerkelijk. Cilla beschouwde het als regels uit een toneelstuk. 'Brian is een fantastische hulp. Hij is heel getalenteerd.'

'Klinkt als mijn zoon. Wat doen jullie hier?'

'Cilla's vriend wordt geopereerd. Er is een ongeluk gebeurd.'

'O, hemel, wat erg.' De brede, flirtende glimlach veranderde in een bezorgde blik. 'Kan ik iets doen?' Cathy sloeg haar arm om Cilla, een gebaar dat zo oprecht was dat Cilla automatisch tegen haar aanleunde.

'We... wachten alleen maar.'

'Het wachten is het ergst. Hoor eens, ik werk hier een paar dagen per week als vrijwilliger en ik sta aan het hoofd van een aantal commissies om geld in te zamelen. Ik ken een groot deel van het personeel. Hoe heet zijn chirurg?'

'Dat weet ik niet. Het ging allemaal zo snel.'

'Zal ik proberen wat informatie voor je in te winnen? Ik snap niet waarom zij niet begrijpen dat het makkelijker voor ons is als we meer dingen weten.'

Het aanbod was als water in een brandende keel. 'Kun je dat?'

'Ik kan het in elk geval proberen. Kom mee, liefje. Wil je wat koffie of water? Nee, weet je wat. Ford, ga naar de cafetaria en haal een ginger ale voor Cilla.'

'Goed. Ik zie je boven wel weer. Je bent in goede handen.'

Dat gevoel had zij ook. Voor het eerst in een heel lange tijd had Cilla het gevoel dat het goed was om zich te laten gaan en iemand anders de leiding te laten nemen.

'Wat is er met je vriend gebeurd?'

'Dat weten we niet precies. Dat is het probleem.'

'Nou, we zullen proberen om zo veel mogelijk te weten te komen.' Cathy gaf Cilla een geruststellend kneepje toen ze in een lift stapten die vol stond met bezoekers, bloemen en Mylar-ballonnen. 'Hoe heet hij?'

'Steve. Steve Chensky.'

Cathy pakte een rood leren aantekenboekje en een zilveren pen om het op te schrijven. 'Hoe lang zijn ze met hem bezig?'

'Dat weet ik niet precies. Ik ben alle besef van tijd kwijt. Ik geloof dat we hier rond een uur of acht op de eerstehulpafdeling kwamen. Daar is hij een poosje geweest voor ze hem naar boven brachten. Een uur geleden, misschien?'

'Ik weet dat dat lang lijkt, maar dat is het niet. Goed.' Cathy klopte op Cilla's rug toen de liftdeuren opengingen. 'Ga jij maar even zitten, dan zal ik kijken wat ik te weten kan komen.'

'Dank je. Heel erg bedankt.'

'Graag gedaan.'

Cilla liep naar de wachtkamer, maar ze ging niet zitten. Ze wilde niet bij andere mensen zitten die wachtten op nieuws over een vriend of een geliefde. Over leven of dood. Was er maar een raam. Wie ontwierp er nou een wachtkamer zonder ramen? Begrepen ze dan niet dat mensen naar buiten wilden staren? Dat ze aan dingen buiten deze kamer wilden denken?

'Hoi.' Ford kwam naast haar staan met een grote meeneembeker.

'Dank je.'

'Cathy is met mensen aan het praten.'

'Dat is lief van haar. Ze is dol op jou. Toen ze daarstraks naar je toe liep, dacht ik dat ze een ex-vriendin van je was.'

'Godsamme.' Gêne stak de kop op. 'Ze is een moeder. Brians moeder.'

'Een hoop mannen vallen op oudere vrouwen, hoor. En ze ziet er heel goed uit.'

'Moeder,' herhaalde Ford. 'Brians moeder.'

Cilla glimlachte, maar ze verstijfde toen Cathy binnenkwam.

'Ten eerste: dokter North doet de operatie,' begon Cathy op snelle, zakelijke toon die ongelooflijk opbeurend was. 'Hij is een van de besten. Daar heb je ontzettend veel geluk mee.'

'Oké.' Cilla ademde opgelucht uit. 'Goed.'

'En dan… Wil je alle medische termen en jargon?' Cathy stak haar aantekenboek omhoog.

'Ik… Nee. Nee, ik wil het alleen weten.'

'Naar omstandigheden gaat het goed met hem. Zijn toestand is stabiel. Ze zullen nog minstens een paar uur bezig zijn. En er zijn andere verwondingen waar hij aan geholpen moet worden.' Na die woorden sloeg ze het boekje open. 'Twee gebroken ribben. Zijn neus en linkerjukbeen zijn gebroken en zijn nier is gekneusd. De hoofdwonden zijn het ergst en daar is dokter North mee bezig. Hij is jong, fit en gezond en dat is gunstig.'

'Goed.' Cilla knikte. 'Dank je wel.'

'Zal ik over een poosje nog een keertje komen kijken?' Cathy pakte Cilla's hand beet.

'Dat stel ik heel erg op prijs, mevrouw Morrow.'

'Cathy. En het stelt niks voor. Zorg goed voor haar,' zei ze tegen Ford, waarna ze hen alleen liet.

'Ik moet naar buiten om naar het huis te bellen en de mensen te vertellen wat er aan de hand is.'

'Dat heb ik al gedaan toen ik de frisdrank ging halen,' zei Ford. 'Maar we kunnen ze het laatste nieuws vertellen.'

Ze liepen. Ze zaten. Ze staarden naar de tv in de wachtkamer die iemand op CNN had gezet. Toen de voorspelde paar uur er wat meer werden, kwam Cathy weer binnen.

'De operatie is klaar. Dokter North komt met jullie praten.'

'Is hij…'

'Ze willen me nu nog niet veel vertellen, behalve dan dat hij het heeft doorstaan. Dat is positief. Ford, geef Cilla mijn nummer. Bel me als ik iets voor je kan doen. Oké?'

'Ja.' Cilla's vingers verstrakten als metaalkabels om Fords vingers toen een man in groene operatiekleding in de deuropening bleef staan. Zijn blik gleed door de kamer en bleef met een glimp van herkenning op Cathy rusten. En Cathy's hand bleef op Cilla's schouder liggen.

'Bel me,' zei ze nogmaals, en ze vertrok toen de arts de wachtkamer in liep.

'Mevrouw McGowan?'

'Ja. Ja. Steve?'

North ging zitten. Zijn gezicht stond kalm, dacht Cilla. Bijna sereen, en glad. Zo glad als bruin fluweel. En hij draaide zijn lichaam naar haar en hield zijn donkere ogen op haar gezicht gericht terwijl hij praatte.

'Steve heeft twee schedelfracturen. Hier een lineaire fractuur.' Met zijn vinger bewoog hij over de bovenkant van zijn voorhoofd. 'Dat is een breuk in het bot waardoor het bot niet verschuift. Die genezen gewoonlijk vanzelf. Maar de andere breuk was hier.' Nu hield hij zijn hand bij de onderkant van zijn schedel. 'Een schedelbasisfractuur. Dat is een ernstigere breuk die een kneuzing van de hersens en bloedingen heeft veroorzaakt.'

'U hebt hem weer in orde gemaakt.'

'Hij heeft de operatie doorstaan. Hij zal nog meer tests nodig hebben. Op de intensive care zullen we de druk in zijn schedel in de gaten houden met een instrumentje dat ik tijdens de operatie heb ingebracht. Als de zwelling afneemt, zullen we dat weer weghalen. Hij maakt een goede kans.'

'Een goede kans,' herhaalde ze.

'Hij zou een hersenbeschadiging kunnen hebben, zowel tijdelijk als permanent. Het is nog te vroeg om daar iets over te zeggen. Op dit moment wachten we af en houden we hem in de gaten. Hij ligt in coma. Zijn hart is heel sterk.'

'Ja.'

'Hij maakt een goede kans,' zei North nogmaals. 'Heeft hij ook familie?'

'Niet hier. Alleen ik. Mag ik hem zien?'

'Er komt zo iemand om u mee te nemen naar de intensive care.'

Toen het zover was, keek ze op hem neer. Naast de bont en blauwe plekken van zijn kneuzingen was zijn gezicht doodsbleek. Dit deugde niet, was alles wat ze kon denken. Dit deugde van geen kant. Hij leek niet eens op Steve met die blauwe, diepliggende ogen, de gezwollen neus en de witte verbanden om zijn hoofd.

Ze hadden zijn oorbel uitgedaan. Waarom hadden ze dat gedaan?

Hij zag er niet eens uit als Steve.

Ze haalde het kleine zilveren ringetje uit haar oor en boog zich over hem heen om het in het zijne te doen. En ze drukte een zoen op zijn gekneusde wang.

'Dat is beter,' fluisterde ze. 'Veel beter. Ik ben hier, oké?' Ze tilde zijn hand op en kuste zijn vingers. 'Zelfs als ik er niet ben, ben ik hier. Jij mag niet weggaan. Dat is de regel. Jij mag mij niet verlaten.'

Ze bleef en hield zijn hand vast tot de verpleegkundige haar de kamer uit joeg.

Deel 2

Opknappen

Verander je meningen, blijf bij
je principes;
laat je bladeren vallen, hou
je wortels intact.

VICTOR HUGO

11

'We kunnen elkaar aflossen.' Ford wierp een blik op Cilla terwijl hij reed. Ze had niet geprotesteerd toen hij had gezegd dat ze naar huis moest gaan om wat te rusten en iets te eten. En dat baarde hem zorgen. 'Ze zijn sowieso behoorlijk streng op de intensive care en je mag er niet lang blijven, dus we zullen elkaar aflossen. Als jij, ik, Shanna en een paar van de jongens meedoen, kan er altijd iemand bij hem zijn.'

'Ze weten niet hoe lang hij in coma blijft. Het kan uren zijn, of dagen, en als…'

'Wanneer. Laten we het op wanneer houden.'

'Ik ben nooit zo optimistisch ingesteld geweest.'

'Geeft niet.' Hij probeerde een toon te vinden tussen ferm en meelevend. 'Ik wel, dus je mag wel iets van mijn optimisme lenen.'

'Het leek net alsof hij was geslagen. Echt waar.'

'Dat komt door de schedelfractuur. Ik heb met een verpleegkundige gepraat toen jij bij hem was. Het hoort erbij.' Al had die informatie de schok niet verminderd toen hij even bij Steve had mogen kijken, dacht hij. 'Net als het coma. Het coma is op zich niet slecht, Cilla. Het geeft zijn lichaam een kans om te genezen. Dat kan zich daar helemaal op richten.'

'Jij hebt heel wat optimistische opmerkingen. Maar dit is geen stripboek waarin de held het keer op keer redt. Zelfs als we jouw positieve "wanneer" aanhouden en hij eruit komt, kan hij alsnog een hersenbeschadiging hebben.'

Dat had hij ook begrepen, maar hij vond niet dat het zin had om met het ergste rekening te houden. 'In mijn positieve wereldje, en jouw donkerdere versie ervan, kunnen de hersenen opnieuw dingen leren. Het is een slim orgaan.'

'Ik heb dat vervloekte hangslot niet gekocht.'

'Als iemand de schuur is binnengedrongen en Steve te lijf is gegaan, denk je dan echt dat een hangslot hem buiten had kunnen houden?'

Ze balde haar vingers tot vuisten toen ze in de buurt van haar oprit kwamen. Ik heb het hek laten weghalen. En die verrekte bomen laten planten.'

'Ja, ik denk dat het door de bomen komt. Daardoor is het allemaal jouw schuld.' Hij wachtte tot ze een boze opmerking zou maken. Dat leek hem beter dan dat ze zich wentelde in verdriet. Maar ze zei niks. 'Goed, ik zeg het nog één keer. Als iemand er per se naar binnen wilde, zouden een paar smeedijzeren hekken hem echt niet buiten houden. Wat is er gebeurd met je pessimisme?'

Ze schudde alleen haar hoofd en staarde naar het huis. 'Ik weet niet wat ik hier doe. Die gekke oude kerel heeft vast gelijk. Dit huis is vervloekt. Mijn oom en mijn grootmoeder zijn gestorven en nu gaat Steve misschien dood. En waarvoor? Zodat ik kan polijsten, poetsen, schilderen en kan afwerken? Ik was op zoek naar de schakel, de band met mijn oma omdat ik die niet heb met mijn eigen moeder. Wat heeft het voor nut? Ze is dood, dus het heeft totaal geen zin.'

'Identiteit.' Ford pakte haar arm voor ze het portier kon openen. 'Hoe kunnen we echt weten wie we zijn tot we weten waar we vandaan komen en dat overwinnen, daarop verder bouwen of het accepteren?'

'Ik weet wie ik ben.' Ze rukte zich los, duwde het portier open en sloeg. Sloeg het hard achter zich dicht.

'Nee, dat weet je helemaal niet,' reageerde Ford.

Ze beende langs de zijkant van het huis. Werk, dacht ze. Een paar uur zweterig werk en dan zou ze zich opknappen en teruggaan naar het ziekenhuis. Het terras was gerepareerd, de nieuwe leisteen gelegd en de paden waren afgezet en gegraven, behalve het ene pad dat ze aan de plannen had toegevoegd. Het pad naar de schuur. Geel afzettingstape van de politie was kruislings over haar schuurdeur geplakt als een lelijk lint over een akelig cadeau. Ze staarde ernaar toen Shanna haar schep liet vallen en over het gazon op haar af rende.

Cilla dwong haar medeleven terug te keren. Zij was niet de enige die bezorgd en van streek was. 'Er is geen verandering.' Ze pakte Shanna's uitgestoken hand beet.

De rest van de tuinploeg hield op met werken en een paar van de mannen die binnen bezig waren kwamen naar buiten. 'Geen verandering,' herhaalde ze, haar stem verheffend. 'Hij ligt op de intensive care zodat ze hem in de gaten kunnen houden en ze gaan tests doen. We moeten afwachten.'

'Ga jij terug?' vroeg Shanna.

'Ja, over een poosje.'

'Brian?'

Brian gaf Shanna een snel knikje. 'Ga je gang.'

Shanna rukte haar gsm uit haar zak en beende naar de voorkant van het huis.

'Haar zus kan haar ophalen,' legde Brian uit. Hij trok zijn pet van zijn korte bruine haar en streek er met smerige vingers doorheen. 'Ze wilde ophouden als jij hier kwam, om naar het ziekenhuis te gaan en Steve met eigen ogen te zien.'

'Goed. Dat is goed.'

'De rest van ons en Matt en Dobby zullen ook naar hem toe gaan. Ik weet niet of we hem mogen zien, maar we zullen in elk geval bij hem langsgaan. Shanna heeft net een huilbui gehad. Ze geeft zichzelf de schuld.'

'Waarom dan?'

'Als ze hem bij zich had laten slapen, enzovoort.' Met een zucht zette hij zijn pet weer op. Na een blik op Ford begreep hij hoe de vork in de steel zat. Hij nam zijn zonnebril af en richtte zijn zomerblauwe kijkers op Cilla. 'Ik heb tegen haar gezegd dat "had ik maar" geen zin heeft en dat niemand er schuld aan heeft, behalve degene die Steve dit heeft aangedaan. Als je begint met "had ik maar" en schuldgevoel kun je net zo goed zeggen dat Steve niet de schuur zou zijn ingegaan als hij niet was uitgegaan om een potje pool te spelen. En dat is onzin. Je kunt het beste positief denken. Maar goed.'

Hij haalde een bandana uit zijn zak om het zweet van zijn gezicht te vegen. 'Zoals je ziet is de politie hier geweest. Ze hebben vragen gesteld.

Ik weet niet precies hoe ze over deze zaak denken.'

'Ik hoop dat ze niet langer denken dat hij dronken was en dat hij het zichzelf heeft aangedaan.'

'Shanna heeft ze verteld hoe het zat met die dronkenschap.'

'Mooi.' Een van de vele knopen in haar buik ontwarde zich. 'Ik heb je moeder ontmoet.'

'O, ja?'

'In het ziekenhuis. Ze was ontzettend behulpzaam. Oké.' Er bleven tranen in haar ogen prikken toen ze in het zonlicht keek. 'Het terras ziet er goed uit.'

'Werken helpt.'

'Ja. Dus zet me alsjeblieft aan het werk.'

'Geen probleem.' Hij glimlachte naar Ford. 'En jij? Wil je een schop?'

'Ik kijk graag,' zei Ford rustig. 'En ik moet zo even bij Spock langs.'

'Dat is maar goed ook. Weet je wat er gebeurt als je hem een schop of een houweel geeft?' vroeg hij aan Cilla. 'Ook al zit er maar één kabel in de grond, dan weet hij hem nog te raken bij de eerste keer dat hij het ding in de grond steekt.'

'Dat is maar één keer gebeurd. Hooguit twee keer,' kwalificeerde Ford.

Toen de werklui ophielden, stopte zij ook en nam ze een douche. Ze zou graag zeggen dat ze weer de oude was, maar dat was nog lang niet het geval. Als een robot trok ze schone kleren aan. Ze besloot wat tijdschriften te kopen om iets te doen te hebben in het ziekenhuis, en misschien een sandwich uit een automaat te halen.

Toen ze naar beneden rende, stond Ford in haar onvoltooide woonkamer.

'Ik zou graag zeggen dat je vooruitgang boekt, maar ik heb er niet veel verstand van en persoonlijk zie ik het niet.'

'We boeken vooruitgang.'

'Mooi. Ik heb het eten klaarstaan op de veranda. Spock geeft je zijn beste wensen, maar hij dineert vanavond thuis.'

'Het eten? Hoor eens…'

'Je moet eten. Net als ik.' Hij pakte haar hand en trok haar mee naar buiten. 'We krijgen mijn tweede specialiteit.'

Ze staarde naar de papieren bordjes en bekertjes, de fles wijn en het blikje cola. En in het midden van de klaptafel stond een schaal macaroni met kaas.

'Heb je macaroni met kaas voor me gemaakt?'

'Ja, inderdaad. Tenminste, ik heb het pakje in de magnetron gezet en die ingesteld volgens de gebruiksaanwijzing. Als je niet al te kritisch bent, is het macaroni met kaas.' Hij schonk wat wijn in een papieren bekertje. 'En de wijn zal ervoor zorgen dat het makkelijker naar binnen glijdt.'

'Neem jij geen wijn?'

'Nee, want ik vind de magnetronversie goed te eten en ik breng je straks naar het ziekenhuis.'

Een warme maaltijd en gezelschap. Hulp. Allemaal geboden zonder dat ze erom had hoeven vragen, dacht ze. 'Dat hoef je niet te doen, en dit ook niet.'

Hij trok haar stoel bij en duwde haar erop. 'Het is veel prettiger om iets te doen als het niet hoeft.'

'Waarom doe jij het?' Ze keek op, recht in zijn ogen. 'Waarom doe je dit voor mij?'

'Hoor eens, Cilla, ik weet het niet precies. Maar…' Hij drukte zijn lippen op haar voorhoofd waarna hij ging zitten. 'Jij bent belangrijk voor mij.'

Ze sloeg haar handen ineen op haar schoot terwijl hij twee grote lepels macaroni met kaas op haar bord schepte. Ze nam een slokje wijn om haar keel te spoelen. 'Dat is al het tweede wat je vandaag tegen me zegt dat nog nooit iemand anders heeft gezegd.'

Hij keek op en richtte zijn blik op de hare. 'Heeft niemand ooit tegen je gezegd dat je belangrijk bent?'

'Steve misschien. Met andere woorden, op andere manieren. Maar nee, niet op die manier.'

'Nou, dat ben je wel. Eet nou maar. Als dat spul koud wordt, lijkt het net cement.'

'Het tweede, of eigenlijk het eerste, wat je vandaag tegen me zei, was dat je me niet alleen zou laten.'

Hij keek haar enkel aan en ze kon niet zeggen of zijn blik medelijdend, begrijpend of slechts geduldig was. Wat het ook was, ze wist dat het precies was wat ze nodig had. En ook dat ze nooit had verwacht het te zullen vinden.

'Kennelijk meende je het, want je bent bij me.' Ze prikte een vork vol, bracht hem naar haar mond en glimlachte. 'Het is vreselijk. Dank je,' zei ze, en ze prikte de volgende hap aan haar vork.

'Graag gedaan.'

Er was geen verandering opgetreden toen ze in het ziekenhuis kwamen, noch toen ze uren later weer weggingen. Cilla sliep met de telefoon in haar hand geklemd en probeerde hem te dwingen over te gaan, probeerde de dienstdoende verpleegkundige te dwingen om te bellen om te vertellen dat Steve bij was gekomen en helder was.

Er kwam echter geen telefoontje. Maar er kwamen wel dromen.

Shenandoah-vallei
1960

'Zo zag het eruit toen ik het voor het eerst zag. Mijn Little Farm.'

In een rode capribroek, een witte blouse die bij haar middenrif was samengeknoopt en witte gympen, slenterde Janet arm in arm met Cilla rond. Janets blonde haren dansten in een zwierige paardenstaart.

'Dat is natuurlijk niet helemaal waar, want toen ik hier voor het eerst kwam, waren er caravans, lampen, kabels en vrachtwagens. De stad die we op locatie creëren. Je kent het wel.'

'Inderdaad.'

'Maar daar kijken we nu doorheen. Zoals ik toen ook deed. Wat zie je dan?'

'Een mooi huis met eenvoudige lijnen. Een woning met brede, uitnodigende veranda's waar oude schommelstoelen op staan om in te zitten terwijl je helemaal niks doet. Leuke bloembedden en grote bomen die voor schaduw zorgen.'

'Ga door.'

'De grote, rode schuur en, o! Paarden in de wei!' Cilla rende naar het hek van de wei, blij met het briesje dat door haar haren waaide en de manen van de merrie en haar veulen liet bewegen. 'O, wat zijn ze mooi.'

'Heb je altijd een pony willen hebben?'

'Ja, natuurlijk.' Cilla draaide haar hoofd om zodat ze met een glimlach naar Janet kon kijken. 'Alle kleine meisjes willen een pony. En een puppy en een jong poesje.'

'Maar die heb je nooit gekregen.'

'Nee. Ik kreeg opnameroosters en scriptwijzigingen. Je kent het wel.'

'Ja, zeker.'

'Een kippenren. Moet je ze eens horen kakelen.' Het geluid maakte haar opnieuw aan het lachen. 'En varkens die rond wroeten in hun hok. O, kijk toch eens naar de velden. Is dat maïs? En er is een moestuin. Ik kan de tomaten hiervandaan zien. Ik kan ook tomaten gaan kweken.'

Janets glimlach was zowel toegeeflijk als geamuseerd. 'En een pony, een puppy en een jong poesje nemen.'

'Is dat wat ik wil? Ik ben geen tien meer. Wil ik dit echt? Ik lijk geen besluit te kunnen nemen. Was dat wat jij wilde?'

'Ik wilde alles wat ik niet had, en als ik het kreeg, was het nooit precies wat ik had gewild. In elk geval niet op de lange termijn. Zelfs dit huis niet.' Ze stak haar arm uit, sierlijk als een danseres, om de hele boerderij aan te duiden. 'Ik werd er verliefd op, maar zoals iedereen weet, werd ik gemakkelijk verliefd en verdwenen die gevoelens weer even snel. En ik dacht: dit moet ik hebben.'

Janet stak haar armen omhoog en draaide de ene pirouette na de andere. 'De woning met de brede, uitnodigende veranda's, de grote, rode schuur, de tomaten aan de ranken. Dat had ik nooit gehad. Maar ik kon het kopen, het kon van mij worden.' Ze hield op met ronddraaien. 'Vervolgens moest ik het uiteraard veranderen. De tuin moest weelderiger worden, de lichten feller. Ik had ontzettend fel licht nodig. Maar zelfs al maakte ik het opvallender en helderder, zelfs al nodigde ik de sterren uit om hier te wandelen als Gatsby's spoken op het gazon, het is nooit echt veranderd. Het heeft nooit zijn uitnodigende uitstraling verloren. En mijn verliefdheid erop is nooit voorbijgegaan.'

'Je bent hiernaartoe gegaan om te sterven.'

'O, ja?' Janet hield haar hoofd schuin en keek haar vanonder haar wimpers aan. Opeens lag er een sluwe blik in haar ogen. 'Dat vraag je je af, nietwaar? Dat is een van de redenen waarom je hier bent. We hebben allemaal geheimen. De jouwe zijn hier ook. Die schuilen in de reden waarom je bent gekomen. Je hebt tegen jezelf gezegd dat je het weer gaat maken zoals het was, en dat je mij daardoor weer in ere zult herstellen. Maar net als ik zul je veranderingen aanbrengen. Dat heb je al gedaan. Je bent niet op zoek naar mij, maar naar jezelf.'

In de droom huiverde ze even, een koude rilling van de waarheid. 'Zonder jou is er geen mij. Als ik in de spiegel kijk, zie ik jou. Ik hoor je als ik praat. Er ligt wel een filter overheen dat dik genoeg is om de glans te dempen, maar jij zit eronder.'

'Wilde je de pony of de telefonische boodschappen, Cilla?'

'Een tijdlang wilde ik beide. Maar ik zou gelukkiger zijn geweest met de pony.' Cilla knikte en keek achterom naar het huis. 'Ja, en met de woning. Je hebt gelijk. Daarom ben ik hier. Alleen is het niet genoeg. De geheimen en de schaduwen die ze veroorzaken zijn er nog. Mensen raken gewond in het donker. Steve is gewond geraakt in het donker.'

'Doe het licht dan aan.'

'Hoe dan?'

'Ik ben maar een droom.' Glimlachend haalde Janet haar schouders op. 'Als je meer wilt weten, moet je niet bij mij zijn.'

Toen ze wakker werd, raapte Cilla de telefoon op die ze in haar slaap had laten vallen en drukte de snelkeuzetoets van het ziekenhuis in.

Geen verandering.

Ze lag in het vage licht vlak voor zonsopkomst met de telefoon tussen haar borsten gedrukt en vroeg zich af of ze bang of opgelucht moest zijn. Hij was 's nachts niet overleden, was niet bij haar vandaan geglipt terwijl zij had liggen slapen. Maar hij was nog altijd gevangen in die tussenwereld, die plek tussen leven en dood.

Dus ze zou met hem gaan praten, hem aan zijn kop zeuren, hem dwingen om wakker te worden. Ze stapte uit bed en friste zich op. Ze zou koffie gaan zetten, dacht ze, en lijsten maken voor alle onderaannemers die ze eventueel mis zou lopen omdat ze in het ziekenhuis was.

Toen ze langs de volgende slaapkamer liep, bleef ze staan en bestudeerde Ford. Hij sliep, half in en half uit de slaapzak. En ze moest toegeven dat het deel dat eruit hing er mocht wezen.

De hond lag opgekruld aan het voeteneinde van de slaapzak en snurkte als een kettingzaag tijdens een slachtpartij. Ze wist nog dat Ford Spock niet de nacht alleen had willen laten, en hij had erop gestaan om hem op te halen nadat ze van het ziekenhuis waren teruggekomen. Hij had zijn hond willen halen nadat hij haar had verteld dat hij in de logeerkamer zou slapen, dacht ze.

Hij had haar ook niet alleen willen laten.

Ze ging naar beneden, zette koffie en dronk de hare op de achterveranda. In de droom was er geen terras geweest, maar haar onderbewustzijn had geweten dat Janet die had laten aanleggen, net als de paden in de tuin. De gewassen op het land lagen ook voor de hand. De moestuin? Ze wist niet meer of die origineel was of een van Janets toevoegingen. Hoe dan ook, dat was iets wat ze zelf wilde.

En de schuur? Die was niet langer rood. Die felle kleur was lang geleden vervaagd. De koffie werd bitter in haar keel toen ze naar de gele tape keek die kruislings over de deur zat. Als Steve stierf, zou ze dat rotding afbreken. Afbreken en in brand steken met alles wat erin stond.

Ze kneep haar ogen dicht en vocht tegen de woede die ze het liefst wilde uitschreeuwen. Als hij bleef leven, als hij er heelhuids vanaf zou komen, zou ze de schuur weer in dat felle, opgewekte rood schilderen, zei ze tegen zichzelf. Rood met witte randen.

'Toe, God.'

Waarom het God iets zou moeten schelen of ze de schuur tot de grond toe liet afbranden of hem rood met gele gezichtjes zou verven, wist ze niet. Maar iets beters had ze niet te bieden.

Ze ging weer naar binnen, schonk nog een beker koffie in en nam er ook een mee naar boven voor Ford.

Ze ging in kleermakerszit naast hem zitten en bekeek hem nauwkeurig, terwijl ze koffie dronk. In tegenstelling tot zijn hond snurkte hij niet, wat extra punten waren, maar de manier waarop hij uitgestrekt lag, wees erop dat hij het hele bed inpikte. Punten eraf. Er was een flinke stoppelbaard te zien, gezien het feit dat hij zich de dag ervoor niet had geschoren, maar ze moest toegeven dat dat het totaalpakket extra sexy maakte.

Ze kon hem niet potig of uit de kluiten gewassen noemen, maar hij had redelijk wat spieren, al neigde zijn lichaam naar mager. Een beetje slungelig, peinsde ze. Wat extra punten voor schattig zijn.

Hij had mooie armen. Sterk, eerder pezig dan dik. Het fijnste was dat ze wisten hoe ze iemand moesten vasthouden, dacht ze. Een hele zooi pluspunten, besloot ze. Hij kreeg er steeds meer.

En zijn lippen: een topscore. Ze boog zich voorover en drukte die van haar op de zijne. Hij maakte een neuriënd geluidje in zijn keel en stak zijn armen uit. Toen ze weer achteruit ging zitten, sloeg hij knipperend zijn ogen op.

'Hoi.'

'Ook hoi.'

'Heb je eng gedroomd?'

'Nee, wel vreemd, maar daar ben ik aan gewend. Het is ochtend.'

'Hmm.' Hij verschoof net genoeg om zijn pols te kunnen draaien en keek knipperend met zijn ogen op zijn horloge. Aan het voeteneinde van de slaapzak gaapte Spock, een soort hoog gejank, en vervolgens snurkte hij verder. 'Nee hoor. Kwart voor zeven is nog geen ochtend. Kruip erbij, dan zal ik het bewijzen.'

'Het is verleidelijk.' Nog meer toen hij haar hoofd weer omlaag trok en haar achteloze goedemorgenkus een stuk grondiger overdeed. 'Heel verleidelijk,' zei ze. 'Maar over twintig minuten komen een aantal werklui.'

'Ik kan het in twintig minuten.' Hij kromp ineen. 'Dat was onhandig uitgedrukt.'

'Drink je koffie maar.' Ze stak de beker uit en zwaaide er langzaam mee onder zijn neus.

'Heb je koffie voor me meegenomen?' Hij ging meteen rechtop zitten en nam de eerste slok. 'Nu moet je met me trouwen.'

'Echt waar?'

'Ja, en me acht kinderen geven, elke dinsdag naakt voor me dansen omdat ik het wil en me elke ochtend wekken met koffie, na de seks, welteverstaan. Dat is de wet van Kroblat.'

'Wie is Kroblat?'

'Niet wie. De planeet Kroblat. Het is een bijzonder spiritueel oord,' verzon hij ter plekke. 'Ik leid mijn leven volgens zijn wetten. Dus moeten we trouwen en de rest.'

'Zodra we de kans krijgen, zullen we dat doen.' Ze streek met haar hand over zijn haar. 'Fijn dat je bent gebleven.'

'Ach, ik heb er koffie, een vrouw en acht kinderen aan overgehouden. Heb je al gevraagd hoe het met Steve gaat?'

'Nog hetzelfde. Ik ga naar hem toe. Misschien kan ik hem net zolang uitfoeteren tot hij wakker wordt.'

'Misschien wel. Geef me tien minuutjes, dan zal ik je brengen.'

'Nee. Nee, ik red me wel. Ik ga een poosje naast hem zitten en hem aan zijn kop zeuren. Daarna ga ik wat voorraden en materiaal ophalen en die hier afleveren. Ik zal vandaag vaak op en neer rijden. Ik wil je iets vragen. Stel dat ik mezelf, God of het noodlot of wat dan ook maar iets heb beloofd. Namelijk dat ik de schuur rood zal schilderen, rood met witte randen, als Steve hier weer bovenop komt, brengt het dan ongeluk als ik de verf al koop voor… voordat hij uit het coma komt?'

'Nee. Sterker nog, dat toont alleen maar dat je erin gelooft.'

Ze schudde haar hoofd. 'Ik wist dat je dat zou zeggen. Ik denk precies het tegenovergestelde. Ik ben te bang om die stomme verf te kopen.' Ze stond op. 'Tot straks.'

'Ik zie je wel in het ziekenhuis.'

Bij de deur bleef ze staan en aarzelde, waarna ze zich weer naar hem toe draaide. 'Als je wilt, kan ik vanavond wel iets halen voor het eten.'

'Dat zou fijn zijn.'

'Ik wil echt heel graag met je naar bed.' Ze glimlachte toen hij bijna koffie morste en Spocks piepkleine oortjes zich spitsten. Wat een stel. 'Ik wil heel graag weten hoe het is om jezelf te laten gaan. Maar voorlopig is het hetzelfde als het kopen van de verf, denk ik.'

Hij hield zijn blik op de hare gericht en glimlachte. Heel langzaam. 'Ik heb de tijd. Het komt wel.'

Ford bleef zitten waar hij zat en dronk zijn koffie op. In gedachten maakte hij een aantekening om dat gedoe over Kroblat op te schrijven. Dat kon ooit nog wel van pas komen.

Hij voelde zich ontzettend goed voor een man die op de grond had geslapen, dacht hij. Een man die het de grootste moeite had gekost om niet te denken aan de vrouw die in de aangrenzende kamer op de grond sliep.

Omdat hij nu toch op was op dit onchristelijke uur zou hij zich naar huis slepen, het ziekenhuis bellen om te vragen hoe het met Steve ging, een paar uur aan de roman werken en dan naar het ziekenhuis gaan.

'Kom jij ook eens van je luie kont,' zei hij tegen Spock, en hij porde net zolang met zijn voet tegen de hond tot het beest wakker werd. Op het moment dat hij zijn broek aantrok, hoorde hij al een wagen stoppen. Tegen de tijd dat hij aangekleed was en een tweede kop koffie inschonk, terwijl Spock deed wat hij moest doen in de achtertuin, werd het lawaai oorverdovend en bereikten de activiteiten hun hoogtepunt. Ford besloot om de beker even te lenen en hij ging met zijn koffie naar buiten.

Hij zag Brian een van zijn mannen naar de achtertuin dirigeren met iets wat op een lading zand leek. Ford zwaaide even. 'Hoi, Brian.'

'Hoi.' Met zijn duimen in zijn voorzakken slenterde Brian naar hem toe en hij keek veelbetekenend naar het huis. 'Nee, maar.'

'Nee. Gescheiden slaapkamers. Ik wilde niet dat ze alleen was.'

'Hoe gaat het met haar?'

'Ze lijkt vanochtend wat rustiger. Ze is al op weg naar Steve.'

'Shanna heeft het ziekenhuis gebeld. De toestand is ongewijzigd. Wat erg, hè? Het is zo'n aardige kerel.'

'Ja.' Ford keek naar de schuur. 'Hoeveel verf denk je dat er nodig is om die schuur te doen?'

'Al sla je me dood. Vraag het een schilder.'

'Goed.' Hij keek op toen er weer een auto stopte. 'Het lijkt hier wel een gekkenhuis. Ik ga naar huis.'

'Politie.' Brian knikte naar de auto. 'Ze zijn terug. Ik hoop niet dat ze weer met Shanna willen praten. Daar raakt ze door van streek.'

'Ik kijk wel even of ze het met mij afkunnen.'

Er stapten twee mannen uit de Crown Vic, maar geen van beiden was de agent – Taney, herinnerde Ford zich – met wie ze de vorige dag hadden gepraat. Beiden droegen een pak en een das in plaats van een uniform. Rechercheurs, nam hij aan.

'Hallo, hoe gaat het?'

De langste van de twee, een man met witte vlokjes in zijn grijze haar en dikke hangwangen, knikte Ford kort toe. De tweede man, klein, mager en zwart, bekeek hem koeltjes.

Hij zag dat ze allebei neerkeken op de hond die naar hen opkeek.

'Cilla, eh… mevrouw McGowan, is er niet,' begon Ford. 'Ze is een kwartier of twintig minuten geleden naar het ziekenhuis gegaan.'

De lange blanke vent bestudeerde hem. 'En u bent?'

'Sawyer. Ford Sawyer. Ik woon aan de overkant. Ik heb gisteren met agent Taney gesproken.'

'U woont aan de overkant, maar u hebt hier vannacht geslapen. Bij mevrouw McGowan.'

Ford nam een slok koffie en keek de kleine zwarte vent recht aan terwijl Spock gromde. 'Is dat een constatering of een vraag?'

'Uw haar is nat van het douchen.'

'Inderdaad.' Ford glimlachte vriendelijk en nam nog een slok van zijn koffie.

De lange blanke vent pakte een opschrijfboekje en bladerde erdoorheen. 'Kunt u ons vertellen waar u eergisteren was, tussen twee en vijf uur 's nachts?'

'Tuurlijk. Vindt u het vervelend om uw legitimatie te laten zien? Dat gebeurt niet alleen op tv.'

'Ik ben rechercheur Urick en dit is mijn partner rechercheur Wilson,' zei de lange blanke vent toen ze allebei hun penning tevoorschijn haalden.

'Goed. Ik lag in bed, daarzo, vanaf ongeveer één uur tot ik gisterochtend de sirenes hoorde.'

'Had u gezelschap?'

'Ja. Spock.' Hij wees op de hond. 'U kunt zijn verklaring opnemen, maar die moet ik dan vertalen, dus dat heeft waarschijnlijk geen zin. Hoor eens, ik snap dat jullie alles en iedereen moeten controleren, maar het staat vast dat iemand hier een paar nachten geleden rondliep. Ik zag iemand rondsluipen met een zaklamp.'

'Dat weten we.' Urick knikte. 'U bent de enige die beweert iets gezien te hebben. Wat is uw relatie met mevrouw McGowan?'

Ford toverde een overdreven boerenkinkelige grijns op zijn gezicht. 'We zijn vrienden en buren.'

'We hebben de indruk gekregen, uit wat andere mensen hebben gezegd, dat jullie relatie meer dan vriendschappelijk is.'

'Nog niet.'

'Maar dat wilt u wel graag.'

Toen Ford zuchtte, begon Spock nijdig rondjes om de agenten te lopen. Hij zou niet bijten, maar Ford wist dat hij zijn poot zou optillen om zijn mening kenbaar te maken als hij wrevelig genoeg was.

Dat was waarschijnlijk geen goed idee.

'Spock, zeg eens gedag. Sorry, hij voelt zich geïrriteerd en genegeerd. Als jullie even de tijd nemen om zijn poot te schudden, dan wordt hij wel weer rustig.'

Wilson hurkte neer en pakte de poot. 'Hoe gaat-ie? Verdomd als het niet waar is, dat is de lelijkste hond die ik ooit heb gezien.'

'Hij is voor een deel bulterriër,' zei Urick, waarna hij zich voorover boog om de poot te schudden.

'Ja, althans, dat is me verteld. Goed, nog even over het "wilt u graag meer zijn dan vrienden en buren". Hebt u Cilla gezien? Haar ontmoet? In dat geval weet u dat ik wel stom zou zijn om dat niet te willen. Wat heeft dat met Steve te maken?'

Urick krabde Spock afwezig voor hij weer rechtop ging staan. 'De exman van mevrouw McGowan die bij haar logeert. Drie is te veel.'

'Nogmaals, alleen als je dom bent. Maar u hebt wel duidelijk gemaakt dat het geen ongeluk was.' Ford draaide zich om en bestudeerde de schuur. 'Er was daar iemand en die persoon, wie het ook was, heeft Steves schedel ingeslagen en hem daar laten liggen. Hij heeft hem daar gewoon laten liggen.'

Alleen dat idee was voldoende om de woede aan te wakkeren die hij tot dan toe had weten te onderdrukken. 'Godverdomme. Waar waren ze in vredesnaam naar op zoek?'

'Waarom denkt u dat iemand op zoek was naar iets?' wilde Urick weten.

Fords ogen leken op koud groen ijs toen hij zijn hoofd weer omdraaide. 'Doe me een lol, zeg. Het was niet zomaar een plunderaar of een klootzak die op zoek was naar een stel schoenen van Janet Hardy om op eBay te verkopen. Dat klopt niet.'

'U hebt er blijkbaar goed over nagedacht.'

'Ik denk veel na. Hoor eens, jullie mogen mijn gangen nagaan zo veel en zo grondig als jullie willen. Als jullie meer vragen hebben, ik ben hier wel ergens in de buurt.'

'We weten u te vinden, mocht het nodig zijn,' riep Wilson.

Ongetwijfeld, dacht Ford terwijl hij naar huis ging met zijn hond.

12

Hij wilde de schuur in, maar Ford vreesde dat de agenten in dat geval nog een paar lagen zouden toevoegen aan de verdachtentaart die ze voor hem aan het bakken waren.

Hij was een verdachte. Eigenlijk was dat best wel gaaf.

Jezus, eens een sukkel, altijd een sukkel, dacht hij terwijl hij een serie zijwaartse en tilbewegingen maakte.

Toen hij lekker zweette en honger had gekregen, belde hij het ziekenhuis en at wat cornflakes. Gedoucht, geschoren en aangekleed stapte hij zijn kantoor binnen en liep naar zijn werkplek.

Hij sloot zijn ogen, hief zijn handen op en zei: 'Draco braz minto.'

Dat ritueel uit zijn kindertijd zorgde ervoor dat Ford zich helemaal op zijn werk kon concentreren en al het andere onbelangrijk werd. Hij ging zitten, pakte zijn gereedschap en begon het eerste paneel voor Brid te tekenen.

Cilla had haar stoel naar het bed gericht zodat ze recht in Steves gezicht kon kijken terwijl ze praatte. En praten deed ze, ze voerde een voortdurende eenzijdige conversatie, alsof elke hoorbare stilte dodelijk kon zijn.

'Dus er zit schot in. Het gaat beter dan ik had durven hopen, zelfs met mijn veranderingen aan de originele plannen. De ruimte op zolder lijkt echt veelbelovend. Ik ga straks vloerplanken voor de zolderkamer uitzoeken, en de lampen en tegels voor de badkamer daar en de badkamer in de grote slaapkamer. Zodra je weer beter bent, kunnen we een biertje drinken op het terras. Ik heb potten nodig. Een paar enorme potten. Gigantische. O, en ik ga tomaten planten. Volgens mij is dit precies de goede tijd om dat te doen. En paprika's en misschien wortels en bonen.

Eigenlijk moet ik tot volgend jaar wachten, tot het huis klaar is, maar ik geloof dat ik nu wel een vierkant tuintje kan aanleggen. Dan…'

'Mevrouw McGowan.'

Cilla haalde diep adem. Toen haar borst pijn deed, wist ze dat ze haar adem te lang had ingehouden. 'Ja.' Hoe heette de verpleegkundige ook alweer? Degene met het krullende blonde haar en de warme bruine ogen? 'Dag, Dee. Zeg toch Cilla.'

'Cilla. De politie is hier. Een stel rechercheurs. Ze vroegen of ze je konden spreken.'

'O. Tuurlijk. Een momentje. Ik moet dit doen,' zei ze tegen Steve. 'Ik ben zo terug.'

Het herkennen van de agenten was het makkelijkste wat ze die dag had gedaan, dacht Cilla. Ze liep recht op hen af. 'Ik ben Cilla McGowan.'

'Rechercheur Wilson. Dit is mijn partner rechercheur Urick. Kunnen we hier ergens praten?'

'Er is hier een kleine wachtkamer. Daar hebben ze iets wat ze koffie noemen. U onderzoekt wat er is gebeurd met Steve,' zei ze terwijl ze hen voorging.

'Ja, mevrouw.'

'Dan weten jullie ook dat hij niet over zijn eigen voeten gestruikeld is, zichzelf een klap op zijn hoofd heeft gegeven of onder zijn eigen motor gevallen is.' Ze schonk koffie in en voegde er poedermelk aan toe. 'Weten jullie wat er is gebeurd?'

'Daar zijn we mee bezig,' zei Urick. 'Kent u iemand die meneer Chensky kwaad wil doen?'

'Nee. Hij is hier pas een paar dagen. Steve maakt heel gemakkelijk vrienden, geen vijanden.'

'U bent met hem getrouwd geweest.'

'Dat klopt.'

'Geen gevoelens van wrok?' informeerde Wilson.

'Geen enkele. Voor ons huwelijk waren we vrienden en dat zijn we gebleven.'

'Hij woont bij u.'

'Nee, hij logeert bij me en hij helpt me een paar weken met het huis. Ik ben het aan het opknappen. Hij zit in het vak.'

'*Rock the House*,' merkte Urick op. 'Ik heb het programma wel eens gezien.'

'Het beste in zijn soort. U wilt weten of we met elkaar naar bed gaan. Nee. Vroeger wel, maar nu niet meer.'

Wilson kneep zijn lippen samen en knikte. 'Uw buurman, meneer Sawyer, beweert dat hij een paar nachten geleden iemand op uw terrein heeft zien rondsluipen.'

'Ja, de nacht dat Steve was aangekomen. Steve hoorde buiten iets.'

'U niet?'

'Nee, ik slaap als een blok. Maar Steve maakte me wakker en zei dat hij iets hoorde. Ik heb het genegeerd.' Het schuldgevoel wurmde zich een weg terug. 'Ik had een hangslot zullen kopen voor de schuur, maar dat heb ik niet gedaan.'

'We zagen dat u de schuur gebruikt om spullen in op te slaan. Dozen, meubels…'

'Troep,' maakte Cilla af, en ze knikte naar Urick. 'Dat heb ik van de zolder gehaald. Die wordt opgeknapt, daarom moest hij leeg. Ik heb het een beetje gesorteerd, maar het is een hele klus. Ik dacht dat ik alles wat me eventueel waardevol leek apart had gelegd, maar het is moeilijk te zeggen als je het nog maar een paar keer hebt gezien.'

'U hebt niet gemerkt dat er iets weg is?'

'Op dit moment nog niet.'

'Een paar dozen waren in elkaar gedrukt en de meubels lagen omver.' Wilson gebaarde. 'Het leek een beetje alsof meneer Chensky zijn motor de schuur in heeft gereden, de macht erover heeft verloren en is omgevallen.'

'Zo kan het niet zijn gebeurd. U weet dat hij niet dronken of stoned was.'

'Zijn alcoholpromillage lag ver onder het wettelijk toegestane maximum,' beaamde Urick. 'Hij had ook geen drugs in zijn lichaam.'

In haar borstkas begon haar hart een snel ritme te slaan. 'Een nuchtere man, die al ruim tien jaar op een Harley rijdt, stapt niet van de motor om een deur te openen om vervolgens weer op te stappen en over een stel dozen en meubelen naar binnen te rijden.'

'De röntgenfoto's laten zien dat meneer Chensky onder aan zijn schedel is geslagen. Waarschijnlijk met een koevoet of een bandenlichter.'

Cilla drukte haar hand tegen haar hart toen die zich als een vuist samenbalde. 'O, god.'

'Door de kracht van de klap viel hij voorover, zodanig dat hij de betonnen vloer raakte, wat voor de tweede breuk zorgde. Uit onze reconstructie blijkt dat de Harley naar de plek is gerold waar meneer Chensky lag en vervolgens boven op hem is gegooid waardoor twee van zijn ribben zijn gebroken en zijn nier is gekneusd.'

Urick wachtte tot Cilla haar koffie met trillende hand had neergezet. Haar gezichtskleur veranderde van wit in doodsbleek. 'Nu stel ik u dezelfde vraag nog een keer. Kent u iemand die meneer Chensky kwaad zou willen doen?'

'Nee. Nee, ik ken niemand die hem kwaad wil doen. Wie zou hem zoiets nou aandoen?'

'Kon Sawyer het met hem vinden?'

'Ford?' Even wist ze niks meer. 'Ja, prima. Ze mochten elkaar. Heel graag. Steve is een fan. Hij heeft zelfs... O, jezus.'

Begrijpend drukte Cilla haar vingers tegen haar ogen en haalde ze daarna door haar haar. 'Oké, luister even goed. Ik ga en ging niet naar bed met Steve. Ford heeft Steve niet in een vlaag van jaloezie aangevallen. In de eerste plaats geloof ik niet dat hij erg opvliegend is en wat belangrijker is, hij wist dat er niets was om jaloers op te zijn. Ik ben heel eerlijk tegen hem geweest over mijn relatie met Steve, sterker nog, de avond dat Steve gewond raakte, was ik uit met Ford. Die avond wist zowel Ford als ik dat Steve was uitgegaan om een poging te wagen bij Shanna Stiles. Er is geen sprake van een romantische of seksuele driehoeksverhouding. Dit draait niet om seks.'

'Mevrouw McGowan, het lijkt erop dat er iemand in uw schuur was en daar eventueel op de loer lag. Sawyer en u wisten dat meneer Chensky die avond was uitgegaan en dat hij zijn motor in de schuur stalde.'

'Inderdaad. Dat klopt als een bus, rechercheur Wilson. Net zoals we allebei wisten dat hij een bijzonder aantrekkelijke brunette wilde versieren. We konden geen van beiden weten of het hem zou lukken of dat hij zou worden afgewezen. Dus als u suggereert dat Ford, na de avond met mij te hebben doorgebracht, terug is geslopen en zich in mijn schuur heeft verstopt, voor het geval Steve zou terugkomen, dan slaat dat nergens op.'

Schrik, boosheid, schuldgevoel en ergernis veranderden in pure misère. 'Dit slaat allemaal nergens op.'

'We willen graag dat u de spullen in de schuur bekijkt om te controleren of er iets is verstoord of meegenomen.'

'Goed.'

'Uw grootmoeder was heel belangrijk voor veel mensen,' ging Wilson verder. 'Ik vermoed dat de meeste mensen aannemen dat alles van haar al lang geleden uit dat huis is weggehaald. Als bekend wordt, en dat gebeurt altijd, dat er nog spullen zijn, is er wellicht iemand geïnteresseerd genoeg om in te breken in een schuur.'

'En de schedel van een man in te slaan. Ja. Maar weet u? De meeste spullen in die schuur zijn van de McGowans. De gewone kant van de familie.'

Ze ging terug naar Steve, maar ditmaal zat ze zwijgend naast hem.

Toen ze wegging en naar de lift liep, stapte haar vader daar net uit. 'Pap.'

'Cilla.' Hij liep vlug naar haar toe en pakte haar schouders beet. 'Hoe gaat het met hem?'

'Hetzelfde, denk ik. Hij verkeert nog in kritieke toestand. Hij heeft de operatie goed doorstaan en dat is een pluspunt, maar... Er zijn heel veel mitsen en maren.'

'Ik vind het heel erg.' Hij trok haar even dicht tegen zich aan. 'Ik weet dat ik hem maar een paar keer heb ontmoet, maar ik vond hem heel aardig. Wat kan ik doen?'

'Dat weet ik echt niet.'

'Ga met me mee naar beneden, dan koop ik iets te eten voor je.'

'Nee. Ik wilde eigenlijk net een poosje weggaan. Ik moet wat klusjes doen.' Ze wilde weg, dingen doen, een paar uur niet nadenken. 'Misschien... Wil jij een poosje bij hem gaan zitten? Tegen hem praten? Hij vond jou ook aardig.'

'Dat doe ik graag.'

'En wil je tegen hem zeggen dat ik straks weer terugkom als je weggaat? Ik kom terug.'

'Prima.'

Knikkend drukte ze op het knopje voor de lift en ze sloeg haar tas over haar schouder. 'Ik stel het echt heel erg op prijs… dat je bent gekomen. Je kent hem nauwelijks. Je kent mij verdomme nauwelijks.'

'Cilla…'

'Maar toch ben je gekomen.' Ze stapte de lift in, draaide zich om en keek haar vader recht in de ogen. 'Je bent gekomen. Dat betekent heel veel voor me,' zei ze toen de deuren tussen hen dicht gleden.

Haar werk. Daardoor wist ze de dag door te komen. En de volgende dag. Hard werken lag haar beter dan sentimenteel worden of haar emoties te uiten, tenzij die in een script stonden, dacht ze. Ze maakte een schema en hield zich daaraan. Zo veel uur aan het huis, aan de tuin, zo veel in het ziekenhuis, zo veel in de schuur.

Dat gaf haar zo veel uur om op haar luchtbed te vallen en uit te klokken.

Tot zover ging alles goed, dacht ze.

Alleen was Steves moeder van haar bezemsteel gesprongen en had ze Cilla's schema in de vuilnisbak gegooid. Daardoor had ze meer tijd om te werken, zei Cilla tegen zichzelf. Meer tijd om dingen voor elkaar te krijgen.

Ze pakte een staande lamp op en keek boos naar de zes trechtervormige kapjes aan de bevlekte koperen staaf. 'Wat hadden ze gerookt toen ze dit kochten?'

Impulsief rende ze een paar grote passen en wierp hem als een speer door de open schuurdeuren. En ze gilde het uit toen Ford ineens haar blikveld in stapte. Hij sprong terug zodat de lamp langs zijn hoofd suisde met slechts een paar laagjes stof ertussen.

'Jezus nog aan toe!'

'Het spijt me. Sorry, ik zag je niet.'

'Moet je dan niet "van onderen" roepen of zo?' vroeg hij. 'Hoe had ik dat in godsnaam moeten uitleggen? Ja, dokter, mijn hoofd is gespietst door wat waarschijnlijk de lelijkste staande lamp aller tijden is?'

'Ik geloof niet dat hij je zou hebben gespietst. Meer ingedeukt. Hoe dan ook, hij was me een doorn in het oog.'

'Ja, mij ook. Ik kreeg hem bijna letterlijk in mijn oog. Wat doe je hier-achter? Het is nog vroeg voor je,' voegde hij eraan toe toen ze hem fron-send aankeek. 'Ik zag je auto. Ik dacht dat er misschien…'

'Nee. Geen verandering. Behalve dan dat Steves moeder er is.'

'Ja. Ik ben haar vanochtend tegengekomen.' Hij stak zijn handen in zijn zakken en kromde zijn rug een beetje. 'Ze is eng.'

'Ze haat me. Omdat ik met Steve ben getrouwd en omdat ik van hem ben gescheiden. Eigenlijk mag ze Steve ook niet graag, maar aan mij heeft ze echt een hartgrondige hekel. Daarom heb ik de plaat gepoetst. Ik heb me uit de voeten gemaakt. Ik kan het nooit zo goed vinden met moeders.'

'Met je stiefmoeder kun je best goed opschieten. Die heeft gister-avond die lekkere ovenschotel laten brengen.'

'Tonijn met noedels. Ik weet niet zeker of dat een teken van liefde is.'

'Geloof me, dat is het wel degelijk.' Hij stapte door en om een deel van de troep zodat hij bij haar stond en haar wang aan kon raken. 'Je werkt te hard, mooie blonde dame.'

'Dat doe ik niet.' Ze liep bij hem vandaan en schopte tegen een van de dozen. 'De agenten wilden dat ik deze spullen bekijk, om erachter te ko-men of er iets weg is.'

'Ja, ik geloof dat ik gezakt ben op de lijst met verdachten, wat op een vreemde manier teleurstellend is. De lange blanke vent vroeg of ik een exemplaar van *The Seeker: Indestructible* wilde signeren voor zijn klein-zoon.'

'De lange… O, Urick. Ik heb ze verteld dat het niks met Steve, jou of mij te maken heeft. Maar wat moet hier in godsnaam liggen? Wat ligt hier dat iemand zo verdomd graag in handen wil krijgen? Het is troep. Afval. Het moet allemaal worden weggegooid. En dat ga ik doen ook,' besloot ze ter plekke. 'Help even een handje, ja?'

Hij greep haar beet en trok haar terug toen ze aan een doos begon te sjorren. 'Nee. Je moet niks weggooien als je in de knoop zit. En je weet dat hetgeen waar die persoon naar op zoek is niet hier ligt. Want dat heb je al gevonden en je hebt het elders neergelegd.'

'De brieven.'

'Precies. Heb je de agenten over de brieven verteld?'

'Nee.'

'Waarom niet?'

'Dat weet ik eigenlijk niet. Gedeeltelijk omdat ik in eerste instantie alleen aan Steve kon denken. En wat zouden ze met die brieven moeten doen? Die zijn vijfendertig jaar oud, en bovendien zijn ze niet ondertekend en er staat geen afzender op.'

'Vingerafdrukken, DNA. Kijk jij nooit naar CSI?'

'Feiten, fantasie. En het zal uitlekken. Dat gebeurt altijd. Brieven van een minnaar, een paar dagen voor haar dood. Was het zelfmoord? Was het moord? Verwachtte ze een liefdesbaby? Alle speculaties, alle artikelen, alle zendtijd, de journalisten, de geobsedeerde fans, het tikt allemaal aan. Daarmee is mijn kans om hier een vredig bestaan op te bouwen bijna helemaal verkeken.'

'Hoezo?'

'Ik wil niet leven in het vizier van een fototoestel. Ik wilde dat dit mijn thuis zou worden.' Ze hoorde de wanhoop in haar stem, maar kon die niet onderdrukken. 'Ik wilde iets terugbrengen van haar en voor haar. Maar ik wilde dat het uiteindelijk van mij zou zijn.'

'Wil je niet weten wie die brieven heeft geschreven?'

'Jawel. Maar ik wil zijn leven of dat van zijn kinderen niet verpesten omdat hij een verhouding heeft gehad en die heeft verbroken. Zelfs niet als hij dat heel wreed heeft gedaan. Er moet een verjaringstermijn zijn. Dertig jaar hoort lang genoeg te zijn.'

'Dat ben ik met je eens.'

Verder zei hij niets, hij keek haar alleen recht in de ogen tot ze ze sloot.

'Hoe kan iemand het bewijzen?' vroeg ze. 'Als, als, als ze zichzelf niet van het leven heeft beroofd. Als, als, als een aantal van de samenzweringstheorieën dicht bij de waarheid kwam en iemand, deze persoon, haar gedwongen heeft de pillen te slikken of ze haar stiekem heeft toegediend. Hoe kunnen we dat bewijzen?'

'Dat weet ik niet, maar de eerste stap is het stellen van de juiste vragen aan de juiste mensen.'

'Ik ken de juiste mensen en de juiste vragen niet en ik kan hier op dit moment niet over nadenken. Ik moet vandaag zien door te komen en dan morgen. Ik moet…'

Ze drukte zich tegen hem aan en sloeg haar armen om zijn hals terwijl ze haar mond op de zijne perste. Hij was onvoorbereid op de uitbarsting, de opwelling van wanhoop en honger. Wie had daar wel op voorbereid kunnen zijn? Met snelle, grillige ademstoten en diepe, sexy kreunen verorberde ze. Ze sloeg een van haar lange benen om hem heen, liet haar tanden in zijn onderlip zakken en trok. En hij werd onmiddellijk, hulpeloos, zo hard als steen.

Ze wreef haar lichaam tegen het zijne tot hij letterlijk het bloed uit zijn hoofd omlaag voelde trekken. 'Doe de deur op slot.' Haar lippen bewogen naar zijn oor en gingen met een ademloze fluistering uit elkaar. 'Doe de deur op slot.'

Hij huiverde en voelde de wellust met een schok als vuisten in zijn lichaam slaan, in zijn hoofd, buik en lendenen. 'Wacht.' Op het moment dat hij het zei, vond zijn mond de hare weer voor een laatste gretige slok. Toch slaagde hij erin zichzelf te bevelen om zich terug te trekken, zijn handen op haar schouders te leggen en haar een paar centimeter van zich af te duwen.

'Wacht,' zei hij weer, al vergat hij even zijn gedachtegang toen haar felblauwe ogen zich in de zijne boorden.

'Nee. Nu.'

'Cilla. Ho. Jezus. Ik voel gewoon dat ik borsten krijg terwijl ik dit zeg.'

Ze pakte zijn handen, trok ze omlaag en duwde ze tegen zich aan. 'Die zijn van mij.'

'Ja.' Zacht, stevig. 'Inderdaad.' Met flink wat spijt en wat hij zelf beschouwde als een indrukwekkende zelfbeheersing, legde hij zijn handen op haar schouders. 'Waar was ik? Wat ik wilde zeggen, al loop ik het risico op een vrouw te lijken, is dat dit niet goed is.'

Ze liet haar hand over zijn kruis glijden. 'Wat is dit dan?'

'Mijn penis heeft een eigen willetje. O, verdomme,' wist hij met moeite uit te brengen toen hij haar dwalende hand pakte en hem met een ruk weer omhoog bracht. 'Ik hoor hier een medaille voor te krijgen. Een standbeeld. Laten we het even kalm aan doen.'

'Kalm aan?' De woorden klonken geschokt en beledigd. 'Waarom? Wat mankeert jou in godsnaam?'

'Mijn penis vraagt zich precies hetzelfde af. Maar waar het om gaat is… Wacht,' beval hij. Hij pakte haar armen stevig beet toen ze zich los wilde rukken.

'Cilla, waar het om gaat is dat je geen spullen weggooit als je van streek bent. En als je van streek bent, doe je ook niet… de schuurdeur op slot.'

'Het is maar seks.'

'Misschien wel. Dat zou best kunnen. Maar als het zover is, zal het alleen om jou en mij gaan. Alleen om jou.' Hij stelde zijn wilskracht op de proef door zich voorover te buigen en haar mond te nemen in een trage, zachte zoen. 'Alleen om mij. Geen Steve of Steves moeder, geen Janet Hardy, geen brieven. Alleen wij, Cilla. Ik wil heel veel tijd alleen met jou.'

Ze zuchtte en schopte halfslachtig tegen een van de dozen. 'Hoe moet ik nou kwaad blijven en me afgewezen voelen als je zoiets zegt?' Ze stak haar duimen in haar zakken en liet haar blik opzettelijk naar zijn kruis dwalen. 'Het lijkt erop dat dat ding nog steeds diep nadenkt. Wat ga je daaraan doen?'

'Ik moet gewoon aan Maylene Gunner denken.'

'Maylene Gunner.'

'Maylene was zo gemeen als een slang, zo groot als een slagschip en zo lelijk als de nacht. Ze heeft me op mijn achtste volledig in elkaar getimmerd.'

Nee, ze kon met geen mogelijkheid kwaad blijven. 'Waarom dan?'

'Omdat ik een bijzonder onflatteus portret van haar had getekend. Ik had niet genoeg talent om een flatteus portret van haar te tekenen. Zelfs Da Vinci had daar niet genoeg talent voor. Ik had haar getekend als een soort zeppelin, zwevend en scheten latend. Heel kleurrijk. Kleine mensjes op de grond die hun armen om zichzelf heen hadden geslagen of er bewusteloos en uitgestrekt bij lagen of wegrenden om zich in veiligheid te brengen.'

'Gemeen,' zei Cilla terwijl haar lippen vertrokken.

'Ik was acht. Hoe dan ook, ze kreeg er lucht van, om het zo maar te zeggen, en viel me aan om me tot moes te slaan. Dus als het nodig is, stel ik me haar gigantische gezicht voor en…' Hij keek omlaag en glimlachte. 'Kijk, het is gelukt. Teruggetrokken van het speelveld.'

Cilla keek hem een poosje aan. 'Je bent een rare vent, Ford. Maar op een vreemde manier heel aantrekkelijk. Net als je hond.'

'Ga me nou niet opnieuw opwinden. Zelfs Maylene Gunner heeft maar een beperkte macht. Zal ik je daar even mee helpen, dan kunnen we daarna samen naar Steve gaan. Samen kunnen we zijn moeder wel aan.'

Ja, dacht ze, een rare en aantrekkelijke kerel. 'Goed. Breng jij dan maar de restanten van die staande lamp naar de container.'

Ze redde zich die dag, en die avond. En Cilla bereidde zich voor op haar tweede bezoekje van de dag en de tweede confrontatie met Steves moeder. IJsberend voor de ingang van het ziekenhuis, gaf ze zichzelf een peptalk.

Het ging niet om haar, niet om oude koeien, ergernissen of slagvaardigheid. Het was niet de bedoeling om een emmer koud water over de gemene heks te gooien.

Het ging om Steve.

Ze bewoog haar schouders om ze losser te maken, als een boxer voor een gevecht, en ze stapte net de deur door toen iemand haar naam riep.

Het was misschien laf om opgelucht te zijn wegens die tijdelijke onderbreking, maar ze greep de kans met beide handen aan. Ze draaide zich om en glimlachte tegen Cathy en Tom Morrow.

Cathy wreef even over Cilla's arm. 'Hoe gaat het met je vriend?'

'Nog hetzelfde. Zo ongeveer hetzelfde. Ik wil je graag nogmaals bedanken voor je hulp toen Steve werd geopereerd.'

'Dat stelde niks voor.'

'Voor mij wel. Werk je hier vandaag als vrijwilliger?'

'Eigenlijk gaan we op bezoek bij ons petekind. Ze heeft net een baby gekregen.'

'Wat leuk. Goed…' Cilla keek om naar de deuren.

'Wil je dat ik eerst met jou meega?' bood Cathy aan.

'Nee, nee, ik red me wel. Alleen… waarschijnlijk is Steves moeder er. Ze heeft een bloedhekel aan me. Daardoor is de sfeer in de kamer nogal ongemakkelijk als we er samen zijn.'

'Daar kan ik wel iets aan doen.' Cathy stak een vinger op. 'Ik zal naar boven gaan en haar een kwartiertje of twintig minuten meelokken. Hoe lijkt je dat?'

'Hoe dan?'

'In mijn rol als vrijwilliger. Ik zal een kop koffie voor haar kopen en haar op mijn schouder laten uithuilen. Dan heeft zij even een pauze en kun jij een paar minuten alleen zijn met je vriend.'

'Dat lukt haar echt.' Tom schudde zijn hoofd. 'Niemand kan Cathy weerstaan.'

'Dat zou ik heel fijn vinden.'

'Geen probleem. Tom, hou Cilla een paar minuutje gezelschap. Vijf minuten is wel genoeg.' Cathy zwaaide vrolijk en liep het ziekenhuis in.

'Ze is fantastisch.'

'De bovenste beste,' beaamde Tom. 'We gaan daar even zitten zodat zij een voorsprong krijgt. Wat erg wat er met je vriend is gebeurd.'

'Dank u.' Drie dagen, dacht ze. Hij lag al drie dagen in coma.

'Heeft de politie enig idee hoe het is gebeurd?'

'Niet echt. Ik vermoed dat we allemaal hopen dat Steve het ons kan vertellen als... wanneer,' corrigeerde ze zichzelf, 'hij bijkomt.'

Ze ving een glimp op van een wit bestelbusje dat over het parkeerterrein reed en wendde haar blik met een huivering af.

'Ik hoop dat dat snel gebeurt.' Tom gaf een bemoedigend klopje op haar hand. 'Hoe doet Brian het bij je huis?'

'Het begint ergens op te lijken. Hij verricht prima werk. U bent vast trots op hem.'

'Altijd. Je bent aan een ambitieus project begonnen. Het land, het huis. Veel tijd, geld en zweet. De mensen praten erover,' voegde hij eraan toe.

'Het zal het waard zijn. U moet een keertje langskomen, dan kunt u zien hoeveel vooruitgang we hebben geboekt.'

'Ik hoopte al dat je dat zou zeggen.' Hij gaf haar een knipoog.

'Wanneer u maar wilt, meneer Morrow.'

'Tom.'

'Wanneer u maar wilt,' zei Cilla weer, en ze stond op. 'Ik glip naar boven om te kijken of Cathy succes heeft gehad.'

'O, reken maar. Ik zal bidden voor je vriend.'

'Bedankt.'

Dat was de reden om hier te gaan wonen, dacht Cilla toen ze door de lobby naar de liften liep. Mensen als de Morrows, als Dee en Vicki en Mike, het verplegend personeel van de intensive care die ze elke dag zag. Zorgzame mensen die de tijd voor je namen.

Mensen als Ford.

Zelfs mensen als de chagrijnige, knorrige Buddy.

Ze stapte de lift uit en zag Mike bij de zusterpost staan. 'Hoe gaat het met hem?'

'Zijn toestand is stabiel. Zijn nieren functioneren weer normaal. Dat is een verbetering.'

'Ja, inderdaad. Is er iemand bij hem?'

Mike liet zijn wenkbrauwen dansen. 'Mevrouw Morrow kwam binnenwaaien en heeft mevrouw Chensky meegenomen om koffie te drinken. De kust is veilig.'

'Halleluja.'

Zijn gezicht zat nog altijd onder de blauwe plekken, maar die werden al geel aan de randen. Op zijn kaak zat een dikke laag stoppels die haar prikten toen ze zich voorover boog om hem een kus te geven. 'Ik ben er weer. Het is warm vanmiddag. Echt weer om je uit te kleden.'

Ze sloeg geen acht op de apparaten en wendde zich tot het raam om het uitzicht voor hem te beschrijven, waarna ze verder wilde gaan met de vooruitgang in de bouwwerkzaamheden. Op dat moment zag ze de tekening die op de glazen muur was geplakt.

'Wat hebben we hier? Con de onsterfelijke?' Ze keek even om naar Steve. 'Heb je dit gezien? Een sprekende gelijkenis.'

Die had Ford getekend, Cilla hoefde de ronde handtekening in de hoek niet te zien om dat te weten. Steve stond er, gekleed in iets wat volgens haar een lendendoek was, met dikke zwarte banden over zijn borst gekruist en knielaarzen aan. Zijn haar wapperde naar achteren alsof er een harde wind stond en zijn gezicht was vertrokken tot een woeste, 'stik maar'-grijns. Zijn handen rustten op het gevest van een zwaard waarvan de punt tussen zijn gespreide benen in de grond stak.

'Groot zwaard, overduidelijk symbolisch. Dat zou je prachtig vinden. En de biceps die over de armbanden puilen, de tatoeages, de ketting van slagtanden. Con de onsterfelijke. Hij heeft je echt helemaal door, hè?'

De hete tranen die opwelden in haar keel slikte ze meedogenloos weg.

'Je moet die echt zien, oké?' Ze liep terug om Steves hand beet te pakken. 'Je moet wakker worden en dit zien. Het heeft nu wel lang genoeg geduurd, Steve. Dat meen ik. Godverdomme. Deze ongein heeft lang genoeg geduurd, dus hou op met dit gelummel en... O, god.'

Had zijn hand bewogen? Had die bewogen in de hare of had ze het zich verbeeld? Langzaam liet ze haar adem ontsnappen, en ze staarde neer op de vingers die ze in de hare hield. 'Zorg dat ik niet nog eens tegen je hoef te schreeuwen. Je weet dat ik hatelijker kan zijn dan je moeder als ik me laat gaan. En die komt zeer binnenkort terug, dus...'

De vingers trilden en bogen. Een heel lichte druk op die van haar.

'Oké, oké. Blijf daar, niet weggaan.' Ze stak haar hand uit naar de alarmknop en drukte hem in. 'Kom op, Steve. Doe het nog een keer.' Ze tilde zijn hand op en drukte haar lippen erop. Vervolgens kneep ze haar ogen samen en beet in zijn hand. En ze lachte toen zijn vingers bewogen en opnieuw bogen.

'Hij kneep in mijn hand,' riep ze toen Mike binnenkwam. 'Twee keer. Wordt hij wakker? Ja?'

'Zeg wat tegen hem.' Mike liep naar de andere kant van het bed en hief een van Steves oogleden op. 'Laat hem je stem horen.'

'Kom op, Steve. Het is Cill. Word wakker, lui varken. Ik heb wel wat beters te doen dan naar jou te kijken terwijl je slaapt.'

Aan de andere kant van het bed controleerde Mike polsslag, pupillen en bloeddruk. Toen kneep hij hard in Steves onderarm. De arm schokte.

'Dat voelde hij. Hij bewoog. Steve, je maakt me gek. Doe je ogen open.' Cilla greep zijn gezicht en drukte haar neus bijna op de zijne. 'Doe je ogen open.'

Zijn oogleden trilden en ze voelde ook iets trillen op haar kin. Meer dan een ademteug, dacht ze. Een woord.

'Wat? Wat? Zeg dat nog eens.'

Ze boog zich voorover met haar oor tegen zijn lippen. Ze hoorde hem langzaam inademen en ze hoorde hem met schorre, rauwe stem één woord fluisteren. Hij zei: 'Verdomme.'

Cilla liet een snik horen die veranderde in een verstikte lach. 'Verdomme. Hij zei "verdomme".'

'Dat kan ik hem niet kwalijk nemen.' Mike liep snel naar de deur om een andere verpleger te roepen. 'Roep dokter North op. Zijn patiënt komt bij.'

'Kun je me zien?' vroeg Cilla toen zijn ogen opengingen. 'Steve? Kun je me zien?'

Hij slaakte een vermoeide zucht. 'Hoi, pop.'

Ze sprak met de arts en slaagde er zelfs in om Steves moeder een oprechte glimlach toe te werpen, maar daarna sloot ze zichzelf op in een toilethokje om te huilen van opluchting. Nadat ze haar gezicht had gewassen, snel wat make-up had opgedaan en haar zonnebril had opgezet om de schade te verhullen, ging ze terug naar de zusterpost.

'Hij slaapt,' zei Mike tegen haar. 'Een natuurlijke slaap. Hij is zwak en hij moet nog flink verder genezen. Ga naar huis, Cilla. Je kunt zelf ook wel een goede nachtrust gebruiken.'

'Dat zal ik doen. Als hij naar me vraagt…'

'Dan zullen we je bellen.'

Voor het eerst stapte Cilla met een opgeruimd gemoed de lift in. Toen ze door de lobby liep, pakte ze haar gsm en belde Ford.

'Hoi, knappe blonde vrouw.'

'Hij is wakker geworden.' Ze liep met verende tred over de stoep naar de parkeerplaats. 'Hij is wakker geworden, Ford. Hij heeft tegen me gepraat.'

'Wat zei hij?'

'Als eerste zei hij: verdomme.'

'Zo hoort het ook.'

'Hij herkende me en hij wist zijn naam en al dat soort dingen. Op dit moment is zijn linkerkant wat zwakker dan zijn rechter. Maar volgens de arts ziet hij er goed uit. Ze moeten tests doen en…'

'Ik ben blij dat hij er goed uitziet. Wil je dat ik straks langskom en wat te eten meeneem?'

'Nee, ik ga nu naar huis. Hij slaapt. Hij slaapt gewoon. Ik wilde het je even vertellen. Ik wilde even zeggen dat ik je tekening heb gezien en dat ik hem ermee plaagde vlak voor… Volgens mij kwam het daardoor.'

'Niets kan Con de onsterfelijke lang tegenhouden.'

'Je bent zo... O, nee! Godverdomme!'

'Wat? Wat is er?'

Ze staarde naar de deur van haar truck. 'Ik ben over een paar minuten thuis. Ik kom bij je langs.'

Ze verbrak de verbinding voor Ford kon reageren. En ze las wat iemand met zwarte markeerstift op haar portier had geschreven.

HOEREN BRENGEN HOEREN VOORT!

13

Ford keek naar Cilla die digitale foto's nam van het portier van de pick-up. Zijn razernij wilde opborrelen, maar hij wist niet wat hij ermee zou doen als het tot uitbarsting kwam.

Tegen de banden trappen? Een paar bomen stompen? Schuimbekkend rondbenen? Geen van de opties leek erg nuttig of bevredigend. In plaats daarvan stond hij met zijn handen in zijn zakken en pruttelde zijn woede op een laag vuurtje door.

'De politie zal ook foto's nemen,' merkte hij op.

'Ik wil mijn eigen foto's. Bovendien geloof ik niet dat Urick en Wilson dit als een prioriteit zullen zien.'

'Het kan ermee te maken hebben. Ze komen hier morgenochtend.'

Ze haalde haar schouders op, zette het fototoestel uit en stak het in haar zak. 'Dat gaat er niet af. De zon heeft het erin gebakken, dus het had er net zo goed op geschilderd kunnen zijn. Ik moet het hele portier laten doen. Ik heb deze pick-up nog niet eens drie maanden.'

Terwijl hij toekeek, schopte ze tegen een band. Blijkbaar had hij gelijk gehad, want ze leek niet tevreden. 'Je mag mijn auto gebruiken tot deze klaar is.'

'Ik blijf hierin rijden.' Uit haar blik sprak zowel strijdvaardigheid als drift. 'Ik weet dat ik geen hoer ben. Ik heb Hennessy's busje op de parkeerplaats gezien voor ik bij Steve op bezoek ging. Hij kan het hebben gedaan. En hij kan Steve kwaad hebben gedaan. Hij is ertoe in staat.'

'Heeft Steve er nog iets over gezegd?'

'We hebben hem er niet naar gevraagd. Hij was nog heel zwak en gedesoriënteerd. De arts zei dat het morgen waarschijnlijk kan. Dan moet hij de politie wel te woord kunnen staan. Verdomme!'

Ze beende nog een paar minuten rond, maar hij zag dat ze niet schuimbekte of tegen een boom stompte. Vervolgens bleef ze staan en slaakte een diepe zucht. 'Goed. Ik ga niet een of andere klootzak een waanzinnig goede dag laten bederven. Heeft de slijterij in de stad ook champagne op voorraad?'

'Dat zou ik niet weten. Maar ik heb het wel.'

'Hoe komt het dat jij alles hebt?'

'Ik ben padvinder geweest. Nee, echt,' zei hij toen ze moest lachen. 'Ik heb de medailles om het te bewijzen.' Ze had gelijk, dacht hij. Geen enkele klootzak zou een waanzinnig goede dag mogen bederven. 'Zullen we een diepvriespizza in de oven doen en de kurk laten knallen?'

Spock sprong overeind van zijn plekje op de veranda en begon te dansen.

'Dat lijkt mij ook wel wat.' Toen ze naar hem toe liep om hem te zoenen, werd er vrolijk getoeterd.

'Nou ja,' zei Ford toen er een knalrode Mustang cabriolet achter Cilla's auto stopte en Spock de trap af rende om verheugd rondjes te draaien. 'Dat moest er vroeg of laat van komen.'

De felle kleur van de auto viel in het niet bij de verwarde rode haardos van de vrouw die naast de bestuurder zat en naar hen zwaaide. Ze schoof haar grote, Jackie O-zonnebril omlaag om naar Cilla te kijken en stapte uit op schoenen met sleehakken waar haar tenen uit staken om de springende, draaiende hond te begroeten.

De chauffeur stapte ook uit. Bij het zien van zijn lengte en lichaamsbouw wist Cilla het al, nog voor ze een goede blik op zijn kaaklijn kon werpen.

Prompt werden haar handpalmen vochtig. Dit was zonder meer een ontmoeting met de ouders. De soort auditie waarbij ze per definitie mislukte.

'Hallo, lieverdje van me!' Penny Sawyer legde haar handen om Fords wangen nadat hij de helling naar haar was af gelopen en kuste hem lawaaiig. Haar lach klonk als grind dat in whisky had liggen weken.

'Hoi, mama. Papa.' Hij kreeg een eenarmige omhelzing van de man wiens haar even zilverkleurig was als dat van Cary Grant. 'Wat zijn jullie aan het doen?'

'We zijn op weg naar Susie en Bill, voor een Texas Hold 'Em toernooi.' Penny porde in Fords borstkas terwijl zijn vader neerknielde om Spock gedag te zeggen. 'We kwamen hier toch langs, dus wilden we vragen of je mee wilt doen.'

'Ik verlies altijd met pokeren.'

'Gokken zit je gewoon niet in het bloed.' Penny keek Cilla aan met haar enthousiaste blik. 'Maar je hebt bezoek. Je hoeft me niet te vertellen wie dit is. Jij lijkt precies op je oma.' Penny kwam met uitgestrekte armen naar voren. 'De mooiste vrouw die ik ooit heb gezien.'

'Dank u wel.' Omdat ze geen keus had, veegde Cilla haar handen snel af aan haar broek voor ze die van Penny drukte. 'Aangenaam kennis te maken.'

'Cilla McGowan, dit zijn mijn ouders, Penny en Rod Sawyer.'

'Ik ken je vader heel goed.' Penny wierp haar echtgenoot een sluwe blik toe.

'Hou toch op,' zei Rod tegen haar. 'Ze probeert me altijd jaloers te maken. Ik heb veel goede dingen over je gehoord,' zei hij tegen Cilla.

'Maar hij heeft er nauwelijks iets over gezegd.' Penny gaf Ford nog een por.

'Ik ben het toonbeeld van discretie.'

Penny liet haar snelle, rollende lach nog een keer horen en groef daarna in haar handtas. Ze haalde er een enorm hondenkoekje uit waarop Spock uitbarstte in een medley van opgetogen gebrom, geknor en gekreun terwijl zijn lichaam trilde en zijn uitpuilende ogen glansden.

'Stel je niet zo aan,' zei ze tegen de hond, en Spock ging op zijn achterpoten staan en danste op een plek. 'Goed zo, liefje van me,' kirde ze en ze stak hem het koekje toe. Spock nam het tussen zijn tanden en, nadat hij met zijn hele lijf had geschud, rende hij weg om te smakken en te bijten. 'Ik moet hem wel verwennen,' zei ze tegen Cilla. 'Dichter in de buurt van een echt kleinkind is deze hier nog niet gekomen.'

'Je hebt er twee van de menselijke soort van Alice,' bracht Ford haar in herinnering.

'En die krijgen koekjes als ze bij me op bezoek komen.' Ze wees naar het huis aan de andere kant van de straat. 'Het is heel mooi wat je doet, dat je het huis weer tot leven wekt. Het verdient het. Je opa pokert van-avond ook mee, Ford. Mijn vader was stapelverliefd op jouw grootmoeder.'

Cilla knipperde met haar ogen. 'O, ja?'

'Tot over zijn oren. Hij heeft stapels foto's die hij in de loop der jaren van haar heeft mogen nemen. Hij wilde ze voor geen geld ter wereld ver-kopen, zelfs niet toen ik er een paar wilde inlijsten en ze in de boekwin-kel wilde zetten.'

'Book Ends in de Village is van mama,' zei Ford tegen Cilla.

'Echt waar? Daar ben ik geweest. Ik heb er wat boeken over tuinarchi-tectuur en tuinieren gekocht. Het is een leuke zaak.'

'Ons eigen tentje,' zei Penny. 'O, jee, we komen nog te laat. Waarom laat je me zo lang kletsen, Rod?'

'Geen idee.'

'Mochten jullie nog van gedachten veranderen over het toernooi, dan zullen we zorgen dat er een plek voor jullie is. Cilla, ze zullen het enig vinden als jij ook komt,' riep Penny toen Rod haar meetrok naar de auto. 'Ik zal papa die foto's laten brengen zodat je ze kunt bekijken.'

'Dank u wel. Leuk u ontmoet te hebben.'

'Ford! Neem Cilla een keertje mee om te eten.'

'Stap in, Penny.'

'Ja, ja, ik ga al. Heb je me gehoord?'

'Ja, mevrouw,' riep Ford terug. 'Win een flinke som.'

'Ik heb het gevoel dat het geluk aan mijn kant staat!' gilde Penny toen Rod met flinke vaart achteruit reed en vervolgens de weg op stoof.

'Wauw,' zei Cilla.

'Ja, ik weet het. Het is net alsof je licht wordt geraakt door het staartje van een orkaan. Na afloop voel je je een beetje verbaasd en versuft en heb je het idee dat je achterover op je kont zou zijn gevallen als ze langer was gebleven.'

'Je lijkt ontzettend op je vader, die trouwens heel aantrekkelijk is. Maar je moeder is oogverblindend.'

'Ze is een kanjer, zoals haar eigen vader graag zegt.'

'Een kanjer,' zei Cilla lachend terwijl ze naar het huis liepen. Na een beleefde boer liep Spock met hen mee. 'Nou, ik vind haar aardig en ik heb de neiging om heel argwanend tegenover moeders te staan. Zeg, waar is die champagne eigenlijk?'

'In de koelkast in de bijkeuken.'

'Als jij de pizza pakt, haal ik die.'

Een paar tellen later kwam ze terug met een fles Veuve Clicquot en een verbaasde frons op haar gezicht. 'Ford, waarom heb je zo veel verf?'

'Hè wat?' Hij keek op van het instellen van de oven. 'O, dat. Ik heb een belachelijke hoeveelheid grondverf, een even belachelijke hoeveelheid rode buitenverf en ietsje minder witte buitenverf, voor de randen.'

Haar hart maakte een trage salto en ze zette de fles op het aanrecht. 'Je hebt verf voor de schuur gekocht.'

'Ik geloof niet dat iets ongeluk brengt. Ik geloof wel in positief denken, wat overigens hetzelfde is als hoop koesteren.'

Alles in haar binnenste ging een stukje omhoog en daalde weer neer. Ging open. Ze liep haar hem toe, legde een hand tegen zijn wang en drukte haar lippen op de zijne. Zo warm als fluweel en zo teer als een wens vloeide de zoen. Zelfs toen hij bewoog zodat ze met haar rug tegen het aanrecht stond, bleef die langzaam en zijdezacht, diep en dromerig.

Toen hun lippen van elkaar gingen, zuchtte ze en liet ze haar wang tegen de zijne rusten met een liefdevol gebaar dat ze slechts weinigen vergunde. 'Ford.' Ze maakte zich van hem los en zuchtte nog een keer. 'Mijn gedachten zijn te vol van Steve om vanavond aan jouw eisen voor seks te kunnen voldoen.'

'Aha. Ach.' Hij liet een vingertop over haar arm glijden. 'Realistisch gezien zijn het meer vrijblijvende richtlijnen dan strenge eisen.'

Lachend streelde ze nog een keer over zijn wang. 'Het zijn goede eisen. Ik wil me er graag aan houden.'

'Ik kan het alleen mezelf verwijten.' Hij liep om haar heen om de pizza in de oven te leggen.

'Dus we gaan slechte pizza eten, een beetje aangeschoten raken van goede champagne en geen seks hebben.'

Hoofdschuddend haalde Ford het folie en de draadkorf van de fles. 'Bijna wat ik het liefste doe met een mooie vrouw.'

'Ik val niet voor kerels. Dat is mijn aanpak,' zei ze toen hij haar een blik toewierp. 'Gezien de invloed van geërfde eigenschappen, en het verleden van mijn grootmoeder en mijn moeder op dat gebied, heb ik besloten me er niet aan te wagen. Steve was een uitzondering, en dat bewees maar hoe het kan gaan. Daarom val ik niet voor kerels. Maar ik lijk wel voor jou te vallen.'

De kurk knalde uit de fles terwijl hij haar aankeek. 'Maakt dat je bang?'

'Nee.' Hij schraapte zijn keel. 'Een beetje. Een matige hoeveelheid.'

'Zoiets vermoedde ik al, want het maakt mij zenuwachtig. Daarom dacht ik dat ik beter eerlijk kon zijn.'

'Dat stel ik op prijs. Heb je toevallig ook een definitie voor de term "vallen voor"?'

Hemel, dacht ze toen ze hem aankeek. O, lieve god, ze was voor de bijl gegaan. 'Waarom pak je de glazen niet? Volgens mij kunnen we allebei wel een drankje gebruiken.'

Ze huurde schilders in en liet een aantal werklui de verf naar de schuur dragen. Ze praatte met de politie en sloot een overeenkomst met een plaatselijk carrosseriebedrijf om het portier van haar pick-up te spuiten. Elke keer dat ze het witte busje zag, stak ze haar middelvinger op, iets wat haar geen enkele moeite kostte.

Geen bewijs, zeiden de agenten. Niets om Hennessy op de plaats delict te plaatsen, de avond dat Steve was aangevallen. Geen enkele manier om te bewijzen dat hij haar auto had versierd met een hatelijke leus.

Dus ze zou afwachten, besloot Cilla. En als hij weer iets zou proberen, zou ze er klaar voor zijn.

In de tussentijd was Steve naar een gewone kamer gebracht en was zijn moeder op haar bezemsteel gesprongen en weer naar het westen gegaan.

Druipend van het zweet door het werken op zolder bestudeerde Cilla het geraamte van haar grote badkamer. 'Dat ziet er goed uit, Buddy. Goed genoeg voor de inspectie van morgen.'

'Ik snap bij god niet wat iemand met zo veel douchekoppen moet.'

'Lichaamsstralen. Het is meer dan een douche nemen, het is een belevenis. Heb je de armaturen gezien? Die zijn vanochtend gekomen.'

'Ik heb ze gezien. Ze zijn mooi,' zei hij met zo veel tegenzin dat ze moest glimlachen.

'Hoe gaat het met het stoomapparaat?'

'Ja, ja, ik ben ermee bezig. Zit me niet zo op te jagen.'

Ze trok gezichten tegen zijn rug. 'Nou, over douches gesproken, ik moet er een nemen voor ik bij Steve op bezoek ga.'

'Het water is afgesloten. Als je dit klaar wilt hebben, moet het ook afgesloten blijven.'

'O, ja. Shit. Ik ga wel bij Ford douchen.'

Ze zag zijn meesmuilende lach wel, maar negeerde die. Ze greep snel schone kleren en stopte ze in haar handtas. Beneden sprak ze even met Dobby, reageerde op een schreeuw uit de keuken en stond toen nog tien minuten buiten om basisbeplanting te bespreken.

Daarna haastte ze zich de weg over voor iemand haar nogmaals aan kon schieten en glipte snel de douche bij de fitnesszaal in zonder Ford te storen.

Pas toen ze schoon en droog was en een grote witte handdoek om zich had geslagen, besefte ze dat ze haar handtas – met de schone kleren erin – op haar voorveranda had laten staan.

'O, shit.'

Ze keek naar de bezwete, smerige kleding die ze had uitgetrokken en streek met een hand door haar schone haar. 'Nee, die ga ik niet meer aantrekken.'

Blijkbaar zou ze Ford toch moeten storen. Ze stopte haar ondergoed en wijde werkshort in haar T-shirt, knoopte hem dicht en nam het bundeltje mee.

Ze opende de deur van de keuken en zag Ford stomverbaasd staan kijken.

'O, hier. Hoor eens…'

'Ford, je had ons niet verteld dat je bezoek had.'

'Dat wist ik ook niet. Hoi, Cilla.'

Haar gezichtsuitdrukking veranderde van enigszins zorgelijk in licht misselijk toen ze opkeek en Fords moeder naast een oudere man aan de keukenbar zag zitten.

Terwijl zij daar als aan de grond genageld stond, rende Spock op haar af en wreef langs haar blote benen. 'O, god. O, hemel. O… god. Het spijt me. Excuseer me.'

Ford greep haar arm beet. 'Als je achteruit terugloopt, val je zo die trap af. Je kent mijn moeder al. Dit is mijn opa: Charlie Quint.'

'O. Eh… Hallo. Het spijt me. Ik ben… Ach, wat kan ik zeggen? Ik wilde je niet storen, Ford. Ik dacht dat je aan het werk was. Bij mij moesten ze het water een poosje afsluiten, dus ik ben even hierheen gegaan om beneden te douchen. Nog bedankt daarvoor. Toen merkte ik dat ik mijn tas, met mijn kleren erin, op de veranda heb laten staan toen ik werd afgeleid door een gesprek over allerlei verschillende soorten spirea's. Ik kwam je vragen of jij even naar de overkant zou willen lopen om ze te halen. Mijn kleren dus.'

'Tuurlijk.' Hij snoof aan haar. 'Mijn zeep ruikt lekkerder op jou dan op mij.'

'Ha.'

'Cilla, jij wilt vast wel een lekker glas ijsthee.' Penny stond op om een glas te pakken.

'O, doet u geen moeite. Ik…'

'Het is geen moeite. Ga maar, Ford. Haal de kleren van dit meisje.'

'Goed. Maar ergens is dat wel jammer. Vind je niet, opa?'

'Een mooie vrouw met mooie benen is een lust voor het oog. Zelfs voor het oog van een oude man. In levenden lijve lijk je meer op haar dan op de foto's die ik van je heb gezien.'

Kon dit nog ongemakkelijker worden? vroeg Cilla zich af toen Ford haar een knipoog gaf en de deur uit ging. 'U hebt mijn grootmoeder gekend.'

'Dat klopt. De eerste keer dat ik haar op het witte doek zag, werd ik verliefd op haar. Zij was nog maar een klein meisje en ik een jochie, en het was een onschuldig soort kalverliefde. Je eerste vergeet je nooit.'

'Nee, daar kunt u best eens gelijk in hebben.'

'Alsjeblieft, liefje. Ga toch lekker zitten.'

'Nee, ik sta hier prima.' Ze keek naar het glas dat Penny haar aanbood en vroeg zich af hoe ze het moest aannemen, aangezien ze haar bundeltje vuile kleren in de ene hand had en met de andere haar handdoek dichthield.

'O, zijn dat je vuile kleren? Geef die maar aan mij. Ik gooi ze wel even in Fords wasmachine voor je.'

'O, nee. Dat hoeft n…'

'Het is geen enkele moeite.' Penny trok ze uit haar hand en duwde het koude glas erin. 'Papa, waarom laat jij Cilla die foto's niet zien? We wilden net bij je langsgaan om dat te doen,' riep Penny vanuit de bijkeuken. 'Maar eerst wilde we Ford even gedag zeggen. Lieve hemel! Je moet vandaag wel heel hard hebben gewerkt.'

Cilla sloeg haar ogen ten hemel en liep dichter naar de bar toe toen Charlie het fotoalbum opensloeg.

'Wat een prachtige foto's!'

Vanaf de eerste blik die ze erop wierp, vergat ze dat ze alleen een handdoek om had en kwam ze wat dichterbij. 'Die heb ik nog nooit gezien.'

'Mijn privéverzameling,' zei hij met een weemoedige glimlach. 'Dat is de eerste die ik ooit van haar genomen heb.'

Janet zat achterovergeleund op de veranda, ontspannen en glimlachend in een opgestroopte tuinbroek en een geruite blouse.

'Wat ziet ze er gelukkig uit. Ze lijkt zich er helemaal thuis te voelen.'

'Ze had met de tuinlieden gewerkt, met ze rondgelopen, aangewezen waar ze haar rozen wilde hebben en zo. Ze had ergens gehoord dat ik foto's nam en ze vroeg of ik langs wilde komen om er een paar te maken van het huis en de tuin tijdens de werkzaamheden. En ik mocht er een paar van haar nemen. Hier is ze met de kinderen. Dat is je moeder.'

'Ja.' Ze zag er vrolijk en gelukkig uit terwijl ze naast haar ten dode opgeschreven broer stond, dacht Cilla. 'Ze zijn allemaal zo mooi, vindt u niet? Het doet bijna pijn aan je ogen.'

'Ze straalde. Ja, echt.'

Cilla bladerde verder. Janet, die er schitterend en trots uitzag, schrijlings zittend op een palomino, over de grond rollend met haar kinderen, lachend en met haar benen spartelend in de vijver. Janet alleen, Janet met anderen. Op feestjes in de boerderij. Met beroemdheden en gewone mensen.

'Hebt u nooit een van deze foto's verkocht?'

'Dat is alleen maar geld.' Charlie haalde zijn schouders op. 'Als ik ze verkoop, zijn ze niet meer van mij. Ik heb haar wel afdrukken gegeven van de foto's die zij wilde.'

'Ik geloof dat ik er hier wel een aantal van heb gezien. Mijn moeder heeft dozen vol foto's. Ik weet niet of ik die allemaal heb gezien. De camera was gek op haar. O! Dit is de mooiste die ik tot nu toe heb gezien.'

Janet stond in de open deuropening van de boerderij, haar hoofd schuin en haar armen over elkaar geslagen. Ze droeg een eenvoudige donkere broek en een witte blouse. Haar voeten waren bloot en haar haar hing los. Potten op de veranda stonden vol bloemen en boven aan de trap lag een puppy opgekruld te slapen.

'Ze had de puppy van de Clintons gekocht.' Penny kwam naast haar vader staan en legde een hand op zijn schouder. 'De familie van je stiefmoeder.'

'Ja, dat heeft ze me verteld.'

'Janet was gek op die hond,' mompelde Charlie.

'Je moet afdrukken maken voor Cilla, pappie. Familiefoto's zijn belangrijk.'

'Ja, dat kan ik wel doen.'

'Opa gaat afdrukken maken voor Cilla,' verkondigde Penny toen Ford binnenkwam met Cilla's tas. 'Hij heeft de negatieven.'

'Ik kan ze scannen. Als je ze aan mij durft te geven. Alsjeblieft.' Ford gaf de tas aan Cilla.

'Dank je.' Omdat ze Charlies aarzeling voelde, nam Cilla wat gas terug. 'Het zijn prachtige foto's en ik zou de rest dolgraag bekijken, maar ik moet naar het ziekenhuis. Ik ga me nu even…'

Ze stak de tas omhoog. 'Beneden.'

'Je lijkt meer op haar dan je moeder,' zei Charlie toen Cilla bij de deur was. 'Het komt door de ogen.'

En in de zijne lag zo'n verdrietige blik dat Cilla niets zei, maar snel naar beneden ging.

In gedachten deed Cilla een geluksdansje toen de tegels in de nieuwe grote badkamer werden gelegd. Ze klokte water naar binnen en schopte fictief haar benen hoog in de lucht toen de eerste rij rechthoekige, witte stenen werd gelegd in wat haar super-de-luxe stoomdouche zou worden.

Het zwart-witte, retro-coole art-deco-ontwerp, zorgde precies voor de juiste uitstraling.

Stan, de tegelman, keek achterom. 'Cilla, je moet de airco installeren.' 'Er wordt aan gewerkt. Aan het einde van de week, dat beloof ik.'

Die moest werken aan het eind van de week, dacht ze. En het bed dat ze had besteld, moest dan zijn bezorgd. Steve kon niet herstellen in een vochtig huis in een slaapzak.

Ze ging terug om het geraamte van de kast in de grote slaapkamer te maken. Als alles volgens schema bleef gaan, zou ze over een paar weken twee voltooide badkamers hebben en zouden de derde en vierde en het toilet een heel eind op streek zijn, dacht ze. Dan zouden de gipsplaten geplaatst kunnen worden in haar kantoorruimte op zolder en moest het opnieuw bepleisteren bijna klaar zijn. Dan kon Dobby beginnen met de medaillons op het plafond. Althans, daar kon hij mee beginnen zodra ze een ontwerp had uitgekozen.

Ze liep haar ramingen na terwijl ze de hoogte controleerde, die aanpaste en er spijkers in schoot.

En over een paar weken zou ze het aannemersexamen afleggen. Maar daar wilde ze nu niet aan denken. Ze wilde er niet aan denken dat ze een van haar eigen onderaannemers aan het einde van het jaar om een baan zou moeten vragen als ze niet zou slagen. Als ze het niet zou halen, kon ze zich niet permitteren om dat mooie huisje iets verderop in de Village te kopen waarvan ze wist dat het een uitstekend en winstgevend opknapproject zou zijn.

Als ze niet zou slagen, zou het weer een mislukking zijn. Ze meende echt dat ze daarin haar maximum aantal al had behaald.

Positief denken, bracht ze zichzelf in herinnering. Dat zou Ford ook doen. Het kon geen kwaad om iets te proberen.

'Ik ga het halen,' zei ze hardop, en ze stapte met een goedkeurend knikje bij het skelet vandaan. 'Je gaat dat examen met vlag en wimpel halen, Cilla McGowan. En dan ben je gediplomeerd aannemer.'

Ze pakte haar gereedschap en liep weg om de vorderingen aan de buitentrap naar haar kantoor te bekijken. Onderweg keek ze nog even hoe het tegelen vorderde. Ze voegde zich bij de timmerploeg toen de schilders die op haar nieuwe steigers stonden streken rood op de schuur aanbrachten.

De lucht rook naar de muls die net om de nieuwe planten was gelegd en om de planten die nog gered konden worden. Rozen, hortensia's, spirea's en ouderwetse weigelia's, perken met hoopvolle nieuwe overblijvers en gretige eenjarige planten die al prachtig in bloei stonden.

Er kwam nog meer en er viel nog veel meer te doen, dacht ze. Maar er zat vooruitgang in. Het uittrekken van de oude planten was achter de rug. De tijd van de vernieuwing was aangebroken.

Ze dacht aan Charlies fotoalbum en ze onderbrak haar werk even om naar binnen te rennen en haar fototoestel te halen om alles vast te leggen.

Hemdloze mannen, nat van het zweet en de zonnebrand, hoog op steigers. Shanna, in een short en een felroze T-shirt en met een honkbalpet op, die samen met Brian aan een laag stenen muurtje werkte. Het begin van haar trap, de achterveranda die half af was. En de veranda aan de voorkant die voltooid was.

Even zag ze Janet in gedachten, staand tegen de lijst van de open voordeur, met een glimlach op haar gezicht.

'Het wordt weer net als vroeger,' zei Cilla zacht.

Toen ze zich omdraaide, zag ze Ford en Spock over de oprit lopen.

De hond trippelde naar haar toe, leunde tegen haar benen en ging vervolgens zitten om naar haar op te kijken, vol liefde en vrolijkheid. Ze wreef, aaide en kuste zijn neus.

'Ik heb een cadeautje voor je.' Ford gaf haar een van de twee cola's die hij bij zich had. 'Ik ben even bij Steve langsgegaan. Hij zei dat ze hem over een paar dagen laten gaan.'

'Hij herstelt voorspoedig.' Net als de boerderij, dacht ze. 'Ik doe mijn best om de airconditioning geïnstalleerd te krijgen en ik heb een bed besteld.'

'Wil je dat hij herstelt van een breuk in zijn schedel in een huis dat verbouwd wordt? Moet je al dat lawaai horen.' Ford tikte tegen zijn oor.

Cilla schudde het gezoem, gehamer en het gejank van boren van zich af. 'Dat is net kamermuziek voor mensen als Steve en ik.'

'Ik geloof je op je woord. Maar hij kan bij mij logeren. Ik heb het bed en de airco. En digitale kabel-tv.'

Ze nam een grote slok terwijl ze hem aankeek. 'Dat meen je echt.'

'Reken maar. Ik beklaag iedereen die geen digitale kabel-tv heeft.'

'Dat zal best. Maar je gaat je niet om mijn ex-man bekommeren. Hij zal moeten... Wie is dat nou weer?' vroeg ze zich af toen een zwarte Lexus voorzichtig haar oprit op draaide.

'Stadsauto,' zei Ford. 'Uit de grote stad.'

'Ik weet niet wie... Shit.'

Ford trok zijn wenkbrauwen op toen er aan weerskanten van de auto een man uitstapte. 'Vrienden van je?'

'Nee. Maar de chauffeur is mijn moeders nummer Vijf.'

'Cilla!' Mario, zondig knap, heel Italiaans, op Prada-instappers en in een Armani-spijkerbroek, spreidde zijn armen en liet een ontzettende brede glimlach zien. Zijn elegante voorlaatste beweging werd bedorven toen hij bleef staan en vervolgens voorzichtig om de snuffelende Spock heen stapte.

De zonnebril verborg zijn ogen, maar ze vermoedde dat ze donker en sprankelend waren. Hij was gebruind en liep zo lenig als een panter, met zijn donkere haar wapperend in de wind, op haar af. Hij gaf haar een enthousiaste omhelzing en zoende haar op beide wangen. 'Kijk jou nou! Je ziet er heel fit en bekwaam uit.'

'Dat ben ik zeker. Wat doe je hier, Mario?'

'Een kleine verrassing. Cilla, dit is Ken Corbert, een van onze producers. Ken, Cilla McGowan, mijn stiefdochter.'

'Het is me een grote eer.' Ken schudde Cilla flink de hand. Hij was klein en pezig en had zwart haar met grijs bij de slapen. 'Ik ben een grote fan. Dus dit is het huis...' Hij bekeek de boerderij.

'Dit is mijn huis,' zei ze koeltjes. 'Ford, Mario en Ken. Het spijt me dat ik jullie niet binnen kan vragen. Er wordt nog druk gewerkt.'

'Dat zie ik.' Mario's glimlach verflauwde niets. 'En ik hoor het.'

'Zeg eens gedag, Spock,' beval Ford, nadat zijn hond klaar was met de banden. 'Hij wil je een poot geven,' legde hij uit. 'Om er zeker van te zijn dat jullie vrienden zijn.'

'Aha.' Mario keek twijfelend naar de hond en legde de topjes van zijn duim en wijsvinger op de uitgestoken poot.

Spock leek niet erg onder de indruk.

Ken gaf Spock dezelfde verkopershanddruk als hij Cilla had gegeven.

'Mooie omgeving,' merkte Mario op. 'Heel mooi. We zijn van New York hierheen gereden. Daar hadden we een paar vergaderingen. Wat een natuurschoon. Je krijgt de groeten van je moeder,' voegde hij eraan toe. 'Ze was graag gekomen, maar je weet hoe moeilijk dat voor haar is. Vanwege de herinneringen hier.'

'Is ze in New York?'

'Een kort bezoekje. We hebben nauwelijks tijd om op adem te komen. Passen, repeteren, vergaderingen, de pers. Maar Ken en ik zullen je mee uit nemen. Een late lunch, een vroege borrel. Waar kunnen we je naartoe brengen?'

'Ik kan echt niet. Vooral niet als dit met een optreden in mams show te maken heeft. Ik heb haar verteld dat ik geen belangstelling heb.'

'We willen je ervan overtuigen dat je dat wel hebt. Misschien wil jij ons even excuseren?' zei Mario tegen Ford.

'Nee, dat wil hij niet,' zei Cilla. 'Dat wil je niet.'

'Kennelijk wil ik dat niet.'

Van ergernis trok Mario's mond even samen. Het rommelende gegrom van Spock zorgde ervoor dat hij enigszins angstig naar de hond keek. 'Je hebt de kans om geschiedenis te schrijven, Cilla. Drie generaties die samen optreden. Heb je Céline zien optreden met Elvis? Die technologie hebben wij ook. We kunnen Janet op het podium brengen met Bedelia en jou. Een buitengewoon optreden, live.'

'Mario…'

'Ik snap dat je aarzelt om toe te stemmen in de hele set duetten met je moeder, al kunnen Ken en ik je verzekeren dat dat heel belangrijk zal zijn voor de show en voor jou. Voor je carrière.'

'De advertenties en promoties die we hebben gepland,' begon Ken. 'We kunnen bijna garanderen dat elk optreden uitverkocht zal zijn. Dan zijn er nog de special voor kabel-tv, plus de cd en de dvd. De buitenlandse markten zijn al helemaal enthousiast. Misschien kunnen we wel een deal voor de tweede cd regelen, een speciale plaat voor jou, solo. Sterker nog, Mario en ik bespraken net ideeën voor video's. En je hebt gelijk, Mario, het zal extra veel indruk maken als we hier filmen.'

'Zo, je hebt het nogal druk gehad.' Cilla's stem was even zacht en dreigend als Spocks gegrom. 'Maar je verspilt hier je tijd. Nee, het spijt me, Ken, ik geloof niet dat Mario het je duidelijk heeft gemaakt. Ik wil me niet laten overhalen om me weer voor het voetlicht te laten brengen of gepromoot te worden. Jij hebt het recht niet om met producers, promotors of adverteerders over mij te praten,' zei ze tegen Mario. 'Jij bent noch mijn agent noch mijn manager. Ik heb geen agent of manager. Ik ben nu zelf de baas. En dit is wat ik wil doen: huizen. Ik verbouw huizen. Geniet van het uitzicht als jullie terugrijden.'

Ze wist dat Mario achter haar aan zou komen. Op het moment dat ze zich omdraaide, hoorde ze hem haar naam al roepen. En ze hoorde Ford tegen Ken praten en ving het overdreven boerenkinkelaccent op waarmee hij sprak.

'Spock, blijf. Dus jij komt hélemaal uit New York?'

'Cilla. *Cara*. Laat me.'

'Als je me aanraakt, sla ik je neer, Mario. Dat zweer ik.'

'Waarom ben je zo kwaad?' In zijn stem klonk zowel verbazing als verdriet door. 'Dit is een prachtige kans. Ik heb alleen jouw belangen maar voor ogen.'

Ze bleef staan en worstelde met de kwaadheid die op het punt van uitbarsten stond. 'Misschien geloof je dat ergens zelf, maar ik kan wel voor mijn eigen belangen opkomen. Dat doe ik al een hele poos.'

'Schatje, je vroegere manager heeft het helemaal verkeerd aangepakt. Anders was je nu een grote ster geweest.'

'Als ik talent had, zou ik nu misschien een grote ster zijn. Luister goed: ik wil geen grote ster zijn. Ik wil niet optreden. Ik wil dat werk niet. Ik wil dat leven niet. Ik ben hier gelukkig, Mario, als jou dat tenminste iets kan schelen. Ik ben blij met wat ik heb en met wie ik ben.'

'Cilla, je moeder heeft je nodig.'

'Ik dacht al: waar blijft het?' Vol walging wendde ze zich af.

'Ze heeft haar zinnen erop gezet. En de geldschieters zullen veel meer doen met deze toevoeging. Ze is zo…'

'Mario, ik kan het niet en ik ga het ook niet doen. Niet alleen omdat ik een stijfkop ben. Je had eerst met me moeten praten voor je met hem hiernaartoe kwam. En je moet naar me luisteren als ik nee zeg. Ik ben Dilly niet. Ik verkoop geen onzin en ik speel geen spelletjes. Bovendien heeft ze al vaak genoeg op mijn gemoed gewerkt. Ik ga dit niet voor haar doen.'

Op zijn gezicht lag een treurige blik en zijn stem klonk al even triest. 'Je bent wel heel hardvochtig, Cilla.'

'Best.'

'Ze is je moeder.'

'Dat klopt. Dat wil zeggen dat ik haar... eventjes denken... Haar dochter ben. Misschien kan ze nou eens een keertje denken aan wat ik nodig heb, aan wat ik wil.' Ze hief een hand op. 'Geloof me, als je nog iets zegt, maak je het alleen maar erger. Verlaat het zinkende schip. Daar ben je slim genoeg voor. Zeg maar tegen haar dat ik heb gezegd dat ze de mensen paf moet laten staan en toi, toi, toi. En dat meen ik. Maar meer heb ik je niet te bieden.'

Hij schudde zijn hoofd zoals iemand bij een pruilend kind zou doen. Hij liep op zijn prachtige schoenen bij haar vandaan, stapte samen met Ken in zijn grote auto en reed weg.

Ford slenterde naar haar toe en staarde naar de schuur terwijl Spock langs Cilla's benen wreef. 'Dat rood wordt mooi.'

'Ja. Ga je niet vragen waar dat om ging?'

'Ik heb de grote lijnen begrepen. Zij willen iets, jij niet. Zij drongen aan, jij gaf geen krimp. Ze maakten je kwaad, wat mag. Maar uiteindelijk werd je er verdrietig door. En dat mag niet. Daarom geef ik geen donder om hen of om wat ze willen. Laat ze naar de maan lopen, en dat rood staat hartstikke mooi op de schuur.'

Daar moest ze om glimlachen. 'Je bent prettig gezelschap, Ford.' Ze bukte zich en streelde Spock. 'Dat zijn jullie allebei. In Los Angeles had ik voor dit soort therapie een paar honderd dollar moeten neertellen.'

'We zullen je de rekening sturen. Maar waarom laat je me niet eerst zien wat hier vandaag gebeurd is?'

'Kom, we gaan de tegelzetter lastigvallen. Dat vind ik tot nu toe het leukste.' Ze pakte Fords hand en liep het huis in.

14

Toen Cilla Dobby het ontwerp liet zien dat ze wilde voor de medaillons, krabde hij aan zijn kin. En zijn mondhoeken gingen omhoog.

'Klavertjes,' zei ze.

'Vroeger heb ik regelmatig een paar biertjes gedronken op St. Patricksdag. Ik weet dat het klavertjes zijn.'

'Ik heb ook andere symbolen overwogen. Formeler, subtieler en uitgebreider. Maar toen dacht ik: stik maar, ik vind klavertjes mooi. Ze zijn eenvoudig en ze brengen geluk. Volgens mij zou Janet het prachtig hebben gevonden.'

'Waarschijnlijk wel. Ze leek te genieten van de eenvoudige dingen als ze hier was.'

'Kun jij het doen?'

'Dat lijkt me wel.'

'Ik wil er drie.' Het vooruitzicht maakte haar zo opgetogen als een klein meisje. 'Drie is ook een geluksgetal. Een in de eetkamer, een in de grote slaapkamer en eentje hier, in de woonkamer. Drie kringen klavertjes in elk. Ik ben niet zozeer op zoek naar eenvormigheid, maar meer naar symmetrie. Dat laat ik aan jou over,' zei ze toen hij knikte.

'Het is prettig om aan dit huis te werken. Doet me denken aan vroeger.'

Ze zaten aan een geïmproviseerde tafel, een stuk triplex op twee zaagbokken. Ze had hem een glas thee gegeven en ze dronken samen terwijl Jack de laatste hand legde aan de restoratie van het pleisterwerk.

'Zag je haar als ze hier was?'

'Af en toe wel. Ze maakte altijd een praatje. Liet haar beroemde glimlach zien en zei gedag, vroeg hoe het met je ging.'

'Dobby, in de laatste paar jaar dat ze hier kwam, gingen er toen geruchten dat ze... een vriendschappelijke betrekking had met iemand uit de buurt?'

'Bedoel je dat ze gek op iemand was?'

Gek op, dacht Cilla. Wat een mooie manier om het te zeggen. 'Ja, dat is precies wat ik bedoel.'

De rimpels en vouwen in zijn gezicht werden dieper toen hij nadacht. 'Dat geloof ik niet. Na haar dood kwamen hier heel veel journalisten en sommigen beweerden van wel. Maar die zeiden wel meer dingen waarvan de meeste niet eens in de buurt van de waarheid kwamen.'

'Nou, ik heb informatie die me doet geloven dat ze wel gek op iemand was. Heel erg gek. Kun jij je iemand herinneren met wie ze in dat laatste jaar of anderhalf jaar veel tijd doorbracht? In die periode kwam ze hier behoorlijk vaak.'

'Dat is waar,' beaamde hij. 'Na de dood van haar zoon werd er gezegd dat ze het huis ging verkopen. Dat ze hier niet meer wilde komen. Maar dat heeft ze helemaal niet gedaan. Al werden er ook geen feesten meer gegeven en was het huis niet langer vol mensen. Ze heeft het meisje, jouw moeder, ook nooit meer meegenomen, althans ik heb haar nooit meer gezien of gehoord dat ze er was. Voor zover ik me kan herinneren kwam ze hier alleen. Als iemand er lucht van had gekregen dat ze iets had met een man uit deze contreien, dan hadden ze dat echt niet voor zich gehouden.'

'Zo veel mensen woonden hier toen nog niet,' merkte Jack op toen hij zijn troffel neerlegde. 'Ik bedoel dat er toen nog niet zo veel huizen om de boerderij heen stonden. Nee toch, opa?'

'Dat is waar. In die tijd stonden er nog geen huizen in het veld aan de overkant van de weg. Die zijn ongeveer vijfentwintig of dertig jaar geleden gebouwd, toen de Buckners hun boerderij hadden verkocht.'

'Dus er waren geen directe buren.'

'De Buckners woonden het dichtst bij, denk ik. Ongeveer vierhonderd meter verderop.'

Dat was interessant, vond Cilla. Het kon niet erg moeilijk zijn geweest om een clandestiene verhouding te hebben als er geen nieuwsgierige buren uit het raam gluurden. De pers zou een extra uitdaging hebben gevormd, maar de journalisten hadden niet zeven dagen per week in de berm van de weg gekampeerd als Janet op de boerderij was.

Uit wat ze had gelezen en wat haar was verteld, bleek dat Janet er heel bedreven in was geweest om bepaalde delen van haar privéleven geheim te houden. Na haar dood was er een overvloed aan feiten, misvattingen, geruchten, geheimen en insinuaties ontstaan.

Toch was de identiteit van Janets minnaar onbekend gebleven, peinsde Cilla. Hoe graag wilde zij die leemte in het leven van haar grootmoeder aanvullen?

Heel graag, gaf ze toe. Het antwoord op die vraag kon eindelijk duidelijkheid geven over de belangrijkere vraag.

Waarom was Janet Hardy op haar negenendertigste overleden?

Cilla vond het zowel eng als opwindend om Steve mee naar huis te nemen. Hij leefde nog en werd gezond genoeg bevonden om het ziekenhuis te mogen verlaten. Veertien dagen eerder had ze naast zijn bed gezeten en geprobeerd hem uit een coma te praten. Nu stond ze naast hem naar de boerderij te kijken. Hij leunde op een stok, droeg een honkbalpet en een donkere zonnebril en zijn kleren slobberden een beetje om hem heen doordat hij in het ziekenhuis was afgevallen.

Ze wilde hem mee naar binnen nemen en in bed stoppen. En hem soep voeren.

'Zit niet zo naar me te staren, Cill.'

'Je kunt maar beter naar binnen gaan, uit de zon.'

'Ik ben binnen geweest, uit de zon. Het is prettig om hier te zijn. De schuur is mooi geworden. Een schuur hoort rood te zijn. Waar hangt iedereen uit? Het is midden op de dag en er staan geen auto's, er is geen lawaai.'

'Ik heb alle werklui gezegd dat ze vandaag niet bij me hoeven te komen werken. Ik dacht dat jij wel wat rust en stilte kon gebruiken.'

'Godverdomme, Cilla, heb ik ooit rust en vrede gewild? Dat is meer iets voor jou.'

'Best. Ik wilde rust en stilte. We gaan naar binnen. Je ziet er zwakjes uit.'

'Dat hoort er tegenwoordig nou eenmaal bij. Het lukt wel,' snauwde hij toen ze zijn vrije arm wilde pakken. Hij slaagde erin de trap op te komen en stak de veranda over.

Zijn boze blik verdween toen hij het huis binnen ging en er voor het eerst om zich heen keek.

'Het pleisterwerk ziet er mooi uit. Goed idee om die deur daar weg te halen, daardoor is de opening groter. Het loopt zo veel mooier in elkaar over.'

'Ik denk erover om dat deel als een soort zitkamer voor de ochtend te gebruiken. Het krijgt mooi licht. Als ik wil, kan ik er altijd nog een serre aanbouwen, een bubbelbad installeren en er wat apparaten en mooie planten zetten.'

'Dat zou leuk zijn.'

Omdat ze de spanning in zijn stem hoorde, drong ze bijna aan dat hij naar bed ging. In plaats daarvan probeerde ze het op een andere manier. De eerste stap was hem boven te krijgen.

'Op de eerste verdieping hebben we veel gedaan. De grote slaapkamer schiet lekker op. Dat moet je echt even zien.'

Deze trap was langer en ze kon bijna voelen hoe zijn zwakkere linkerkant begon te trillen op weg naar boven. 'We hadden Fords aanbod moeten aannemen. Zijn huis was veel comfortabeler voor je geweest.'

'Ik kan verdomme wel een trap op lopen. Ik heb alleen hoofdpijn. Dat hoort er tegenwoordig ook bij.'

'Als je even wilt gaan liggen... Ik heb je pillen hier.'

'Ik wil niet liggen. Nog niet.' Hij duwde haar uitgestoken hand weg. Weer verdween er een deel van de spanning van zijn gezicht toen hij de nieuwe slaapkamerruimte bestudeerde. 'Je hebt er altijd een goed oog voor gehad. Mooie lijnen, goed licht. Leuke kast, pop.'

'Een vrouw kan niet zonder. Gisteren heb ik de kleine vakjes gemaakt.' Ze opende de deur met een zwierig gebaar, alsof ze letters omdraaide in een tv-programma.

'Lambrisering van cederhout. Mooi werk.'

'Ik heb het van de beste geleerd.'

Hij draaide zich om en hinkte naar de badkamer, maar ze had de blik in zijn ogen gezien. 'Wat is er? Wat is er aan de hand?'

'Niks. Sexy. Chic,' zei hij over de badkamer. 'Art deco. Worden de muren van de douche van glazen blokken? Wanneer heb je dat besloten?'

'Ik ben op het laatste moment van gedachten veranderd. Ik vond het effect mooi en het staat goed bij de zwart-witte tegels.' Ze gaf het op en liet haar hoofd tegen zijn schouder rusten. 'Vertel me alsjeblieft wat er aan de hand is.'

'Stel je voor dat ik dit niet meer kan? Dat ik niet meer met gereedschap overweg kan? Het kost me meer moeite om te denken en die hoofdpijn wordt me bijna te veel.'

Ze wilde hem vasthouden, omhelzen, hem knuffelen om te troosten. Maar in plaats daarvan zei ze licht geïrriteerd: 'Steve, het is je eerste dag uit het ziekenhuis. Dacht je soms dat je met een hamer kon zwaaien zodra je buiten stond?'

'Ja, zoiets.'

'Je staat op je eigen benen. Je praat met me. De dokter zei dat het tijd zou kosten. Net zoals hij zei dat je al verbazingwekkend goed bent hersteld en dat er alle reden is om te geloven dat je weer helemaal de oude zult worden.'

'Dat kan maanden duren. Misschien wel jaren. En ik kan het me niet herinneren.' Een spoortje angst boorde zich door de frustratie heen. 'Godverdomme nog aan toe, ik weet niks meer van die avond, nadat ik hier ben weggegaan. Ik kan me niet meer herinneren dat ik naar het café ben gegaan of wat ik daar heb gedaan, dat ik achter Shanna ben aangereden naar haar huis, zoals ze zegt dat ik heb gedaan. Het is één groot gat. Ik weet nog dat ik op de motor stapte en dat ik mezelf wel een kansje gaf om te scoren bij Shanna met de grote bruine ogen en de prachtige boezem. Het volgende wat ik me herinner, is dat jij tegen me schreeuwde en je over mee heen gebogen stond. Alles daartussenin is weg. Gewoon weg.'

Ze haalde haar schouders op, alsof dat niks voorstelde. 'Als je dan toch iets moet vergeten, is dat de juiste avond.'

Hij glimlachte vaag. 'Wat ben je weer opgewekt. Ik ga even liggen, wat pillen slikken en slapen.'

'Goed idee.'

Hij steunde op haar toen ze hem naar de logeerkamer bracht. En hij bleef in de deuropening staan. De muren waren zacht en rustgevend blauw geschilderd, net als de schotten van de lambrisering. De originele sierlijsten van notenhout, die ze hoogst persoonlijk had geschuurd en opgeknapt, omlijstten de ramen. De vloer glansde, diep en warm. Het elegante koperkleurige hoofd- en voeteneinde van het ijzeren bed stonden mooi bij de eenvoudige wit met blauwe sprei en het kleed met sterrenpatroon en blauwe bies. Op een tafeltje voor het raam stonden margrieten in een kobaltblauwe vaas.

'Wat is dit nou?'

'Verrassing. Ik vind het zelf net wat aantrekkelijker dan een kamer in het ziekenhuis.'

'Het is een prachtige kamer.' Al priemde hij met een vinger naar haar, op zijn gezicht was een verheugde trek verschenen. 'Wat bezielt je om de vloer af te werken in één kamer?'

'Ik vind het leuk om één kamer te hebben die af is, nou ja, bijna af. Er moet nog wat kunst aan de muur en ik moet de rest van de sierlijsten afmaken, maar verder is hij klaar. En kijk dit eens.' Ze opende een oude klerenkast en onthulde een flatscreen-tv. 'Ik heb kabel.' Met een grijns keek ze hem aan. 'Digitaal, op Fords aandringen. De badkamer is ook klaar. En al zeg ik het zelf, die ziet er fantastisch uit.'

Steve ging op de rand van het bed zitten. 'Als je op deze manier gaat renoveren, breng je het hele schema in gevaar.'

'Ik heb geen haast.' Ze pakte de karaf water die ze op het nachtkastje had gezet en schonk een glas in en haalde een pil uit het potje. 'Hup, naar binnen, en dan zullen we je uitkleden en in bed stoppen.'

Even was er een vage twinkeling in zijn ogen te zien. 'Vroeger zou je bij me in bed zijn gekropen, pop.'

'Vroeger wel.' Ze hurkte om zijn schoenen uit te trekken.

'Ik wil die onderaannemers hier morgen terugzien.'

'Wie heeft jou tot manager benoemd?' Ze stond op en gebaarde dat hij zijn armen moest opheffen. Maar ze glimlachte toen ze zijn overhemd uittrok. 'Dan zijn ze er weer. Ze wilden een welkom-thuis-feestje voor je geven. Met bier en broodjes. Daar heb ik een stokje voor gestoken. Blijkbaar had ik dat niet moeten doen.'

'Ik geloof niet dat ik al kan feesten.' Hij ging achterover liggen zodat ze zijn spijkerbroek kon uittrekken. 'De dag dat een vrouw me kan uitkleden zonder dat ik hetzelfde bij haar wil doen, is geen dag om te gaan feesten.'

'Ik geef je een week.' Ze was niet langer in staat om zich in te houden en streelde zijn wang. 'Ik heb gehoord dat je alle verpleegsters probeerde te versieren.'

'Dat wordt van je verwacht. Ik heb Mike overgeslagen.' Met een vermoeid glimlachje keek hij haar aan. 'Niet dat daar iets mis mee is.'

Ze sloeg de lakens terug, hielp hem eronder, zette zijn zonnebril af en haalde de pet van zijn kaalgeschoren hoofd. De gladde schedel die werd ontsierd door de rij hechtingen deed haar fysiek pijn. 'Ik ga beneden wat administratie doen. Roep maar als je iets nodig hebt. Als je tv wilt kijken, hier ligt de afstandsbediening. Wat je ook nodig hebt, ik ben in de buurt, Steve.'

'Voorlopig wil ik alleen even slapen.'

'Prima.' Ze drukte een zoen op zijn voorhoofd en liep zacht de kamer uit.

Eenmaal alleen, staarde hij naar het plafond en sloot met een zucht zijn ogen.

Cilla nam haar laptop mee naar buiten om te werken. Al sloop ze het eerste uur twee keer naar boven om even bij Steve te kijken, toch schoot ze lekker op met de rekeningen en kostenberamingen. Toen ze het geknars van voetstappen op het grind hoorde, keek ze op en zag ze Ford en Spock.

'Hallo, buurvrouw,' riep hij. 'Ik dacht: als jij hier zit, gaat het vast goed met de naar huis teruggekeerde held.'

'Die slaapt.' Ze keek op haar horloge. 'Jezus, hoe kan het nu al vijf uur zijn?'

'Nou, de aarde beweegt zich in een baan om de zon terwijl hij ook om zijn eigen as draait, en daardoor…'

'Wijsneus.'

'Aanwezig. En nu we het daar toch over hebben.' Hij schudde met de tas in zijn hand. 'Ik heb iets voor Steve. Een paar dvd's aangezien jij voor een tv en een dvd-speler in zijn kamer hebt gezorgd.'

Cilla hield haar hoofd schuin. 'Dvd's? Porno?'

Fords wenkbrauwen bewogen naar elkaar toe. 'Porno klinkt zo negatief. Luister maar hoe het wordt uitgesproken. Twee korte, harde letter- grepen. *Spider-Man*, de box met alle drie de films. Dat leek me wel toe- passelijk. En nog een paar films met naakte vrouwen en motorfietsen, die ik zelf "films voor boven de achttien" noem. Die heeft Spock uitge- kozen.'

Ze liet haar blik naar de hond gaan die zijn kop schuin hield en heel onschuldig keek. 'Die zal Steve ongetwijfeld waarderen.'

'Spock vindt dat *Sleazy Rider* erg ondergewaardeerd is.'

'Ik geloof hem op zijn woord.' Ze hoorde de voetstappen en sprong overeind. Ze deed de hordeur open op hetzelfde moment dat Steve hem aan de binnenkant wilde beetpakken. 'Je bent op. Waarom heb je me niet geroepen? Je moet niet in je eentje de trap af lopen.'

'Ik red me best. Ik voel me goed. Ford.'

'Fijn om je uit bed te zien.'

'Fijn om eruit te zijn. Hoi, Spock. Brave hond.' Hij ging op een van de witte plastic stoelen zitten en aaide de hond die zijn kop op zijn knie had gelegd.

'Je ziet er beter uit,' merkte Cilla op.

'Wonderpillen en slaap. Ik doe tegenwoordig dutjes als een driejarige, maar het helpt wel.'

'Je hebt vast honger. Zal ik wat te eten voor je maken? Wil je iets drin- ken? Of…'

'Cill.' Hij wilde zeggen dat ze geen moeite moest doen, maar veran- derde van gedachten. 'Ja, ik lust wel een boterham of zo. Geen zieken- huiseten of meegesmokkelde lekkernijen. Misschien kun je voor ons alle drie iets maken.'

'Tuurlijk. Ik ben zo terug.'

Toen ze zich naar binnen haastte, schudde Steve zijn hoofd. 'Ze is overdreven bezorgd.'

'Ik heb haar het idee van een po naast je bed uit het hoofd gepraat.'

'Ik sta bij je in het krijt. Wat zit er in die tas?'

Ford gaf hem aan hem en na een snelle blik verscheen er een grijns op Steves gezicht. 'Dat is beter. Dank je. Hoor eens, ik moet beweging heb- ben. Wil je een stukje meelopen om me in de gaten te houden?'

'Oké.'

Ford wachtte tot Steve de trap af was en liep toen met hem bij het huis vandaan. 'Heb je iets op je lever?'

'Hartstikke veel. Ik kan nog steeds niet echt helder nadenken. De politie is geen stap verder, hè?'

'Dat klopt wel zo ongeveer.'

'Het lijkt op iets eenmaligs. Gewoon pech. Ik bedoel, sindsdien is er niks meer gebeurd.'

'Nee.'

Steve staarde naar Fords profiel. 'Zou je het me anders eerlijk vertellen?'

Ford dacht aan Cilla's autoportier, maar negeerde het. 'Niemand heeft ingebroken in de schuur of iets in het huis gedaan.'

'Jij hebt bij haar geslapen toen ik in het ziekenhuis lag. Dat heb ik gehoord.'

'Hé. Het is mijn slaapzak.'

'Dus Cilla en jij delen het bed niet?'

'Nog niet helemaal.'

'Maar je ziet haar wel zitten. Goed, dat zijn jouw zaken en die van haar en al die onzin meer, maar ik vraag het omdat ik moet weten of jij een oogje op haar zult houden als ik weg ben.'

Ford bleef staan toen Steve dat deed. 'Ga je dan weg?'

'Ik heb nog niks tegen haar gezegd. Dat wilde ik doen toen we uit het ziekenhuis kwamen, maar ze had nota bene de slaapkamer voor me opgeknapt. Er stonden zelfs bloemen. O, en nog bedankt dat je haar hebt overgehaald om kabel te nemen.'

'Dat hoort er gewoon bij.'

Met een knikje liep Steve verder. 'Weet je, eigenlijk had ik vorige week al terug moeten gaan. De plannen zijn veranderd vanwege die hersenoperatie. Als ik dacht dat ik haar moest beschermen of haar zou kunnen helpen, zou ik wel blijven. Ze kan heel goed voor zichzelf zorgen, maar… Misschien komt het wel door die vervloekte bijna-doodervaring. Hoe dan ook, ik wil naar huis. Ik wil op het strand zitten en genieten van de zonnestralen. Maar ik moet wel weten dat er iemand op haar let.'

'Ik pas op haar, Steve.'

Steve bleef staan om naar de schuur te kijken. 'Ze zei dat jij de verf had gekocht. Toen ik nog buiten bewustzijn was.' Hij knikte alsof hij tevreden was. 'Jij deugt, Ford. Al ben je heel anders dan het type dat ze normaal bij zich in de buurt laat komen. Dat werd tijd ook. Ze houdt van kaarsen. Als je het gaat doen,' voegde Steve eraan toe. 'Ze vindt het fijn als er heel veel kaarsen staan. En van muziek is ze ook niet vies. Ze heeft het niet per se nodig, zoals sommige vrouwen, maar ze vindt het wel fijn. Licht aan of uit, dat maakt niet uit. Maar ze is echt dol op kaarsen.'

Ford schraapte zijn keel. 'Bedankt voor de tips. Hoe ga je terug naar Los Angeles?'

'De dokter wil me vrijdag nog een keer zien, dus ik blijf tot dan. Op zaterdag komt een vriend uit New Jersey hierheen met een camper. Daar hijsen we mij met motor en al in en dan rijden we naar het westen. Wil je alsjeblieft nog niks tegen haar zeggen? Ik wil het haar zelf vertellen.'

Cilla floot vanaf de veranda. 'Willen jullie nog eten?'

Als antwoord rende Spock op haar af alsof alle hellehonden hem op de hielen zaten.

'De bergen zijn wel gaaf,' merkte Steve op toen ze omkeerden. 'Dat is een van de redenen waarom ze naar het oosten is gegaan. Ze heeft me een keer verteld dat de bergen haar het gevoel geven dat ze thuis is. Persoonlijk mis ik de oceaan.' Hij gaf Ford een por met zijn elleboog. 'En de vrouwen in piepkleine bikini's.'

Ze sliep slecht, omdat ze met een oor luisterde of ze Steve hoorde en lag te piekeren over het feit dat hij over een paar dagen wilde vertrekken.

Hoe kon ze voor hem zorgen als hij bijna vijfduizend kilometer verderop zat?

Een dag uit het ziekenhuis en hij maakte al plannen om het hele land door te reizen. In een camper nog wel. Dat was echt iets voor hem, dacht ze toen ze op haar rug ging liggen. Hij moest altijd in beweging zijn en wilde nooit lang op één plek blijven. Daarom verbouwde hij ook huizen, bracht ze zichzelf in herinnering. Je hoefde er nooit een voor jezelf uit te kiezen als je de een na de ander bleef opknappen.

Maar wat dat betrof weigerde hij naar reden te luisteren. En aangezien hij nog maar net uit het ziekenhuis was, kon ze hem geen schop on-der zijn kont geven. Wie zou er twee of drie keer per nacht bij hem gaan kijken, zoals zij had gedaan? Goed, er mocht dan niks aan de hand zijn geweest toen ze dat had gedaan, maar stel dat er wel iets mis was ge-weest?

Ze draaide zich nog een keer om en stompte in haar kussen. En gaf het op.

Het werd toch bijna licht. Ze ging nog een keer bij hem kijken en daarna zou ze beneden koffie gaan zetten. Dan kon ze nog even rustig buiten zitten voor de werklui kwamen.

Omdat ze Steve al hoorde snurken voor ze bij zijn deur was, ging ze direct koffie zetten. Over een paar maanden zou ze een echte keuken hebben, dacht ze. Opgeknapte antieke apparaten, een aanrecht en kas-ten. Echte borden. En om zichzelf te trakteren zou ze een echt espresso-apparaat kopen.

Misschien zou ze zelfs leren koken. Ze durfde te wedden dat Patty haar de beginselen kon bijbrengen. Niks bewerkelijks of ingewikkelds. Dat had ze al geprobeerd en dat was volkomen mislukt. Maar een rode basissaus of vlees en aardappelen. Ze kon toch zeker wel leren hoe ze kipfilet moest bereiden?

Als het huis klaar was, beloofde ze zichzelf. Als ze haar vergunning had, haar bedrijf van de grond was gekomen, en ze een routine had ont-wikkeld. Dan zou ze leren hoe ze voor zichzelf moest koken zodat ze zich niet langer hoefde te behelpen met sandwiches, soep uit blik en afhaal-maaltijden.

Ze nam de koffie mee naar buiten en ademde de geur in toen het sla-perige licht over haar nieuwe tuin speelde, over aarde die was omge-woeld en nog lag te wachten. Ze dronk ervan terwijl er mist opsteeg van de vijver die ze nog moest schoonmaken.

Elke dag, dacht ze. Ze wilde dit iedere dag doen. Naar buiten lopen, het zachte, slaperige licht in en kijken wat ze nog moest doen en wat ze al had gedaan. Wat ze had gekregen.

Wat ze haar moeder had betaald voor dit huis, dit leven, telde niet. In dat zachte, slaperige licht, wist ze dat alles wat ze kon zien, ruiken en ho-ren een geschenk was van de grootmoeder die ze nooit had gekend.

Zij zou koffie hebben gedronken tijdens een ochtendwandeling, dacht Cilla. Ze liep de veranda af om rond te lopen. Er werd gezegd dat ze iemand was die vroeg opstond en gewend was aan de eisen van de filmwereld. Vaak was ze met het krieken van de dag al op.

Zoals ze ook vaak op was gebleven tot de dageraad, wist Cilla. Maar dat was een andere kant van dezelfde vrouw. Het feestbeest, de koningin van Hollywood, de ster die te veel dronk en zich te veel verliet op pillen.

In de stille ochtend wilde Cilla het gezelschap van de Janet Hardy die verliefd was geworden op dit kleine stukje van Virginia. Die een puppy van een vuilnisbakkenras mee naar huis had genomen en rozen onder het raam had laten planten.

De grote, rode schuur liet haar glimlachen toen ze om het huis heen liep. De politietape was weg en het hangslot hing op zijn plaats. En Steve lag boven in het mooie ijzeren bed in de mooie kamer te snurken, dacht ze.

De nachtmerrie was voorbij. Een aasgier die op zoek was geweest naar restjes en die in paniek was geraakt. Dat geloofde de politie, en wie was zij om daar tegenin te gaan? Als ze een persoonlijk raadsel wilde oplossen, moest ze uitzoeken wie de brieven in *The Great Gatsby* had geschreven. Op die manier zou ze nog een puzzelstukje van Janet op zijn plaats leggen, om haar eigen kennis te vergroten. Haar eigen geschiedenis.

Het licht werd feller toen ze aan de voorkant van het huis kwam. Vogelgezang veraangenaamde de lucht, net als de geur van rozen en omgewroete aarde. De dauw kietelde koel over haar blote voeten. Het deed haar meer genoegen dan ze in woorden kon uitdrukken om in een topje en een katoenen pyjamabroek over haar eigen land te lopen.

En het kon niemand iets schelen.

Op de veranda aan de voorkant dronk ze haar koffie op en keek ze uit over het gazon.

Langzaam verdween haar glimlach en hij maakte plaats voor een verwarde frons terwijl haar blik over de muur aan de voorkant gleed.

Waar waren haar bomen? Ze hoorde de buigende toppen van de treurkersen vanaf de veranda te kunnen zien. Haar frons werd dieper en ze zette haar beker op de leuning en liep de trap af om over het gazon naast de oprit met grind te lopen.

Vervolgens begon ze te rennen.

'Nee. Godverdomme nog aan toe, nee!'

Haar jonge boompjes lagen op de smalle strook gras tussen haar muur en de zijkant van de weg. Hun dunne stammen vertoonden de haksporen van een bijl. Er was niet veel voor nodig geweest om ze om te hakken, dacht ze, terwijl ze op haar hurken ging zitten en met haar vingers over de bladeren streek. Op zijn hoogst drie of vier slagen.

Niet om te stelen. Het zou wat meer tijd en moeite hebben gekost om ze uit te graven. Om te vernietigen. Te doden.

De moedwillige laagheid van de daad draaide rond in haar buik in een maalstroom van verdriet en woede. Geen aasgier, dacht ze. Geen kinderen. Kinderen trapten brievenbussen kapot, daar was ze voor gewaarschuwd. Kinderen namen niet de tijd om sierbomen om te kappen.

Ze ging weer staan en haalde diep adem om een beetje rustig te worden. Kijkend naar de gebroken stronk van een van haar bomen, bleef die ademteug steken in haar keel. Haar lichaam trilde door diezelfde mengeling van verdriet en woede. De oude stenen muur werd bezoedeld door zwarte verf en de lelijke boodschap die daarmee was geschreven.

GA TERUG NAAR HOLLYWOOD, TEEF!

WIE LEEFT ALS EEN HOER, ZAL STERVEN ALS EEN HOER

'Val dood,' zei ze binnensmonds. 'Jezus nog aan toe, Hennessy. Val dood.'

Nu was ze zo kwaad dat ze terug stormde naar huis om de politie te bellen.

Met een stalen blik in haar ogen waarschuwde Cilla alle werklui dat iedereen die iets over de bomen of de muur tegen Steve durfde te zeggen ter plekke ontslagen zou worden. Geen uitzonderingen, geen excuses.

Ze gaf Brian opdracht om terug te gaan naar de kwekerij. Ze wilde dat er twee nieuwe bomen werden geplant, en wel vandaag.

Tegen tienen, toen de politie was gekomen en alweer was vertrokken en ze ervan overtuigd was dat haar dreigement afdoende was en de werklui Steve binnen zouden bezighouden, ging ze naar buiten om samen met de metselaar de stenen schoon te maken.

Ford zag haar de muur schrobben toen hij met zijn eerste kop koffie van die dag naar buiten stapte. En hij zag de boodschap die op de muur was geschilderd. Net als zij eerder had gedaan, liet hij zijn koffie op de leuning staan en rende op blote voeten naar haar toe.

'Cilla.'

'Niks tegen Steve zeggen. Dat is het eerste. Ik wil dat je hier in alle talen over zwijgt tegen Steve.'

'Heb je de politie gebeld?'

'Die zijn hier al geweest. Niet dat het veel nut heeft gehad. Het moet Hennessy wel zijn, die vuile klootzak. Maar tenzij hij zwarte verf en houtsplinters onder zijn nagels heeft, kunnen ze niks doen.'

'Hout…' Pas toen zag hij de stronken, en hij vloekte. 'Wacht eens. Even denken.'

'Daar heb ik geen tijd voor. Ik moet dit eraf krijgen. Deze stenen kun je niet zandstralen. Dat is te ruw. Dan beschadig je de stenen en het cement en loop je het risico om evenveel schade aan te richten als die stomme verf. Dit chemische spul is het beste alternatief. Waarschijnlijk moet de muur opnieuw worden gevoegd, maar meer kan ik niet doen.'

'Het steen schrobben met een borstel?'

'Precies.' Ze ging de f in teef te lijf alsof het een gezworen vijand was. 'Hier zal hij niet mee wegkomen. Hij gaat mijn eigendommen niet bezoedelen of beschadigen. Ik bestuurde die kloteauto niet. Ik was verdomme nog niet eens geboren.'

'En hij moet minstens tachtig zijn. Ik kan me niet voorstellen dat hij midden in de nacht een paar bomen omhakt en iets op een muur kalkt.'

'Wie was het dan?' Woest wendde ze zich tot Ford. 'Wie haat mij of dit huis net zo veel als hij?'

'Dat weet ik niet. Maar dat kunnen we maar beter uitzoeken.'

'Het is mijn probleem.'

'Doe niet zo stom.'

'Het is mijn probleem, mijn muur, mijn bomen. Ik ben de teef.'

Hij beantwoordde haar felle blik met een koele. 'Op dit moment zal ik dat laatste niet tegenspreken, maar de rest is klinkklare onzin. Ik vind het best dat je het niet tegen Steve wilt zeggen, maar ik ga niet weg. Ik ga niet terug naar Los Angeles of waar dan ook.'

Hij greep haar arm en draaide haar om zodat ze met haar gezicht naar hem toe stond. 'Ik blijf hier. Wen er maar aan.'

'Op dit moment probeer ik hier iets aan te doen en te wennen aan het idee dat mijn beste vriend vertrekt terwijl hij nauwelijks meer dan vijf meter achtereen kan lopen. Ik probeer te wennen aan een leven waarvan ik tot een paar maanden geleden niet wist dat ik het wilde. Ik weet niet aan hoeveel andere dingen ik nog meer kan wennen.'

'Dan moet je daar maar plaats voor maken.' Hij omvatte haar gezicht en zoende haar hard. 'Heb je nog een borstel?'

15

Cilla besteedde bijna de hele dag aan het langdurige, saaie, zweterige proces en nam af en toe een pauze om al eerder ingeroosterd werk te doen. Ze concentreerde zich eerst op de scheldwoorden omdat mensen vaart minderden als ze langsreden of stopten om iets te zeggen of te vragen.

Tijdens het werk doofde de felle vlam van haar woede tot eenvoudige frustratie. Waarom had die klootzak zo veel geschreven?

De volgende ochtend pakte ze de taak weer op, voor de metselaar of de rest van de ploeg er was. De ingang werd geflankeerd door twee nieuwe bomen. Die zag ze nu meer als uitdagend dan lief, en dat gaf haar weer energie.

'Hoi.'

Ze keek om en zag Ford aan de overkant van de weg staan in een gerafelde joggingbroek en een T-shirt. Spock had een rode bandana om en zat trillend maar gehoorzaam aan zijn voeten. 'Vroeg voor je,' reageerde ze.

'Ik heb de wekker gezet. Het moet wel liefde zijn. Kom eens even hier.'

'Druk.'

'Wanneer heb je het niet druk? Schatje, soms word ik al moe als ik naar je kijk. Kom op, neem even pauze. Ik heb koffie.' Hij stak een van de extra grote bekers op die hij bij zich had.

Hij had de wekker gezet en al wist ze niet precies wat ze daarvan moest denken, ze was hem er wel iets voor verschuldigd. En voor de tijd die hij haar de dag ervoor had geholpen, ook al was ze onbeleefd en bits geweest. Ze legde de staalborstel neer en stak de weg over.

Hij overhandigde haar de koffie en gebaarde naar de muur terwijl zij Spock begroette. 'Lees dat eens van hier. Hardop.'

Schouderophalend draaide ze zich om en nam een slok koffie. Op hetzelfde moment voelde ze een bel van vermaak opstijgen in haar keel. 'Ga naar Hollywood, leeft als een ho ster.'

'Ho-ster,' zei hij peinzend. 'Daar kan ik wat mee. Volgens mij wilde hij je kwetsen en intimideren, maar je hebt het veranderd in een grap. Goed gedaan.'

'Onverwacht belachelijk. Dat is een bonus. Van mijn kwaadheid is bijna niets meer over. Je hoeft me vandaag niet nog een keer te helpen, Ford. Hoe moet je mij veranderen in een krijgshaftige godin als je graffiti moet wegboenen?'

'Dat loopt lekker. Ik heb wel een paar uur voor ik daar weer mee verder moet. Spock verheugt zich erop om iets te doen wat Brian en Matt een hondenbaan noemen. Dat wil zeggen dat hij vandaag gewoon een beetje bij hen in de buurt blijft. Vandaar de bandana.'

'Weet je, ik ga waarschijnlijk ook met je naar bed zonder dat je aanbiedt voor me te werken.'

'Daar hoop ik op.' Hij gaf haar een ongedwongen, ongecompliceerde glimlach. 'Je weet dat ik je ook mijn hulp zou aanbieden als je niet met me naar bed ging.'

Ze nam peinzend een slok koffie. 'Nou, de ene dienst is de andere waard. Ik vind het altijd prettig als de kansen gelijk zijn. Goed.' Ze stak de straat weer over en Spock en hij kwamen naast haar lopen. 'Mijn vader heeft hierover gehoord en hij belde me gisteravond. Hij wilde weten wat hij kon doen om me te helpen. Waarom kwam ik niet een poosje bij hen logeren terwijl de politie het onderzocht? Al lijkt het erop dat ze de dader nooit zullen achterhalen. Toen kwam mijn stiefmoeder aan de lijn. Zij wil met me gaan winkelen.'

'Voor een nieuwe muur? Deze wordt anders alweer aardig schoon.'

'Nee, niet voor een nieuwe muur.' Ze gaf hem een zachte stomp en overhandigde hem een paar beschermende handschoenen. 'Patty, Angie en Cilla brengen een bezoek aan de outletwinkels. Alsof mijn problemen worden opgelost door een strooptocht naar koopjes.'

'Ik neem aan dat je niet gaat?'

'Ik heb geen tijd en geen zin om pumps met open tenen of dunne zomerjurkjes uit te zoeken.'

'Rode schoenen, witte jurk. Sorry,' zei hij bij het zien van haar scherpe blik. 'Ik denk in beelden.'

'Ja, ja. Maar waar het om gaat, is dat ik er niet aan gewend ben dat mensen hulp, tijd of gezelschap aanbieden zonder dat ze er iets voor terug willen.'

'Dat is jammer of misschien krijg je dat als je leeft als een Ho-ster.'

Lachend begon ze te boenen.

'Ga maar spelen,' zei hij tegen Spock, en die rende met rode bandana en al naar de boerderij.

'Ik probeer me aan te wennen om die aanbiedingen te aanvaarden zonder dat ik me cynisch afvraag wat ze ervoor terug willen. Daar zal nog wel wat tijd voor nodig zijn.'

Hij werkte een poosje in stilte. 'Weet je wat ik zie als ik daarheen kijk?'

'Pick-ups, een enorme container, een huis dat dringend geverfd moet worden?'

'Het kasteel van de Schone Slaapster.'

'Hoe? Waar? Hoezo?'

'Ten eerste stel ik mijn mannelijkheid in de waagschaal door toe te geven dat ik als kind gek was op die verhalen, net zo gek als op de Dark Knight, X-Men enzovoort. En ik beschouw de Disney-versie als een klassieker, met Malafide als een van de grootste schurken aller tijden. Maar goed.'

Hij haalde zijn schouder op toen zij hem bleef aankijken. 'Je weet vast wel hoe de boze Malafide de vloek uitspreekt en het kasteel omringt met gigantische doornstruiken, met van die grote, gemene doorns. Hij maakte er een duistere, onheilspellende, naargeestige plek van waarin de schoonheid opgesloten zat.'

'Ja.'

'De held moest zich een weg banen door de blokkades, de doornen, de vallen. Grote risico's en veel werk, maar toen hij bij zijn doel aankwam, kwam het kasteel weer tot leven. En heerste er vrede over het land, weet je wel.'

Ze boende met haar staalborstel over de muur. 'Moet ik de prinses kussen?'

'Oké, dat is een nieuw beeld. Heel interessant. De metafoor heeft een paar gebroken, maar waar het op neerkomt is dat het gevangen, slapende kasteel een held nodig heeft om het weer tot leven te wekken. Sommige mensen willen daaraan bijdragen. En sommigen…' Hij tikte met zijn borstel op een grote, zwarte E, 'willen het graag verzieken.'

'Ik word gefascineerd door een man die toegeeft dat hij van sprookjes houdt en het woord "waagschaal" gebruikt en zonder met zijn ogen te knipperen een korte fantasie over twee vrouwen heeft. Je bent een man van vele lagen, Ford.'

'Shrek en ik zijn net uien.'

O, ja, dacht ze. Ze viel voor hem, en dat in razend tempo.

Ze hield op toen Buddy's auto naast hen tot stilstand kwam. De loodgieter boog zich uit het raampje en fronste zijn wenkbrauwen. 'Wat betekent dat in godsnaam?'

'Volgens Ford betekent het dat sommige mensen graag dingen verzieken.'

'Die stomme kinderen ook. Geen respect.'

'Ik wil niet dat Steve hier iets over te horen krijgt. Hij heeft al genoeg aan zijn hoofd. Ik moet met je praten over de ventilatie van de stoomdouche. Ik heb er gisteravond nog eens naar gekeken en… Eigenlijk moet ik dit even op de plek zelf met Buddy bespreken,' zei ze tegen Ford.

'Ga je gang. Ik ga hier nog wel even mee door.'

'Dank je. Ik rij even met je mee, Buddy.' Ze sprong in het laadgedeelte van de pick-up en toen Buddy de oprit op draaide, probeerde ze zich het huis voor stellen als het kasteel van Doornroosje met grofweg de helft van de doornstruiken weggehakt.

Ford had een hele dag gewerkt voor hij bij zijn tekentafel vandaan stapte en lang naar de panelen en de potloden staarde. Het verhaal had een onverwachte wending genomen, maar dat beviel hem wel. Die avond zou hij het verhaal redigeren zodat het bij de nieuwe tekeningen en acties paste die hem te binnen waren geschoten.

Om dat te kunnen, moest hij het eerst laten broeien. Niet te veel druk uitoefenen terwijl het op een klein pitje in zijn hersenpan pruttelde. Dat wilde zeggen dat het voor zijn proces tijd was voor een biertje en een spelletje op de PlayStation.

Beneden opende hij eerst de voordeur om even een blik te werpen op wat hij in gedachten 'Cilla World' was gaan noemen, en daarna slenterde hij naar de keuken. Hij zag Steve het pad op komen, met een stok in de ene en een sixpack bier in de andere hand.

'Dat is nog eens goede timing.'

Naast hem sprong Spock bijna op om te applaudisseren.

'Ik ben ontsnapt. De bewaker moest nieuw materiaal halen, dus ik heb haar bier gejat en ben hem gesmeerd.'

'Dat kan niemand je kwalijk nemen.' Ford pakte het bier en wees met zijn duim op een stoel.

'De arts heeft me gezond verklaard. Ik vertrek morgen.' Hij ging zitten, en ademde duidelijk hoorbaar uit, waarna hij met zijn hand over Spocks kop wreef.

'We zullen je missen.' Ford opende twee biertjes en gaf er een aan Steve.

'Als het lukt, kom ik in de herfst terug. Als ze zo doorgaat, hoeft ze dan alleen nog de puntjes op de i te zetten.'

Ford keek twijfelend naar de overkant. 'Als jij het zegt.'

'Ik loop haar nu voornamelijk in de weg.'

'Zo ziet zij het niet.'

Steve nam een grote slok bier. 'Ze heeft me de huid vol gescholden omdat ik naar zolder was gegaan om met de jongens te praten. Ze wilde me buiten in een schommelstoel zetten alsof ik haar opa ben en me een beschilderde waaier geven om mee te spelen. Shit, nog even en ze komt met kruiswoordpuzzels of zoiets aanzetten.'

'Het kan erger. Voor hetzelfde geld laat ze je breien.'

Steve gromde en keek fronsend naar de stenen muur aan de andere kant van de straat. 'Wat vind jij van wat daar gebeurd is?'

'Sorry?'

'Doe niet zo stom. Zo beschadigd zijn mijn hersens nou ook weer niet. Bouwvakkers roddelen als meisjes. Ik heb gehoord dat een of andere zakkenwasser de muur heeft beklad. Er deden ongeveer zes verschillende versies de ronde over wat erop stond, maar het kwam allemaal op hetzelfde neer.'

'Ik denk dat een of andere zakkenwasser de muur heeft beklad en dat hij gemeen is. Het zou dezelfde persoon kunnen zijn die het op jou had voorzien, maar het hoeft niet. Zij gelooft dat het die oude Hennessy is.'

'En jij niet.'

'Oud is het sleutelwoord. Aan de andere kant is hij de enige van wie ik weet dat hij wat tegen haar heeft. En hij is sterk. Pezig, maar sterk.'

'Als ik honderd procent in orde was, of daarbij in de buurt kwam, zou ik blijven. Maar op dit moment heeft ze niet veel aan me.' Hij stak zijn biertje op naar Ford. 'Het is aan jou en je hondje, Sparky.'

'Je kunt het aan ons overlaten.'

'Ja.' Steve nam nog een slok bier. 'Dat geloof ik ook.'

Ze huilde niet toen Steve op de koele, regenachtige zaterdag op de passagiersstoel van de camper plaatsnam. Ze dwong zichzelf om niet voor te stellen dat hij pas aan de lange reis dwars door het land zou beginnen als het weer was opgeklaard. In plaats daarvan gaf ze hem een afscheidszoen en zwaaide ze hem uit in de regen.

En ze voelde zich verschrikkelijk, pijnlijk eenzaam.

Zo alleen dat ze zich opsloot in het huis. Door de regen kon ze niks planten of schilderen. Ze overwoog om haar spullen naar de logeerkamer te brengen die Steve had gebruikt, maar dat vond ze te veel op huishoudelijk werk lijken. Ze wilde werken, geen klusjes doen.

Ze zette de radio aan en draaide de volumeknop wijd open om het huis te vullen met geluid. Vervolgens begon ze de planken te maken om het geraamte van de provisiekast in de bijkeuken naast de keuken in elkaar te kunnen zetten. Eigenlijk stond die taak pas voor weken later gepland, maar het was echt een klus die zenuwen kalmeerde en de geest tot rust bracht.

Ze mat op, zette tekentjes, zaagde en verloor zich in het ritme van de timmerwerkzaamheden. Weer tevreden zong ze mee met de radio terwijl de draadloze schroevendraaier een houtschroef op zijn plaats zette.

Ze liet de boor bijna op haar voet vallen toen ze zich omdraaide en vanuit haar ooghoek een beweging zag.

'Het spijt me! Het spijt me!' Patty stak haar handen omhoog alsof het apparaat een geladen wapen was. 'Ik wilde je niet bang maken. We hebben geklopt, maar… De radio staat zo hard.'

Cilla liep naar de radio en zette hem af. 'Dat moet ook, anders kan ik hem niet horen boven de apparaten uit.'

'Ik maakte me ongerust toen je niet opendeed en er zo veel lawaai was en je auto voor het huis stond. Daarom zijn we naar binnen gegaan.'

'Dat geeft niet. Je liet me alleen schrikken. Wie zijn "we"?'

'Angie en Cathy. We hebben geprobeerd om Penny mee te krijgen, maar die staat in de winkel. Het is zo'n rotdag dat we het overdekte winkelcentrum wilden trotseren en daarna een bioscoopje wilden pakken en ergens een hapje wilden gaan eten. We komen je ontvoeren.'

'O, dat lijkt me leuk.' Meer als een marteling, dacht ze. 'Ik waardeer het, maar ik ben druk bezig.'

'Je verdient een vrije dag. Ik betaal.'

'Patty…'

'Ik kan nauwelijks geloven dat…' Cathy stapte naar binnen, maar haar stem stierf weg toen ze met grote ogen naar Cilla keek. 'We zijn binnengevallen. Jeetje, je kunt zo op HGTV. Ik durf nauwelijks een spijker in de muur te slaan om een schilderij op te hangen, en moet je jou eens zien.'

'Mijn zus, de klusser.' Kwiek in een roze trui met capuchon keek Angie haar stralend aan. 'Mogen we even rondkijken? Kan dat? Er wordt gezegd dat jullie de eerste verdieping aan het verbouwen zijn.'

'Tuurlijk. Eh… Er moet daar nog flink wat gebeuren. Of eigenlijk moet overal nog flink wat gebeuren.'

'Ik moet bekennen dat ik hier al jaren een keer binnen wil kijken.' Cathy keek naar de lege muren en vloeren, de stapels hout en voorraden. 'Hoe red je je hier zonder keuken?'

'Ach, ik kan toch niet goed koken. Ik laat het fornuis en de koelkast die hier nog stonden aanpassen. Die zijn echt heel gaaf. Dat duurt even, daarom staat de keuken onder aan de lijst. Eh… het eetgedeelte is daar, dus daardoor krijg je een open leefruimte. Het heeft goed licht en een prachtig uitzicht.'

'Wat is de achtertuin mooi!' Patty liep naar de openslaande deuren toe. 'Was dit terras er al?'

'Dat moest worden opgeknapt en we hebben het wat aangepast. De tuin is veel werk. Je zoon doet goed werk,' zei ze tegen Cathy. 'En hij heeft echt talent voor tuinarchitectuur.'

'Dank je. Dat vinden wij ook.'

'De eetkamer komt uit op het terras en van binnen loopt het uit in dit stuk dat ik wil gaan gebruiken als een soort zit- en tv-kamer naast het woongedeelte. Het toilet daar krijgt nieuwe tegeltjes en nieuwe lampen. Hier naast de ingang komt een garderobekast. Er is veel ruimte. Goede ruimte.'

'Ik vind het leuk dat je uit elke kamer naar buiten kunt stappen.' Angie draaide een rondje.

Cilla ging ze voor naar boven en haar drie onverwachte gasten kirden bij het zien van de tegels en verlichting van de voltooide badkamer en babbelden over de plannen voor de grote slaapkamer.

'Ik weet niet wat ik zou moeten met een stoomdouche, maar ik zou dolgraag vloerwarming in mijn badkamer hebben,' zei Patty stralend tegen Cilla. 'Ik begrijp niet hoe je hier zo veel verstand van kunt hebben, maar de twee kamers die af zijn zien er echt schitterend uit. Het lijkt alsof ze rechtstreeks uit een tijdschrift komen.'

'Als je het weer te koop zet, zal de waarde de pan uit stijgen,' merkte Cathy op.

'Vast wel, als ik van plan was het te verkopen.'

'Sorry, dat is de invloed van mijn man.' Cathy grinnikte. 'En zelfs zonder het hem te vragen weet ik dat hij de eerste wil zijn om een bod uit te brengen als je ooit van gedachten verandert over de verkoop. Wat een geweldig uitzicht. Het lijkt zo eenzaam, zelfs met de andere huizen eromheen. Ik moet toegeven dat ik het fijn vind om dicht bij de stad te wonen, vanwege het gemak en de veiligheid, maar als ik meer een plattelandsmeisje was, zou ik hier willen wonen.'

'Voel je haar ooit om je heen? Janet?'

'Angie.'

Bij het zien van haar moeders frons, knipperde Angie met haar ogen. 'Het spijt me. Heb ik iets verkeerds gevraagd?'

'Het geeft niet,' zei Cilla tegen haar. 'Soms wel. Ik mag graag denken dat ze alles wat ik hier doe goedkeurt, zelfs de veranderingen die ik aanbreng. Dat is belangrijk voor me.'

'Dit huis herbergt zo veel geschiedenis,' voegde Cathy eraan toe. 'Alle mensen die hier zijn geweest, de feesten, de muziek. En de tragedie. Daardoor is het meer dan zomaar een huis. Het is legendarisch, nietwaar? Ik weet nog toen het gebeurde. Ik was zwanger van mijn middelste, nog maar een paar maanden, en ik was 's ochtends constant misselijk. Ik had net weer een aanval gehad en Tom probeerde Marianna, onze oudste, haar ontbijt te laten eten. Ze was nog geen twee en de pap zat overal. Mijn buurvrouw, Abby Fox, herinner je je haar nog, Patty?'

'Ja zeker. Als er een druppeltje roddel was, wist zij er meer uit te knijpen.'

'Zij wist altijd alles als eerste, en die keer was het niet anders. Ze kwam langs en vertelde het aan ons. Ik barstte direct in tranen uit. Dat kwam vast door de hormonen. Ik werd weer misselijk en ik weet nog dat Tom ten einde raad was omdat hij een manier moest verzinnen om zowel voor mij als de baby te zorgen. Het was een vreselijke dag. Het spijt me.' Ze vermande zichzelf. 'Ik snap niet waarom ik daarover begon.'

'Dat lokt het huis uit,' vond Patty. 'Toe, Cilla, fris jezelf op en ga met ons mee. We laten onze dag niet verpesten door de regen en de somberheid. Met nee nemen we geen genoegen.'

Waarschijnlijk stemde ze toe omdat het drie tegen één was en omdat Cathy's verhaal haar treurig had gestemd. Tot haar verrassing genoot ze van het winkelen in een overdekt winkelcentrum, van de sentimentele meidenfilm, de margarita's en de Caesar-salade met gegrilde kip.

In het damestoilet van het restaurant kwam Angie naast haar staan om aan haar haren te frunniken en lipgloss op te doen. 'Niet bepaald Rodeo Drive, een filmpremière of een etentje in de nieuwste hippe tent, maar toch was het best een leuke dag, vind je niet?'

'Ik heb me vermaakt. En op Rodeo Drive kwam ik eigenlijk bijna nooit.'

'Ik zou er vaak te vinden zijn als ik daar woonde. Zelfs al kon ik alleen etalages kijken en fantaseren. Mis je het echt niet?'

'Nee, echt niet. Ik... Sorry,' zei ze toen haar telefoon ging. Ze pakte het mobieltje en zag haar moeders naam op het schermpje staan. Zonder op te nemen borg Cilla het weer op.

'Je mag het gesprek best aannemen. Ik ga wel weg.'

'Nee. Dit telefoontje zal gegarandeerd mijn aangename, lichte roes

van de margarita's bederven. Doe je dit vaak? Samen met je moeder ergens heen gaan op een regenachtige zaterdag?'

'Ja, eigenlijk wel. Ze is aangenaam gezelschap. We probeerden altijd
een dag samen op te trekken, en sinds ik studeer doen we dat als ik thuis
ben in de vakanties. Soms gaan we met vrienden en soms met zijn
tweeën.'

'Je boft.'

Angie legde een hand op Cilla's arm. 'Ik weet dat ze niet jouw moeder
is, maar ik weet ook dat ze graag je vriendin wil zijn.'

'Ze is mijn vriendin. We kennen elkaar alleen niet erg goed.'

'Nog niet.'

'Nog niet,' beaamde Cilla waarop Angie moest glimlachen.

Eenmaal weer thuis luisterde Cilla naar haar voicemail. Er waren twee
berichten van Ford, zeker van toen ze haar mobieltje had uitgezet in de
bioscoop, en eentje van haar moeder.

Ze wilde dat van haar moeder eerst afhandelen. Het was lang, zoals
verwacht, en werkte het hele scala van kille minachting tot boze wrevel
af, met daartussen een korte huilerige trilling.

Cilla wiste het bericht en luisterde naar het eerste van Ford.

'Hoi. Mijn moeder gaat spaghetti met gehaktballetjes maken en ze
heeft gezegd dat ik moest komen om die te komen verorberen en dat ik
iemand mee moest nemen. Je deed niet open en je neemt niet op. Nu
vraag ik me af of ik me ongerust moet maken, me met mijn eigen zaken
moet bemoeien of waanzinnig jaloers moet zijn omdat je ervandoor
bent gegaan met een gespierde knul die Antonio heet. Hoe dan ook, bel
even zodat ik het weet.'

Ze luisterde het tweede bericht af. 'Negeer mijn eerste boodschap.
Mijn vader is de jouwe tegengekomen, dus veel plezier met de meiden.
Eh... Dat was het woord dat je vader gebruikte. De meiden. Je loopt ver-
domd lekkere gehaktballetjes mis.'

'Jezus, wat ben je toch een schatje,' mompelde Cilla. 'Als ik niet zo
moe was, zou ik naar je toe gaan en je bespringen.'

Gapend liep ze met twee boodschappentassen de trap op. Boven
stond een echt bed, dacht ze. Ze kon zich opkrullen op een echte matras

met echte lakens. Zich er lekker in nestelen en tot laat uitslapen. Ze genoot al bij voorbaat van het vooruitzicht toen ze de gastenbadkamer in liep.

Het leek alsof ze in haar hart werd gestoken. De prachtige vloer lag er gebroken bij; tegels waren versplinterd, verbrijzeld en uit grote scheuren getrokken. Daarbovenop lag de nieuwe wastafelkom in gruzelementen. Geschrokken strompelde ze achteruit en de tassen vielen uit haar handen en de inhoud viel op de grond. Ze draaide zich om terwijl een vuist zich leek te ballen in haar buik en rende naar de net betegelde badkamer in de grote slaapkamer.

Daar wachtte haar dezelfde nutteloze verwoesting.

Een voorhamer, dacht ze, misschien een pikhouweel. Iemand had geslagen, gehakt, gaten in de tegels, de muur van glazen blokken en in de andere muren gemaakt. Uren en uren werk waren vernield.

Met een laag ijs om die vuist in haar buik, liep ze de regen in om het inmiddels bekende nummer van de politie te bellen.

'Hij is via de achterdeur binnengekomen,' zei Wilson tegen haar. 'Hij heeft het glas gebroken, zijn hand naar binnen gestoken en het slot omgedraaid. Het lijkt erop dat hij jouw gereedschap heeft gebruikt, die voorhamer met de korte steel en het pikhouweel, om de schade toe te brengen. Wie wist dat je vanavond weg zou zijn?'

'Niemand. Dat wist ik zelf niet eens. Het was een opwelling.'

'En je auto stond hier, goed zichtbaar vanaf de weg?'

'Ja. Ik heb het licht op de veranda laten branden, net als twee lampen binnen, eentje boven en eentje beneden.'

'Je zei dat je hier rond twee uur 's middags bent weggegaan?'

'Ja, zo ongeveer. We zijn naar het winkelcentrum gegaan, naar de bioscoop, en we hebben wat gegeten. Ik ben rond half elf teruggekomen.'

'De drie vrouwen met wie je was wisten dat je huis leeg zou zijn?'

'Dat klopt. Mijn buurman wist het ook, want hij heeft me gebeld toen ik uit was. Mijn vader wist het, net als de ouders van mijn buurman. Waarschijnlijk wist de man van mevrouw Morrow het ook, of in elk geval kon hij het weten. Waar het op neerkomt, is dat iedereen die wilde weten waar ik was dat al had gehoord of erachter kon komen, rechercheur.'

'Mevrouw McGowan, ik stel voor dat u een beveiligingsinstallatie aanschaft.'

'Raadt u me dat aan?'

'Dit is een dunbevolkt gebied, dat maakt het juist aantrekkelijk. U woont hier nogal afgelegen en uw huis is herhaaldelijk het doelwit van vandalisme geweest. We doen wat we kunnen. Maar als ik u was, zou ik stappen nemen om mijn bezit te beschermen.'

'Reken maar dat ik dat zal doen.'

Cilla kwam overeind toen ze Ford hard en gefrustreerd hoorde praten. Hij ruziede met een van de agenten die op dat moment in en om haar huis liepen. 'Dat is mijn buurman. Ik wil graag dat hij binnenkomt.'

Wilson wenkte. Even later haastte Ford zich de kamer in. 'Ben je gewond? Is alles goed met je?' Hij nam haar gezicht in zijn handen. 'Wat is er nu weer gebeurd?'

'Er is ingebroken toen ik er niet was. Ze hebben twee van de badkamers op de eerste verdieping onder handen genomen.'

'Meneer Sawyer, waar was u vanmiddag en vanavond tussen twee en elf uur?'

'Rechercheur Wilson…'

'Het geeft niet.' Ford pakte Cilla's hand en kneep erin. 'Ik heb thuis gewerkt tot ongeveer vier uur. Ik ben weggegaan om wijn en bloemen voor mijn moeder te kopen. Ik heb bij mijn ouders gegeten. Daar was ik rond een uur of vijf. Ik kwam weer thuis om… Ik weet het niet precies, negen uur of half tien. Ik heb een poosje tv-gekeken en ben op de bank in slaap gevallen. Toen ik weer wakker werd, wilde ik naar boven gaan. Ik keek nog even door de voordeur naar buiten, dat is een gewoonte geworden, en zag de politie.'

'Mevrouw McGowan heeft verklaard dat u wist dat ze niet thuis was.'

'Ja. Ik heb haar gebeld om haar uit te nodigen voor een etentje bij mijn ouders. Of nee, eerst ben ik hierheen gelopen om haar mee te vragen. Ze deed niet open en ik werd een beetje ongerust vanwege alles wat er is voorgevallen. Toen heb ik haar gebeld. Een poosje later had ik mijn vader aan de lijn, want ik moest melk halen voor mijn moeder. Ik zei tegen hem dat ik Cilla probeerde te bereiken en hij vertelde dat hij haar vader was tegengekomen en dat ze weg was met een stel vriendinnen.'

'Hoe laat bent u hierheen gegaan?'

'Eh... Rond drie uur, of ietsje later, denk ik. Toen je niet opendeed, ben ik naar de schuur gegaan, maar die zat op slot en toen heb ik een rondje om het huis gemaakt. Ik maakte me een beetje ongerust. Alles leek in orde. Waar hebben ze ingebroken?'

'Bij de achterdeur,' zei ze tegen hem.

'De achterdeur was in orde toen ik om het huis ben gelopen. Hoe erg is het?'

'Behoorlijk erg.'

'Je kunt het wel weer maken.' Hij wilde haar hand pakken. 'Je weet hoe dat moet.'

Hoofdschuddend liep ze naar de trap en ze ging zitten. 'Ik ben moe.' Nadat ze over haar gezicht had gewreven, liet ze haar handen in haar schoot vallen. 'Ik ben er zo moe van.'

'Waarom ga je niet naar mijn huis om te slapen? Ik blijf wel hier, zodat er iemand in huis is.'

'Als ik wegga, kom ik niet meer terug. Daar moet ik over nadenken. Ik moet bepalen of het zin heeft om hier te blijven. Want op dit moment weet ik dat echt niet.'

'Ik blijf bij je. Ik neem de slaapzak. Laat u hier agenten achter?' vroeg Ford aan Wilson.

Die knikte. 'We laten een patrouillewagen met twee agenten voor het huis staan. Mevrouw McGowan? Ik weet niet of het enig verschil maakt voor uw gevoelens, maar dit begint me goed te ergeren.'

Ze reageerde met een zucht op Wilsons opmerking. 'U niet alleen.'

Terwijl Ford naar de overkant ging om de hond te halen, bevestigde ze zelf een plaat triplex voor het gebroken raam, een soort symbool. Op dat moment wist Cilla niet of het een symbool van verdediging of verslagenheid was. Toen ze de hamer neerlegde, voelde ze alleen een genadeloze uitputting.

'Je hoeft de slaapzak niet te nemen. Het is een groot bed en jij bent veel te fatsoenlijk om onder deze omstandigheden iets te proberen. En eigenlijk wil ik niet alleen slapen.'

'Goed. Kom op. Morgen zien we wel hoe alles verder moet.'

'Hij heeft mijn eigen gereedschap gebruikt om de boel te verwoesten.' Ze liet zich door Ford door het huis de trap op leiden. 'Op de een of andere manier maakt dat het nog erger.'

In de slaapkamer schopte ze haar schoenen uit. Daarna trok ze haar blouse uit. En ze had nog net genoeg energie om geamuseerd te zijn toen Ford zijn keel schraapte en haar zijn rug toe draaide.

Daarentegen hield Spock zijn kop schuin en lonkte naar haar, als dat tenminste mogelijk was.

'Hij heeft de toiletten niet kapotgemaakt,' zei ze toen ze een topje en een katoenen broek aantrok. 'Ik weet niet of hij geen energie meer had of dat hij wist dat de tegels, de wastafel en de glazen blokken allemaal duurder waren en lastiger om te vervangen. Daar heeft hij dan gelijk in. Maar je hoeft niet naar buiten als je moet plassen.'

'Ik hoef niet, dank je.'

'Je kunt je weer omdraaien.'

Ze kroop op het bed en nam niet de moeite om het beddengoed open te slaan. 'Je hoeft niet in je kleren te slapen. Ik weet niet of ik even fatsoenlijk ben als jij, maar ik ben te moe om nu iets te beginnen.'

Hij vatte haar woorden letterlijk op en kleedde zich uit, op zijn boxershort na, waarna hij in bed stapte, met meer dan genoeg ruimte tussen hen in.

Ze stak haar arm uit en deed het licht uit. 'Ik ga niet huilen,' zei ze na een paar tellen stilte. 'Maar ik zou het fijn vinden als je me een poosje vasthoudt, als je het niet erg vindt.'

Hij schoof naar haar toe, draaide zich om en sloeg een arm om haar heen zodat hij haar tegen zich aan kon trekken. 'Beter?'

'Ja.' Ze sloot haar ogen. 'Ik weet niet wat ik moet doen. Wat ik wil, wat ik nodig heb, wat ik moet beginnen, wat ik niet moet doen. Ik weet het echt niet.'

Hij drukte een zoen op haar achterhoofd en dat kleine gebaar deed tranen in haar ogen opwellen. 'Wat het ook is, je komt er wel achter. Hoor je, het gaat weer regenen. Dat is een fijn geluid, zo laat op de

avond. Net muziek. Je kunt gewoon hier liggen en naar de muziek luisteren.'

Ze luisterde naar de muziek, hoe het op en rond het huis speelde
waarvan ze was gaan houden. En met zijn arm om haar heen viel ze in
een uitgeputte slaap.

16

Toen ze wakker werd en zich bewoog, werd ze begroet door muziek. Het was hetzelfde regelmatige geroffel en gepling van de regen dat haar in slaap had gebracht. Hij had haar vastgehouden, dacht ze – een beetje dromerig – toen ze het had gevraagd. Hij had haar gewoon vastgehouden terwijl de regen speelde en de slaap haar meevoerde.

Ze herinnerde zich vaagjes dat ze zich op het bed had laten vallen, maar nu lag ze knus ingestopt.

En ze was alleen.

Het deel van haar dat het niet onder ogen wilde zien, die niet wilde dat die herinneringen helder werden, moedigde haar aan om weer lekker te gaan liggen en zich door de regen en de vochtige duisternis opnieuw in slaap te laten vallen.

Nee, daar ben je te ver voor gekomen, hield Cilla zichzelf voor. Je bent te ver gekomen om weg te glijden. Word wakker en zie de feiten onder ogen. Neem een besluit. En zoek daarna een oplossing.

Ze kwam overeind en vond dat de zeurende stem in haar hoofd een hardvochtig rotwijf was.

Toen zag ze de koffie.

Haar thermosbeker stond op het nachtkastje. Daartegen stond een van haar notitieblokken met een genadeloos accurate en huiveringwekkend onflatteuze schets die precies aangaf hoe ze zich voorstelde dat ze er op dat moment uitzag. Verward haar, gezwollen ogen, verfrommeld en chagrijnig kijkend. Eronder stond in dikke blokletters:

IK BEN KOFFIE!

DRINK ME!

(EN SLA DAN DE BLADZIJDE OM)

'Grapjas,' gromde ze. Ze pakte het notitieblik op en gooide het op bed voor ze de beker optilde. De koffie was maar net iets warmer dan lauw, maar hij was sterk en zoet. Net wat ze nodig had. Ze ging er lekker voor zitten en nam kleine slokjes terwijl ze de koffie haar lichaam die stimulans liet geven.

Lui sloeg ze de bladzijde van het notitieblok om.

Ze had niet verwacht te gaan lachen, zou niet hebben geloofd dat iets door het waas van gedeprimeerdheid kon dringen om haar een snel, verbaasd gegrinnik te ontlokken.

Hij had haar heel scherp getekend, met grote ogen, overdreven grote borsten en biceps die onder haar slaaptopje uitpuilden. Haar haren wapperden in de wind en haar glimlach was breed en strijdlustig. In haar hand klemde ze de thermosbeker, waar wat stoom uit de opening kwam.

'Ja, je bent een grappenmaker.'

Ze legde het notitieblok neer en ging naar hem op zoek.

Ze hoorde het gerinkel toen ze de slaapkamerdeur opende. Glas, nee, gebroken tegels, besefte ze, tegen plastic. Ze liep verder naar de grote slaapkamer, duwde die deur open en liep vervolgens naar de deur van de badkamer.

Hij had ergens werkhandschoenen, een heel klein schepje en een paar lege emmers van voegspecie voor gipsplaat vandaan gehaald, zag ze. Twee ervan zaten vol tegelscherven. Nu ze daar stond en naar de methodische opruiming van de vernieling keek trof het haar bijna nog harder dan de avond ervoor.

'Zo raak je je status als uitslaper nog kwijt.'

Hij gooide nog een handvol scherven in de emmer en ging rechtop staan. Hij nam haar onderzoekend op. 'Misschien heb je me wel voor het leven verpest. Hoe is de koffie?'

'Bijzonder welkom. Dank je. Dit hoef je niet te doen, Ford.'

'Ik weet niks van bouwen, maar ik heb wel veel verstand van opruimen.'

'We zullen meer nodig hebben dan een paar emmers en een schep.'

'Ja, dat weet ik. Maar ik dacht dat ik net zo goed kon beginnen, want naast jou in bed liggen op een regenachtige zondagochtend gaf me een… energiek gevoel.'

'Noem je dat zo?'

Zijn gezichtsuitdrukking bleef heel plechtig. 'In net gezelschap wel.'

Ze knikte en liep verder naar voren om naar de barsten en breuken in haar muur van glasblokken te kijken. Ze was dol geweest op de aanblik ervan, de patronen in het glas, de manier waarop het licht erdoorheen scheen. Ze had zich voorgesteld de muren een dun, metalig zilver te verven zodat ze de glinsteringen van het chroom zouden oppikken. Haar chique oase, en inderdaad, misschien ook een persoonlijke ode aan het oude Hollywood.

De wortels van haar wortels.

'Ik weet nog niet wat ik ga doen. Ik weet echt niet of ik dit weer op wil bouwen. Of ik de moed heb om de strijd aan te gaan met iemand die me de oorlog heeft verklaard. Ik ben hier niet om oorlogen te voeren. Ik wilde iets voor mezelf bouwen, en ook voor haar. Misschien iets voor mezelf van haar. Maar weet je, als de fundering gescheurd is, blijft alles instorten.'

'Het is niet ingestort, Cilla. Het is kapot geslagen. Dat is iets heel anders.' Hij bewoog zijn hoofd van de ene naar de andere kant om haar gezicht heel nadrukkelijk te bestuderen. Zodat ze zag dat hij begreep dat ze evengoed zichzelf bedoelde als de kamer, misschien zelfs nog wel meer. 'Ik zie geen scheuren.'

'Ze was een verslaafde, een dronkenlap. Misschien is ze dat geworden omdat ze geëxploiteerd en gebruikt werd. Verwend en misbruikt. Ik weet hoe dat is. Ik had overal kunnen proberen te bouwen, maar ik ben welbewust hierheen gegaan. Dit huis is een van de redenen. Mijn eigen gewonde geest en de behoefte om te bewijzen wat ik waard ben op mijn eigen voorwaarden. Dat maakt allemaal deel uit van de reden.'

'Dat zijn goede redenen.' Op zijn gebruikelijke ontspannen manier haalde hij zijn schouders op. 'Dus dan blijf je en ruim je het op. En je bouwt het op. Op je eigen voorwaarden.'

Ze schudde haar hoofd. 'Je weet volgens mij niet half hoe verknipt ik ben.'

'Ik heb wel een paar aanwijzingen gekregen. En jij? Heb jij enig idee hoe sterk je bent?'

Hoe kon ze ingaan tegen die rechtlijnige, koppige overtuiging? 'Dat wisselt nogal, en op dit moment zit ik in de put.'

'Misschien heb je alleen een zetje nodig.'

'Meer koffie?'

'Een stevig zondagsontbijt.' Hij trok de werkhandschoenen uit en gooide ze op de deksel van het toilet. 'Je hoeft niet in de komende minuut te besluiten wat je met de rest van je leven gaat doen. Dat hoeft ook vandaag of morgen niet. Waarom gun je jezelf niet even pauze? Neem de tijd ervoor. We nemen de rest van de dag vrij. We halen Spock van buiten, waar hij zo langzamerhand achter zijn katten aan moet zitten. We gaan ons volstoppen bij de Pancake House en daarna gaan we naar... de dierentuin.'

'Het regent.'

'Na regen komt zonneschijn.'

Ze staarde even naar zijn kalme glimlach en zijn warme, geduldige ogen. Hij had haar vastgehouden, dacht ze. Hij had koffie voor haar neergezet en haar aan het lachen gemaakt voor ze helemaal wakker was. Hij ruimde haar rotzooi op, zonder er ook maar iets voor terug te vragen.

Hij geloofde in haar, op een manier, een niveau, waarop niemand, zelfs zij niet, dat ooit had gedaan.

'Nee, dat is waar. Het kan niet eeuwig blijven regenen.'

'Kleed je aan, dan gaan we te veel koolhydraten eten en naar de apen kijken.'

'Ja, pannenkoeken lijken me wel wat. Na afloop.'

'Na afloop van wat?'

Ze lachte, en ditmaal leek het geluid minder verrassend. Ze pakte de voorkant van zijn overhemd beet en zag het begrip in zijn ogen komen. 'Kom mee naar bed, Ford.'

'O.'

Ze liep achteruit en trok hem met zich mee. 'Alleen wij. Op dit moment heb ik verder niks in gedachten. En ik kan een zetje goed gebruiken.'

'Goed.' Hij tilde haar op en drukte zijn mond op de hare.

Toen haar hoofd niet meer tolde, glimlachte ze. 'Een heel goed begin.'

'Ik had het helemaal uitgedacht. Een andere omgeving en basismethode,' zei hij terwijl hij haar naar de slaapkamer droeg. 'Maar ik ben flexibel.'

Haar glimlach was traag, als een lang, diep spinnend geluid. 'Ik ook.'

'O, help.'

Lachend sloeg ze haar armen om zijn hals en ving zijn mond met de hare. Alleen zij, dacht ze toen ze op het bed tuimelden. De rest kon wachten. Alleen zij, en de muziek van de regen. In het zachte, lome licht, op het gekreukte bed liet ze zichzelf wegzinken in het hier en nu. Ze trok zijn overhemd omhoog, sloeg haar benen om hem heen en zei: 'Hmmm.'

Hij had eindeloos bij haar mond kunnen blijven hangen, de smaak, de vorm en de bewegingen ervan. Het prachtige diepe kuiltje in haar bovenlip fascineerde hem in hoge mate. De sexy, zoekende glijbeweging van haar tong tegen de zijne had hem urenlang kunnen betoveren.

Maar er was nog zo veel meer. Haar sierlijke, lange hals bekoorde hem, de ronding van haar wang, de gladde huid vlak onder haar kaak bood hem talloze geneugten terwijl hij ronddwaalde en proefde waarna hij opnieuw haar lippen vond.

De smaken daar had hij leren kennen in de weken sinds ze deze dans waren begonnen, waardoor ze voor hem alleen begeerlijker waren geworden. Nu zou er eindelijk meer komen.

Hij kon zijn lippen langs haar lichaam omlaag laten gaan, de smaken en texturen leren kennen, zichzelf gek maken met de subtiele ronding boven eenvoudig katoen. Hij plaagde en kwelde hen allebei en bleef daar hangen, ook toen ze haar rug uitnodigend hol maakte. Hij trof warmte en zijde en geheimen terwijl haar hart krachtig tegen zijn lippen klopte. En toen zijn tong onder het katoen gleed, toen ze goedkeurend kreunde, ontdekte hij nog meer.

Centimeter voor centimeter trok hij het topje omhoog, zijn vingers bewogen zich zo licht als mottenvleugels, en hij hief zijn hoofd op om in haar ogen te kunnen kijken.

Haar hart sloeg een slag over. Haar lichaam zuchtte slechts.

'Je bent hier echt heel goed in.'

'Als iets de moeite waard is… Ik heb veel naar je gekeken. Op een artistieke manier.' Zijn blik gleed naar beneden en zijn vingers bewogen over haar borsten. 'Ik heb veel over je gedacht.'

Duimen en vingertoppen lieten rillingen door haar heen gaan.

'Ik heb erover gefantaseerd om je aan te raken. Naar je te kijken terwijl ik dat deed. Je onder mijn handen te voelen trillen. Je was het waard om op te wachten.'

Opnieuw bracht hij zijn mond omlaag naar de hare voor een diepe zoen. Hij liet zijn lichaam op dat van haar zakken. Hitte verspreidde zich waar huid huid raakte en haar polsslag begon te bonzen. Haar lichaam sidderde toen hij erlangs reisde, langzaam en ontspannen, handen en lippen.

Ze dacht dat ze zich al had laten gaan op het moment dat ze op het bed waren getuimeld, maar dat had ze mis gehad. Dat was slechts aanvaarding geweest. Dit, wat hij haar nu ontlokte, was overgave.

Zijn aanraking was behoedzaam en nieuwsgierig, alsof ze de eerste vrouw was die hij aanraakte. En hij gaf haar het gevoel dat ze nog nooit was aangeraakt. Sensaties zwommen en kronkelden door haar heen, flakkerden over haar huid tot het genot haar omhulde als een bundel licht. En het licht scheen met zo'n intensiteit dat ze de verwarde lakens vastgreep om een houvast te vinden in de gloed.

Hij leidde haar verder en verder omhoog, waar het licht oplaaide, waar het genot plotseling met een snelle lichtflits keerde en door haar heen schoot.

Hij versmolt met haar lichaam op hetzelfde moment dat zij onder hem schokte. De slanke lijn van haar torso die een bocht maakte naar haar taille verrukte hem. Het gevoel van haar heupen die omhoog kwamen toen haar ontlading kwam, wond hem op. Lange, mooie dijen leidden hem naar prachtige kuiten die zich spanden toen hij zijn tanden er zacht inzette.

Ze kreunde en dat geluid verspreidde zich door hem heen toen hij weer naar boven bewoog om dat warme, natte, verwelkomende middelpunt te onderzoeken. Haar vingers gleden door zijn haar en over zijn rug op het moment van spanning en ontlading. Vochtige huid gleed over vochtige huid tot hij weer in haar ogen kon kijken.

Ze raakte zijn gezicht aan, hield zijn blik vast, trillend toen hij in haar gleed. En terwijl haar ijsblauwe ogen glazig werden, nam hij haar met lange, trage stoten.

Elk deel van haar hunkerde. Ze hief zich naar hem op, hulpeloos gevangen. Overstelpt door verlangens waaraan hij voldeed, die hij aanwakkerde en die hij opnieuw bevredigde. Toen ze vreemd genoeg opnieuw toenamen, klampte ze zich aan hem vast.

En ze liet zich gaan.

Loom en krachteloos lag ze onder hem. De wereld keerde terug zodat ze de roffelende regen weer hoorde en het hete, gekreukte laken onder haar rug voelde. Toen de mist in haar hoofd voldoende was opgetrokken om weer willekeurige gedachten toe te staan, vroeg ze zich af of het feit dat ze net de beste seks van haar leven had gehad, betekende dat het alleen maar slechter kon worden.

Vervolgens draaide hij zijn hoofd en wreef met zijn lippen langs haar schouder en ze durfde te zweren dat ze haar huid voelde gloeien.

Hij hief zijn hoofd op en streek haar haren van haar wang terwijl hij slaperig naar haar glimlachte. 'Oké?'

'Wat?' Ze liet een verbijsterd lachje horen. 'Ford, je hoort een medaille te krijgen, of in elk geval een verklaring van uitmuntend gedrag. Ik heb het gevoel dat er aan elke centimeter van me… aandacht is geschonken,' besloot ze.

'Ik hoor te zeggen dat mijn werk erop zit, maar ik vind het veel te leuk om te doen.' Hij boog zijn hoofd en de zoen liet vonken door haar hoofd gaan, die goed bij de gloed pasten. 'Al heb ik waarschijnlijk wel een, eh… koffiepauze nodig.'

Met het idee dat ze zich nog nooit zo ontspannen of tevreden had gevoeld, sloeg ze haar armen om zijn hals. 'Heel begrijpelijk. Als mijn botten weer zijn gestold, kan ik wel een douche gebruiken. En ik herinner me net dat we niet hier kunnen douchen.'

Hij zag de ongerustheid in haar ogen terugkomen en hij rolde bij haar vandaan en trok haar omhoog tot ze zat. 'We gaan naar mijn huis.' Daar zou ze niet telkens geconfronteerd worden met de dingen die waren gebeurd, dacht hij. 'Trek snel iets aan en pak wat je nodig hebt. Weet je, ik heb me je ook nat en glibberig voorgesteld. Nu zal ik erachter komen of mijn voorstelling klopte.'

'Prima. Als ik me goed herinner, waren er ook pannenkoeken.'

'Hele stapels. We hebben brandstof nodig voor de rest van de dag.'

Het Pancake House kwam er niet meer van. Na een lange, hete, energieke douche, kregen ze de ingeving om thuis te blijven en dan maar zelf pannenkoeken te gaan bakken. Het resultaat was rommelig, maar redelijk eetbaar.

'Er moet gewoon veel stroop overheen.' Cilla zat aan de keukenbar in Fords T-shirt en bedolf de vreemd uitziende stapel op haar bord onder de stroop.

Aan de geluiden uit de bijkeuken te horen, had Spock geen enkele moeite met zijn portie.

'Zo slecht zijn ze niet.' Ford prikte een druipende hap aan zijn vork. 'En veel leuker dan in het Pancake House. Zeg, ik heb nog een idee. In plaats van naar de apen te gaan kijken, kunnen we ook thuisblijven en seks als een stel apen hebben.'

'Tot nu toe zijn je ideeën uitstekend. Wie ben ik om ertegenin te gaan? Wat doe je anders op regenachtige zondagen?'

'Je bedoelt als ik geen pannenkoeken eet met beeldschone blondines?' Hij haalde zijn schouders op. 'Als het lekker gaat, zou ik misschien wat werk doen of ik lummel wat rond of ik lees een beetje. Soms ga ik iets doen met Brian of Matt, of met allebei. Als het echt niet anders kan, doe ik de was. En jij?'

'In Los Angeles? Als ik bezig was met een project zou ik wat binnenwerk doen of de administratie of ik zou research doen. Als ik geen project had, zou ik er op internet en via advertenties naar een op zoek zijn. Dat is mijn leven van de afgelopen paar jaar in een notendop. Het is gewoonweg triest.'

'Niet waar. Het is juist wat je wilde. Heel veel mensen vonden het zielig dat ik liever binnen zat te krabbelen en te tekenen dan dat ik bijvoorbeeld basketbalde. Omdat ik zo lang was, snap je? Maar ik was hartstikke slecht in basketbal. Ik heb het eigenlijk nooit gekund. Aan de andere kant was ik heel goed in krabbelen en tekenen, en werd ik er almaar beter in.'

'Je bent griezelig goed aangepast. Of misschien ben je dat alleen in vergelijking met mij.'

'Ik vind je anders behoorlijk evenwichtig.'

'Ik heb last van verlatingsangst.' Ze gebaarde met een druipende vork vol pannenkoek. 'Ik heb een fobie voor medicijnen omdat mijn familie-geschiedenis vol drugsmisbruik zit. Daardoor zweet ik al peentjes als ik een aspirientje wil nemen. Ik lijd aan acute plankenkoorts die tijdens mijn tienerjaren dusdanig escaleerde dat ik nauwelijks in een kamer met drie mensen durfde te zijn. De enige manier waarop ik normaal met mijn moeder kan omgaan, is door bij haar uit de buurt te blijven en ik heb het grootste deel van mijn leven afwisselend mijn vader of mezelf verweten dat we elkaar nauwelijks kennen, of kenden.'

Hij maakte een *pfff*-geluid. 'Is dat alles?'

'Wil je meer rare dingen weten?' Ze at de hap op en prikte meer aan haar vork. 'Mij best. Ik heb dromen waarin ik gedetailleerde gesprekken voer met mijn overleden oma die ik nooit heb gekend en met wie ik me nauwer verbonden voel dan met al mijn nog levende familieleden. Mijn beste vriend is mijn ex-man. Ik heb vier stiefvaders gehad, en talloze "ooms" en omdat ik niet dom ben, weet ik heel goed dat dat een van de redenen is dat ik nooit een langdurige, gezonde relatie met een man heb gehad, behalve dan met Steve. Ik verwacht uitgebuit en misbruikt te worden of ik verwacht een poging daartoe, en als gevolg daarvan ben ik er altijd in geslaagd om eventuele langdurige, gezonde relaties te verijdelen. Beschouw dat maar als een waarschuwing.'

Hij prikte nog een stuk pannenkoek aan zijn vork en at het op. 'Is dat het ergste waar je mee op de proppen kunt komen?'

Lachend schoof ze haar bord van zich af en pakte haar koffie op. 'Dat is wel genoeg voor het ontbijt.' Ze stond op en stak haar hand uit. 'Kom, we gaan een wandeling maken in de regen. Dan kunnen we in je jacuzzi duiken als we terugkomen.'

Ze lieten de troep staan en maakten een lange wandeling met de hond. Bestond er iets romantischer dan te worden gekust in de regen? vroeg Cilla zich af. Bestond er iets lieflijkers dan de bergen die gehuld waren in wolken en mist? Was er iets bevrijdender dan hand in hand door de zomerregen slenteren terwijl de rest van de wereld weggekropen binnen zat, verscholen achter gesloten deuren en ramen?

Doorweekt renden ze terug naar het huis waar ze hun druipnatte kleding uittrokken. In het hete, borrelende water namen ze elkaar langzaam.

Uitgeput gingen ze naar boven om opgekruld als puppy's naast elkaar in slaap te vallen op Fords bed.

Ze wekte hem met liefde, het slaperige genot ervan, de warme kluwen ledematen en de zachte druk van lippen. Toen ze weer indommelden, nam de regen af tot een zacht getik.

Later glipte Cilla het bed uit. Ze liep op haar tenen naar Fords kast en pakte daar een overhemd uit. Ze trok het aan terwijl ze de kamer uit liep. Het was haar bedoeling om naar beneden te gaan en een fles water te zoeken, het liefst eentje die koud was, maar eerst ging ze naar zijn studio. Nieuwsgierigheid ging voor dorst.

Toen ze het licht aandeed, wenkten de tekeningen die op zijn grote bord hingen haar dichterbij. Het was heel gek om haar eigen gezicht te zien op het lichaam van de krijgsvrouw. Nou ja, op haar lichaam, dacht ze.

Ze liep naar zijn werkplek en keek met een frons naar de papieren op zijn tekenbord. Die waren bezaaid met kleine schetsen, nogal miniem opgezette schetsen, peinsde ze, allemaal in aparte hokjes en elk met een verticale stippellijn die van boven tot onder liep. Sommige hadden iets wat ze meende te herkennen als tekstballonnen, met nummers erin. Ze spreidde ze uit om het beter te kunnen zien.

Het was net een storyboard voor een film, vond ze. Personages, actie en wat achtergronden. Indeling. En als ze zich niet vergiste, waren de maten en vormen van de plaatjes niet alleen artistiek maar ook wiskundig berekend. Balans en impact, dacht ze.

Wie had ooit gedacht dat er zo veel kwam kijken bij een stripverhaal?

Aan de andere kant van het bord lag een groter vel op de werkplank. Meer vierkanten en rechthoeken, zag ze, met gedetailleerde tekeningen en schaduwen en… geïnkt. Ja, zo heette dat. Al was er nog geen dialoog aan toegevoegd, de opbouw en de kunst trokken de blik aan, net als woorden in een boek zouden doen.

In het midden stond dr. Cass Murphy in wat Cilla haar professorpakje had gedoopt. Conservatief en gepast. Saai. De kleren, de bril met het donkere montuur en haar houding definieerden in één keer haar persoonlijkheid. Dat was toch zeker een soort genialiteit? Om het hele karakter, de hele persoon, in één plaatje te kunnen vangen en weergeven.

Zonder erbij na te denken pakte ze de plaat en ze nam hem mee naar het grote bord om hem naast de tekening van Brid te houden.

Dezelfde vrouw. Ja, natuurlijk was het dezelfde vrouw. Maar de verandering was zowel opvallend als compleet. Van verdringing naar bevrijding, van aarzeling naar wilskracht en van schaduw naar licht.

Toen ze terugliep om de plaat weer neer te leggen, zag ze nog een stapel papier. Getypte pagina's. Snel las ze de eerste paar regels.

Ford werd hongerig wakker en was diep teleurgesteld dat Cilla niet naast hem lag om een deel van zijn eetlust te stillen. Blijkbaar kon hij geen genoeg van haar krijgen, dacht hij.

Ze was beeldschoon en sexy en gekwetst en slim. Ze wist hoe ze met elektrisch gereedschap moest omgaan en haar lach deed hem watertanden. Hij had haar sterk gezien en zien instorten. Hij was getuige geweest van haar absolute toewijding aan een vriend, had haar zien omgaan met onverwachte gêne en haar woedend zien uitvallen.

Werken kon ze, maar jezus nog aan toe, ze wist ook hoe ze zich moest vermaken.

Het had er alle schijn van dat ze perfect was, peinsde hij.

Dus waar hing ze in godsnaam uit?

Hij stapte uit bed, greep een broek en trok hem aan, waarna hij naar haar op zoek ging.

Net toen hij haar naam wilde roepen, zag hij haar. Ze zat aan zijn werkblad, haar benen opgetrokken en over elkaar geslagen, schouders gebogen, leunend op een elleboog. Als hij langer dan tien minuten zo zou zitten, zouden zijn nek en schouders dagenlang stijf zijn.

Hij liep naar haar toe en legde zijn handen op haar schouders met de bedoeling haar spieren, waarvan hij vermoedde dat ze gespannen waren, te masseren. En ze maakte een sprong alsof hij met een bijl naar haar hoofd had uitgehaald.

Ze viel voorover, ving zichzelf op en schoot naar achteren terwijl haar benen een schaarbeweging maakten. Vervolgens draaide ze rond in zijn stoel met haar handen tegen haar borst geslagen terwijl ze stralend lachte.

'Jezus! Je liet me schrikken.'

'Ja, dat begreep ik toen je bijna met je hoofd op mijn tafel knalde. Wat ben je aan het doen?'

'Ik was… O, hemel. O, shit!' Ze schoof de stoel terug en liet haar handen op haar schoot vallen. 'Het spijt me. Ik heb je privacy geschonden. Ik was de tekeningen aan het bekijken die hier lagen en toen zag ik het boek. Ik wilde alleen de eerste pagina lezen, maar ik ging helemaal op in het verhaal. Ik had niet moeten…'

'Ho, ho, laat de zelfkastijding maar zitten. Ik had immers al gezegd dat je het een keertje mocht lezen. Alleen toen had ik het nog niet geschreven. Het is alleen maar een pluspunt dat je erin opging.'

'Ik heb dingen verplaatst.' Ze pakte de plaat en stak hem naar hem toe. 'Ik vind het vreselijk als mensen mijn spullen verplaatsen.'

'Ik weet waar alles hoort. Je hebt gewoon mazzel dat ik niet zo humeurig en overgevoelig ben als jij.' Hij legde de plaat op zijn plek. 'Nou, wat vind je ervan?'

'Ik vind het verhaal leuk, opwindend en vermakelijk, met een scherp gevoel voor humor en sterke onderliggende motieven van feminisme.'

Hij trok zijn wenkbrauwen op. 'Dat allemaal?'

'Dat weet je verdomd goed. Het personage van Cass gedraagt zich op een bepaalde manier en verwacht dat mensen zich naar haar toe op een bepaalde manier gedragen en een bepaalde houding hebben omdat ze is grootgebracht door een dominante, onvriendelijke vader. Ze is seksueel onderdrukt en ze zit emotioneel op slot. Ze heeft geleerd om de superioriteit van mannen te accepteren en zich neer te leggen bij een zeker gebrek aan respect in haar door mannen gedomineerde vakgebied. Dat zie je voor een groot deel terug in dat ene portret. Dat jij net hebt teruggelegd.

Ze wordt verraden, voor dood achtergelaten ómdat haar altijd is ingeprent om bevelen van mannelijke gezagdragers te accepteren. Om haar eigen intellect en verlangens aan de kant te schuiven. En door de dood in de ogen te kijken en ertegen te vechten, wordt ze een leider. Alles wat in haar gevangenzat, en nog meer, komt tot uitdrukking in de persoon van Brid. Een krijger. Dankzij die macht neemt ze haar eigen lot in handen.'

Het was fascinerend en vleiend om haar zijn verhaal en zijn personage te horen samenvatten, dacht hij. 'Ik neem aan dat dat betekent dat je het leuk vindt.'

'Ontzettend leuk, en dat komt niet alleen door de seksuele roes waarin ik nog steeds verkeer. Het is net een scenario, een heel sterk scenario. Je hebt zelfs camerahoeken en regie.'

'Daardoor kan ik beter onthouden hoe ik het voor ogen had toen ik het schreef, zelfs al veranderen er dingen aan.'

'En je voegt die kleine vierkantjes toe, net als die in de tekeningen.'

'Dat is handig voor de lay-out. Dat kan ook nog veranderen. Net zoals het verhaal een paar onvoorziene wendingen nam.'

'Je hebt Steve erin geschreven. Je hebt de Onsterfelijke toegevoegd. Hij zal helemaal, nou… gek worden als hij dat leest.'

'Ze had de brug nodig, de band tussen Cass en Brid. Een personage dat beide werelden verbindt en de twee kanten van onze heldin helpt elkaar te begrijpen.'

Net zoals Steve Cilla hielp, dacht Ford. 'Door hem toe te voegen veranderden veel van de invalshoeken en het was flink wat extra werk, maar het verhaal is er sterker van geworden. Het is iets waar ik in eerste instantie al aan had moeten denken. Hoe dan ook, het ontwikkelt zich nog steeds. Het verhaal staat en nu moet ik het navertellen in tekeningen. Soms kunnen die het verhaal nog veranderen, bij mij in elk geval wel. We zullen zien.'

'Ik vind vooral die tekening van Brid hier mooi, waarin ze bijna een fouetté uitvoert. Ik neem aan dat ze net met haar been naar een vijand wil schoppen.'

'Wat is een fouetté?'

'Een balletbeweging.' Cilla liep naar voren en tikte op de tekening die ze bedoelde. 'Dit lijkt er heel erg op, zelfs de armen hebben de juiste houding. Eigenlijk hoort de ondersteunende voet een beetje meer naar buiten gedraaid te zijn, maar…'

'Heb jij verstand van ballet? Weet jij hoe dat moet?'

'Een fouetté? Toe, zeg. Ik heb acht jaar op ballet gezeten.' Ze draaide snel een rondje. 'En op tapdansen.' En een snelle voetbeweging. 'En jazzballet.'

'Gaaf. Wacht even.' Hij opende een la en pakte een fototoestel. 'Doe dat balletding nog eens.'

'Ik ben bijna naakt.'

'Precies, en daarom ga ik deze zo snel mogelijk op internet zetten. Het gaat me alleen om dat voetengedoe waar je het over had.'

Hij had er geen flauw benul van wat een overwinning het voor haar was om de draai uit te voeren terwijl hij foto's maakte.

'Nog eentje, oké? Goed zo. Fantastisch. Dank je. Een fouetté. Ballet.' Hij legde het fototoestel weer neer. 'Die moet ik ergens een keer hebben gezien. Acht jaar? Nou, dat verklaart de hoge sprongen in *Wasteland Three*, toen je door het bos rende op de vlucht voor de gereanimeerde psychotische moordenaar.'

'Grand jetés.' Ze lachte. 'Om het zo maar te zeggen.'

'Ik dacht dat je het zou redden, want je leek wel te vliegen. Ik bedoel, je slaagde erin om helemaal terug te komen bij de hut en onderweg had je alle dodelijke vallen én de vliegende bijl vermeden, om vervolgens die deur te openen…'

'En ik erachter kwam dat de gereanimeerde psychotische moordenaar een handige kortere weg had genomen om er eerder te komen. Huilen van opluchting,' zei ze, en ze bootste de actie na. 'Schrik, gil. Hak.'

'Het was een waanzinnige gil. Voor dat soort dingen gebruiken ze toch stemdoublures?'

'Soms wel. Maar…' Ze ademde diep in en liet een bloedstollende gil horen die glas kon doen versplinteren. Ford strompelde twee grote stappen achteruit. 'Ik heb mijn eigen gil geslaakt,' maakte ze haar zin af.

'Wauw. Je hebt een goed stel longen. Zullen we naar beneden gaan om wat wijn te drinken terwijl we afwachten of mijn trommelvliezen zich zullen herstellen?'

'Graag.'

17

Ze dacht niet aan het vandalisme. Of liever, elke keer dat de gedachte aan wat er aan de overkant van de weg op haar wachtte bij haar naar binnen sloop, sloeg Cilla de deur er hard voor dicht. Het had geen nut, hield ze zichzelf voor. Ze kon niks doen omdat ze niet wist wat ze wilde.

Het kon geen kwaad om een dag overal afstand van te nemen. Een soort fantasiedag, vol seks en slaap, knus binnen terwijl de regen tegen de ramen gutste. Ze kon zich niet herinneren wanneer ze voor het laatst een dag in het gezelschap van een man had willen doorbrengen, tenzij het met haar werk te maken had.

Ze verheugde zich zelfs op het vooruitzicht van wijn en videospelletjes. Tot Ford haar voor de derde keer op rij vernietigend versloeg.

'Zij, hoe heet ze ook alweer? Halle Berry.'

'Storm,' vertelde Ford. 'Halle Berry is de actrice, en een ongelooflijk stuk. Storm is een belangrijk lid van de X-Men. En ook een ongelooflijk stuk.'

'Nou, ze stond daar alleen maar.' Cilla keek boos naar de joystick. 'Hoe moet ik nou weten waar ik op moet drukken en waar ik aan moet trekken en zo?'

'Oefening. En zoals ik al zei, je moet je team strategischer opbouwen. Jij had een verbond dat alleen uit vrouwen bestond. Je had het moeten mengen.'

'Mijn strategie was vrouwelijke solidariteit.' Onder de salontafel snoof Spock. 'Zeg jij nou maar niks,' mompelde ze. 'Trouwens, volgens mij is deze joystick kapot want ik heb een uitstekende hand-oogcoördinatie.'

'Wil je ruilen en nog een ronde spelen?'

Met samengeknepen ogen keek ze hem aan. 'Hoe vaak doe jij dit spel?'

'Af en toe. Al mijn hele leven,' voegde hij er met een grijns aan toe. 'Op dit moment ben ik ongeslagen met deze versie van Ultimate Alliance.'

'Sukkel.'

'Loser.'

Ze gaf hem haar joystick. 'Berg je speelgoed op.'

Kijk nou, dacht ze, toen hij opstond om dat inderdaad te doen. Een sexy kerel die netjes is. Een aantrekkelijke kerel die netjes en hetero is. Hoeveel zouden er daar van op de wereld zijn?

'Ik heb honger gekregen van het redden van de wereld. En jij?'

'Ik heb de wereld niet gered,' merkte ze op.

'Je hebt je best gedaan.'

'Dat klonk zelfvoldaan. Je ziet er ongelooflijk zelfvoldaan uit.'

'Dan kan ik me maar beter even wassen. Ik heb een restje spaghetti en gehaktballetjes, van Penny Sawyer.'

'Je hebt het hier goed voor elkaar, Ford. Werk dat je leuk vindt en een fantastisch huis om dat in te doen. Je belachelijk aantrekkelijke hond. Je hechte vriendenkring die teruggaat tot je kindertijd. Familie met je wie je het goed kunt vinden en die zo dichtbij woont dat je restjes meekrijgt. Dat is een prima uitgangssituatie.'

'Ik mag niet klagen. Cilla…'

'Nee, nog niet.' Ze zag het in zijn ogen, het aanbod van medeleven en steun. 'Ik ben er nog niet aan toe om daarover te denken. Spaghetti en gehaktballetjes is precies wat ik nu nodig heb.'

'Koud of opgewarmd?'

'Het moet wel heel bijzondere spaghetti en gehaktballetjes zijn om het koud te kunnen eten.'

Hij liep terug en pakte haar hand. 'Kom mee,' zei hij, en hij leidde haar naar de keuken. 'Ga zitten.' Hij pakte de kom uit de koelkast, trok de deksel eraf en pakte een vork. 'Jij krijgt jouw deel zo,' zei hij tegen Spock die danste en gromde. Hij draaide zich terug, zette de kom op de bar en wond wat pasta om een vork. 'Proef.'

Ze opende haar mond en liet zich voeren. 'O. Goed, dat is echt heerlijk. Ja, echt. Geef hier die vork.'

Lachend gaf hij hem aan haar. Nadat hij wat in Spocks bak had gedaan, vulde hij twee wijnglazen. Ze zaten aan de bar en aten de koude
pasta zo uit de kom.

'Toen ik klein was hadden we een kokkin: Annamaria uit Sicilië. Ik
zweer je dat haar pasta niet zo lekker was als deze. Wat is er?' vroeg ze
toen hij zijn hoofd schudde.

'Ik vind het gewoon raar dat ik iemand ken die kan zeggen: "Toen ik
klein was hadden we een kokkin."'

Ze grijnsde met haar mond vol pasta. 'We hadden ook een butler.'

'Ga weg!'

Ze trok haar wenkbrauwen op, hield haar hoofd schuin en spietste
een gehaktballetje aan haar vork. 'Twee dienstmeisjes, een chauffeur,
tuinman, hulptuinman, mijn moeders persoonlijke assistente, zwembadjongen. Zo is mijn moeder er eens achter gekomen dat de zwembadjongen die zij neukte, ook een van de dienstmeisjes neukte en heeft ze
hen allebei de laan uitgestuurd. Met flink wat drama. Ze moest een week
naar Palm Springs om bij te komen en daar heeft ze nummer Drie leren
kennen, ironisch genoeg bij het zwembad. Ik weet bijna zeker dat hij op
een gegeven moment ook de zwembadjongen heeft geneukt. De nieuwe
jongen die Raoul heette.'

Hij wees naar haar met zijn vork tot hij had geslikt. 'Je bent groot geworden in een soapserie uit de jaren tachtig.'

Daar dacht ze over na. 'Min of meer. Maar hoe dan ook, Annamaria
haalde het niet bij je moeder.'

'Dat zal ze leuk vinden om te horen. Maar nu even serieus. Hoe was
het om op te groeien met dienstmeisjes en butlers?'

'Druk. En het is minder leuk als wordt gedacht. Dat klinkt verwaand,'
zei ze. 'En ik vermoed dat een vrouw die hele dagen werkt, het huishou-
den moet doen en voor haar kinderen moet zorgen me er een klap voor
zal verkopen. Maar…' Ze haalde haar schouders op. 'Er is altijd iemand
in de buurt, dus echte privacy is een illusie. Je kunt niet stiekem voor
het eten een koekje uit de trommel pakken. Sterker nog, er zijn bijna
nooit koekjes, want voor de camera lijk je dikker. Als je ruzie hebt met
je moeder kan iedereen meegenieten en bovendien is de kans groot dat
de bijzonderheden op een gegeven moment in de roddelbladen zullen

komen te staan of dat een ontevreden ex-werknemer een onthullend boek zal schrijven. Al met al eet ik liever overgebleven spaghetti,' besloot ze.

'Maar als ik me goed herinner, kun je niet koken.'

'Ja, dat is een probleem.' Ze pakte haar wijn. 'Ik dacht dat Patty me misschien wat tips kon geven op dat gebied. Ik hou van hakken.' Ze bewoog haar palm een paar keer omlaag om het te demonstreren. 'Je weet wel: groenten, salades. Ik kan hartstikke goed hakken.'

'Dat is al wat.'

'Onafhankelijkheid, daar draait het om. Jij redt jezelf.'

'Dat is waar, maar ik heb het mijn hele leven zonder butler moeten doen. Ik laat wel een keer in de veertien dagen mijn huis schoonmaken en ik ken alle directe en indirecte routes naar de afhaalrestaurants. Bovendien kan ik altijd de hulp inroepen van Brian, Matt en Shanna die bereid zijn kleine huishoudelijke noodgevallen op te lossen voor bier.'

'Een handig systeem.'

'Goed gesmeerd.' Hij streek haar haren achter haar oren.

'Als en wanneer ik iets anders leer klaarmaken dan kaastosti's en soep uit blik, heb ik weer een verheven persoonlijk doel bereikt.'

'Noem eens een paar andere.'

'Verheven persoonlijke doelen? Een huis opknappen en met winst verkopen. Dat is me gelukt. Mijn eigen bedrijf hebben en zorgen dat het een echt inkomen oplevert. Om dat te bereiken moet ik eerst mijn aannemersvergunning krijgen, wat weer inhoudt dat ik mijn examen daarvoor met goed gevolg moet afleggen. Over een paar weken, om precies te zijn, als ik…'

'Moet je examen doen? Ik ben gek op examens.' Zijn ogen lichtten zowaar op. 'Heb je iemand nodig die je helpt bij het leren? En ja, ik ben de belichaming van een studiebol.'

Ze liet de vork met wat ze zwoer dat haar laatste hap pasta was halverwege haar mond hangen. 'Jij bent gek op examens?'

'Nou, ja. Er zijn vragen en antwoorden. Waar of niet waar, multiple choice of open. Wie vindt dat nou niet leuk? Ik kan examens afleggen als de beste. Het is een gave. Heb je hulp nodig?'

'Volgens mij lukt het wel. Ik zit er al een tijdje op te studeren. Ik geloof dat ik jou ben tegengekomen tijdens mijn korte, onfortuinlijke periode aan de universiteit. Jij bent degene die het gemiddelde cijfer keer op keer voor me verpestte. En daarom ben jij een van de voornaamste redenen dat ik het studeren al na een semester voor gezien hield.'

'Je had mijn soort moeten vragen om je studiemaatje te worden. Trouwens, je moet mijn soort dankbaar zijn omdat je nu precies doet wat je leuk vindt.'

'Hmm.' Opzettelijk schoof ze de kom naar hem toe, weg van zichzelf. 'Heel gladjes en slim om net te doen alsof de vroegere vernedering en mislukking tot de huidige door spaghetti en gehaktballetjes bewerkstelligde tevredenheid hebben geleid.'

'Of, om het korter te zeggen: soms gebeuren rotdingen met een reden.'

'Een mooie tekst voor een bumpersticker. Ik moet beweging hebben.' Ze drukte een hand op haar maag en gleed van de kruk. 'En ik zal mijn onafhankelijkheid en dankbaarheid voor de huidige tevredenheid tonen door de afwas te doen, waar zo te zien alles vanaf het ontbijt bij hoort.'

'We hadden het druk met andere dingen.'

'Dat is waar.'

Even genoot hij van de wijn en de aanblik die ze bood. Maar kijken alleen was niet genoeg. Hij stond op en liep naar haar toe, draaide haar zo dat ze met haar gezicht naar hem toe stond. Ze had een pollepel in haar hand en een ontspannen glimlach op haar gezicht. Hij wikkelde haar haren om zijn hand – waarop haar ogen groot werden van verbazing en de lepel op de grond kletterde – en gebruikte het als touw om haar hoofd achterover te trekken.

En hij plunderde haar mond.

Een nieuwe, wilde honger golfde door hem heen, een striem van onmiddellijke behoefte. Hij liet haar haren los om haar blouse uit te trekken. Op het moment dat zijn mond weer hard neerkwam op de hare, rukte hij haar broek over haar heupen.

Het was een tornado van hunkering en snelheid. Het leek alsof ze naakt was voor haar adem voor de eerste keer stokte. Ze werd opgetild van de grond terwijl haar hoofd tolde en haar hart een sprong maakte.

Hij liet haar op het aanrecht zakken en duwde haar benen uit elkaar.

En hij verslond haar.

Ze zwaaide met haar handen, op zoek naar houvast. Er viel iets aan diggelen; ze vroeg zich af of het haar verstand was. Zijn vingers begroeven zich in haar heupen terwijl hij in haar stootte, vol hebzucht en zinderend genot. Hunkerend naar meer, klemde ze haar benen om zijn middel.

Zijn bloed klopte onder zijn huid, duizend woeste trommelslagen. De honger die hem had besprongen, leek met zijn tanden te klapperen en te bijten, zelfs al bewoog hij in haar om die honger te bevredigen. De donkere opwinding ervan spoorde hem aan te nemen, om haar te vullen met dezelfde wilde wanhoop die in hem brandde.

Toen het tot een uitbarsting kwam, was het net alsof hij uit de duisternis het verblindende licht in schoot.

Haar hoofd viel slap op zijn schouder en ze snakte rauw en onregelmatig naar adem. Ze voelde hem trillen en ze was blij dat zij niet de enige was.

'O,' slaagde ze erin te zeggen. 'Jezus.'

'Wacht heel even. Dan zal ik je eraf helpen.'

'Neem de tijd. Ik zit hier prima. Waar ben ik?'

Zijn lach klonk gesmoord tegen de zijkant van haar hals. 'Misschien zat er iets in de spaghettisaus.'

'Dan moeten we het recept hebben.'

Wat minder wankel ging hij iets achteruit om haar goed aan te kijken. 'Nu wil ik mijn fototoestel echt hebben. Jij bent de eerste naakte vrouw die op mijn aanrecht zit. Ik ben van plan om dat in perspex te laten wikkelen. Ik wil dit moment graag vastleggen.'

'Vergeet het maar. In mijn contract staat uitdrukkelijk vermeld dat ik geen naaktscènes doe.'

'Verdomd jammer.' Hij streek haar haar naar achteren. 'Nou, je helpen met de afwas is wel het minste wat ik kan doen nadat ik "de Viking en het meisje" heb gespeeld.'

'Het allerminste. Geef me mijn blouse eens aan.'

'Zie je, ik heb je kleren geconfisqueerd. Nu moet je de afwas in je nakie doen.'

Ze hield haar hoofd schuin en trok haar wenkbrauwen op. Met een zucht pakte Ford de blouse. 'Ik kon het toch proberen.'

Hij werd wakker in het donker, in een leeg huis en een leeg bed. Versuft en verbaasd stond hij op om haar te zoeken. Een deel van zijn hersens nam zich voor om boos te worden als ze naar de overkant was gegaan zonder hem wakker te maken.

Hij zag dat zijn voordeur openstond en zag haar silhouet op een van de stoelen op zijn veranda zitten, met Spock uitgestrekt aan haar voeten. Hij rook koffie toen hij de hordeur openduwde.

Ze keek op. 'Goedemorgen.'

'Zolang het nog donker is, is het geen morgen.' Hij ging naast haar zitten. 'Geef me eens een slok.'

'Waarom ga je niet terug naar bed?'

'Geef je me een slok van je koffie of moet ik zelf een beker gaan halen?'

Ze gaf hem de hare. 'Ik moet besluiten wat ik ga doen.'

'Om…' Hij pakte haar pols, draaide hem naar boven en keek met samengeknepen ogen op haar horloge. 'Zes over vijf 's ochtends?'

'Ik heb er gisteren niks aan gedaan, er niet aan gedacht. Niet veel, althans. Ik heb mijn telefoon zelfs daar gelaten, zodat de politie me niet kon bereiken. Niemand kon me bereiken. Ik ben ervandoor gegaan en heb me verstopt.'

'Je hebt even rust genomen. Er is geen enkele reden om niet nog een paar dagen vrij te nemen voor je alles op een rijtje probeert te zetten.'

'Nou, in feite zijn er praktische redenen waarom dat niet gaat. Tenzij ik ze afbel, komen er over minder dan twee uur onderaannemers. Als ik ze een paar dagen vrij geef, verknalt dat niet alleen mijn tijdsschema, wat toch al verknald is, maar ook dat van hen en hun werknemers. En onderaannemers zijn altijd bezig met meerdere klussen tegelijk, dus ik kan bepaalde mensen meer dan een paar dagen kwijt zijn als ik ze afzeg. Als ik hier weg wil gaan, moet ik ze dat vertellen.'

'Jij hebt de omstandigheden niet geschapen en niemand zal jou er de schuld van geven.'

'Nee, dat denk ik ook niet. Maar het veroorzaakt wel een dominoeffect. Ik moet ook aan mijn budget denken, dat ook is verknald. Ik ben verzekerd, maar de verzekering heeft een eigen risico dat moet worden ingecalculeerd. Ik zit al boven mijn hoogste raming, maar dat is mijn eigen schuld. Dat komt door de veranderingen en toevoegingen die ik heb doorgevoerd.'

'Als je iets nodig…'

'Niet doen,' zei ze, omdat ze al wist wat hij wilde gaan zeggen. 'Financieel zit ik goed en als ik het in mijn eentje niet kan redden, dan is het niet anders. Als ik echt meer geld nodig heb, kan ik wat telefoontjes plegen en een paar voice-overklussen doen. Waar het op neerkomt is dat ik het huis er niet half af bij kan laten staan. Ik krijg op maat gebouwde kastjes die ik al in maart heb besteld en die onder rembours worden verzonden. De keukenapparatuur komt over een paar maanden terug. Er zijn nog meer grote en kleine details. Het moet worden afgemaakt, daar bestaat geen twijfel over. Maar de vraag is of ik wil blijven als het af is. Kan ik dat? Moet ik dat doen?'

Hij nam nog een slok van haar koffie. Zware gespreksonderwerpen, dacht hij. 'Vertel eens wat je zou gaan doen als je het iemand anders laat afmaken. Als je wegging.'

'Er zijn heel veel plekken waar ik heen kan gaan en waar ik niet dezelfde geschiedenis mee heb als met deze plek. Ik kan zo een speld in een kaart prikken en een van die plekken uitkiezen. Een paar voice-overklussen doen zodat ik meer geld heb, als dat nodig is. Een huis zoeken dat opgeknapt en doorverkocht kan worden. Ik kan een hypotheek nemen. Op aanvraagformulieren doen de regelmatige en forse honoraria voor *Our Family* het altijd heel goed. Of als ik minder stress wil, kan ik een baan bij een ploeg bouwvakkers nemen. Als ik wil, kan ik zelfs voor Steves filiaal in New York gaan werken.'

'Dan laat je je verheven persoonlijke doelen voor wat ze zijn.'

'Misschien stel ik het behalen ervan alleen uit. Het probleem is alleen…' Ze zweeg even en nam een slok van de koffie die hij aan haar had teruggegeven. 'Het probleem is alleen,' herhaalde ze, 'dat ik van dat huis hou. Ik hou van hoe het vroeger was, van hoe ik het in de oude luister kan herstellen. Ik hou van deze plek en hoe ik me hier voel. Ik hou van wat ik zie als ik uit mijn ramen kijk of naar buiten stap. En het maakt me

pisnijdig dat ik zelfs maar overweeg om dat op te geven vanwege de laagheid van een ander.'

Iets wat zich in zijn binnenste had gespannen, kwam weer tot rust. 'Ik
vind het prettiger als je pisnijdig bent.'

'Ik ook, maar het valt niet mee om dat vol te houden. Het deel van me
dat niet pisnijdig of ontmoedigd is, is bang.'

'Dat komt doordat je niet dom bent. Er is iemand die je kwaad wil be-
rokkenen. Je zult bang zijn tot je weet wie en waarom en je er een einde
aan hebt gemaakt.'

'Ik weet niet waar ik moet beginnen.'

'Denk je nog steeds dat het die oude Hennessy is?'

'Hij is de enige die ik hier in de buurt heb ontmoet die duidelijk heeft
gemaakt dat hij me haat. Als dit een scenario was, zou dat betekenen dat
hij er niet achter kan zitten omdat hij de enige is die me haat. Maar…'

'We gaan met hem praten. Alleen wij tweeën.'

'Wat moeten we dan zeggen?'

'We verzinnen wel iets, maar voornamelijk dat jij hier blijft, dat je hier
voorgoed komt wonen en dat jij noch je huis verantwoordelijk is voor
iets wat ruim dertig jaar geleden is gebeurd. Of woorden van gelijke
strekking. Ik ga ook kopieën maken van die brieven die je hebt gevonden en ze aandachtiger doorlezen, en dat moet jij ook doen. En je moet
overwegen om ze door te spelen aan de politie. Want als het Hennessy
niet is, is de kans groot dat het iemand is die in verband staat met die
brieven. Iemand die heeft gehoord dat ze nog bestaan en dat jij ze hebt.
De onthulling van Janet Hardy's geheime, getrouwde minnaar zou
groot nieuws zijn. Een sappig schandaal.'

Dat had ze ook al bedacht. Uiteraard had ze dat gedaan. Maar… 'Ze
zijn niet ondertekend.'

'Er kunnen aanwijzingen in staan over de identiteit. Misschien ook
niet, maar we hebben het over vijfendertig jaar geleden. Kun jij je nog
precies herinneren wat je vijfendertig jaar geleden allemaal hebt geschreven?'

'Ik ben pas achtentwintig, maar ik begrijp wat je bedoelt.' In de stille,
zachter wordende duisternis keek ze hem aan. 'Je hebt hier diep over nagedacht.'

'Ja. Het eerste is de rondsluiper in je schuur. Dat kan iemand zijn geweest die op zoek was naar een aandenken van Janet Hardy. Ik moet laten meewegen dat het huis jaren leeg heeft gestaan en dat ik er inderdaad af en toe mensen heb zien rondneuzen. Aan de andere kant speelt mee dat de meeste mensen niet wisten dat er binnen nog spullen lagen en de mensen die dat wel wisten, gingen er vast van uit dat het waardeloze rotzooi was, achtergelaten door huurders en niet door de vrouw zelf. Maar toen kwam jij.'

'Ik haal het van zolder, leg het zolang in de schuur en het is heel duidelijk dat ik het aan het sorteren ben en alles apart leg wat van mijn oma is geweest.'

'Iemand wordt nieuwsgierig en een beetje hebberig. Het zou kunnen. Het tweede, de aanval op Steve, zou dezelfde oorsprong kunnen hebben. Wat rondneuzen: o, jee, er komt iemand aan. Paniek. Maar dat maakt het wel veel erger dan een onschuldige, doch irritante insluiping. En ook erger dan een insluiping om een reputatie te beschermen als het inderdaad om de brieven ging. Dat maakt het geweldpleging en misschien zelfs poging tot moord.'

Ze huiverde. 'Van ontmoedigd, pisnijdig en bang, heeft bang net een grote voorsprong genomen.'

'Mooi, want dan zul je voorzichtiger zijn. Het volgende is het portier van je pick-up. Dat was heel persoonlijk en tegen jou gericht. Net als de boodschap op de stenen muur. Misschien zijn er twee afzonderlijke mensen bij betrokken.'

'O, dat helpt, zeg. Twee mensen die me haten.'

'Dat is nog een mogelijkheid. En dan als laatste hebben we de vernieling in het huis. Dat is persoonlijker, directer en er was meer lef voor nodig. Dus vandaag ga je een alarminstallatie kopen.'

'O, ja?'

De kille, bijtende klank in haar stem deed hem niks. 'Een van ons gaat dat doen. Aangezien het jouw huis is, dacht ik dat je het liever zelf zou doen. Maar als jij het niet doet, vandaag nog, doe ik het. Daartoe ben ik nu gerechtigd omdat ik je naakt op mijn aanrecht heb gehad. Het heeft geen zin om tegen me te zeuren als jij bent vergeten om de kleine lettertjes te lezen.'

Ze zweeg een poosje, vechtend tegen de aandrang om te piekeren. 'Ik was toch al van plan om dat te regelen, of ik nou blijf of wegga.'

'Goed zo. En je hebt een hekel aan ultimatums. Ik ook, maar in dit geval maak ik een uitzondering. Ik kan daar bij je slapen. Graag zelfs. Maar op een gegeven moment zullen we toch echt moeten slapen, net zoals het onvermijdelijk is dat het huis af en toe een poos onbewoond is. Jij moet veilig zijn en je ook veilig voelen. Je moet je eigendom beschermen. En Cilla, er is geen "weggaan". Je hebt al besloten om te blijven.'

Ze had echt zin om te piekeren, dacht ze, maar hij maakte het haar verdomd moeilijk om toe te geven aan dat verlangen. 'Waarom ben je zo macho en opdringerig met je ultimatums, maar zeg je niet dat ik moet vluchten en me in veiligheid moet brengen terwijl jij de draak doodt?'

'Mijn wapenuitrusting wordt gerepareerd. Of misschien vind ik de seks gewoon lekker, en vrijen wordt lastig met al dat vluchten. Of wil ik niet dat je iets opgeeft waar je van houdt.'

Ja, hij maakte het haar verdomd moeilijk. 'Toen ik hier ging zitten, hield ik mezelf voor dat het maar een huis was. Ik heb veel van mezelf in andere huizen gestopt, want dat maakt een verbouwing de moeite waard, en die heb ik weer verkocht. Het is maar een huis; hout, glas, pijpen en bedrading, op een stuk grond.'

Ze keek naar beneden toen hij zijn hand op de hare legde, toen het gebaar haar duidelijk maakte dat hij het begreep. 'Natuurlijk is dit niet zomaar een huis, niet voor mij. Ik wil het niet laten gaan, Ford. Dan zou ik het nooit meer terugkrijgen. Als ik het laat gaan, zou ik nooit terugkrijgen wat ik heb gevonden.'

Ze keerde haar hand om en verstrengelde haar vingers met de zijne. 'Bovendien vind ik de seks lekker.'

'Dat kan niet vaak genoeg gezegd worden.'

'Goed dan.' Ze haalde diep adem. 'Ik moet terug. Me voorbereiden. Beginnen.'

'Ik trek even mijn schoenen aan en dan loop ik met je mee naar huis.'

Matt stond midden in de grote badkamer met zijn handen in zijn zij en een grimmige uitdrukking op zijn gezicht. 'Het spijt me echt vreselijk, Cilla. Echt, ik begrijp niet wat mensen bezielt. Maar maak je geen zorgen, we zullen die muur weer voor je maken. En Stan kan terugkomen om de tegels te doen. Ik kan een van mijn mannen laten weghakken wat beschadigd is, maar ik kan de glasblokken beter aan Stan overlaten. Ik zal hem even bellen.'

'Dat stel ik op prijs. Ik ga nieuwe tegels en glas halen, en nog wat materiaal. Een alarminstallatie regelen.'

'Heel verstandig. Toen ik klein was, deden de mensen hier bijna nooit de deur op slot. De tijden veranderen. Dat is heel jammer als het om zoiets gaat. Je zei toch dat ze een ruit in de achterdeur kapot hebben getikt? Ik zal hem door iemand laten vervangen.'

'Ik ga een nieuwe deur bestellen, plus sloten voor die deur en de voordeur. Voorlopig hangt het triplex daar goed. Je moet die gipsplaat weghalen in plaats van die te repareren. We hebben hier meer dan genoeg.'

'Dat is waar. Als ik verder nog iets kan doen, moet je het me even laten weten, Cilla. Is de andere badkamer hierboven ook onder handen genomen?'

'Ja, die hebben ze ook goed te pakken gehad.'

'Nou, dan gaan we maar eens kijken.'

Ze stelden de schade vast en bespraken reparaties. Terwijl ze haar lijst maakte en andere delen van het project inspecteerde, uitten de mannen hun medeleven door vragen te stellen en hun woede en walging te laten blijken. Tegen de tijd dat ze wegging, tuitten haar oren ervan, maar ook van het opbeurende geluid van draaiende boren en zoemende zagen.

Het was onvermijdelijk dat ze haar vaste adviseur bij het vloerbedrijf moest uitleggen waarom ze behoorlijk wat vierkante meters tegels en voegspecie erbij moest kopen. Daardoor kostte het meer tijd, maar Cilla vermoedde dat het onvermijdelijk was. Zelfs in Los Angeles had ze betrekkingen opgebouwd met tegel-, hout- en apparatuurspecialisten. Dat hoorde bij het vak en goede betrekkingen waren de tijd die ze erin had geïnvesteerd meer dan waard.

Bij de doe-het-zelfzaak gebeurde hetzelfde toen ze er naar binnen ging om een nieuwe wastafel en de andere items van haar lijst te kopen. Terwijl ze wachtte tot de verkoper in het magazijn had gekeken, liep zij langs de kranen. Chroom, nikkel, messing, koper. Geborsteld, satijn, antiek. Met een hendel of aparte kranen voor warm en koud, of één kraan. Bijpassende handdoekrekjes, haken voor badjassen.

Alle vormen, materialen en kleuren gaven haar dezelfde roes van genot die anderen zouden krijgen als ze de glinsterende koopwaar bij Tiffany's zouden bekijken.

Koper. Misschien zou ze koper nemen voor de badkamer bij haar kantoor. Met een stenen komwastafel en...

'Cilla?'

Ze onderbrak haar visualisatie en zag Tom Morrow en Buddy door het pad lopen. 'Ik dacht al dat jij het was,' zei Tom. 'Ben je aan het kopen of aan het uitzoeken?'

'Eigenlijk allebei.'

'Ik ook. Ik ben bezig een nieuwe woning in te richten. Meestal doet mijn badkamer- en keukenontwerpster dat, maar ze is met zwangerschapsverlof. En ik vind het leuk om het af en toe zelf te doen. Je weet hoe het is.'

'Ja, dat klopt.'

'Ik heb mijn adviseur bij me,' zei hij met een knipoog. 'Buddy zorgt ervoor dat ik nergens een verkeerde maat van koop.'

'Dat is anders wel eens gebeurd,' merkte Buddy op.

'En dat laat je me nooit vergeten. Ik heb gehoord dat jullie dames het zaterdag heel gezellig hebben gehad.'

'Inderdaad.'

'Cathy zegt altijd dat winkelen haar hobby is. Ik heb golf en zij heeft het winkelcentrum en de outletwinkels.'

'Ik zie van beide het nut niet in.' Buddy schudde zijn hoofd. 'Vissen heeft tenminste nut.'

'Pardon.' De verkoper kwam aanlopen. 'We hebben alles op voorraad, mevrouw McGowan. U krijgt ons laatste exemplaar van de wastafel die aan de muur hangt.'

'Welke wastafel die aan de muur hangt?' wilde Buddy weten. 'Ik leg de afvoer aan voor een wastafel op een poot in de derde badkamer.'

'Het is een vervangend exemplaar. De wastafel die je hebt geplaatst in de logeerkamer op de eerste verdieping is beschadigd.'

Als Buddy een haan was geweest, zou zijn hanenkam hebben getrild, dacht Cilla.

'Hoe is dat in godsnaam gebeurd? Er mankeerde niks aan toen ik hem installeerde.'

Goed, dacht Cilla, daar gaan we nog een keer. 'Er is zaterdag bij me ingebroken en er zijn dingen vernield.'

'Lieve hemel! Ben je gewond geraakt?' vroeg Tom.

'Nee, ik was niet thuis. Ik was uit met je vrouw, Patty en Angie.'

'Hebben ze een wastafel kapotgemaakt?' Buddy trok zijn pet af en krabde op zijn hoofd. 'Waarom dat dan?'

'Dat zou ik niet weten. Maar beide badkamers op de eerste verdieping die we al af hadden zijn te pakken genomen. Het lijkt erop dat ze mijn voorhamer en houweel hebben gebruikt. Er is veel aan diggelen geslagen: tegels, een van de muren, de wastafel en wat glasblokken.'

'Wat afschuwelijk. Dat soort dingen gebeuren hier nooit. De politie…'

'Doet wat ze kan,' zei ze tegen Tom. 'Dat zeggen ze, althans.' Omdat ze wilde dat het nieuws bekend zou worden, vervolgde ze: 'Ik ga een alarminstallatie plaatsen.'

'Ik kan het je niet kwalijk nemen. Wat naar voor je, Cilla.'

'Ik zou niet willen dat mijn dochter in haar eentje zo achteraf woont.' Buddy haalde zijn schouders op. 'Ik zeg het maar. Vooral na wat er met Steve is gebeurd.'

'Nare dingen gebeuren overal. Ik moet mijn spullen halen en de rest van de boodschappen gaan doen. Succes met het nieuwe huis.'

'Cilla, als Cathy en ik iets kunnen doen, bel dan even. Er mogen hier dan steeds meer mensen komen wonen, dat wil niet zeggen dat we niet voor onze eigen mensen zorgen.'

'Dank je.'

Die woorden verwarmden haar en ze bleef vanbinnen een warm gevoel houden toen haar aankopen werden ingeladen en ze wegreed.

Onze eigen mensen.

18

Cilla gunde zichzelf het pleziertje om de oude, gehavende deuren met hun versleten of ontbrekende tochtstrippen te verwijderen en de nieuwe op te hangen. Ze hield de oude en zette ze in de schuur.

Je wist maar nooit wanneer je een oude deur nodig had, dacht ze.

Ze had mahonie genomen – jammer dan voor het budget – in een elegante, eenvoudige stijl. De voordeur had drie rijen van elk drie ruiten die licht zouden binnenlaten maar toch privacy zouden bieden.

Past prima, dacht ze tevreden nadat een van de werklui haar had geholpen hem op zijn plaats te hangen. Als gegoten. Ze wachtte tot ze alleen was voor ze haar handen over het hout liet glijden en kirde: 'Hallo, schoonheid. Nu ben je helemaal van mij.' Binnensmonds neuriënd ging ze aan de slag met het sluitwerk.

Ze had hetzelfde geoliede brons genomen dat ze ook op andere plekken in het huis had gebruikt en toen ze de slotenset ging installeren, concludeerde ze dat het de perfecte keus was geweest. De donkere tinten van het brons kwamen heel mooi uit tegen de subtiele roodtinten van het mahonie.

'Dat is een mooie deur.'

Ze keek achterom en zag haar vader uit zijn auto stappen. Cilla was er zo aan gewend om hem in zijn onderwijzerskleding te zien, zoals zij het in gedachten noemde, dat het even duurde voor haar hersens waren gewend aan de spijkerbroek, het T-shirt en de honkbalpet die hij op had.

'Het moet er mooi uitzien als mensen langsrijden,' riep ze terug.

'Dat is je goed gelukt.' Hij bleef even staan om naar de voortuin te kijken. Het gras was keurig gemaaid, de kale plekken waren opnieuw ingezaaid en de tere, jonge scheuten werden beschermd door een dunne laag stro. Het planten was ook begonnen, er stonden jonge azalea's en rododendrons, een groep hortensia's staken hun kopjes op en de bladeren van een ranke rode esdoorn glansden in het zonlicht.

'Er moet nog flink wat gebeuren en ik kan de bloembedden pas in het komende voorjaar aanleggen, tenzij ik erin slaag wat herfstspul te planten. Maar het begint erop te lijken.'

'Je hebt echt bergen verzet.' Hij kwam bij haar op de veranda staan, zo dichtbij dat ze een vleug aftershave rook. Irish Spring, meende ze. Hij bestudeerde de deur en het sluitwerk. 'Dat ziet er stevig uit. Daar ben ik blij om. Hoe zit het met de alarminstallatie? Geruchten doen hier snel de ronde,' voegde hij eraan toe toen ze haar wenkbrauwen optrok.

'Dat hoopte ik al. Misschien schrikt dat mensen evenzeer af als de installatie zelf. Het is gisteren geïnstalleerd.'

Ernstig keek hij haar aan met zijn hazelnootbruine ogen. 'Ik wou dat je me had gebeld over het vandalisme, Cilla.'

'Je had er toch niks aan kunnen doen. Wacht even, ik ben hier bijna mee klaar.' Ze draaide de laatste schroeven erin en legde de schroevendraaier aan de kant voor ze het resultaat bewonderde. 'Ja, dat ziet er mooi uit. Ik had bijna een massieve plaat genomen, maar ik was bang dat dat er te zwaar uit zou zien. Dit is beter.' Ze opende en sloot de deur een aantal keer. 'Goed. Het is in dezelfde stijl als de achterdeur, maar ik ga een atrium nemen voor... Sorry, dat interesseert je natuurlijk niks.'

'Jawel. Jouw bezigheden interesseren me.'

Een beetje verbaasd over de gekwetste toon in zijn stem keek ze hem onderzoekend aan. 'Ik bedoelde de details: deurknop of -hendel, glijdend, draaiend, lichtgevend. Wil je even binnenkomen?' Ze opende de deur opnieuw. 'Het is er lawaaiig maar wel koeler.'

'Cilla, wat kan ik doen?'

'Ik... Hoor eens, het spijt me.' Jezus, ze was echt heel slecht in dit vader-dochtergedoe. Hoe kon het ook anders? 'Ik wilde niet suggereren dat het je niks kan schelen wat ik doe.'

'Cilla.' Gavin sloot de deur weer om het lawaai van binnen te dempen. 'Wat kan ik doen om je te helpen?'

Ze voelde zich schuldig en raakte een beetje in paniek toen haar hoofd leeg werd. 'Waarmee wil je me helpen?'

Met een zucht stak hij zijn handen in zijn zakken. 'Ik ben geen klusser, maar ik kan wel een spijker inslaan of een schroef indraaien. Ik kan dingen halen en brengen. Ik kan ijsthee zetten of broodjes halen. Ik kan vegen.'

'Wil je… helpen met het huis?'

'Het is zomervakantie en ik hoef geen zomercursussen te geven. Ik heb tijd om te helpen en ik wil het graag.'

'Maar… Waarom?'

'Ik weet dat je genoeg mensen om je heen hebt, mensen die weten waar ze mee bezig zijn, die je betaalt om te helpen. Maar ik heb nog nooit iets voor je gedaan. Ik heb alimentatie voor je gestuurd. Dat was ik wettelijk verplicht. Al hoop ik dat je weet, of wilt geloven, dat ik het anders ook had betaald. Ik heb je niet leren fietsen of autorijden. Ik heb nooit speelgoed voor je in elkaar gezet op kerstavond of voor je verjaardag. Althans, de paar keer dat ik dat heb gedaan was je nog zo klein dat je het niet meer weet. Ik heb je nooit geholpen met je huiswerk of wakker gelegen in bed tot je thuiskwam van een afspraakje zodat ik kon gaan slapen. Die dingen en honderden andere heb ik nooit voor je gedaan. Om die reden wil ik nu graag iets voor je doen. Iets tastbaars. Als je me toestaat.'

Haar hart fladderde, een rare mengeling van vreugde en verdriet. Het leek van het grootste belang dat ze iets bedacht, dat ze het goede zei, en ze dacht koortsachtig na. 'Eh. Heb je wel eens geverfd?'

Ze zag de spanning op zijn gezicht veranderen in een opgetogen glimlach. 'Sterker nog, dat kan ik heel goed. Wil je referenties?'

Ze glimlachte terug. 'Ik zal je een stukje laten proefschilderen. Kom maar mee.'

Ze ging hem voor naar binnen, naar de woonkamer. Het schilderen van dit vertrek had ze later willen doen, maar er was geen reden waarom het nu niet kon. 'Het pleisterwerk is klaar en ik heb de sierlijsten weggehaald. Dat moest wel. Sommige stukken moesten worden afgekrabd, en dat is gebeurd. Ik ben nog bezig alle beschadigde delen na te maken en te vervangen en daarna ga ik verven en lakken. Maar goed, je hoeft dus niks af te plakken rond de lijsten. O, en maak je ook geen zorgen over de stenen bij de open haard. Daar komt graniet overheen. Of marmer. Op dit moment wordt hier niet gewerkt, dus je loopt niemand in de weg en niemand loopt jou in de weg. We leggen lakens op de grond en over de materialen die hier liggen.'

Ze zette haar handen in haar zij. 'Daar staan een trapje, verfbakken, rollers en kwasten. Grondverf zit in die vijfendertig liter-blikken en het staat er ook op. De bussen gewone verf zijn gemerkt met WK voor woonkamer. Bij Duron hadden ze uitverkoop dus die heb ik van tevoren gekocht. Maar je komt toch niet verder dan de grondverf.'

Ze liep haar mentale checklist na. 'Goed... Moet ik je helpen om alles klaar te zetten?'

'Het lukt me wel.'

'Oké. Hoor eens, het is een grote klus, dus als je er genoeg van hebt, moet je ermee ophouden. Ik ga verder met de achterdeur voor het geval je nog iets nodig hebt.'

'Ga je gang. Ik red me wel.'

'Goed. Eh... Ik kom wel even kijken als ik klaar ben met de keuken-deur.'

Ze onderbrak het vervangen van de deur twee keer, een keer alleen omdat het leuk was om de net voltooide buitentrap op en af te lopen. Die moest nog worden gebeitst en gelakt, en voor de deuropening die was uitgesneden in de muur van wat haar kantoor zou worden zat voor-lopig triplex, tot ze díé deur had opgehangen. Maar ze vond de trap zelf zo fantastisch dat ze op weg naar beneden een geïmproviseerde dans-nummer uitvoerde terwijl de werkploeg applaudisseerde en floot.

Drie uur lang vergat ze haar vader en het schilderen. Met een steek van schuld en bezorgdheid haastte zich de woonkamer in, in de ver-wachting de rotzooi van een amateurklusser aan te treffen. In plaats daarvan zag ze een geroutineerd afgedekt gebied en een plafond en twee muren die in de grondverf waren gezet.

En haar vader stond vrolijk fluitend de volgende muur te gronden.

'Je bent aangenomen,' zei ze achter hem.

Hij liet de roller zakken en draaide zich grinnikend om. 'Je mag me betalen met limonade.' Hij tilde een hoog glas op. 'Ik heb wat uit je keu-ken gehaald. En ik zag je nummer.'

'Pardon?'

'Je Ginger Rogers-nummer op de trap. Buiten. Je zag er dolgelukkig uit.'

'Dat ben ik ook. De hellingshoek, de overloop, de zigzag. Een staaltje bouwtechniek van Cilla McGowan en Matt Brewster.'

'Ik was vergeten dat je zo kon dansen. Ik heb je niet meer zien dansen sinds... Je was nog een tiener toen ik naar je uitvoering in Washington ben gegaan. Ik herinner me dat ik voor aanvang van de voorstelling backstage was. Je zag zo wit als een doek.'

'Plankenkoorts. Nee, je hebt optreden en een beetje aanrommelen. Dat was aanrommelen. Maar jij rommelt hier bepaald niet aan. Dit ziet er echt heel netjes uit. En jij?' Ze liep dichter naar hem toe om hem te inspecteren en ze mocht een boon wezen als hij niet nog steeds naar zeep rook. 'Je hebt nauwelijks een druppeltje verf op je kleren.'

'Jarenlange ervaring, door het verven van decors op school en Patty's gewoonte om de boel opnieuw in te richten. Het ziet er hier heel anders uit,' voegde hij eraan toe. 'De bredere deuropening daar verandert de vorm van de kamer, maakt het veel opener.'

'Te anders?'

'Nee, liefje. Huizen horen te veranderen, ze horen de smaak van de mensen die er wonen weer te geven. En volgens mij begrijp jij precies wat ik bedoel als ik zeg dat ze nog hier is. Janet is nog altijd hier.' Hij raakte haar schouder aan en hij liet zijn hand erop liggen zodat ze verbonden waren. 'Net als mijn grootouders en mijn vader. Zelfs ik, een beetje. Wat ik hier zie is een wedergeboorte.'

'Wil je zien waar die trap heen gaat? Mijn zolderkamer?'

'Graag.'

Ze vond het enig om hem een rondleiding te geven, om zijn belangstelling voor haar ontwerpen en haar plannen voor het kantoor te zien. Het verbaasde haar dat zijn goedkeuring haar zo blij maakte. Op een bepaalde manier was het heel bevredigend om te pronken bij iemand die graag onder de indruk wilde zijn.

'Dus je blijft aan huizen werken?' zei hij toen ze de zoldertrap af liepen die nog niet af was.

'Dat is het plan. Huizen voor mezelf opknappen om door te verkopen, of voor klanten. Renoveren. Misschien hier en daar wat adviseren.

Het hangt er vanaf of ik mijn aannemersvergunning krijg. Zonder kan ik veel doen, maar mét kan ik veel meer doen.'

'Wat moet je doen om zo'n vergunning te halen?'

'Ik leg morgen het examen af.' Ze stak allebei haar handen omhoog en duimde even.

'Morgen? Waarom zit je dan niet te blokken? vraagt de leraar.'

'Geloof me, dat ik heb ik al gedaan. Ik heb me suf geblokt en het online-proefexamen afgelegd. Twee keer.' Ze bleef staan bij de gastenbadkamer. 'Deze kamer is klaar, voor de tweede keer.'

'Was deze vernield?'

'Ja. Al zou je het nu niet meer zeggen,' zei ze. Ze hurkte neer en liet haar vingers over de net gelegde tegels gaan. 'En dat is wat telt, denk ik.'

'Wat telt is dat jij ongedeerd was. Als ik eraan denk wat Steve is overkomen…'

'Het gaat prima met hem. Ik heb hem gisteren gesproken. De fysiotherapie gaat goed, al kan dat gedeeltelijk komen omdat zijn therapeute een stuk is. Denk jij dat Hennessy het kan hebben gedaan?' vroeg ze in een opwelling. 'Is hij daartoe in staat, qua karakter?'

'Ik zou graag denken van niet, wat betreft zijn karakter. Maar hij is altijd haat blijven koesteren.' Na een stilte slaakte Gavin een zucht. 'Ik moet zeggen dat zijn haat nu groter is dan toen het net was gebeurd. Maar fysiek? Ach, hij is een ouwe taaie.'

'Ik wil hem spreken, kijken hoe hij is. Ik weet alleen nog niet hoe ik dat ga aanpakken. Maar als hij het heeft gedaan, maakt dat hem misschien nog bozer. Ik heb nu bijna veertien dagen geen problemen gehad en dat wil ik graag zou houden.'

'Hij is een paar dagen de stad uit. Zijn vrouw en hij zijn op bezoek bij haar zus. Ik geloof dat die in Vermont woont. De zoon van mijn buren maait zijn gras,' legde Gavin uit.

Handig, dacht ze toen haar vader verder ging met schilderen.

En omdat de woonkamer werd geverfd, nam ze haar gereedschap mee naar buiten en ging ze aan de lijsten werken.

's Morgens besloot Cilla dat het dom en kortzichtig van haar was geweest om Ford de avond ervoor uit haar huis te verbannen. Ze had geen afleiding gewild terwijl ze haar examenbundel nog een keer doorliep en ze was van plan om vroeg naar bed te gaan en acht uur slaap te krijgen.

In plaats daarvan had ze zich druk gemaakt om het examen, door het huis geijsbeerd en was ze aan zichzelf gaan twijfelen. Toen ze eindelijk in slaap was gevallen, had ze liggen woelen vanwege de angstdromen.

Als gevolg daarvan werd ze gespannen en half misselijk van de zenuwen wakker. Ze dwong zichzelf om een halve bagel te eten en wenste daarna dat ze dat niet had gedaan omdat zelfs dat onplezierig in haar maag draaide.

Ze controleerde de inhoud van haar tas drie keer om er absoluut zeker van te zijn dat ze alles bij zich had wat ze nodig zou kunnen hebben en daarna ging ze een half uur te vroeg van huis, voor het geval ze in een verkeersopstopping terechtkwam of zou verdwalen. Of geen parkeerplaats kon vinden, voegde ze eraan toe toen ze de deur op slot deed. Of werd ontvoerd door buitenaardse wezens.

'Hou op, hou op,' mompelde ze terwijl ze naar haar pick-up liep. Het was niet zo dat het lot van de wereld afhing van haar examencijfer.

Alleen dat van haar, dacht ze. Haar hele toekomst.

Ze kon wachten. Ze kon het examen een andere keer doen, het een poosje uitstellen. Als ze klaar was met het huis. Als ze er echt woonde. Nadat...

Plankenkoorts, dacht ze zuchtend. Angst om op te treden en faalangst samengedraaid tot één glibberig koord. Met haar maag in de knoop opende ze het portier van de auto.

Ze maakte een geluid dat gedeeltelijk een lach was en gedeeltelijk 'aaah'.

De schets lag op de bank, waar Ford hem vermoedelijk de avond ervoor had neergelegd.

Ze stond in haar werkschoenen met een gereedschapsriem als een holster om haar heupen. In haar ene hand hield ze een spijkerpistool en in de andere een meetlint, alsof ze die uit de holster had getrokken. Om haar heen lagen bergen hout, rollen staaldraad en stapels bakstenen. Aan een koord om haar hals bungelde een veiligheidsbril en uit de zak van haar werkbroek piepten werkhandschoenen. Op haar gezicht lag een vastberaden, bijna arrogante uitdrukking.

Het onderschrift luidde:

HET VERBAZINGWEKKENDE EN ONGELOOFLIJKE
AANNEMERMEISJE

'Jij laat ook geen gelegenheid onbenut, hè?' vroeg ze hardop.

Ze keek naar de overkant van de straat, blies een kushandje naar de plek waar ze dacht dat hij sliep. Toen ze in de auto stapte en de motor aanzette, waren alle knopen ontward.

Met de tekening op de plek naast zich, zette Cilla muziek aan en reed zingend naar haar toekomst.

Ford ging op zijn veranda aan de voorkant zitten met zijn laptop en schetsboek, een kan ijsthee en een zak Dorito's voor hem en Spock. Hij had geen idee hoe laat Cilla terug zou komen. De rit van en naar Richmond was vreselijk, zelfs buiten de spits. Bovendien wist hij niet hoe lang het examen zou duren of wat ze erna ging doen om zich wat te ontspannen.

Dus rond twee uur 's middags installeerde hij zich op een plek waar hij haar thuiskomst niet kon missen en zorgde dat hij bezig bleef. Hij verstuurde en beantwoordde mailtjes en nam een kijkje op zijn vaste blogs en message boards. Ook werkte hij zijn eigen website een beetje bij.

Hij had zijn internetcommunity de afgelopen veertien dagen verwaarloosd omdat hij het veel te druk had gehad met een zekere slanke blondine. Voor hij het wist waren er twee uur voorbij en merkte hij dat in elk geval een aantal werklui aan de overkant het voor die dag voor gezien hield.

Matt reed de oprit af, zwenkte naar Fords kant van de weg en leunde uit het raampje. 'Bekijk je pornosites?'

'Altijd. Hoe gaat het daar?'

'Best goed. We hebben vandaag de zolder geïsoleerd. Afschuwelijk karwei. Ja, hoi, Spock, hoe gaat-ie?' voegde hij eraan toe toen de hond één diepe 'en ik dan?'-blaf liet horen. 'Ik ga naar huis om een duik in een koud biertje te nemen. Kom je op de vierde nog hamburgers en hotdogs eten?'

'Dat wil ik niet missen. Ik neem je baas mee.'

'Ik dacht al dat jullie iets hadden. Goed gedaan. Je bent een echte reu. Nee, jij niet,' zei hij, wijzend op Spock. 'Ik begrijp niet wat ze in je ziet, maar ze moest natuurlijk genoegen nemen met de tweede keus toen ze hoorde dat ik al getrouwd was.'

'Ja, daar kwam het door. Ze moest haar seksuele frustratie ergens op uitleven.'

'Je kunt me een andere keer wel bedanken.' Met een grijns en een druk op de claxon reed Matt weg.

Ford schonk nog een glas thee in en verruilde zijn laptop voor zijn schetsboek. Hij was nog niet tevreden met zijn tekening van de slechterik. Hij had Devin/Devino voor het grootste deel op zijn wiskundeleraar uit de vierde gebaseerd, maar door de veranderingen in zijn oorspronkelijke verhaal was hij nu meer op zoek naar iets… eleganters. Hij had meer een kille, waardige verdorvenheid nodig. Hij speelde wat met verscheidene soorten gezichten in de hoop dat er een uit zou springen en zou zeggen: neem mij!

Toen dat niet gebeurde, overwoog hij een koud biertje te pakken. Om zijn werk en het bier prompt te vergeten toen Cilla's pick-up zijn oprit op reed.

Nog voor ze uitstapte, wist hij het al. Het maakte niet uit dat haar ogen schuilgingen achter een zonnebril. Haar grijns sprak boekdelen. Hij liep naar haar toe, een paar passen achter de blije Spock terwijl zij uitstapte, en zette zich schrap toen ze naar hem toe rende en in zijn armen vloog.

'Eens raden: je bent geslaagd.'

'Met vlag en wimpel.' Ze lachte en boog zich roekeloos achterover zodat hij haar gewicht moest verschuiven en zijn benen schrap moest zetten om haar niet op haar hoofd te laten vallen. 'Voor het eerst van mijn leven heb ik laten zien wat ik in mijn mars heb. Zo overtuigend dat ze het tot kilometers verderop konden voelen. Jippie!'

Ze stak haar armen in de lucht en sloeg ze daarna om zijn hals. 'Ik ben aannemermeisje! Dank je.' Ze zoende hem hard genoeg om zijn tanden te laten trillen. 'Dank je. Dank je. Ik was op van de zenuwen tot ik die tekening zag. Dat gaf me een enorme oppepper. Echt waar.' Ze zoende hem nog een keer. 'Ik ga hem laten inlijsten. Dat is het eerste wat ik in mijn kantoor ga ophangen. In het kantoor van een beëdigd aannemer.'

'Gefeliciteerd.' Hij dacht dat hij had geweten hoeveel die vergunning voor haar betekende, maar ontdekte nu dat hij het vreselijk had onderschat. 'Dat moeten we vieren.'

'Dat heb ik al geregeld. Ik heb spullen gekocht.' Ze sprong omlaag en nam de opgetogen Spock in haar armen en bedolf zijn grote kop onder de kusjes. Ze zette hem weer neer en rende terug naar haar auto. 'Stokbrood, kaviaar, gegrilde kip met toebehoren, spullen, spullen, spullen, plus kleine aardbeiencakejes en champagne. Allemaal gekoeld.'

Ze begon een koelbox uit de auto te trekken tot hij haar opzij duwde.

'Jezus, het verkeer was een ramp. Ik dacht dat ik hier nooit zou komen. Laten we picknicken. Laten we achter picknicken om het te vieren en naakt op het gras dansen.'

De spullen die ze had gekocht wogen minstens twintig kilo, dacht hij, maar door de manier waarop ze straalde leek het gewichtloos. 'Het lijkt wel of je mijn gedachten hebt gelezen.'

Hij scharrelde een deken op en stak drie bamboefakkels aan om de sfeer te verhogen en insecten af te weren. Tegen de tijd dat Cilla het feestmaal had uitgesteld, stond de halve deken vol.

Spock en zijn beer stelden zich tevreden met een morsige handdoek en een bak hondenvoer.

'Kaviaar, geitenkaas en champagne.' Ford ging op de deken zitten. 'Als ik picknick heb ik meestal een emmer gefrituurde kip, een bak aardappelsalade en bier.'

'Tja, ik kom nu eenmaal uit Hollywood.' Ze begon een selectie op een bord te leggen.

'Wat is dat?'

'Een blini, voor de kaviaar. Een toefje crème fraîche, een laagje beloega, en… Heb je dit nog nooit gegeten?' vroeg ze bij het zien van zijn gezichtsuitdrukking.

'Nee.'

'En je bent er bang voor.'

'Bang is een groot woord. Ik ben bezorgd. Komt kaviaar niet van…'

'Niet over nadenken, gewoon eten.' Ze hield de dik belegde blini voor zijn lippen. 'Doe je mond open, lafaard.'

Hij kromp een beetje ineen, maar nam een hap. De combinatie van smaken, ziltig, glad, mild zoet, raakte zijn smaakpapillen. 'Goed, het is lekkerder dan ik had gedacht. Waar is de jouwe?'

Lachend maakte ze er nog een klaar.

'Hoe ga je het opzetten?' vroeg hij onder het eten. 'Je bedrijf, bedoel ik.'

'Hmm.' Ze spoelde de kaviaar weg met champagne. 'De Little Farm is een springplank. Dat trekt de aandacht alleen om wat het is. Hoe mooier het wordt, hoe groter de kans dat de mensen zien dat ik weet wat ik doe. En de onderaannemers die ik heb aangenomen praten erover en over mij. Ik zal het van mond-tot-mondreclame moeten hebben. Ik zal moeten adverteren om mensen te laten weten dat ik een bedrijf heb. Mijn connecties gebruiken. Brians vader via Brian, bijvoorbeeld. Verdorie, die kip is heerlijk. Binnen een straal van vijftien kilometer staan twee huizen te koop. Behoorlijk verwaarloosde panden die ik nogal duur vind gezien de omgeving en de staat waarin ze verkeren. Ik hou ze in de gaten. Misschien doe ik een te laag bod om te kijken wat daar uitkomt.'

'Nog voor je hier klaar bent?'

'Ja. Kijk, zelfs als de koper en ik het direct eens worden, duurt het dertig tot negentig dagen voor de overdracht plaatsvindt. Ik zal aandringen op negentig dagen. Dan is het herfst voor ik met geld over de brug moet komen. En tegen die tijd ben ik zeven, acht maanden bezig met de Little Farm. Ik doe de twee klussen tegelijk, zorg dat de onderaannemers dat ook doen en stel een praktisch tijdschema en budget op. We verbouwen het huis in, laten we zeggen, twaalf weken, dan kunnen we de prijs realistisch houden.'

Ze belegde voor hen allebei nog een blini. 'De opbrengst van een verbouwing kan even snel kelderen door hebzucht of het niet kennen van de huizenmarkt als door er te laat achter te komen dat er barsten in de fundering zitten of het huis langzaam verzakt.'

'Hoeveel hoop je eraan te verdienen?'

'Aan het huis waar ik mijn oog op heb laten vallen? Met de prijs die ik ervoor op tafel wil leggen, het budget dat ik in gedachten heb en de verwachte verkoopprijs in de huidige markt?' Ze nam een hap van de blini terwijl ze het uitrekende. 'Na aftrek van de onkosten verwacht ik ongeveer veertigduizend.'

Zijn wenkbrauwen schoten omhoog. 'Veertigduizend in drie maanden?'

'Ik hoop op vijfenveertigduizend, maar met vijfendertig ben ik ook tevreden.'

'Niet verkeerd.' Wat de kip betreft had ze ook gelijk. 'Stel je voor dat ik het andere koop? En jou inhuur?'

'Godsamme, Ford. Je hebt het nog niet eens gezien.'

'Nee, maar jij wel. En je hebt er verstand van, niet alleen van huizen maar ook van picknicks. Ik kan wel een investering gebruiken en dit is nog leuk ook. Bovendien kan ik je eerste klant worden.'

'Je moet het huis op zijn minst eerst bekijken, uitrekenen hoeveel je wilt investeren, hoe lang je dat geld kunt missen.' Ze hief haar champagneglas waarschuwend op. 'En hoeveel je je kunt veroorloven om te verliezen want de onroerendgoedmarkt en huizen verbouwen vormen een risico.'

'Dat doet de aandelenmarkt ook. Kun je beide huizen tegelijk aan?'

Ze nam een slok. 'Ja, dat wel, maar…'

'We proberen het gewoon. Regel een tijd dat je het met me kunt doornemen, dan zullen we het hebben over de mogelijkheden, jouw vergoeding en andere praktische zaken.'

'Goed. Goed. Maar even goede vrienden als we het huis hebben gezien en we de ramingen hebben gemaakt en je vertelt me dan dat je liever een handvol loterijloten koopt. Is dat afgesproken?'

'Ja, afgesproken. Goed, nu het zakelijke deel van de avond achter de rug is.' Hij boog zich naar haar toe om haar te zoenen. 'Heb je al plannen voor de vierde?'

'De vierde wat? Blini?'

'Nee, Cilla. Voor 4 juli. Je weet wel, hotdogs, appeltaart, vuurwerk, feest.'

'O. Nee.' Verdraaid, het is was al bijna juli, dacht ze. 'Waar gaan mensen hier uit de buurt naar vuurwerk kijken?'

'Je kunt kiezen uit een paar plekken. Maar we wonen in de fantastische staat Virginia waar we ons eigen vuurwerk afsteken.'

'Ja, ik heb de borden gezien. Jullie zijn knettergek.'

'Hoe dan ook, Matt organiseert een barbecue. Van zijn huis is het maar een korte wandeling naar het park waar de fanfare marsen van Sousa speelt. Ook is er de wereldberoemde wedstrijd taart eten die al vier jaar achtereen is gewonnen door Big John Porter en er zijn verschillende andere typisch Amerikaanse gebruiken voor de vuurwerkvoorstelling. Wil je mijn date zijn?'

'Ja, graag.' Ze boog zich over de restanten van de picknick heen en sloeg haar armen om zijn hals. 'Zeg, Ford?'

'Ja.'

'Als ik nog ergens een hap van neem, word ik misselijk. Dus…' Ze sprong op en greep zijn handen beet. 'We gaan dansen.'

'Ja, nu we het daar toch over hebben. Eigenlijk was ik van plan om hier als een losbandige Romeinse soldaat te liggen en jou te zien dansen.'

'Vergeet het maar. Sta op, sta op!'

'Er is maar één probleem: ik doe niet aan dansen.'

'Iedereen danst. Zelfs Spock.'

'Niet echt. Ja, goed, hij danst,' gaf Ford toe toen Spock opstond om het te demonstreren. 'Maar ik niet. Heb je wel eens naar *Seinfeld* gekeken? De tv-serie?'

'Ja, natuurlijk.'

'Ken je die aflevering waarin Elaine op dat feest van kantoor is en om mensen op de dansvloer te krijgen, begint ze zelf als eerste?'

'O, ja.' Ze zag de scène direct voor zich en lachte. 'Dat was heel erg.'

'Vergeleken bij mij lijkt Elaine op Jennifer Lopez.'

'Zo slecht kun je niet zijn. Daar geloof ik niks van. Kom op, laat het me eens zien.'

Er lag een oprecht gepijnigde blik in zijn met goud omrande ogen. 'Als ik het je laat zien, wil je nooit meer met me naar bed.'

'Onzin. Laat eens zien wat je kunt, Sawyer.'

'Op dit gebied kan ik niks.' Toch stond hij met een diepe zucht op.

'Gewoon een beetje swingen,' suggereerde ze. Ze bewoog haar heupen, haar schouders en haar voeten. Voor Ford was het duidelijk dat ze een goed geoliede inwendige machine had die de maat aangaf. Met de beer tussen zijn twee voorpoten geklemd gorgelde Spock goedkeurend.

'Je hebt erom gevraagd,' mompelde hij.

Hij bewoog en durfde te zweren dat hij de roestige versnellingen met ongelijke tandwielen hoorde knarsen en piepen. Hij zag eruit als de Tinnen Man uit Oz voor de oliespuit eraan te pas was gekomen.

'Nou, dat valt toch best… Nee, je hebt gelijk, je bent hopeloos.' Ze deed haar best om een spottend lachje te onderdrukken, maar slaagde daar niet helemaal in. Bij het zien van de kwade blik die hij haar toewierp, stak ze haar handen op en liep snel naar hem toe. 'Wacht, wacht. Sorry. Ik kan het je leren.'

Ditmaal snoof Spock.

'Dat hebben anderen ook geprobeerd, maar iedereen heeft gefaald. Ik heb geen gevoel voor ritme. Ik ben ritmisch gehandicapt. Ik heb geleerd om ermee te leven.'

'Onzin. Voor iemand met jouw horizontale bewegingen, moeten de verticale geen probleem zijn. Zo.' Ze pakte zijn handen en legde ze op haar heupen, waarna ze de hare op die van hem legde. 'Hier begint het. Het is niet geordend, zoals een wals of een quickstep. Het zijn gewoon bewegingen. Vanuit de heupen. Nee, wel je knieën buigen, het is ook geen paradepas. Heel goed. Voel mijn schouders maar, die gaan gewoon een beetje op en neer. Kom, voel die beweging en laat hem door je armen naar jouw schouders gaan. Alleen maar op en neer. Niet stijf worden, hou je knieën los. Precies, heel goed. Nu ben je aan het dansen.'

'Dit noem ik geen dansen.'

'Wel waar.' Ze legde haar handen op zijn schouders en liet ze vervolgens over zijn armen glijden tot ze elkaars handen vasthielden. 'En nu dans je met mij.'

'Ik sta heel stom op een plek.'

'De voeten komen wel. We beginnen langzaam en soepel. Het zou zelfs opwindend zijn als je niet zo gepijnigd zou kijken. Niet ophouden!'

Ze maakte een snelle binnenwaartse draai zodat ze met haar rug tegen hem aan stond en hief een arm op om zijn wang te strelen.

'O, nou, als dit dansen is.'

Lachend draaide ze weer terug waardoor ze weer met hun gezicht naar elkaar toe stonden. 'Wieg heen en weer. Een beetje meer.' Ze sloeg haar armen om zijn hals en bracht haar lippen tot vlak voor de zijne. 'Dit is fijn.'

Hij overbrugde de afstand en gleed langzaam in de zoen terwijl zijn handen omlaag naar haar heupen bewogen.

'Ik vind dat het net dansen is,' fluisterde ze.

Hij kwam weer bij en zag dat hij met zijn gezicht naar de andere kant stond, en op ongeveer een meter afstand van de plek waar ze waren begonnen. 'Hoe is dat gebeurd?'

'Dat heb je zelf gedaan. Je dacht er niet meer bij na.'

'Dus ik kan dansen zolang het maar met jou is?'

'O, nog iets.' Ze danste met provocerende heupbewegingen bij hem vandaan en begon haar blouse los te knopen.

'Woe-hoe.'

'Ik vind dat de viering vraagt om naaktdansen.'

Hij keek snel in de richting van zijn naaste buren. De schemering was gevallen, maar de fakkels gaven voldoende licht. Hij keek naar zijn hond die zijn kop schuin hield en duidelijk gebiologeerd toekeek.

'Misschien moeten we dat binnen doen.'

Ze schudde haar hoofd en liet haar blouse met een schouderbeweging omlaag glijden. 'Op het gras.'

'Eh… maar mevrouw Berkowitz dan…'

'Die hoort haar buurman niet te bespioneren, zelfs niet als ze door die dikke zwarte notenboom heen kan kijken.' Cilla maakte haar broek los, schopte haar schoenen uit die Spock ophaalde en bezitterig naar zijn gerafelde handdoek droeg. 'En als we naakt zijn uitgedanst, dan is er nog iets wat ik ga doen op het gras.'

'Wat dan?'

'Je nemen zoals je nog nooit genomen bent.' Ze stapte uit haar broek, bleef wiegen en draaien terwijl ze haar handen over haar lichaam liet gaan, dat nog amper werd bedekt door twee piepkleine witte stukjes stof.

Ford vergat de honden, de schoenen en de buren. Hij keek toe en al het bloed trok weg uit zijn hoofd toen ze de voorsluiting met één beweging losmaakte en haar cups centimeter voor verrukkelijke centimeter van elkaar trok. Door het fakkellicht baadde haar huid in een gouden gloed en het danste in haar ogen als de zon op een zuiver blauwe zee.

Toen de beha naar de grond dwarrelde, liet ze een vingertop vlak onder de lage rand van haar slipje glijden. 'Jij hebt al je kleren nog aan. Wil je niet met me dansen?'

'O, jawel. Zeker. Mag ik eerst iets zeggen?'

Met een glimlach liet ze haar vingers over haar borsten gaan. 'Ga je gang.'

'Eigenlijk zijn het twee dingen. O, verdomme,' zei hij steunend toen ze haar haren optilde en over haar glanzende schouders liet vallen. 'Je bent het mooiste wat ik ooit heb gezien. En op dit moment ben ik de gelukkigste man ter wereld.'

'Je staat op het punt om nog gelukkiger te worden.' Ze gooide haar haren naar achteren en liep op hem af. Ze drukte haar naakte lijf tegen hem aan. 'En dans nu met me.'

19

Op de ochtend van 4 juli rolde Ford uit Cilla's bed. Het verbaasde hem niets dat zij al op was, ook al was het een feestdag. Als Amerikaan beschouwde hij het als zijn plicht om uit te slapen, maar blijkbaar had zij niet zijn sterke gevoel voor patriotisme. Op de tast zocht hij zich een weg naar beneden en volgde het inmiddels bekende geluid van *woesj-bang* naar de woonkamer.

Ze stond op een ladder en schoot spijkers in de raamlijsten.

'Je bent aan het werk.' Het was een beschuldiging.

Ze keek om. 'Eventjes maar. Ik wilde weten hoe de lijsten bij de verf staan aangezien mijn vader al klaar is. Ik kan nog steeds niet geloven dat hij dit allemaal heeft geschilderd, en zo netjes. Als hij niet al een baan had, zou ik hem er zo een geven.'

'Is er koffie?'

'Ja zeker. Spock is in de achtertuin. Hij is bang voor het spijkerpistool.'

'Momentje.'

Achter zich hoorde hij meer *woesj-bangs* toen hij zich naar de keuken sleepte. Het koffiezetapparaat stond op een klein stukje van het aanrecht dat nog niet uit elkaar was gehaald. Zijn ogen afschermend tegen het zonlicht dat door de ramen naar binnen scheen, vond hij een beker en schonk hem vol. Na een paar slokken, leek het licht aangenamer en minder een buitenaards wapen dat bedoeld was om de volledige mensheid te verblinden.

Hij bleef staan waar hij stond en dronk de beker half leeg. Nadat hij hem weer had volgeschonken, voelde hij zich bijna wakker. Met de beker liep hij terug naar de woonkamer en keek een paar minuten naar haar terwijl ze werkte en de cafeïne zijn magische werk deed.

Nu stond ze op de grond om de schuine kanten van de onderrand tegen de zijkanten die ze al had vastgespijkerd te bevestigen. In een tijd die hij toverachtig snel vond, zat de donkere, brede lijst om het raam.

Ze legde het pistool neer en deed een paar passen achteruit. Hij hoorde haar fluisteren: 'Ja, precies.'

'Het ziet er mooi uit. Wat heb je gedaan met wat er eerst op zat?'

'Dit is wat er eerst opzat, althans, het meeste ervan. Ik heb een bijpassende vensterbank moeten maken, want de oude was beschadigd.'

'Ik dacht dat het wit was.'

'Omdat een of andere sukkel dit prachtige mahoniehout wit heeft geschilderd. Dat heb ik eraf gehaald. Wat schuren, beitsen en een paar lagen vernis en het verkeert weer in zijn oorspronkelijke staat.'

'Ah. Nou, het ziet er mooi uit. Tot nu toe begreep ik niet zo goed waarom je die kleur verf had genomen. Ik vond het een beetje saai. Maar het wordt warmer door het hout. Net een, eh… bos in de mist.'

'Het heet Shenandoah. Dat leek me heel toepasselijk. Als je in deze kamer naar buiten kijkt, zie je de bergen, de lucht en de bomen. Heel toepasselijk.' Ze liep terug en pakte het volgende stuk lijst.

'Je bent nog steeds aan het werk.'

'We hoeven pas weg over…' Ze keek op haar horloge en rekende het uit. '… anderhalf uur. Ik kan nog wel wat lijsten vastmaken voor ik me moet gaan omkleden.'

'Goed, ik neem de koffie en mijn hond mee naar de overkant. Over anderhalf uur kom ik je ophalen.'

'Prima. Maar misschien kun je beter eerst je broek aantrekken.'

Hij wierp een blik op zijn boxershort. 'O, ja. Ik ga een broek aantrekken, misschien ook wel schoenen, en dan neem ik de koffie mee enzo.'

'Ik zal klaarstaan.'

Hij had niet verwacht dat ze inderdaad klaar zou staan. Niet omdat ze een vrouw was, maar omdat hij wist hoe hij zelf was als hij helemaal opging in zijn werk. Als hij dan geen wekker zette, kwam hij bijna steevast te laat, al gebeurde het nog vaker dat hij de afspraak of de gebeurtenis compleet vergat.

Daarom verbaasde het hem dat ze het huis uit kwam op het moment dat hij zijn auto ervoor tot stilstand bracht. En haar uiterlijk zorgde ervoor dat hij eventjes sprakeloos was.

Ze had haar haren los laten hangen, wat ze maar zelden deed, en het tuimelde als donker, gerijpt goud over haar rug. Ze droeg een jurk van felrode spiralen op wit, met een soort dunne, wijde rok en dunne bandjes die haar sterke schouders mooi deden uitkomen.

Met zijn poten op het raampje keek Spock naar buiten. Ford vertaalde de serie geluiden die het beest maakte als de hondse versie van goedkeurend gefluit.

Hij stapte de auto uit – hij kon niet anders – en zei: 'Wauw.'

'Vind je het mooi? Moet je dit zien.' Ze draaide een rondje waardoor hij de kans kreeg om de laag uitgesneden rug met een stel flirterig gekruiste bandjes te bewonderen.

'Nogmaals wauw. Ik heb je nog niet eerder in een jurk gezien en deze mag er echt wezen.'

Onmiddellijk verscheen er een bezorgde uitdrukking op haar gezicht. 'Het is te veel van het goede, hij is te opgesmukt voor een barbecue in de tuin. Ik kan me binnen vijf minuten verkleden.'

'Ten eerste: over mijn lijk. Ten tweede: "opgesmukt" is wel het laatste woord dat ik zou gebruiken. Hij is prachtig. Je ziet er zomers en sexy uit. Zo koel als een sorbet. Maar ik wilde dat ik eerder bedacht had om ergens met je naartoe te gaan waar je een jurk aan moet. Volgens mij gaan we binnenkort ergens chic dineren.'

'Zelf hou ik meer van picknicks in de achtertuin.'

'Die staan altijd boven aan mijn verlanglijstje.'

Ze had aanvankelijk verwacht dat het in het begin ongemakkelijk zou zijn om iedereen te leren kennen en zich tussen de mensen te mengen. Maar ze kende al zo veel aanwezigen dat het even eenvoudig en aangenaam was als de sfeer in Matts achtertuin met het grote terras en de rokende grill.

Josie, Matts knappe en hoogzwangere vrouw, haalde Cilla bijna direct bij Ford vandaan. 'Hier.' Josie gaf Ford een biertje. 'Ga weg. Wijn, bier, iets fris?' vroeg ze aan Cilla.

'Eh… Eerst maar iets fris.'

'Ik zou de limonade nemen. Die is heerlijk. Daarna ga ik daar in de schaduw tien minuten met je babbelen. Ik zou bijna zeggen: volg mijn voorbeeld, maar waggelen ziet er heel onaantrekkelijk uit, behalve als je acht maanden zwanger bent. Ik wil je dolgraag leren kennen.'

'Als je zin hebt, kun je gerust langskomen.'

'Dat heb ik een paar keer bijna gedaan, maar dit…' Ze klopte op haar buik terwijl ze liepen. '… en dat kwam er steeds tussen.' En ze wees op een stel kinderen die bij een schommelset speelden. 'Dat jochie in de blauwe short en het rode shirt dat Spock vol vreugde omhelst is van mij. Dus door dit en dat, en een parttimebaan, heb ik nog geen tijd gehad om langs te komen en om jou hier in de buurt welkom te heten of om even te kijken wat daar allemaal gebeurt. Volgens Matt wordt het trouwens heel mooi.'

'Hij is fantastisch om mee te werken. Hij heeft heel veel talent.'

'Dat weet ik. Ik heb hem leren kennen toen mijn familie hierheen verhuisde. Ik was zeventien en ik vond het vreselijk dat we vanwege mijn vaders werk moesten verhuizen uit Charlotte, weg van mijn vrienden. Mijn leven was natuurlijk voorbij. Tot de zomer erna toen mijn ouders een plaatselijke aannemer inhuurden om een uitbouw aan het huis te bouwen en een van de werklui een jonge, knappe timmerman was. Het heeft me vier jaar gekost,' voegde ze er met een knipoog aan toe. 'Maar ik heb hem veroverd.'

Met een diepe, welgemeende zucht ging ze zitten.

'Eerst even dit. Ik was dol op Katie. Ik had een Katie-pop. Nee, die heb ik nog steeds. Die ligt veilig opgeborgen voor deze hier.' Teder trok ze een kring over haar buik. 'Dit wordt een meisje. Ik heb de meeste films van je grootmoeder gezien en ik heb *Barn Dance* op dvd. Ik hoop dat we goed met elkaar kunnen opschieten omdat jij iets hebt met Ford en ik van hem hou. Sterker nog, Matt weet dat ik werk van Ford zal maken als ik ooit genoeg van hem krijg en hem aan de kant zet.'

Cilla nam een slokje limonade. 'Ik vind je nu al aardig.'

In de drukkende, rozig makende hitte zochten de mensen beschutting onder de parasols op het terras of ze verzamelden zich om de tafels onder de dikke takken van de bomen. Maar de kinderen hadden kennelijk geen last van de stijgende temperatuur want die klauterden onvermoeibaar over de schommelset of renden als jonge honden door de tuin. Cilla berekende dat er in Matts grote tuin op het stevige, verhoogde terras en in het mooie koloniale huis van een verdieping bijna honderd mensen waren, van in totaal vijf generaties.

Ze zat met Ford, Brian en een stel anderen aan een van de picknicktafels. Alle borden waren afgeladen met hamburgers, hotdogs en een grote variëteit aan frisse salades. Vanaf haar plek zag ze haar vader en Patty vrolijk met Fords ouders praten op het terras. Ze zag Patty lachend een hand op Gavins wang leggen en er even overheen wrijven. Hij nam de hand van zijn vrouw in de zijne en drukte een lichte kus op haar knokkels zonder dat het gesprek werd onderbroken.

Het stak, een bot lemmet van jaloezie en de scherpere rand van begrip. Ze hielden van elkaar. Ergens had ze dat natuurlijk geweten. Maar nu zag ze het in de afwezige gebaren die ze zich vermoedelijk allebei niet zouden herinneren, de stabiele en eenvoudige liefde. Dat was niet alleen gewoonte en tevredenheid of plicht, zelfs niet alleen de band van een… hoe lang waren ze al samen? vroeg ze zich af. Drieëntwintig of vierentwintig jaar? Nee, zelfs niet de band van een half leven.

Tegen de verwachting in hadden ze het samen gered.

Angie liep langs – jong, fris en knap – met de slungelige knul in een ruimvallende korte broek die ze aan Cilla had voorgesteld als Zach. Angie bleef staan en het verbaasde Cilla even hoe graag ze wilde dat ze dichtbij genoeg was om het snelle, geanimeerde gesprek te kunnen horen. Daarna boog Angie zich voorover, met de hand op haar moeders schouder, om een zoen op haar vaders hoofd te drukken, voor ze verder liep.

Met opzet wendde ze haar blik af.

'Ik ga even een biertje halen,' zei ze tegen Ford. 'Wil je er ook een?'

'Nee, dank je. Ik haal het wel voor je.'

Ze duwde hem terug toen hij overeind kwam. 'Nee, ik ga wel.'

Ze liep naar de enorme zinken emmer die gevuld was met ijs, flesjes en blikjes. Eigenlijk wilde ze niet per se een biertje, maar nu kon ze niet meer terug. Ze viste er eentje uit en beschouwde het als een rekwisiet, waarna ze naar de plek liep waar Matt bij de grill stond.

'Neem je wel eens een pauze?' vroeg ze aan hem.

'Af en toe. De mensen komen en gaan de hele dag, zo gaat dat bij deze gelegenheden. Je moet hem aan de praat houden.'

Zijn zoontje rende naar hem toe en sloeg zijn armen om Matts benen. Hij babbelde in een kleutertaaltje dat Cilla niet kon ontcijferen. Matt leek het echter vloeiend te spreken. 'Laat het bewijs dan eens zien.'

Met grote ogen trok het jochie zijn shirt omhoog om zijn buik te laten zien. Matt porde erin en knikte. 'Goed dan, ga het maar tegen oma zeggen.'

Toen het knulletje wegrende, zag Matt Cilla's vragende blik. 'Hij zei dat hij zijn hotdog op had en vroeg of hij nu een groot, enorm stuk van oma's taart mocht.'

'Ik wist niet je twee talen sprak.'

'Ik heb vele talenten.' Als om dat te bewijzen draaide hij vakkundig drie hamburgers om. 'En over talenten gesproken, Ford vertelde dat je vanochtend een deel van de raamlijsten in de woonkamer hebt vastgemaakt.'

'Ja. En als ik zo vrij mag zijn, en dat mag ik: het ziet er verdomd goed uit. Is dat je werkplaats?' Met het biertje gebaarde ze naar het cederhouten gebouw achter in de tuin.

'Ja. Wil je hem zien?'

'Dat weet je best, maar misschien beter een andere keer.'

'Waar ga je de jouwe maken?'

'Dat weet ik nog niet. Ik aarzel tussen iets bouwen of een deel van de bestaande schuur ombouwen. De schuur is het meest praktische.'

'Maar het is wel heel leuk om iets compleet nieuws te bouwen.'

'Dat heb ik nog nooit gedaan, dus het is heel verleidelijk. Hoeveel vierkante meter lijkt jou het beste?' ging ze verder, en ze raakten verwikkeld in een plezierig, vertrouwd gesprek over het werk.

Het werd langzaam avond en de mensen wandelden het korte stukje naar het park. In de rustige zijstraat dromden ze samen met tuinstoelen, koelboxen, dekens, baby's en kleuters. Toen ze in de buurt kwamen, werden ze verwelkomd door de luide, schetterende geluiden van hoorns.

'Marsen van Sousa,' zei Ford. 'Zoals aangekondigd.' Hij verschoof de twee klapstoelen die hij onder zijn arm hield terwijl Cilla Spock aan de riem had. 'Vermaak je je?'

'Ja, Matt en Josie weten hoe ze een fantastische barbecue moeten organiseren.'

'Je zag er daarnet een paar minuutjes wat verloren uit.'

'Echt waar?'

'Toen we zaten te eten. Voor je een biertje ging halen en ik je ineens kwijt was aan Matt en een gesprek over gereedschap.'

'Vast te veel pastasalade. Ik amuseer me prima. Het is mijn eerste jaarlijkse Shenandoah-vallei barbecue extravaganza ter gelegenheid van 4 juli. Tot nu toe is het geweldig.'

Het park strekte zich uit onder de bergen en die waren heiig door de hitte zodat de lucht als water over ze heen leek te rimpelen. Honderden mensen zaten verspreid op de gazons in het park. Eetkraampjes deden goede zaken onder de schaduw van hun luifel en verkochten broodjes ham, broodjes gehakt met barbecuesaus, warme koeken en frisdrank. Cilla rook vet en suiker, gras en zonnebrand.

Uit de luidsprekers klonk het gepiep van statische elektriciteit, gevolgd door de galmende aankondiging dat de wedstrijd taart eten over een half uur voor het noordelijke paviljoen zou beginnen.

'Ik heb je toch verteld over die wedstrijd?'

'Ja, en over de viervoudige kampioen: Big John Porter.'

'Walgelijk. Dat willen we niet missen. We moeten snel een stuk gras uitzoeken en het opeisen.' Ford bleef staan en keek om zich heen. 'Het moet een grote plek zijn zodat Matt, Josie en Sam er nog bij passen. O, kijk. Brian heeft al een plek. Dat meisje dat bij hem zit, is Missy.'

'Ja, ik heb haar ontmoet.'

'Je hebt vanmiddag het halve district ontmoet.' Hij wierp Cilla een zijdelingse blik toe. 'Niemand verwacht dat je alle namen onthoudt.'

'Missy Burke, schade-expert, gescheiden, geen kinderen. Op dit moment praat ze met Tom en Dana Anderson die een kleine kunstgalerie in de Village hebben. En daar komt Shanna aan slenteren met Bill, van wie niemand zijn achternaam heeft genoemd, een fotograaf.'

'Ik had het helemaal bij het verkeerde einde.'

'Gezellig kunnen babbelen hoorde vroeger bij mijn werk.'

Ze hadden nog maar nauwelijks hun stoelen neergezet en een paar woorden gewisseld met de anderen toen Ford haar meesleepte naar de wedstrijd taart eten.

Vijfentwintig deelnemers zaten klaar met een witte, plastic slab om hun nek geknoopt. Ze varieerden van kinderen tot opa's en alle verstandige mensen hadden gewed op Big John Porter die minstens honderdtien kilo woog.

Op het teken vielen vijfentwintig mensen op de taartbodem met bosbessenvulling aan. Onmiddellijk welde er een lach in haar op die werd overstemd door het geschreeuw en gejuich.

'Jeetje! Dat is echt walgelijk.'

'Maar ook vermakelijk. Shit, het gaat hem weer lukken. Big John!' brulde Ford, en hij begon het te scanderen. De menigte riep mee en begon luid te applaudisseren toen Big John zijn brede, met paars bevlekte hoofd ophief.

'Ongeslagen,' zei Ford toen Porter werd uitgeroepen tot winnaar. 'Die man is gewoon niet te kloppen. Goed, we hebben ook nog de verloting in het zuidpaviljoen. Kom, we kopen wat lootjes voor de lelijkste, meest nutteloze prijs.'

Na een lange discussie kozen ze voor een muurklok in de vorm van een felrode plastic haan. Nadat ze hun keus hadden bepaald, liep Ford naar de kaartverkoopster. 'Hallo, mevrouw Morrow. Loopt u al binnen?'

'Het gaat heel goed dit jaar. Volgens mij gaan we het record breken. Hallo, Cilla. Wat zie jij er mooi uit. Heb je het naar je zin?'

'Heel erg.'

'Dat is mooi. Het is vast een beetje tam en boers in vergelijking met hoe je deze feestdag meestal viert, maar ik vind dat we iets leuks hebben georganiseerd. Goed, voor hoeveel kan ik je uitknijpen? Ik bedoel…' Cathy knipperde overdreven met haar wimpers. 'Hoeveel lootjes wil je hebben?'

'Twintig.'

'Ieder,' zei Cilla, en ze haalde zelf ook een bankbiljet tevoorschijn.

'Zo mag ik het horen!' Cathy telde ze uit en scheurde hun strookjes af. 'Succes. Jullie zijn net op tijd. Over twintig minuten gaan we de prijswinnaars omroepen met de luidspreker. Zeg, Ford, als je je moeder ziet, zeg dan dat ze even bij me moet komen. Ik moet met haar praten over…'

Cilla luisterde niet meer naar het gesprek toen ze Hennessy aan de andere kant van het paviljoen naar haar zag kijken. De bittere punten van zijn haat schuurden over haar huid. Naast hem stond een kleine vrouw met vermoeide ogen in een vermoeid gezicht. Ze trok aan zijn arm, maar hij bleef stokstijf staan.

Op slag verdwenen de hitte, het licht en de kleuren uit de dag. Haat zuigt liefde weg, dacht Cilla. Maar ze zou zich er niet van afwenden. Ze vertikte het om zich om te draaien.

Dus was hij degene die zich omdraaide, die eindelijk toegaf aan de smeekbeden van zijn vrouw en over het zomergroene gras bij het paviljoen vandaan liep.

Ze zei niks tegen Ford. Ze wilde niet dat hun dag zou worden bedorven. Ze verzachtte haar keel met limonade, die was door de stille krachtmeting zo droog geworden dat hij pijn deed. En ze slenterden tussen de menigte door toen de zon in de richting van de westelijke toppen begon te zakken.

Ze praatte en lachte. Ze won de haanmuurklok. En de spanning viel van haar af. Toen de hemel donker werd, klom Sam bij Ford op schoot en begon een vreemd, opgewonden gesprek.

'Hoe weet je wat hij zegt?' vroeg Cilla.

'Het heeft veel weg van Klingon.'

Ze kondigden het volkslied aan en iedereen stond op. Naast haar nam Ford het jochie op zijn heup. Om haar heen, onder de indigoblauwe hemel, met het geflakker van gloeilampen en glimwormen, zwol de kakofonie van stemmen aan. Impulsief, vanwege een plotselinge behoefte, pakte ze Fords hand en ze hield hem vast tot de laatste toon was weggestorven.

Een paar tellen nadat ze weer waren gaan zitten, klonk de eerste knal. Bij het horen van het geluid sprong Sam van Fords schoot op dat van zijn vader. En Spock sprong van de grond op Fords schoot.

Veilig, dacht Cilla terwijl de lichtjes het indigoblauw verbrijzelden. Waar ze wisten dat ze altijd veilig zouden zijn.

'Leuk?' vroeg Ford toen ze over de rustige wegen naar huis reden.

'Heel leuk.' Verdomd leuk, dacht ze. 'Van het begin tot het eind.'

'Wat ga je met dat ding doen?' Hij keek naar de klok.

'Ding?' Cilla wiegde de haan in haar armen. 'Hoe durf je zo over ons kind te praten?' Ze gaf er een teder klopje op. 'Ik denk dat ik het in de schuur ga zetten. Ik kan daar wel een klok gebruiken en deze vind ik heel toepasselijk. En ik vind het leuk om een aandenken aan mijn eerste jaarlijkse 4 juliviering te hebben. Als mijn huis eindelijk klaar is, is het veel te laat in het jaar om een barbecue te geven. Maar na vandaag denk ik dat ik wel een feest ga geven. Een enorm openhuis-achtig iets. Een knappend haardvuur, schalen met hapjes, bloemen en kaarsen. Ik wil weten hoe het is om het huis vol mensen te hebben die niet meehelpen met de verbouwing ervan.'

Ze strekte haar benen. 'Maar voor vandaag ben ik uitgefeest en uitgevierd. Ik verheug me op een rustig avondje thuis.'

'We zijn er bijna.'

'Wil je samen met mij van de rust genieten?'

'Daar had ik eigenlijk wel op gerekend.'

Ze keken elkaar aan toen hij haar oprit in reed. Toen hij zijn blik weer op de weg richtte, gleden de koplampen over de rode esdoorns. 'Wat hangt daar aan…'

'Mijn wagen!' Ze schoot naar voren en greep het dashboard beet. 'Godverdomme, klootzak. Stop! Stoppen!'

Ze rukte haar gordel al af en duwde het portier open voordat hij volledig tot stilstand was gekomen achter haar pick-up.

Losse stukken versplinterd veiligheidsglas hingen in de sponning van de achterruit. Op het grind glinsterden er nog meer en ze knarsten onder haar voeten toen ze erheen rende.

Ford had zijn telefoon gepakt en belde het alarmnummer. 'Wacht, Cilla. Even wachten.'

'Elk raam. Hij heeft elk raampje stukgeslagen.'

Gaten ter grootte van kanonskogels gaapten in de voorruit en mondden uit in idiote spinnenwebben van verbrijzeld glas. In haar kille woede die haar dreigde te verstikken zag ze dat haar koplampen kapot waren geslagen en haar grille gedeukt was.

'Nou, die alarminstallatie heeft niet veel nut gehad.' Ze kon wel janken. Ze kon wel gillen. 'Verrekte weinig nut.'

'We gaan naar binnen om die installatie te controleren. Daarna loop ik het huis na en daarna blijf jij binnen.'

'Dit is te veel, Ford. Het is godverdomme te veel. Gemeen, wraakzuchtig, krankzinnig. Die gekke oude kerel moet worden opgesloten.'

'Hennessy? Die is de stad uit.'

'Nietes. Ik heb hem vanavond in het park gezien. Hij is terug. En ik zweer dat als hij me op dat moment had kunnen aftuigen met de knuppel of pijp of wat hij hier ook maar heeft gebruikt, dan had hij het niet gelaten.'

Met een ruk draaide ze zich om, voortgedreven door haar woede. En in de koplampen van de auto zag ze wat Ford aan haar mooie rode esdoorn had zien hangen.

Ford greep haar arm toen ze erheen liep. 'We gaan naar binnen. Daar wachten we op de politie.'

'Nee.' Ze schudde zijn hand van haar arm en liep van het grind het gras op.

Ze was zes geweest, herinnerde ze zich, toen ze die pop op de markt hadden gebracht. Ze droeg haar haar – een zonnig blond dat nog niet donkerder was geworden – in twee paardenstaarten die boven haar oren met roze lintjes waren vastgezet. De koordceintuur om het roze-witte gingang jurkje was van dezelfde stof. Boven het glanzende leer van haar lakschoentjes zat het witte kant van haar enkelsokjes.

Haar glimlach was even zonnig als haar haren, net zo lief als de roze linten.

Hij had de strop van waslijn gemaakt, zag ze. Heel zorgvuldig en precies, zodat de pop er als een afgrijselijk beeld bij hing. Vlak boven de ceintuur stond er op het kartonnen kaartje: HOER.

'Andere los te krijgen accessoires voor deze pop waren onder andere een theesetje op schaal. Het was een van mijn favoriete poppen.' Ze wendde zich af en tilde Spock op die jankte en trilde en knuffelde hem.

'Je hebt gelijk. We moeten naar binnen en het huis controleren, voor het geval dat.'

'Geef me je sleutels. Ik wil dat je op de veranda blijft wachten. Alsjeblieft.'

Een heel beleefd woord, dacht Cilla. Wat gek om er dan zo'n gedecideerde, gebiedende ondertoon in te horen. 'We weten dat hij daar niet is.'

'Dan is het ook geen probleem voor je om op de veranda te wachten.' Om een einde te maken aan het onderwerp, opende hij haar tas en haalde de sleutels eruit.

'Ford…'

'Wacht hier.'

Hij liet de deur open waaruit Cilla concludeerde dat hij er niet aan twijfelde dat ze zou doen wat hij haar had opgedragen. Schouderophalend stapte ze naar de reling en ze drukte haar gezicht tegen Spock aan voor ze hem neerzette. Niemand was binnen geweest dus het kon geen kwaad om te wachten. En het had geen nut om er ruzie over te maken.

Bovendien kon ze hiervandaan naar haar pick-up staren en piekeren over de staat waarin die verkeerde. Genieten van het piekeren. Ze was zo blij geweest de dag dat ze die auto had gekocht, zo vol verwachting toen ze hem had ingeladen voor haar reis naar het oosten.

De eerste stappen om haar droom te verwezenlijken.

'Alles is in orde,' zei Ford achter haar.

'Nee, niet echt.' Een deel van haar, een zeikerig, ongelukkig deel van haar wilde de handen die hij troostend op haar schouders had gelegd van zich afschudden. Maar ze hield zich in.

'Weet je hoe ik me vandaag voelde? Alsof ik in een film was. Dat bedoel ik niet negatief, integendeel. Stukjes en scènes uit een film waar ik deel van wil uitmaken. Dat doe ik nog niet, ik ben nog nieuw op de set. Maar ik voelde me er… al heel erg op mijn gemak.'

Ze haalde diep adem en liet de lucht langzaam ontsnappen. 'En nu is dit de realiteit. Gebroken glas. Maar het rare, het ongelooflijk rare is dat het vandaag mijn echte ik was. Dat was ik. Maar dit? Weet je waar dit op is gericht? Op het imago, de illusie. Op het zinsbedrog.'

Begraafplaats Forest Lawn
1972

De lucht was heet en stil en daar overheen lag de smog als een veeg van een zweterige vinger. Graven, die onderdak boden aan zowel sterren als gewone stervelingen, spreidden zich uit als kille plekken in het groen. En de bloemen waren bloeiende tranen die de levenden plengden voor de doden.

Janet droeg zwart, haar lichaam in de jurk gekrompen door verdriet. Een wilgenstam die broos was geworden. Door een brede zwarte hoed en een donkere zonnebril lag haar gezicht in de schaduw, maar het verdriet stroomde door de schilden heen.

'Ze kunnen de grafsteen nog niet plaatsen. Eerst moet de grond inklinken. Maar je kunt hem voor je zien, nietwaar? Zijn naam gegraveerd in wit marmer, de korte tijd dat hij van mij was. Ik heb geprobeerd een gedicht te verzinnen, een paar regels om te laten graveren, maar hoe kon ik denken? Hoe kon ik dat nou? Daarom heb ik ze "De engelen huilden" laten graveren. Alleen dat. Volgens mij hebben ze dat ook gedaan. Ze moeten hebben gehuild voor mijn Johnnie. Zie jij de engelen die huilend op hem neerkijken?'

'Ja. Ik ben hier al eerder geweest.'

'Dan weet je hoe het eruit komt te zien. Hoe het er altijd uit zal zien. Hij was mijn grote liefde. Alle mannen, echtgenoten en minnaars kwamen en gingen. Maar hij? Johnnie. Hij kwam uit mij.' Elk woord dat ze sprak was doordrenkt van verdriet. 'Ik had moeten… zo veel dingen. Begrijp je hoe het is voor een moeder om aan het graf van haar kind te staan en te denken: ik had het anders moeten doen?'

'Nee. Het spijt me.'

'Het spijt zo veel mensen. Ze storten hun spijt over me uit en het helpt geen zier. Later helpt het iets, maar die eerste dagen, weken, wordt het door niks geraakt. Ik zal daar komen.' Ze wijst op de grond naast het graf. 'Dat weet ik nu al, want zo heb ik het geregeld. Johnnie en ik.'

'En je dochter. Mijn moeder.'

'Aan mijn andere kant, als ze dat wil. Maar ze is nog jong en ze zal haar eigen weg gaan. Ze wil… alles. Dat weet jij, en ik kan haar op dit moment niks geven, niet in die eerste dagen, de eerste weken. Ik heb niks om te geven. Maar ik zal snel genoeg bij Johnnie onder de groene zoden liggen. Ik weet dan nog niet wanneer, hoe snel, dat zal gebeuren. Maar ik overweeg om het onmiddellijk te regelen. Daar denk ik elke dag aan. Hoe kan ik nog leven als mijn schatje dat niet meer doet? Ik overweeg hoe ik het moet doen. Pillen? Een scheermesje? De zee in lopen? Ik kan geen keuze maken. Door verdriet kun je niet goed denken.'

'En door liefde?'

'Liefde zorgt ervoor dat je gedachten zich openen, als het tenminste echte liefde is. Daarom kan het zo veel pijn doen. Jij wilt weten of ik dit had kunnen voorkomen. Als ik hem meer in toom had gehouden. De mensen zeiden dat ik hem veel te vrij liet.'

'Ik weet het niet. Er is die avond nog een jongen omgekomen en de derde raakte verlamd.'

'Was dat mijn schuld?' vroeg Janet en haar verdriet werd bedekt met een laagje bitterheid. 'Was het Johnnies schuld? Ze stapten die avond toch zeker allemaal in de auto? Dronken, stoned. Ieder van hen had achter het stuur kunnen kruipen en dan zou de uitkomst niet anders zijn geweest. Ja, ja, ik heb hem verwend en daar dank ik Onze-Lieve-Heer nu voor. Godzijdank heb ik hem in zijn korte leventje alles gegeven wat ik kon. Ik zou het allemaal weer net zo doen.' Ze bedekte haar gezicht met haar handen en haar schouders schokten. 'Alles.'

'Ik kan het je niet kwalijk nemen. Hoe zou ik dat kunnen? Ik weet het niet. Hennessy geeft jou de schuld.'

'Wat wil hij in godsnaam nog meer? Bloed?' Ze liet haar handen zakken en stak haar armen uit. Over haar bleke wangen stroomden tranen. 'Hij heeft zijn zoon tenminste nog. Ik heb een naam die in marmer is gegraveerd.' Ze liet zich op haar knieën op de grond vallen.

'Volgens mij wil hij bloed. Dat van mij.'

'Hij heeft genoeg gehad. Zeg dat maar tegen hem.' Janet ging naast het graf liggen en streek er met haar handen overheen. 'Er heeft genoeg bloed gevloeid.'

20

Cilla had tegen niemand gezegd wat ze ging doen. Iedereen dacht dat ze met de geleende auto die haar verzekeringsmaatschappij had geregeld nieuw materiaal was gaan halen.

Ze stopte voor het huis van de Hennessy's in een lommerrijke straat in Front Royal. Het witte busje stond op de oprit, naast een rolstoelopgang die naar de voordeur van de bungalow leidde.

Haar hart bonsde. Ze stond er niet bij stil of dat door angst of woede kwam. Dat deed er niet toe. Ze zou doen wat ze moest doen, zeggen wat ze moest zeggen.

De deur ging open voor Cilla er was en de vrouw die ze de avond ervoor had gezien stapte naar buiten. Cilla zag dat de hand waarmee ze de deurknop achter zich beetpakte trilde. 'Wat kom je hier doen?'

'Ik wil uw man spreken.'

'Hij is niet thuis.'

Cilla draaide haar hoofd om heel nadrukkelijk naar het busje te staren en daarna keek ze weer in de ogen van mevrouw Hennessy.

'Hij is met mijn auto naar de garage. Die moest een beurt hebben. Denk je soms dat ik lieg?'

'Ik ken u niet. U kent mij niet. Ik ken uw man niet beter dan hij mij kent.'

'Maar je blijft de politie naar ons toe sturen, naar ons huis. Vanochtend alweer, met hun vragen en vermoedens, vanwege jouw beschuldigingen.' Mevrouw Hennessy haalde onregelmatig adem. 'Ik wil dat je weggaat. Ga weg en laat ons met rust.'

'Graag. Ik wil niets liever. Vertelt u me maar wat ervoor nodig is om hem te laten ophouden.'

'Waarmee dan? Hij heeft niks met jouw problemen te maken. Die hebben we zelf toch zeker al genoeg? Hebben we niet genoeg ellende zonder dat jij met een beschuldigende vinger naar ons wijst?'

Ze zou niet terugkrabbelen, hield Cilla zichzelf voor. Ze zou zich niet schuldig voelen omdat ze dit kleine, angstige vrouwtje onder druk zette. 'Hij rijdt bijna elke dag langs mijn huis. En bijna elke dag stopt hij langs de kant van de weg, waar hij soms wel een uur blijft staan.'

Mevrouw Hennessy beet op haar lip en wrong haar vingers samen. 'Dat is niet verboden.'

'Zonder toestemming op mijn terrein komen wel en de schedel van een man opensplijten is dat ook.'

'Die dingen heeft hij niet gedaan.' De angst bleef, maar er klonk nu ook een zweempje boosheid doorheen. 'En als jij iets anders beweert, ben je een leugenaar.'

'Ik ben geen leugenaar, mevrouw Hennessy, en ik ben ook geen hoer.'

'Ik weet niet wat je bent.'

'U weet, tenzij u even gek bent als hij, dat ik niet verantwoordelijk ben voor wat er met uw zoon is overkomen.'

'Waag het niet om het over mijn jongen te hebben. Je kent mijn zoon niet en je weet er niets van.'

'Dat klopt. Ik weet er niets van. Waarom zou u mij er dan de schuld van geven?'

'Dat doe ik niet.' Vermoeidheid daalde over haar neer. 'Waarom zou ik jou de schuld geven van wat er al die afschuwelijke jaren geleden is gebeurd? Niemand heeft er schuld aan. Ik neem het jou kwalijk dat je de politie op mijn man hebt afgestuurd terwijl we jou niks hebben gedaan.'

'Toen ik naar zijn busje ging om mezelf voor te stellen, om mijn medeleven te betuigen, noemde hij me een teef en een hoer en hij spuugde naar me.'

Er verscheen een blos van schaamte op de wangen van mevrouw Hennessy. Haar lippen trilden en ze wendde haar blik af. 'Dat zeg jij.'

'Mijn halfzus was erbij. Is zij soms ook een leugenaar?'

'Zelfs als het zo is, dan stelt dat nog niks voor vergeleken bij alles wat je ons voor de voeten werpt.'

'U zag hoe hij gisteravond in het park naar me keek. U weet hoezeer hij me haat. Ik smeek u, mevrouw Hennessy. Hou hem bij mij en mijn huis uit de buurt.'

Cilla draaide zich om. Ze was slechts halverwege de rolstoeloprit toen ze de deur hoorde dichtgaan en de sleutel hoorde omdraaien.

Vreemd genoeg gaf het gesprek, hoe gespannen en moeilijk het ook was geweest, haar een beter gevoel. Ze had nu eens niet de politie gebeld en gewacht op de volgende aanval.

Vastberaden om alleen nog maar vooruit te kijken, reed ze daarna naar het makelaarskantoor om een bod uit te brengen op het eerste huis dat ze had uitgezocht. Ze bood niet al te veel, een heel stuk minder dan ze meende dat het huis waard was in de huidige markt. Voor Cilla hoorden de onderhandelingen, bod en tegenbod, allemaal bij de pret.

Weer in de leenauto belde ze de makelaar van het andere huis om een afspraak te maken voor een bezichtiging. Het had geen nut om te zitten niksen, dacht ze. Ze reed terug naar Morrow Village, regelde nog een heel stel zaken, deed snel boodschappen en ging daarna weer naar huis.

Ze zag het witte busje voor Hennessy haar in de gaten had. Aangezien hij uit de richting van de Little Farm kwam, ging ze ervan uit dat hij tijd had gehad om naar huis te gaan, met zijn vrouw te praten en hierheen te rijden terwijl zij bezig was geweest in Front Royal en de Village.

Hij zag haar toen hun auto's elkaar passeerden en er trok een vlaag van herkenning over zijn gezicht.

'Ja, precies,' mompelde ze toen ze een bocht nam. 'Ik rij niet in mijn pick-up omdat je die gisteravond aan gort hebt geslagen.' Ze zette de ergernis van zich af en sloeg de volgende hoek om. Haar blik gleed naar de achteruitkijkspiegel en ze zag het busje achter zich naderbij komen.

Wil je het uitpraten? vroeg ze zich af. Een gesprek onder vier ogen, zoals Ford het noemde? Prima. Geweldig. Hij kon mooi achter haar aanrijden naar huis, waar ze…

Het stuur schokte in haar handen toen het busje haar van achteren ramde. De pure schrik liet geen ruimte voor woede, zelfs niet voor angst, toen ze haar greep verstevigde.

Hij ramde haar nogmaals, het geknars van metaal, het gepiep van banden. De auto leek onder haar een sprong te maken en schoot naar rechts. Ze rukte aan het stuur en dwong hem terug. Voor ze op het gaspedaal kon trappen, knalde hij voor de derde keer tegen haar aan. Haar banden slipten over het asfalt en ze kwam op de vluchtstrook terecht terwijl ze naar voren schoot en weer naar achteren klapte. Haar bumper schampte de vangrail en haar slaap sloeg hard tegen het zijraampje.

Voor haar ogen dansten kleine, felle puntjes en ze klemde haar kaken opeen, deed een schietgebedje en stuurde mee in de sliprichting. De auto slingerde en een akelig moment vreesde ze dat hij over de kop zou slaan. Ze belandde met een keiharde klap en de neus omlaag in de afwateringsgreppel van de vluchtstrook aan de andere kant van de weg terwijl haar airbag openvloog.

Later zou ze denken dat het puur door de adrenaline en de woede kwam dat ze uit de auto sprong en het portier dichtsmeet. Een vrouw kwam aanrennen over het gazon van een huis dat een stukje van de weg afstond. 'Ik zag wat hij deed! Ik heb de politie gebeld.'

Cilla noch Hennessy besteedde enige aandacht aan haar. Hij kwam uit zijn busje met zijn handen tot vuisten gebald. Ze liepen op elkaar af.

'Jij komt niet naar mijn huis! Je praat niet met mijn vrouw!'

'Loop naar de hel. Val dood. Je bent knettergek. Je had me wel kunnen vermoorden.'

'Dan zou je in de hel zijn geweest bij de anderen.' Zijn ogen draaiden in hun kassen en hij had zijn tanden ontbloot. Een harde por zorgde ervoor dat ze achteruit strompelde.

'Waag het niet me nog eens aan te raken, oude kerel.'

Hij duwde haar nog een keer, tot ze met haar rug tegen de achterkant van de auto botste. 'Ik zie jou erin. Ik zie jou erin, teef.'

Ditmaal hief hij zijn vuist op. Cilla gaf hem een trap in zijn kruis en hij viel op de grond.

'O, god. O, lieve god!'

Versuft, doordat de adrenaline uit haar wegstroomde als water door scheuren in een dam, zag Cilla de barmhartige samaritaan naar haar toe rennen. In haar ene hand had de vrouw een telefoon en in de andere een tuinstaak.

'Gaat het wel? Liefje, gaat het wel met je?'

'Ja, ik geloof het wel. Ik… Ik ben een beetje misselijk. Ik moet even…'
Cilla ging zitten en deed haar hoofd tussen haar opgetrokken knieën. Ze

kon niet op adem komen en ze voelde haar vingers niet. 'Kunt u iemand voor me bellen?'

'Ja, natuurlijk. Waag het niet om op te staan, meneertje. Anders sla ik je hiermee op je kop, daar kun je van op aan. Wie moet ik bellen, liefje?'

Cilla hield haar hoofd omlaag, wachtend tot de duizeligheid was weggetrokken, en gaf haar nieuwe beste vriendin het nummer van Ford.

Hij was er nog eerder dan de politie en vloog bijna zijn auto uit. Ze had nog niet geprobeerd om op te staan en ze zou eeuwig dankbaar zijn dat Lori Miller als een echte gevangenbewaakster naast Hennessy stond.

Hennessy zat daar, terwijl het zweet op zijn spierwitte gezicht opdroogde.

'Waar ben je gewond? Je bloedt.'

'Het is in orde. Ik heb alleen mijn hoofd gestoten. Volgens mij is er niks met me aan de hand.'

'Ik wilde een ambulance laten komen, maar dat wilde ze niet. Ik ben Lori.' De vrouw wees in de richting van haar huis.

'Ja. Dank je. Dank je. Cilla…'

'Ik tril alleen een beetje. Ik dacht dat ik moest overgeven, maar de misselijkheid is weggetrokken. Help me eens overeind.'

'Kijk me eerst even aan.' Hij legde een hand onder haar kin en bestudeerde haar ogen. Blijkbaar was hij tevreden met wat hij zag, want hij tilde haar op haar benen.

'Mijn knieën knikken,' zei ze tegen hem. 'Dit doet pijn.' Ze legde haar vingers onder de buil op haar slaap. 'Maar volgens mij is dat het ergste. Ik weet niet hoe ik je moet bedanken,' zei ze tegen Lori.

'Ik heb eigenlijk niks gedaan. Jij kunt prima voor jezelf opkomen. Daar zijn ze.' Lori wees op een politieauto. 'Nu beginnen mijn knieën te knikken,' zei ze met een ademloos lachje. 'Dat heb je als het ergste achter de rug is.'

Ze vertelde het verhaal aan een van de hulpsheriffs net zoals Lori, zo vermoedde ze, haar getuigenverklaring aflegde bij een andere aan de overkant van de weg. Ze nam aan dat de remsporen hun eigen verhaal vertelden. Voor zover zij kon zien, wilde Hennessy niets zeggen. Ze zag dat de hulpsheriff hem op de achterbank van de politieauto hielp.

'Ik heb spullen in de auto liggen. Die moet ik eruit halen voor ze hem wegslepen.'

'Ik zal iemand sturen om het op te halen. Kom mee.'

'Ik was bijna thuis,' zei ze toen Ford haar in zijn auto hielp. 'Nog iets meer dan een kilometer en ik was thuis geweest.'

'We moeten ijs op die bult leggen en je moet me eerlijk vertellen of je nog ergens anders pijn hebt. Dat moet je zeggen, Cilla.'

'Dat weet ik nog niet. Ik voel me een beetje verdoofd en uitgeput.' Ze slaakte een diepe zucht toen hij voor zijn huis stopte. 'Ik denk dat ik gewoon een poosje moet zitten, in de koelte, tot ik weer tot mezelf kom, zoals het heet. Wil jij even naar mijn huis bellen om te vragen of een paar van de jongens mijn spullen uit de auto willen halen?'

'Ja, maak je daar maar niet druk over.'

Hij sloeg zijn arm om haar middel en leidde haar naar binnen. 'Bed of bank?'

'Ik had een stoel in gedachten.'

'Bed of bank?' vroeg hij weer.

'Bank.'

Hij bracht haar naar de zitkamer zodat hij een oogje op haar kon houden en haalde een zak diepvrieserwten voor tegen haar slaap. Spock liep op zijn tenen naar haar toe en wreef met zijn kop over haar arm. 'Het gaat wel,' zei ze tegen hem. 'Ik ben in orde.' Daarom zette hij zijn voorpoten op de zijkant van de bank, snuffelde aan haar gezicht en gaf haar een lik.

'Eraf,' beval Ford toen hij de kamer in kwam.

'Nee, het geeft niet. Sterker nog… mag hij misschien een poosje bij me zitten?'

Ford klopte op de bank. Spock sprong er onmiddellijk op, kroop op zijn buik naast Cilla en legde zijn zware, troostende kop onder haar borsten.

Ford legde kussens onder haar hoofd. Hij bracht haar een koel drankje, drukte zijn lippen zacht op haar voorhoofd en legde de koude zak tegen haar slaap.

'Ik zal de telefoontjes gaan plegen. Heb je verder nog iets nodig?'

'Nee, ik heb alles. Ik voel me nu al beter.'

Hij glimlachte. 'Dat komt door de magische erwten.'

Toen hij zich omdraaide en de veranda aan de achterkant op stapte om de mensen te bellen, had zijn glimlach plaatsgemaakt voor een blik vol smeulende woede. Zijn vuist sloeg ritmisch tegen een paal toen hij het nummer intoetste.

'Ik kan er nu niet over praten,' zei hij toen Matt opnam. 'Cilla is bij mij. Alles is goed met haar.'

'Hoe bedoel je: alles is…'

'Ik kan er nu niet over praten.'

'Oké.'

'Haar auto staat ongeveer achthonderd meter verderop, in de richting van de stad. Je moet er iemand heen sturen om de spullen op te halen die ze vandaag heeft gekocht. Hennessy had het op haar voorzien en nu heeft de politie hem.'

'Godsa…'

'Ik bel je straks als ik erover kan praten.'

Hij verbrak de verbinding, keek naar zijn hand en zag dat hij er zo vaak en hard mee had geslagen dat hij was gaan bloeden. Vreemd genoeg hielp dat.

Ford vond dat hij voldoende was afgekoeld en liep weer naar binnen. Omdat ze stil lag, met haar ogen dicht en een arm over de hond, opende hij de kist van het raamzitje en pakte een van de dekens die daarin lag. Haar ogen gingen open toen hij haar ermee toedekte.

'Ik slaap niet. Ik probeerde me te herinneren hoe je moet mediteren.'

'Mediteren?'

'Ik kom uit Californië, weet je nog? Iedereen die daar langer dan een jaar woont, moet voldoen aan de minimale meditatie-eisen. Helaas was ik er altijd bar slecht in. Je hoofd leegmaken? Als ik het mijne leegmaak, dan springt er direct weer iets anders in om de leegte te vullen. En ik weet dat ik klets als een kip zonder kop.'

'Geeft niks.' Hij ging op de rand van de bank zitten en draaide de zak erwten om zodat de koelere kant tegen haar hoofd lag.

'Ford, hij wilde me echt vermoorden.' Haar blik hield de zijne vast en hij zag de schaduw van pijn erin terwijl ze zich omhoog duwde om te gaan zitten. 'Dit was iets heel anders dan grand jetés in het bos doen als je achterna wordt gezeten door een gereanimeerde psychotische moordenaar. Ik heb het wel eerder meegemaakt dat mensen een hekel aan me hadden. Af en toe zelfs mijn eigen moeder. Er zijn zelfs mensen geweest die me kwaad wilden doen. Ik heb een keer iets gehad met een kerel die me op een avond behoorlijk in elkaar heeft geslagen. Eén keer,' zei ze nadrukkelijk. 'Hij heeft nooit de kans gekregen om het nog eens te doen. Maar zelfs hij haatte me niet. Hij wilde me niet dood hebben.

Ik weet niet wat ik ervan moet vinden dat iemand dat wel wil. Ik weet niet hoe ik dat in mijn leven moet passen en hoe ik ermee moet omgaan.'

'Dat kun je ook niet oplossen. Je kunt niks doen aan iets wat niet normaal is en geen logica heeft. Maar je gaat er prima mee om, Cilla. Echt waar. Je hebt hem tegengehouden.'

'Een trap die toevallig raak was in zeventig of tachtig jaar oude ballen. Ford, ik was zo kwaad dat ik niet nadacht. Blijf ik in de auto zitten met de portieren op slot en bel ik het alarmnummer of jou, of een van de vele kerels die nog geen kilometer verderop zijn, zoals een logisch denkend iemand zou hebben gedaan? Nee, ik spring eruit en ga de confrontatie aan met die… gek die net heeft geprobeerd om me van de weg te drukken. Alsof hij bang zal zijn voor mijn scherpe tong. En ik ben nog steeds zo razend als hij me begint te duwen dat ik er niet vandoor ga. Alsof ik niet harder kan rennen dan een man die oud genoeg is om mijn grootvader te zijn.'

'Jij bent niet iemand die op de loop gaat.' Hij legde een vinger tegen haar lippen toen ze iets wilde zeggen. 'Echt niet. Had ik liever gehad dat je je in de auto had opgesloten en mij had gebeld? Misschien wel. Dan had ik als een gek naar je toe kunnen gaan om je te redden. Maar eigenlijk vind ik het wel een prettig idee dat je voor jezelf kunt opkomen als iemand je kwaad wil doen.'

'Ik hoop dat het heel lang duurt voor ik weer op die manier voor mezelf hoef op te komen.'

'Ik ook.' Hij streelde haar haren toen ze haar hoofd op zijn schouder legde. 'Ik ook.'

En misschien had hij nog even niet hoeven weten dat hij verliefd op haar was. Dat was iets waar hij op af had kunnen slenteren, zoals hij naar haar huis aan de overkant van de weg was geslenterd. Nonchalant en ontspannen. In plaats daarvan had het zich in hem geboord, gebald in een stevige knuist van angst en furie, met in een harde, pijnlijke stoot, toen hij haar aan de kant van de weg had zien zitten.

Daar viel nu niks meer aan te doen, hield hij zichzelf voor. Bijzonder slechte timing. Wat zij nodig had was een schouder om tegenaan te leunen, iemand die een zak diepvrieserwten voor haar haalde en haar een rustig plekje bood om weer... tot zichzelf te komen.

'Hoe gaat het met je hoofd?'

'Vreemd genoeg voelt dat aan alsof ik ermee tegen een raampje heb gebeukt.'

'Wil je een aspirientje?'

'Ja. En misschien ook een sessie in je bubbelbad. Ik ben nogal stijf en beurs. Ik ben behoorlijk door elkaar geschud.'

Hij moest zijn best doen om zijn greep op haar niet te laten verstrakken, om haar niet hard tegen zich aan te drukken. 'Ik zal het regelen.'

'Dank je.' Ze draaide haar hoofd om haar lippen langs zijn keel te laten glijden. 'Vooral bedankt omdat je me hebt geholpen om kalm te blijven. Jij ook,' zei ze, en ze zoende Spock.

'Dat hoort allemaal bij de posttraumatische verzorging hier in Huize Sawyer.'

Hij hielp haar naar beneden. Hij sloeg de deksel van het bubbelbad terug en deed de kranen aan terwijl zij haar blouse uittrok. 'Wil je de iPod?'

'Nee, dank je. Misschien probeer ik nog een keer te mediteren.' Ze wilde de achtersluiting van haar beha losmaken en kromp ineen. 'Heel erg stijf en beurs.'

'Laat mij maar. Ik heb veel ervaring met deze dingen.'

Ze glimlachte, liet haar armen zakken en hij ging achter haar staan.

De woede welde weer in hem op, een hete wolk blinde, geestloze razernij. Op haar rug, langs haar schouderbladen zaten paarse kneuzingen als boze donderwolken. Hoog op haar linkerbovenarm zaten nog meer blauwe plekken en op haar schouder zat een rauwe, rode streep als een brandplek.

'Heb je moeite met het mechanisme?' vroeg Cilla.

'Nee.' Verbazingwekkend hoe kalm zijn stem klonk, dacht hij. Hoe zakelijk. 'Je hebt hier wat blauwe plekken.'

'O, dus dat voelde ik. Dat is vast van toen hij me tegen de pick-up duwde.' Ze hield haar hoofd schuin en zoog wat lucht naar binnen toen ze haar vingers over haar schouder en borst liet gaan. 'En een brandplek van de gordel. Shit. Nou ja, beter dan het alternatief.'

'Dit is godverdomme waanzin.' Hij zei het zacht, maar toch draaide ze haar hoofd om hem aan te kijken.

'Ford.'

'Dit is waanzin.' Hij zei de lettergrepen bijtend toen die golf woede als een kolkende, kokende geiser naar buiten spoot. 'Je moet je kalmte en zen maar ergens anders vandaan halen, want ik kan het niet. Kut. Kut! Die klootzak had het op jou voorzien. Je bent bont en blauw. Dat heeft hij je aangedaan. Heb je je auto gezien? Jezus, heb je gezien wat hij heeft gedaan, wat hij wilde doen? Hij heeft je pijn gedaan.'

Ze draaide zich om om hem aan te kijken, om naar hem te staren. Met bewegingen die verrassend teder waren in vergelijking met zijn gezicht, zijn woorden, maakte hij haar werkbroek los en hurkte neer om hem omlaag te trekken.

'Je auto ligt verdomme in een greppel en de enige reden dat jij daar niet ligt is dat je hem hebt uitgeschakeld. De remsporen op de weg strekten zich uit zo ver mijn oog reikte.' Hij deed haar schoenen en sokken uit en tilde eerst haar ene en toen haar andere voet op om de broek uit te doen.

'Beter dan het alternatief? Het wordt pas beter als ik die achterlijke, moordlustige zak lens trap. Dan wordt het beter.' Hij draaide haar om en maakte haar beha los.

Hij tilde haar op en liet haar in het borrelende water zakken waar ze hem aan bleef staren.

'Ik zal de aspirine en die badjas die je hier hebt liggen halen.'

Nadat hij was weggebeend en de trap op was gegaan, ademde Cilla diep uit. 'Wauw,' was het enige wat ze kon bedenken.

Meditatie mocht dan weinig doen voor haar, Cilla ontdekte dat vijftig minuten in heet water met masserende stralen wonderen verrichtten. Vooral toen het beeld van Fords woede achter haar gesloten oogleden speelde.

Kalmer dan ze voor mogelijk had gehouden, klom ze voorzichtig uit het bad. Net toen ze haar handdoek omsloeg hoorde ze hem de trap af komen.

'Dat doe ik wel,' zei hij toen ze de deksel weer over het bad wilde leggen. 'Hier.'

Hij gaf haar de pillen en water. Nadat ze ze had ingenomen, hielp hij haar in de witte badjas die ze bij hem had laten liggen.

'Het spijt me van daarnet. Het geraaskal van weer een idioot is wel het laatste waar je op zit te wachten.'

'Dat heb je mis. Je hebt me geholpen. Je hebt me precies gegeven wat ik nodig had door kalm te blijven toen ik op mijn bibberigst was. Jij bleef rustig en hebt me meegenomen naar een plek die koel en rustig was. Je hebt me magische erwten gegeven en je hebt me op jou laten steunen. Er zijn maar weinig mensen geweest in mijn leven op wie ik mocht steunen.'

Ze legde haar handen op zijn borst, aan weerskanten van zijn hart. 'En nadat ik over het ergste heen was, heb je me iets anders gegeven. De woede, de kwaadheid, de blinde dorst naar wraak. Het is goed om te weten dat iemand dat namens mij kan voelen. Dat hij ondanks die gevoelens nog altijd voor mij kon zorgen. Het is geen wonder dat ik voor je ben gevallen.'

'Ik ben smoorverliefd op je, Cilla.'

'O.' Ze voelde een schok, bijna net zo hard als toen ze was aangevallen. 'O, Ford.'

'Het is misschien een slecht moment, maar dat verandert er niks aan. Het is niet waar ik naar op zoek was. Het is niet eenvoudig en simpel, gewoon kiezen welk bed we nemen en wie er 's ochtends naar huis moet gaan. Zo had ik het me voorgesteld, maar ik zat ernaast.'

'Ford...'

'Ik ben nog niet klaar. Toen die vrouw, Lori, belde, was ze zo verstandig om me meteen te laten weten dat alles goed met je was. Maar ze hoefde alleen het woord "ongeluk" te zeggen en mijn hart hield op met slaan. Pas op dat moment begreep ik wat het was om bang te zijn.'

Alles wat hij had gevoeld, en nu nog voelde, kolkte in zijn ogen. Zo veel, dacht Cilla. Daar stond zo veel in te lezen.

'Ik kwam eraan en zag je langs de kant van de weg zitten. Doodsbleek. Eerst voelde ik golven van opluchting. Daar is ze. Ik ben haar niet kwijt. Golven van opluchting, Cilla, en tegelijkertijd een donderslag. Daar is ze. En toen wist ik het. Ik ben verliefd op je.'

Het was een dag vol emoties en schokken en grote momenten geweest, dacht Cilla. 'Je bent zo evenwichtig, Ford, en ik ben zo'n warhoofd.'

'Dat is gewoon een andere manier om te zeggen: het ligt niet aan jou, maar aan mij.'

'Daarom is het nog niet minder waar. Op dit moment word ik verscheurd tussen de opwinding en de ontzetting dat iemand als jij tegen me zegt dat hij van me houdt. En het nog meent ook. Dat ligt gecompliceerd omdat ik zo ontzettend veel sterke, oprechte gevoelens voor jou heb. Ik geloof dat ik ook verliefd ben op jou. Wacht.'

Ze hief een hand op toen hij naar haar toe stapte. 'Wacht even. Waarschijnlijk heb ik een lichte hersenschudding. Ik ben hier in het nadeel. Jij bent evenwichtig,' zei ze. 'En ik durf te wedden dat jij precies weet wat je verwacht van je verliefdheid. Ik ben een warhoofd en ik weet dat niet. Wat ik wel weet, of waar ik in elk geval behoorlijk zeker van ben, is dat je wilt, of verwacht, dat de dingen zullen veranderen.'

'Ja. Maar ze hoeven niet vandaag of morgen te veranderen. Evenwichtig zijn houdt in dat je kunt waarderen wat je hebt, op dat moment.' Hij nam haar gezicht in zijn handen. 'Daar is ze dan,' mompelde hij, en hij wreef met zijn lippen over de hare.

Cilla sloot haar ogen. 'O, god. Ik zit flink in de problemen.'

'Het komt allemaal wel goed. Kom, we gaan naar boven. Jij hebt lang genoeg op je benen gestaan.'

Ditmaal legde hij haar op de bank in de woonkamer en zoals hij al had gedacht, eiste de emotionele en fysieke schokken binnen twintig minuten hun tol en was ze in slaap gevallen. Hij nam zijn telefoon mee naar de veranda en liet de deur open zodat hij haar zou horen als ze bewoog. Hij ging op een plek zitten waar hij haar kon zien en belde als eerste haar vader.

Toen hij Matt over Cilla's oprit naar zijn huis zag komen, vermoedde Ford dat zijn vriend had gelet op een teken. Hij maakte een einde aan het gesprek, ditmaal met een vriendin, een verpleegkundige, om er zeker van te zijn dat hij goed omging met Cilla's verwondingen.

Hij gebaarde dat Matt op een stoel moest gaan zitten terwijl hij de verbinding verbrak.

'Wat is er in godsnaam gebeurd, Ford?'

'Hennessy,' begon hij, en hij deed het hele verhaal.

'Jezus. Wat een achterlijke gek. Weet je zeker dat alles goed met haar is?'

'Ik heb net met Holly gepraat. Weet je nog wie dat is?'

'Zuster Holly?'

'Ja. Het lijkt haar beter als ik Cilla kan overhalen om zich te laten onderzoeken. Maar in de tussentijd, hitte, kou, ibuprofen. Tot zover heb ik dat geregeld. Je hebt de auto gezien.'

'Ja, die heeft hij behoorlijk toegetakeld. Zijn eigen busje ook. Heeft ze hem geveld met een trap in zijn ballen?'

'Blijkbaar wel.'

'Nou, mooi zo,' zei Matt met zowel venijn als bewondering. 'Ik zou hem ook wel een lesje willen leren.'

'Achter in de rij aansluiten.'

'Hoor eens, als zij, of jij, iets nodig heeft, dan weet je me te vinden. En aan de overkant van de straat zijn heel wat mensen die precies hetzelfde zouden zeggen.'

'Weet ik.'

'En zeg maar dat ze zich geen zorgen hoeft te maken over het werk. Wij redden ons prima. Als ze vannacht hier blijft, moet jij daarheen om het alarm aan te zetten.'

'Ja, ik zal ervoor zorgen.'

'Eventuele vragen, boodschappen of dat soort dingen zal ik in haar beruchte notitieblok schrijven en ik zal alles aan Brian vertellen. Ik kom morgen nog wel even langs.'

Toen er twee uren voorbij waren, overwoog Ford om haar wakker te maken, voor het geval ze inderdaad een hersenschudding had. Voor hij een besluit had genomen, zag hij een gewone auto haar oprit in slaan.

Daarom wachtte hij af en zag hij Wilson en Urick uitstappen en naar binnen gaan. Ze kwamen weer naar buiten, stapten in de auto en reden zijn oprit op.

'Meneer Sawyer.'

'Dit wordt een gewoonte, hè?'

'Is mevrouw McGowan hier?'

'Ja. Bont en blauw en uitgeput. Ze slaapt. Waar is Hennessy?'

'Die zit in de cel. Wilt u een lijst van de aanklachten tegen hem?'

'Als er genoeg is om hem in die cel te laten zitten niet.'

'We willen graag met mevrouw McGowan praten, haar verklaring doornemen.'

'Ze slaapt,' zei Ford weer, en hij stond op. 'En ze heeft genoeg meege-maakt voor één dag. Meer dan genoeg, punt uit. Als Hennessy achter de tralies had gezeten, waar hij thuishoort, dan had hij geen poging kunnen doen om haar om te brengen.'

'Als we enig bewijs hadden gehad, dan zouden we hem eerder in de cel hebben gestopt.'

'Dus?' gaf Ford terug. 'Beter laat dan nooit?'

'Ford.' Cilla duwde de hordeur open. 'Het geeft niet.'

'O, jawel.'

'Ja, je hebt gelijk. Het geeft wel. Maar ik praat wel even met de recher-cheurs. We kunnen dit maar beter achter de rug hebben.' Ze deed de deur wat verder open. 'Wilt u even in de woonkamer wachten?' vroeg ze aan Wilson en Urick.

Nadat ze langs haar heen waren gelopen, liet ze de hordeur achter zich dichtvallen en legde haar handen op Fords schouders. 'Niemand heeft me ooit beschermd.' Ze zoende hem. 'Mijn hele leven is er nog nooit iemand tussen mij en iets naars gaan staan. Dat is een ongelooflijk gevoel. Het is vreselijk fijn om te weten dat ik niet eens hoef te vragen of je bij me wilt blijven terwijl ik dit doe. Je mag je wapenuitrusting bij de reparateur laten. Die heb je helemaal niet nodig.'

Ze pakte zijn hand en liep naar binnen om het gesprek achter de rug te hebben.

Deel 3

De afwerking

En al is thuis een naam,
een woord, het is een sterk woord;
sterker dan een tovenaar ooit
uitsprak, of een geest ooit op reageerde,
in de sterkste bezwering.

CHARLES DICKENS

21

'Hoe voelt u zich?' vroeg Wilson toen ze op de bank naast Ford zat, met de hond tussen hen in.

'Gek genoeg alsof ik een bofkont ben.'

'Hebt u zich nog door een arts laten onderzoeken?'

'Nee, het zijn maar bulten en blauwe plekken.'

'Het zou handig zijn wanneer u een doktersverklaring en foto's van uw verwondingen zou hebben.'

'Ik heb hier nog geen dokter. En ik ben niet…'

'Ik heb er een,' viel Ford haar in de rede. 'Ik bel hem wel.'

'We hebben Hennessy verhoord,' zei Urick. 'Een eerste gesprek. Hij ontkent niet dat hij je auto heeft geramd en je van de weg heeft gedrukt. Hij beweert dat je zijn vrouw lastigviel.'

'Ik ben vanochtend bij haar langsgegaan. Dat was ik vergeten,' zei ze tegen Ford. 'Na dit alles was dat een beetje weggezakt. Eigenlijk ging ik om hem te spreken, maar ze zei dat hij niet thuis was. We hebben een gesprek gehad op haar veranda. Toen ben ik weggegaan. Ik heb haar niet en niemand anders lastig gevallen. En als hij vindt dat een gesprekje met zijn vrouw voldoende reden is om mij in een greppel te duwen, is hij echt knettergek.'

'Hoe laat hebt u mevrouw Hennessy gesproken?'

'Dat weet ik niet. Rond negen uur. Ik ben daar weggegaan en heb een aantal dingen gedaan. Ik ben denk ik op vier of vijf verschillende plekken geweest, in Front Royal en Morrow Village. Ik zag zijn busje uit de richting van mijn boerderij komen toen ik daarheen reed. Hij zag me en een minuut later reed hij achter me. Hij haalde me heel snel in. Hij ramde me. Ik weet niet meer hoeveel keer. Minstens drie of vier. Ik weet dat ik alle kanten van de weg op schoot. Ik slipte en dacht dat ik zou omslaan. Ik reed de greppel in. Waarschijnlijk hebben de gordel en de airbag ervoor gezorgd dat ik niet erger gewond ben.'

'U bent uitgestapt,' drong Wilson aan.

'Dat klopt. Ongelooflijk kwaad. Ik begon tegen hem te schreeuwen, hij schreeuwde terug. En hij duwde me. En nog een keer waardoor ik tegen de achterkant van de auto botste. Hij zei: "Ik zie jou erin." Toen hief hij zijn vuist op en heb ik hem geschopt.'

'Wat denk je dat hij daarmee bedoelde? "Ik zie jou erin"?'

'Mijn grootmoeder. Hij bedoelde dat hij haar zag. En ik denk dat hij bereid is om mij pijn te doen als hij haar daarmee kan raken. Hij heeft mijn vrienden aangevallen, mijn eigendommen vernield en nu is hij mij aangevlogen.'

'Hij heeft alleen de incidenten van vanmiddag bekend,' zei Wilson tegen haar. 'Hij ontkent de rest.'

'Gelooft u hem?'

'Nee, maar het valt niet te rijmen dat een man die toegeeft iemand te hebben aangevallen met een voertuig, die roekeloos een ander in gevaar heeft gebracht en mishandeld, niet wil toegeven dat hij op verboden terrein is geweest en vernielingen heeft aangericht. Weet u, mevrouw McGowan, hij heeft het gevoel dat wat hij vandaag heeft gedaan gerechtvaardigd was. Hij heeft geen enkel berouw en hij is niet bang voor de gevolgen. Als zijn vrouw geen advocaat voor hem had geregeld, hadden we het misschien uit hem kunnen krijgen.'

'Wat gaat er nu gebeuren?'

'Voorgeleiding en een hoorzitting om de borgsom te bepalen. Gezien zijn leeftijd en de tijd dat hij hier al woont, zal zijn advocaat wel vragen of hij onder persoonlijke borgsom kan worden vrijgelaten. En gezien de aard van zijn misdrijf en het feit dat hij dicht bij u woont, zal de officier waarschijnlijk eisen dat hij wordt vastgehouden zonder borgsom. Ik kan u niet zeggen hoe het zal gaan, of dat het er ergens tussenin zal zijn.'

'Zijn vrouw zweert dat hij die avond het huis niet uit is geweest.' Urick pakte het opschrijfboekje dat op zijn schoot lag. 'Dat ze het park hebben verlaten vlak nadat ze u hebben gezien en dat hij de hele avond binnen is geweest. We hebben echter wel uit haar gekregen dat hij veel tijd doorbrengt in de kamer van hun zoon. Daar sluit hij zich op en hij slaapt er ook. Dus hij kan het huis hebben verlaten zonder dat zij het merkte. Op dat punt zullen we hem hard ondervragen, dat verzeker ik u.'

Cilla was nauwelijks lekker gaan zitten nadat de politie was vertrokken toen haar vader arriveerde, met Patty en Angie in zijn kielzog. Precies toen de boosheid en de emoties hoog opliepen en onverdraaglijk dreigden te worden, zeilde Fords moeder binnen met een grote tupperwaredoos en een boeket bloemen.

'Nee, niet opstaan, arm ding. Ik heb wat zelfgemaakte kippensoep voor je meegenomen.'

'O, Penny, wat attent!' Patty sprong op om de bloemen aan te pakken. 'Ik heb helemaal niet aan bloemen of eten gedacht. Ik heb geen moment…'

'Nee, natuurlijk niet. Jij had al genoeg aan je hoofd. Cilla, ik ga meteen een kom voor je opwarmen. Mijn kippensoep is overal goed tegen: verkoudheid, griep, blauwe plekken, ruzies met geliefden en regenachtige dagen. Ford, pak eens een vaas waar Patty de bloemen in kan zetten. Niets vrolijkt een mens zo op als een bos zonnebloemen.'

Patty klemde de bloemen stevig vast en barstte in tranen uit.

'Kom, kom.' Penny hield de tupperware in een hand en sloeg haar andere arm om Patty heen. 'Kom mee, liefje. Ga maar mee. We zullen ons nuttig maken en dan zul je je beter voelen.'

'Heb je haar arme gezicht gezien?' zei Patty snikkend toen Penny haar meenam.

'Ze is heel erg van streek.' Angie ging naast Cilla zitten en pakte haar hand vast.

'Dat weet ik. Het is al goed.'

'Het is helemaal niet goed.' Gavin had uit het raam gekeken en hij draaide zich om. 'Niks is goed. Ik had jaren geleden de confrontatie met Hennessy aan moeten gaan, dit met hem uit moeten praten. In plaats daarvan heb ik hem ontweken. Ik keek de andere kant op omdat het ongemakkelijk was. Onplezierig. En omdat hij Patty en Angie met rust liet. Jou liet hij niet met rust, maar toch bleef ik hem uit de weg gaan.'

'Ook als je de confrontatie met hem was aangegaan, zou er niks aan de zaken zijn veranderd.'

'Ik zou minder het gevoel hebben dat ik mislukt was als je vader.'

'Je bent niet…'

'Angie,' zei Gavin, Cilla in de rede vallend. 'Wil jij je moeder en mevrouw Sawyer even gaan helpen?'

'Goed.'

'Ford? Mogen wij even?'

Met een knikje glipte Ford de kamer uit achter Angie.

Cilla ging zitten, haar maag in de knoop door een nieuw soort spanning. 'Ik weet dat je van streek bent. Dat zijn we allemaal,' begon ze.

'Ik heb toegestaan dat zij je hield. Ik heb je bij Dilly gelaten en ik ben vertrokken.'

Cilla keek in zijn gezicht en stelde de enige vraag die ze hem nog nooit had durven stellen. 'Waarom?'

'Ik hield mezelf voor dat je daar beter af zou zijn. Dat geloofde ik echt. Ik dacht werkelijk dat je daar op je plek was. En dat je daar, bij je moeder, iets deed wat je gelukkig maakte. Het bood je voordelen. Ik was er niet gelukkig, en het op de klippen lopen van onze relatie bracht het allerslechtste in zowel je moeder als mij naar boven als we met elkaar te maken hadden. Als we met elkaar dingen voor jou moesten regelen. Ik voelde me… vrij toen ik hier terugkwam.'

'Ik was nog maar een jaar oud toen je het huis uit ging en nog geen drie toen je uit Los Angeles vertrok.'

'We konden nog geen twee zinnen tegen elkaar zeggen zonder dat het op ruzie uitliep. Het was ietsje beter als er een paar duizend kilometer tussen ons zat. De eerste paar jaar kwam ik elke maand of om de twee om je te zien en daarna… minder. Jij werkte al als actrice. Het was gemakkelijk om mezelf wijs te maken dat je een druk leven had, om te geloven dat het niet in jouw belang was om hier te komen in de zomervakantie als je ook publieke optredens kon doen.'

'En jij bouwde hier een leven op.'

'Ja, ik ben hier een nieuw leven begonnen. En ik ben verliefd geworden op Patty.' Hij keek naar zijn handen en liet ze langs zijn zij vallen. 'Jij was nauwelijks echt voor me, dat prachtige kleine meisje dat ik een paar keer per jaar een bezoekje bracht. Ik kon mezelf voorhouden dat ik mijn plicht deed, ik was nooit te laat met de kinderbijdrage, ik belde je op je verjaardag en met kerst, en ik stuurde cadeautjes. Ook al wist ik dat het een leugen was, ik kon het mezelf wijsmaken. Ik had Angie. Hier, elke stap. Zij had me nodig en jij niet.'

'Maar dat had ik wel.' Cilla's ogen stonden vol tranen. 'Dat had ik wel.'

'Dat weet ik. En ik zal het nooit meer goed kunnen maken, niet voor jou en niet voor mezelf.' Hij klonk aangedaan. 'Ik wilde een rustig leventje, Cilla. En ik heb jou opgeofferd om dat te krijgen. Tegen de tijd dat ik dat besefte, was je volwassen.'

'Heb je ooit van me gehouden?'

Hij drukte zijn vingers tegen zijn ogen alsof ze brandden en liet daarna zijn handen zakken en kwam naast haar zitten. 'Ik was in de verloskamer toen je werd geboren. Ze legden je in mijn armen en ik hield van je. Maar het was bijna een soort ontzag. Verbazing en angst en opwinding. Wat me het meeste bijstaat, gebeurde een paar weken nadat we je mee naar huis hadden genomen. Ik moest vroeg op de set zijn en ik hoorde je huilen. De kinderjuffrouw had je gevoed, maar je was onrustig. Ik pakte je op en ging met je in de schommelstoel zitten. Je spuugde mijn hele overhemd onder. En daarna keek je me aan. Recht in mijn ogen. En ik hield van je. Ik had je niet moeten laten gaan.'

Ze haalde adem toen iets in haar borst openging. 'Je hebt me geholpen met het uitzoeken van de rozenstruiken en een rode esdoorn. Je hebt mijn woonkamer geschilderd. En nu ben je er ook.'

Hij sloeg een arm om haar heen en trok haar tegen zich aan. 'Ik zag je staan op een veranda die je eigenhandig had gebouwd,' fluisterde hij. 'En ik hield van je.'

Voor het eerst dat ze wist, misschien zelfs voor het eerst in haar leven, drukte ze haar gezicht tegen zijn borst en huilde ze.

Even later at ze kippensoep en het verbaasde haar hoeveel ze daarvan opknapte. De hoge groene vaas vol felgele zonnebloemen kon ook geen kwaad. Cilla vond dat ze er een stuk beter uitzag toen Ford het plan om naar de overkant te lopen om te kijken welke vorderingen er waren gemaakt niet afkeurde.

'Een beetje rondlopen zal ervoor zorgen dat je niet stijf wordt.'

'Het is koeler. Het is lekker buiten. Het ruikt alsof het gaat regenen.'

'Je wordt echt een plattelandsmeisje.'

Met een glimlach hief ze haar gezicht naar de hemel. 'Dat ook, en zoals alle aannemers heb ik vanochtend naar het weerkanaal gekeken. 's Avonds is er een kans van zestig procent op onweer. En nu we het toch over het weer hebben, jij hebt de emotionele storm van daarnet goed doorstaan.'

'Nauwelijks, als je de waarheid wilt weten. Mijn moeder zegt telkens "kom, kom" tegen Patty, en dan begint Angie ook, waarop mijn moeder het ook niet meer droog houdt. Dus dan zit ik met drie huilende vrouwen in de keuken die soep opwarmen en bloemen schikken.' Met een gepijnigd gezicht haalde hij een hand door zijn wanordelijke haarbos. 'Ik ben er bijna vandoor gegaan. Spock is als een echte lafaard door zijn hondendeur weggeslopen. Ik heb overwogen om hetzelfde te doen.'

'Maar Ford heeft die verleiding weerstaan.'

'Dat scheelde anders niet veel toen ik een blik in de woonkamer wierp om te kijken of de kust veilig was en jij daar je ogen zat te betten.'

'Fijn dat je bent gebleven.'

'Dat doen wij verliefde mannen nou eenmaal.' Hij draaide de sleutel om en duwde de deur open.

In de deuropening bleef ze staan terwijl Spock direct naar binnen liep en het zich gemakkelijk maakte. 'Ben je dat ooit eerder geweest?'

'Wat?'

'Verliefd?'

'Op mijn achtste was ik verliefd op Ivy Lattimer, maar zij deed neerbuigend en dreef de spot met me. Maar als je vraagt of het ooit echt is geweest, of ik ooit naar een vrouw heb gekeken en heb geweten, gevoeld, verlangd en nodig gehad, allemaal op hetzelfde moment? Nee. Jij bent de eerste.'

Hij hief haar hand op en liet zijn lippen zacht over haar knokkels strijken, waardoor ze moest denken aan haar vader die hetzelfde bij Patty had gedaan. 'Hier ziet het er nog net zo uit als eerst. Wat doen die kerels de hele dag?'

Ze slenterde naar de woonkamer. 'Dat komt doordat jij niet weet waar je naar moet kijken. De sierplaatjes voor over de lichtknopjes en de dekplaatjes van gehamerd brons voor de stopcontacten die ik speciaal heb besteld, zijn geïnstalleerd. Lief, maar dat hadden ze niet hoeven doen. Matt heeft de sierlijsten hier laten liggen omdat hij weet dat ik er een emotionele band mee heb en die zelf wil bevestigen.'

Ze liep verder en slaakte een vreugdekreetje toen ze bij de deur van het toilet kwam. 'De tegels liggen.' Ze hurkte neer en bekeek ze kritisch. 'Mooi, heel mooi, de warme kleuren in dit mozaïek passen prima bij de kleur van de hal en het woongedeelte. Ik vraag me af of ze de badkamer op de tweede verdieping hebben gedaan of de gipsplaten hebben afgemaakt.'

En ze is weer helemaal terug, dacht Ford, achter haar aan lopend door het huis.

Tegen de tijd dat ze alles naar haar tevredenheid had gecontroleerd, ging het onweren. Spock piepte van angst en bleef aan Fords zij klitten.

Ze stelde het alarm in en sloot af.

'De wind wakkert aan. Dat vind ik echt heerlijk. Ik vind het fantastisch als het pas 's avonds gaat regenen zodat de tijd die je aan het werk kunt besteden niet wordt verpest. Brians ploeg komt morgen en dan gaan we eindelijk aan de vijver beginnen. En we... O, verdomme, helemaal vergeten. Ik heb vanochtend een bod op het huis gedaan. Het was een opwelling, een heel sterke, die zei: doe het nu. Morgen krijg ik te horen of ze een tegenbod doen. Daarom heb ik een afspraak gemaakt om dat andere huis te bekijken. Ik dacht dat we die wel konden verzetten als het jou niet uitkwam. Maar het is me helemaal ontschoten.'

'Goh, hoe zou dat nou komen? Hoe laat, morgen?'

'Om vijf uur. Ik heb een drukke dag, dus vijf uur kwam het beste uit.'

'Prima. Dan kunnen we meteen na je afspraak bij de dokter gaan. Die is om vier uur.'

'Maar...'

'Vier uur,' zei hij op die toon die ze maar zelden hoorde. Waarschijnlijk boekte hij er daarom zo veel succes mee.

'Goed. Oké.'

'Heb je zin om buiten te gaan zitten met een glas wijn en naar de naderende storm te kijken?'

'Ja, dan eindigt deze rotdag toch nog op een leuke manier.'

Cilla vond dat ze zich aardig staande wist te houden. Ze had een goede nachtrust gehad, wellicht geholpen door twee glazen wijn, twee tabletten Motrin en nog een kom van Penny's beroemde kippensoep. Ze slaagde erin om zeven uur op te staan zonder Ford wakker te maken. Nog een keer in het bubbelbad, wat superlichte rek- en yogaoefeningen, gevolgd door meer Motrin en een ongelooflijk hete douche zorgden ervoor dat ze zich bijna normaal voelde.

Onder het genot van een kop koffie vroeg ze zich af waarom ze een doktersafspraak had. Ze had geen arts nodig om haar te vertellen dat ze bont en blauw was en dat ze een paar dagen een beetje stijf zou zijn en wat pijn zou hebben.

Maar ze betwijfelde of Ford er zo over zou denken.

En was dat eigenlijk niet leuk? Er was iemand die genoeg om haar gaf om zich bazig te gedragen waar het haar welzijn betrof. Het kon geen kwaad om flexibel te zijn, om iets te buigen om hem tevreden te stellen.

Bovendien was het ergste achter de rug. Hennessy zat in de cel en kon haar of haar bezittingen niets meer doen. Ze zou in vrede kunnen leven en haar verbouwing af kunnen maken. Daarna aan het volgende huis beginnen.

Ze zou er eens goed voor gaan zitten en erover nadenken wat het betekende dat een man als Ford verliefd op haar was. En ja, om zich druk te maken en te piekeren over wat het betekende dat zij verliefd was – als ze tenminste echt begreep wat dat inhield – op een man als Ford.

Ze konden toch wel de tijd nemen om dat verder uit te bouwen? Om te herstructureren, de kleuren en sierlijsten uit te kiezen? Ze konden de fundering eens goed bekijken en evalueren. Want die van haar was zo ongelijk. Er zaten heel veel scheuren in, peinsde ze. Maar misschien kon alles gesteund, gestut en gerepareerd worden.

Aangezien die van hem zo degelijk was, zo stevig, moest er een kans zijn dat ze het hele gevaarte rechtop konden laten staan. Om iets duurzaams op te bouwen.

Ze wilde er dolgraag iets duurzaams van maken.

Ze schreef een briefje voor hem dat ze tegen het koffiezetapparaat aanzette.

In werkelijkheid voelde ze zich maar een beetje minder klote, maar goed voldeed prima.

Ze schonk koffie in haar thermosbeker en liep slechts twee uur later dan anders naar de deur.

Ze trok hem open en deinsde geschrokken een stap achteruit. Mevrouw Hennessy stond aan de andere kant van de deur, haar hand opgeheven alsof ze wilde kloppen.

'Mevrouw Hennessy.'

'Mevrouw McGowan. Ik hoopte al dat u hier zou zijn. Ik moet met u praten.'

'Gezien de omstandigheden geloof ik niet dat dat een goed idee is.'

'Toe, alstublieft.' Mevrouw Hennessy deed zelf de hordeur open en liep naar binnen zodat Cilla gedwongen was een pas achteruit te doen. 'Ik weet dat u van streek moet zijn. Ik weet dat u daar alle reden toe hebt, maar…'

'Van streek? Ja, ik zou denken dat ik daar inderdaad alle reden toe heb. Uw man wilde me vermoorden.'

'Nee. Nee. Hij werd kwaad en dat was gedeeltelijk mijn schuld. Hij heeft iets verkeerds gedaan. Dat had hij niet mogen doen, maar u moet begrijpen dat hij niet helder kon nadenken.'

'Wanneer dacht hij dan niet na? Toen hij in eerste instantie hierheen reed of toen hij meerdere malen tegen mijn pick-up botste tot hij me van de weg had gedrukt? Of misschien toen hij me duwde? Of toen hij zijn vuist naar me ophief?'

De ogen van mevrouw Hennessy glommen, angst, verdriet, verontschuldiging. 'Er bestaat geen enkel excuus voor wat hij heeft gedaan. Dat weet ik. Ik wil u smeken wat medelijden, wat compassie te tonen. Om uw hart te openen en zijn pijn te begrijpen.'

'U hebt dertig jaar geleden een tragedie meegemaakt. En daar geeft hij mij de schuld van. Hoe kan ik dat begrijpen?'

'Dertig jaar geleden, dertig minuten geleden. Voor hem maakt dat geen verschil. Onze zoon, ons enige kind, is die avond zijn toekomst kwijtgeraakt. We konden maar één kind krijgen. Ik had problemen en Jim zei tegen me, het doet er niet toe, Edie. We hebben alles. We hebben onze Jimmy. Hij hield meer van die jongen dan van wie ook ter wereld. Misschien hield hij te veel van hem. Is dat een zonde? Is dat verkeerd? Kijk, kijk.'

Ze haalde een ingelijste foto uit haar handtas en stopte hem in Cilla's handen. 'Dat is Jimmy. Dat is onze zoon. Kijk naar hem.'

'Mevrouw Hennessy…'

'Hij lijkt sprekend op zijn papa,' zei ze snel, dringend. 'Dat zei iedereen, vanaf zijn geboorte. Hij was zo'n lieve knul. Heel slim, lief en grappig. Hij zou gaan studeren, hij zou medicijnen gaan doen. Hij wilde dokter worden. Jim en ik hebben geen van tweeën gestudeerd. Maar we hebben gespaard en geld opzijgezet zodat Jimmy dat wel kon. We waren zo trots op hem.'

'Hij was een heel knappe jongeman,' slaagde Cilla erin te zeggen, en ze gaf de foto terug. 'Het spijt me wat er is gebeurd. Het spijt me oprecht. Maar het is niet mijn schuld.'

'Natuurlijk niet. Nee.' Bijna in tranen drukte ze de foto tegen haar hart. 'Ik heb elke dag van mijn leven gerouwd om wat er met mijn zoon is gebeurd, mevrouw McGowan. Jimmy is na die avond nooit meer de oude geworden. Het was niet alleen dat hij nooit meer zou kunnen lopen of zijn armen zou kunnen gebruiken. Hij verloor zijn levenslust, zijn bezieling. Hij is nooit meer de oude geworden. Die nacht ben ik niet alleen mijn zoon, maar ook mijn man kwijtgeraakt. Hij heeft jarenlang voor Jimmy gezorgd. Ik mocht bijna nooit iets doen. Hij moest alles doen. Hem eten geven, verschonen, optillen. Het heeft zijn hart gebroken. Zo is het gewoon.'

Ze rechtte haar rug. 'Toen Jimmy stierf, was ik in zekere zin opgelucht. Ik schaam me er niet voor om dat toe te geven. Alsof het mijn jongen eindelijk vrij stond om zichzelf weer te zijn, om te lopen en te lachen. Maar hetgeen er overbleef in mijn Jim, verschrompelde, brak eenvoudigweg. Het gewicht van dat alles heeft hem gebroken. Ik smeek u, stuur hem niet naar de gevangenis. Hij heeft hulp nodig. En tijd om te genezen. Neem hem niet ook van me af. Ik weet niet wat ik dan zou moeten doen.'

Ze sloeg haar handen voor haar gezicht en haar schouders schokten van het huilen. Vanuit haar ooghoek zag Cilla een beweging. Ford liep de trap af, maar zij stak een hand op om hem tegen te houden.

'Mevrouw Hennessy, weet u wat hij gisteren heeft gedaan? Begrijpt u wat hij heeft gedaan?'

'Ik snap wat u bedoelt, en ik weet dat hij u gisteren pijn heeft gedaan. Ik had hem niet moeten vertellen dat u was langsgekomen. Ik was van slag en ik viel tegen hem uit, dat hij erover op moest houden, het met rust moest laten, en u erbij. Dat ik het niet op prijs stelde dat u bij ons langskwam. En hij stormde weg. Als ik hem niet kwaad had gemaakt…'

'En de andere keren?'

Ze schudde haar hoofd. 'Ik weet niet van andere keren. Begrijpt u dan niet dat hij hulp nodig heeft? Ziet u niet dat hij ziek is in zijn hart en in zijn ziel? Ik hou van mijn man. Ik wil hem terug. Als hij de gevangenis in moet, zal hij doodgaan. Daar gaat hij dood. U bent nog jong. U hebt uw hele leven nog voor u. Wij zijn ons kostbaarste bezit al kwijt. Kunt u niet met de hand over het hart strijken en ons vrede laten proberen te vinden?'

'Wat denkt u dat ik kan doen?'

'U kunt ze vertellen dat u niet wilt dat hij de gevangenis in moet.' Ze greep Cilla's hand beet. 'De advocaat zegt dat hij een psychiatrisch onderzoek aan kan vragen, en een verblijf in een ziekenhuis. Dat ze Jim naar een plek kunnen sturen waar ze hem kunnen helpen. Hij zou weg moeten, is dat geen straf? Hij moet gaan, maar dan kunnen ze hem helpen.'

'Ik weet niet…'

'En ik zal het huis verkopen.' Haar handen knepen harder in die van Cilla en haar wanhoop sloeg over van huid naar huid. 'Dat zweer ik op de bijbel. Ik zal het huis verkopen en we zullen hier weggaan. Als hij weer goed genoeg is, zullen we naar Florida verhuizen. Volgend jaar herfst verhuizen mijn zus en haar man daarheen. Ik zal er een huis kopen en dan gaan we hier weg. Hij zal u nooit meer lastigvallen. U kunt ze vertellen dat u wilt dat hij naar het psychiatrisch ziekenhuis gaat tot hij beter is. Hij heeft u kwaad gedaan, dus ze zullen naar u luisteren.

Ik heb uw grootmoeder gekend. Ik weet dat zij van haar zoon hield.

Ik weet dat ze om hem treurde. Dat weet ik in mijn hart. Jim heeft dat nooit geloofd en hij heeft haar de schuld gegeven, elke keer dat hij naar onze zoon in die rolstoel keek. Hij kon niet vergeven en dat heeft hem ziek gemaakt. Kunt u vergeven? Alstublieft?'

Hoe kon ze weigeren nu ze werd geconfronteerd met zo'n grote behoefte? dacht Cilla. Zo'n verschrikkelijke behoefte. 'Ik zal met de politie praten, maar ik kan niks beloven. Ik zal met ze gaan praten. Meer kan ik niet doen.'

'God zegene u daarvoor. Ik zal u nooit meer lastigvallen. Jim ook niet, dat zweer ik.'

Cilla sloot haar ogen en deed de deur dicht. Met een vermoeide zucht liep ze naar Fords trap en ging zitten. Ze legde haar hoofd op zijn schouder toen hij naast haar kwam zitten.

'Er zijn allerlei soorten aanvallen,' zei hij zacht. 'Op het lichaam, op de geest en op het hart.'

Ze knikte alleen. Hij begreep dat ze zich murw gebeukt voelde door het bezoek, door de smeekbeden en de tranen.

'Het draait om verlossing, hè?' vroeg ze. 'In elk geval gedeeltelijk. Ik ben hier om haar huis tot leven te wekken. Om mezelf tot leven te wekken. Ik zoek haar in het huis, ik zoek de antwoorden, de redenen. Ze is nooit over Johnnies dood heen gekomen. Nooit meer de oude geworden. En de meeste mensen zeggen dat ze zich daarom van het leven heeft beroofd. Zou je niet kunnen zeggen dat Hennessy die luxe niet had? Zijn kind leefde nog, maar zo beschadigd, gebroken, behoeftig. Hij kon er niet voor weglopen en moest er dag in dat uit mee leven. En dat heeft hem gebroken.'

'Ik zeg niet dat hij geen hulp nodig heeft,' zei Ford langzaam. 'Die verplichte tijd op een psychiatrische afdeling is niet genoeg. Maar, Cilla, hij is niet degene die om medelijden of vergiffenis vraagt. Het is niet Hennessy die op zoek is naar verlossing.'

'Nee, dat klopt.' Ook wat dat betreft wist ze dat hij gelijk had. 'Ik doe het niet voor hem. Ik doe het voor die wanhopige, doodsbenauwde vrouw. En nog belangrijker, ik doe het voor Janet.'

Uit ervaring wist Cilla dat een goede bouwploeg je niet vertroetelde omdat je toevallig een vrouw was. Ze kreeg te maken met vragen en uitingen van bezorgdheid, woede en walging, maar niet meer dan als ze een man was geweest.

En ze moest meer dan genoeg grappen en opmerkingen aanhoren dat ze een echte kenau was.

Dat hielp haar om weer tot zichzelf te komen zodat ze in de ochtend sierlijsten kon ophangen.

'Hé, Cill.' Een van de werkmannen stak zijn hoofd om de hoek van de woonkamer terwijl zij op de trap stond en het lijstwerk aan het plafond vasttimmerde. 'Er staat hier een dame die zegt dat ze je kent. Ze heet Lori. Mag ik haar binnen laten of niet?'

'Ja, vraag maar of ze binnen wil komen.' Cilla schoot de laatste spijker erin en klom de trap af.

'Als ik gisteren hetzelfde had meegemaakt als jij, zou ik op bed liggen en niet op trapjes klimmen.'

'Gewoon een ander soort therapie.' Cilla legde het spijkerpistool weg en wendde zich tot haar barmhartige samaritaan. 'Ik wilde vandaag of morgen bij je langsgaan om je nogmaals te bedanken.'

'Dat heb je gisteren al gedaan.'

'Ik wil niet bagatelliseren wat je hebt gedaan, maar ik zal je in gedachten altijd over de weg zien rennen met een draagbare telefoon in je ene hand en een tuinstaak in je andere.'

Met een lachje schudde Lori haar hoofd. 'Mijn man en ik hebben deze week vrij genomen, een korte vakantieweek, om wat klusjes in huis en in de tuin op te knappen. Hij was weg met onze twee jongens om veenmos en spul om herten te verjagen te kopen terwijl ik de tomaten opnieuw opbond. Geloof me, als hij thuis was geweest, zou hij die gek er met de staak van langs hebben gegeven, zelfs toen hij al op de grond zat.'

Met een medelijdende blik bekeek ze de kneuzing op Cilla's slaap. 'Dat ziet er pijnlijk uit. Hoe gaat het met je?'

'Best aardig. Volgens mij ziet het er nu erger uit dan het aanvoelt.'

'Dat hoop ik maar.' Ze keek de kamer rond. 'Ik moet toegeven dat ik jou wilde zien, maar ook dat ik altijd al een kijkje in dit huis heb willen werpen.'

'Het wordt grondig verbouwd, maar als je wilt, kan ik je een rondleiding geven.'

'Een andere keer, graag. Dit is een schitterende kamer. Ik vind die kleur het einde. Goed, ik wil het even over iets anders hebben. Ik weet natuurlijk wie jij bent en wie je grootmoeder was. Wij zijn hier ongeveer twaalf jaar geleden komen wonen, maar Janet Hardy is legendarisch, dus we wisten dat dit haar huis is geweest. Het is fijn om te zien dat iemand het eindelijk gaat onderhouden, maar dat is niet wat ik wilde zeggen.'

'Is er iets mis?'

'Dat weet ik niet, want hoewel ik weet wie jij bent en nu een bijzondere belangstelling voor je heb, ken ik je niet. Vanochtend ben ik gebeld door twee journalisten die informatie wilden en mijn versie van wat er gisteren is gebeurd.'

'O, uiteraard.'

'Ik heb gezegd dat ik mijn verhaal tegen de politie heb gedaan. Beide keren drongen ze zo erg aan dat ik pissig werd.'

'Het spijt me dat je hierdoor wordt lastiggevallen.'

Lori stak een hand op en wuifde dat weg. 'Ik ben even langsgekomen om te zeggen dat iemand met de pers heeft gepraat. Voor hetzelfde geld heb je dat zelf gedaan, al zie ik nu dat dat niet het geval is.'

'Nee, maar ik zal wel moeten. Ik stel het op prijs dat je het bent komen vertellen.'

'We zijn buren. Ik laat je weer aan je werk.' Ze keek om zich heen. 'Ik moest maar eens tegen mijn man aan gaan zeuren dat we de woonkamer moeten verven.'

Cilla deed Lori uitgeleide en ging toen terug en liet zich op de trap zakken. Ze probeerde de beste, meest directe manier te bedenken om een verklaring te laten uitgaan. Ze had nog contacten en zelfs al hield het een zeker risico in om een van hen in te schakelen, de naam Hardy zou voor opschudding zorgen. Ze had iets korts en zakelijks nodig, zorgvuldig verwoord. Ze had geleerd om niet op de loop te gaan voor nieuws, maar om het te confronteren, het in haar voordeel om te buigen en de storm met stijl te doorstaan.

Ze trok haar gsm van haar riem toen hij ging en sloot haar ogen toen ze opnam. 'Hallo, mam.'

'Cilla, wat gebeurt daar in godsnaam allemaal?'

'Ik heb wat probleempjes gehad. Er wordt aan gewerkt. Hoor eens, kun jij je publiciteitsagente bellen? Is dat nog altijd Kim Cohen?'

'Ja, maar…'

'Neem alsjeblieft contact met haar op en geef haar dit nummer. Vraag of ze me zo snel mogelijk wil bellen.'

'Ik zou niet weten waarom ik iets voor jou moet doen na de manier waarop je mij hebt behandeld…'

'Mam. Alsjeblieft. Ik heb echt wat hulp nodig.'

Het bleef een tel stil. 'Goed, ik zal haar direct bellen. Heb je een ongeluk gehad? Lig je in het ziekenhuis? Ben je gewond? Ik heb gehoord dat een of andere gekke kerel dacht dat je mama's geest was en dat hij je wilde overrijden met zijn auto. Ik heb gehoord…'

'Nee, zo was het niet. Ik ben niet gewond. Ik heb Kim nodig om me te helpen het recht te zetten. Om een verklaring te laten uitgaan.'

'Ik wil niet dat je gewond bent. Ik ben nog altijd kwaad op je,' zei Dilly met een snik die Cilla liet glimlachen. 'Maar ik wil niet dat je gewond bent.'

'Dat weet ik en dat ben ik niet. Fijn dat je Kim wilt bellen.'

'Ik weet tenminste hoe ik iemand een plezier moet doen,' zei Dilly, en ze hing op.

Dat kon Cilla niet ontkennen, aangezien de publiciteitsagente haar binnen twintig minuten belde. Na nog eens twintig minuten hadden ze samen een verklaring opgesteld. Tegen de tijd dat Cilla de verbinding verbrak, wist ze dat ze het beste had gedaan wat ze onder de omstandigheden kon doen.

'Ik ben niet echt belangrijk,' zei Cilla tegen Ford toen ze van de dokterspraktijk naar het huis reden waar ze met de makelaar hadden afgesproken. 'Maar er zijn altijd wel wat golfjes als het iets met geweld of een schandaal te maken heeft. En door de naam Hardy krijgt het misschien wat meer aandacht. Maar de verklaring moet de meeste nieuwsgierigheid wel wegnemen. Er zal niet veel belangstelling voor zijn.'

'Hier in de buurt wel. Het zal groot nieuws zijn, in elk geval een paar dagen. En opnieuw als het op een rechtszaak uitdraait. Heb je nog contact opgenomen met de politie?'

'Nu maar hopen dat het niet zover komt, en ja. Ik weet dat Wilson zich afvroeg of ik gek was toen ik vroeg of ze rekening wilden houden met Hennessy's mentale en emotionele toestand.'

'Wat zei hij?'

'De psychiatrische evaluaties worden al geregeld. Een van de verdediging en een van het Openbaar Ministerie.'

'Duellerende psychiaters.'

'Daar lijkt het wel op.'

'Ik zou zeggen dat het voor allebei vrij duidelijk moet zijn dat Hennessy volledig van de pot gerukt is.'

'Ja. Wat er uiteindelijk gebeurt, hangt natuurlijk af van wat de man van het Openbaar Ministerie oordeelt. Zal de officier van justitie vasthouden aan de aanklacht, een deal sluiten of een behandeling in een psychiatrisch ziekenhuis aanbevelen? Het is het huis dat dadelijk aan je linkerkant komt. Dat Cape Cod-achtige huisje daar.'

'Hè?'

'Waar dat rode autootje voor staat. Ze is er al. Vicky Fowler. Het is een huurhuis dat op dit moment leegstaat en waar de eigenaar van af wil. En Vicky wil het liever vandaag dan morgen uit haar boeken hebben.'

Ford keek naar de verwilderde voortuin vol onkruid en het kleine, bruine, vierkante huis dat erop stond. 'Ik begrijp niet waarom. Zou het door de enorme lelijkheid komen?'

'Uitstekende houding. Houden zo. Dat meen ik.' Ze gaf een bemoedigend klopje op zijn hand. 'En ik doe het woord wel.'

22

Ford wist dat hij een grote verbeelding had. Hij beschouwde zichzelf ook als een man met enige visie. Wat Cilla's kleine 'Cape Cod' betrof, kon hij zich niet voorstellen dat iemand dat zelfs maar vaag als een huis kon betitelen en hij kon zich alleen indenken dat het genadig met de grond gelijk zou worden gemaakt.

Het tapijt in de piepkleine woonkamer zat onder de vlekken van een bedenkelijke en ongetwijfeld onplezierige aard. Hij was blij dat hij Spock weer voor werkhond had laten spelen, anders zou de hond zich verplicht hebben gevoeld om alle al gemarkeerde plekken opnieuw te markeren.

Een dier of een heel leger knaagdieren had aan de plinten geknabbeld. Het plafond, dat ook een nare plek in een van de hoeken had, zat onder de bobbeltjes die Cilla popcorn noemde.

De keuken was een ongelooflijk lelijk samenraapsel van niet bij elkaar passende apparaten, gescheurd linoleum en een roestige gootsteen. Op het kleine aanrecht zaten ronde brandvlekken van pannen die achteloos op het blauw gespikkelde formica waren neergezet. De hoeken zaten vol aangekoekt vuil en Joost mocht weten wat nog meer.

In gedachten zag hij grote aantallen kakkerlakken uit die roestige gootsteen komen, bewapend met automatische geweren, rijdend in tanks en gepantserde voertuigen, om strijd te voeren tegen spinnen in gevechtstenue die bazooka's afvuurden.

Het kostte hem geen moeite om Cilla het woord te laten doen. Hij was met stomheid geslagen.

De eerste verdieping bestond uit twee slaapkamers die vol lagen met rotzooi van de vorige bewoners en een badkamer die hij zonder beschermende kleding niet in wilde.

'Zoals jullie kunnen zien moet er nogal wat aan gebeuren!' Vicky liet haar hagelwitte tanden zien in wat alleen kon worden omschreven als een gepijnigde, ietwat wanhopige glimlach. 'Maar met wat inspanning en zweet kan het een heel lief huisje worden! Een schattige starterswoning voor een jong stel als jullie.'

'Een stel wat?' vroeg Ford, en Cilla wierp hem een koele blik toe.

'Vicky, zouden we zelf even mogen rondkijken? Om het te bespreken?'

'Ja, natuurlijk. Neem de tijd. Ik ga even naar buiten om wat telefoontjes te plegen. Jullie hoeven je voor mij niet te haasten!'

'Waarom zegt ze alles met een uitroepteken?' vroeg Ford toen Vicky buiten gehoorsafstand was. 'Uit angst? Opwinding? Heeft ze meervoudige, spontane orgasmen?'

'Heel grappig.'

'Cilla, volgens mij zag ik die stapel wat vroeger ooit kleding is geweest, daar in de hoek, net bewegen. Misschien ligt er wel iemand onder. Of ligt er een leger kakkerlakken op de loer. We moeten maken dat we hier wegkomen. En er nooit meer terugkomen.'

'Als er een lijk lag, zou het hier veel erger stinken dan het nu doet.'

'Hoeveel erger?' mompelde hij. 'En hoe weet jij hoe een lijk ruikt?'

Ze wierp hem opnieuw een koele blik toe. 'Maar kakkerlakken zou best eens kunnen. Als de verkoper een beetje slim was, zou hij alles hebben opgeruimd en dit vreselijke stinkende tapijt hebben laten weghalen. Maar misschien kunnen wij ons voordeel doen met zijn nalatigheid.'

'Dat meen je niet. Het enige wat we aan dit huis zullen overhouden, is een heftige aanval van tyfus. Of de builenpest.' Hij bleef de stapel vodden in de gaten houden. Hij was er niet helemaal zeker van dat die níét had bewogen. 'Cilla, er is echt niets positiefs aan dit huis.'

'Omdat je niet weet waar je moet kijken. De afspraak was dat als jij het risico niet wilt nemen, je dat ook niet doet. Maar laat me je eerst een idee geven. Onder dit tapijt ligt een hardhouten vloer. Dat heb ik gecontroleerd toen ik de vorige keer kwam kijken.'

Ze liep naar een losliggende hoek en trok hem omhoog. 'Eiken planken in verschillende maten, en in verrassend goede staat.'

'Goed, er ligt een vloer.'

'En het heeft een goede fundering, op een redelijk stuk grond.'

'Dat eruitziet als een mijnenveld. Waar de radioactieve spinnen onge-twijfeld boobytraps hebben neergezet.'

'Verse aarde,' ging ze onverstoorbaar verder. 'Wat planten, een mooi verhoogd terras aan de achterkant. En natuurlijk alles uit de badkamer slopen.'

'Zou het niet vriendelijker zijn om het plat te bombarderen?'

'Nieuwe kuip, nieuwe wastafel, nieuwe keramische tegeltjes. Voor een vertrek van die grootte kan ik waarschijnlijk wel een kleur vinden die eruit gaat, in een neutrale tint. Het tapijt moet er overal uit. De kastdeu-ren vervangen, planken bijmaken. De plafonds opnieuw doen, verven. Dan heb je een stel prachtige kinderkamers.'

'En waar moeten de ouders slapen?' Hij stak zijn handen in zijn zak-ken, want hij wilde niet het risico lopen om per ongeluk iets aan te ra-ken. 'Als ze slim zijn in een hotel.'

Ze wees naar de muur. 'Deze kan vijf meter naar buiten worden ver-plaatst.'

'O, ja?'

'Ja, en over de hele lengte van het huis komt dan de ouderslaapkamer, met uitzicht op de achtertuin. Inloopkast, badkamer ernaast met ligbad en aparte douche. Dubbele wastafel, granieten bladen. Misschien lei-steen. We moeten kijken hoe duur dat wordt.'

'Waar steunt het op? Op vurige wensen en verlangens?'

'Op de nieuwe keuken annex woonkamer.'

'O, daarop.' Maar vreemd genoeg begon hij het met haar ogen te be-kijken. Of zoals hij dacht dat haar ogen het zagen.

'Het vreselijke tapijt gaat eruit, eiken komt erin,' zei ze toen ze de trap weer af liep. 'Gammele leuning vervangen. Tapijt eruit, plafonds op-nieuw doen, nieuwe sierlijsten, wat plafondlijsten aanbrengen. Overal nieuwe ramen. Keuken helemaal leeghalen.'

'Godzijdank.'

'Hier een toilet en bijkeuken. Keuken, eetkamer en een woonkamer, een grote ruimte, ontbijtbar voor informele familie-etentjes, met ach-teraan de openslaande deuren naar een mooi terrasje. De buitenboel in een vrolijke kleur schilderen, het betonnen pad met de barsten vervangen door stoeptegels, wat planten toevoegen, een kleine kornoelje planten. Dat is het wel zo'n beetje.'

'O, dat stelt niks voor.'

Ze lachte. 'Het is veel werk, maar dan heb je ook wat. Arm, zielig huis. Zestien weken. Het zou in twaalf kunnen, maar alleen met veel passen en meten, dus zestien lijkt me beter. Met het hoogste bod dat ik bereid ben te doen en het materiaal en de arbeidskosten, hypotheekaflossingen voor, laten we zeggen, vijf maanden, en de marktwaarde nadat deze buurt wat wordt opgeknapt, moet de winst ongeveer tussen de veertig- en vijfenveertigduizend dollar uitkomen.'

'Echt waar?'

'Ja zeker. Afhankelijk van de markt als het klaar is, zou het ook wel in de buurt van de zestigduizend kunnen zijn. Deze wijk wordt steeds populairder.' Ze telde de punten af op haar vingers. 'Jonge stellen, kleine gezinnen, komen hier wonen. Dit district heeft goede scholen en het huis ligt op ongeveer tien minuten rijden van een winkelcentrum. Ouderslaapkamer, keuken en badkamer, dat zijn de redenen dat mensen een huis kopen en daarmee haal je de meeste winst uit je investering.'

'Oké.'

'Nee, je moet het zeker weten. Denk er nog een poosje over na. Ik zal een aantal bouwtekeningen maken.'

'Nee, ik ben verkocht. Laten we Vicky blij gaan maken.' En maken dat ze daar wegkwamen zolang de kakkerlakken en de spinnen nog een wapenstilstand hadden.

'Wacht even. We moeten haar nog wat langer laten lijden. Je zult het huis voor een koopje krijgen, Ford.' Hij vond haar sluwe glimlach aanstekelijk. 'Het verdient het om voor een appel en een ei te worden verkocht omdat de verkoper niet eens de moeite heeft genomen om het een beetje op te knappen. We gaan, weinig overtuigend, tegen haar zeggen dat we erover na zullen denken. En dan gaan we weg. Over een week of tien dagen, zal ik haar terugbellen.'

'En als het in de tussentijd door iemand anders wordt gekocht?'

'De verkoper heeft de prijs al twee keer laten zakken, maar toch staat het al vier maanden te koop. Ik geloof niet dat je je daar zorgen over hoeft te maken. We gaan Vicky teleurstellen, zoals ze al verwacht. Daarna wil ik naar jouw huis om een lekker bad te nemen in jouw bubbelbad en me te ontspannen.'

Ontspannen bleek lastig te zijn door het half dozijn journalisten dat voor haar muur stond.

'Niet veel belangstelling, zei je toch?'

'Dit is niks.' Nauwelijks meer dan ze had verwacht. 'Gewoon een reactie op de verklaring. Het zullen voornamelijk plaatselijke mensen zijn, of journalisten uit Washington. Dat ligt dicht genoeg in de buurt. Ga jij maar naar binnen, ik handel dit wel af.'

'Ga je ze interviews geven?'

'Niet echt. Een paar kruimeltjes. Die pikken ze op en dan vliegen ze weg. Jij hoeft er echt niet bij betrokken te raken. Daarmee geef je ze alleen maar een nieuwe invalshoek.'

Maar zodra ze uit de auto stapten, gingen de camera's omhoog. Als één man stormden de journalisten de weg over, Cilla's naam roepend en vragen schreeuwend. Omdat Ford het zag als een soort aanval, ging hij instinctief naast Cilla staan.

'Georgia Vassar van WMWA-tv. Kunt u ons vertellen hoe u denkt over het handgemeen van gisteren met James Robert Hennessy?'

'Hoe ernstig waren uw verwondingen?'

'Is het waar dat Hennessy gelooft dat u de reïncarnatie bent van Janet Hardy?'

'Ik heb al een verklaring uitgegeven over het incident,' zei Cilla koel. 'Verder heb ik niets te zeggen.'

'Is het niet zo dat Hennessy u al eerder had bedreigd? En dat hij uw ex-echtgenoot, Steve Chensky, heeft aangevallen terwijl Chensky bij u woonde? Was die aanval de reden dat uw verzoeningspoging op niets is uitgelopen?'

'Voor zover ik weet is meneer Hennessy niet in staat van beschuldiging gesteld voor de aanval op Steve, die me in het voorjaar korte tijd heeft bezocht. Er was geen sprake van een verzoening.'

'Komt dat door uw relatie met meneer Ford Sawyer? Meneer Sawyer, wat vindt u van de aanval op mevrouw McGowan?'

'Er wordt gesuggereerd dat Steve en u om Cilla hebben gevochten en dat hij daarbij gewond is geraakt. Wat hebt u daarop te zeggen?'

'Geen commentaar. Goh, jullie staan op mijn terrein. Nou zijn we hier heel vriendelijk, maar het lijkt me beter dat jullie hier weggaan.'

'Ik zal niet zo vriendelijk zijn als jullie op mijn grondgebied komen,' zei Cilla waarschuwend.

'Is het waar dat je hier bent om te communiceren met de geest van je grootmoeder?' riep iemand toen Ford en zij naar het huis liepen.

'Roddelbladongein,' verklaarde Cilla. 'Sorry, hoor. Dat waren vooral roddeljournalisten.'

'Geeft niks.' Ford deed de deur achter hem dicht en draaide hem op slot. 'Ik heb altijd al eens op strenge toon "geen commentaar" willen zeggen.'

'Ze geven het vanzelf op. Het blijft niet langer dan één of twee dagen in het nieuws en dan vooral in supermarktbladjes over buitenaardse wezens die thuis les krijgen in Utah.'

'Ik wist het wel.' Hij stak zijn vinger omhoog. 'Ik wist dat dat de bestaansreden was voor Utah. Wat zou je zeggen van een glas wijn in bad terwijl ik een manier probeer te verzinnen om mijn hond terug te krijgen.'

'Slecht idee. Niet de wijn of Spock, maar er zit heel wat glas in je sportzaal.' Ze keek hem verontschuldigend aan, want meer kon ze hem niet bieden. 'Glas, telefoon, lenzen. We hoeven het ze niet op een presenteerblaadje aan te reiken. Ze kennen je naam. Jij zult jezelf ook bij de buitenaardse baby's zien staan.'

'Eindelijk komt mijn levenslange droom uit.' Hij pakte glazen en wierp een blik op zijn antwoordapparaat. 'Nou, ik ben vandaag wel populair. Achtenveertig berichten.' Op het moment dat hij het zei, rinkelde de telefoon.

'Je moet eerst luisteren wie het is, Ford. Ik dacht echt dat ik dit kon voorkomen door een korte, duidelijke verklaring te publiceren. Kim, de publiciteitsagente was het met me eens. Maar om wat voor reden dan ook, is een deel van de media geïnteresseerd in het verhaal en trekken ze het door tot in het absurde.'

'Kijk, we doen het zo.' Hij tilde de telefoon op en zette de bel uit. 'Ik zal hetzelfde doen bij de andere. Mijn familie en vrienden hebben mijn mobiele nummer als ze me moeten spreken. Ik zal Brian bellen om te vragen of hij Spock vanavond mee naar huis wil nemen. Wij gaan wijn drinken, een diepvriespizza in de oven doen en boven achter de gesloten gordijnen kamperen. Eindelijk heb ik de kans om je een marathonsessie van *Battlestar Galactica* voor te zetten.'

Ze leunde achterover tegen het aanrecht toen de spanning uit haar schouders wegtrok. Niet boos, dacht ze. Niet van streek. Niet eens buitengewoon geërgerd. Hoe was ze erin geslaagd om een relatie te krijgen met iemand die zo stabiel was?

'Jij weet echt hoe je dingen eenvoudig moet houden.'

'Behalve als de Cylons van plan zijn om je hele soort uit te roeien, is alles meestal eenvoudig. Zorg jij voor de pizza? Dan haal ik de wijn.'

Om vijf uur 's ochtends werd Cilla wakker door haar inwendige wekker. Die had ze midden in de nacht gezet nadat het alarm van de Little Farm was afgegaan. Nog iets waar ze rekening mee had moeten houden, dacht ze op weg naar de douche. Sommige journalisten van bepaalde tijdschriften overtraden altijd de wet als ze een verhaal roken. Daarom had ze een uur lang aan de overkant van de weg met de politie en Ford gezeten.

En haar slotenset op de achterdeur vertoonde de krassen van een mislukte inbraakpoging.

Ze kleedde zich aan en schreef een briefje voor Ford. De politiewagen stond nog altijd op haar oprit, waar hij sinds de inbraakpoging had gestaan. Vogels kwinkeleerden en ze zag drie herten bij haar vijver. Maar er kampeerden geen journalisten voor haar muur.

Misschien had ze mazzel en bleef het hierbij, dacht ze. Met Fords auto reed ze naar de stad. Om half zeven was ze terug en liep ze met een doos donuts en twee grote koffie over haar oprit.

De agent achter het stuur draaide zijn raampje naar beneden.

'Ik weet dat het een cliché is,' zei ze, 'maar...'

'Hé. Dat is nog eens aardig van u, mevrouw McGowan. Het is rustig geweest.'

'En jullie hebben allebei een lange nacht achter de rug. Het lijkt erop dat de indringers zich hebben teruggetrokken. Ik ga aan het werk. Om zeven uur komt er een aantal werklui.'

'U hebt hier een mooi plekje.' De tweede agent pakte een geglazuurde donut besprenkeld met hagel uit de doos. 'Een prachtige badkamer op de eerste verdieping. Mijn vrouw wil de onze moderniseren.'

'Als jullie dat willen gaan doen, geef me dan een belletje. Ik zal gratis advies geven.'

'Ik zal eraan denken. Onze dienst zit er zo op. Wilt u dat ik bel om een andere auto?'

'Volgens mij redden we het wel. Fijn dat jullie een oogje in het zeil hebben gehouden.'

Binnen zetten ze alles klaar om de plinten af te maken. Om acht uur was het een drukte van belang. Voegen, gipsplaten installeren, advies over tegels voor de oprijlaan en het werk aan de vijver. Cilla richtte haar aandacht op de derde slaapkamer en controleerde de maten van haar kast. Net toen ze de deur eraf haalde, kwam Matt binnen.

'Cilla, volgens mij kun je beter even naar buiten kijken.'

'Hoezo? Is er een probleem?'

'Kijk maar even, dan kun je dat zelf bepalen.'

Ze zette de deur tegen de muur en haastte zich achter hem aan. Een blik uit het raam van de grote slaapkamer zorgde ervoor dat haar mond openviel.

Zes journalisten was vervelend geweest, maar niet onverwacht. Zestig was een ramp.

'Ze doken in een keer allemaal op,' zei Matt tegen haar. 'Het leek wel alsof er een teken was gegeven. Brian riep me naar buiten en zei dat sommigen vragen naar zijn ploeg roepen. Er staan nota bene televisie-camera's en alles.'

'Goed, goed. Ik moet even nadenken.' In het huis en de tuin waren minstens twaalf man aan het werk. Twaalf mensen die ze onmogelijk kon censureren of in de hand kon houden.

'Het feit dat ik een ongeluk heb gehad, hoort niet zo veel aandacht te trekken, zelfs niet onder deze omstandigheden. Een paar korte bericht-jes in het shownieuws en op het plaatselijke nieuws, misschien. Ik moet iemand bellen. Matt, wil jij zien te voorkomen dat de mannen gaan pra-

ten, in elk geval voorlopig? Ik heb een paar minuten nodig om te…'
Haar stem stierf weg toen de glanzend zwarte limousine haar hek binnen reed.

'Jezus, moet je dat zien.'

'Ja, moet je dat zien,' zei Cilla ook. Ze hoefde Mario niet achter uit de
auto te zien stappen om te weten wie er was gearriveerd. Of waarom.

Toen Cilla op de veranda kwam, stond Bedelia Hardy daar al met de
arm van haar echtgenoot aanmoedigend om haar schouder geslagen.
Vol brandende verontwaardiging zag Cilla dat ze haar gezicht precies zo
hield dat de telelenzen haar schrijnende blik konden opvangen. Ze
droeg haar haren los zodat het glansde in de zon en over het linnen jas-
je viel dat dezelfde kleur had als haar ogen.

Cilla liet de hordeur achter zich dichtslaan en prompt opende Dilly
haar armen terwijl ze zo ging staan dat er mooie plaatjes van haar profiel konden worden geschoten. 'Meisje!'

Ze liep naar voren op nogal opvallende Jimmy Choo-sandaaltjes met
hakken van negen centimeter hoog. Cilla kon geen kant op en ze liep de
treden af in haar werkschoenen, recht de moederlijke armen en wolken
Soir de Paris in. Dat was Janets kenmerkende parfum geweest, iets wat
haar dochter had overgenomen.

'Mijn liefje, mijn liefje.'

'Dit heb jij gedaan,' fluisterde Cilla in Dilly's oor. 'Jij hebt naar de pers
gelekt dat je zou komen.'

'Ja, natuurlijk. Alle media-aandacht is welkom.' Ze ging iets achteruit
en door de amberkleurige glazen van Dilly's zonnebril zag Cilla in ogen
die berekenend vochtig waren een blik van oprechte bezorgdheid verschijnen. 'O, Cilla, je gezicht. Je zei dat je niks had. O, Cilla.'

Dat moment, van onvervalste schrik en ongerustheid, haalde de
scherpe kantjes van haar wrevel af, dacht Cilla. 'Ik heb alleen wat blauwe
plekken.'

'Wat heeft de dokter gezegd? O, die vreselijke vent, die Hennessy. Ik
ken hem nog wel. Een rotzak met een zuur gezicht. Jezus, Cilla, je bent
gewond.'

'Nee, met mij is alles in orde.'

'Nou, waarom maak je je niet een beetje op? Nee, daar is nu geen tijd voor en zo is het waarschijnlijk beter. Kom op. Ik heb alles uitgedacht. Volg mijn voorbeeld maar.'

'Jij hebt ze me op mijn dak gestuurd, mam. Je weet dat dit precies is waar ik geen zin in had.'

'Niet alles draait om jou en wat jij wilt.' Dilly keek langs Cilla naar het huis en wendde vervolgens haar hoofd af. Weer zag Cilla echte gevoelens. Pijn. 'Dat heeft het nooit gedaan. Er moet over me geschreven worden en ik moet op tv. Ik heb de publiciteit nodig en die zal ik krijgen ook. Wat er is gebeurd, is gebeurd. Je kunt ze laten aandringen of je kunt er zelf een draai aan geven zodat een deel van hun aandacht, misschien zelfs het grootste deel, op mij wordt gericht. Allemachtig. Wat is dat?'

Cilla keek omlaag en zag Spock heel geduldig met opgeheven poot zitten, zijn grote, uitpuilende ogen strak op Dilly gericht.

'Dat is de hond van mijn buurman. Die wil je hand schudden.'

'Hij wil... Bijt hij?'

'Nee. Schud zijn poot, mam. Hij denkt dat je een vriend bent omdat je mij omhelsde.'

'Goed dan.' Ze boog zich voorzichtig voorover en gaf Spock een stevige handdruk, iets waar Cilla haar wel om moest bewonderen. Vervolgens glimlachte ze even. 'Hij is ontzettend lelijk, maar op een lieve manier. Ga nou maar weg.'

Dilly draaide zich om, haar arm stevig om Cilla's middel en ze stak een hand uit naar haar man. 'Mario!'

Hij kwam op een drafje aan, pakte haar hand en kuste hem.

'We zijn klaar,' zei ze tegen hem.

'Je ziet er prachtig uit. Slechts een paar minuutjes, deze keer, schat. Je moet niet te lang in de zon staan.'

'Blijf in de buurt.'

'Altijd.'

Dilly hield Cilla stevig vast en liep naar de deur, naar de camera's.

'Mooie schoenen,' complimenteerde Cilla haar. 'Geen goede keuze voor gras en grind.'

'Ik weet wat... Wie is dat? Er mogen geen journalisten naar voren komen.'

'Dat is geen journalist.' Cilla zag dat Ford zich tussen de pers door wrong. 'Loop maar door,' zei ze tegen hem toen hij hen had bereikt. 'Je wilt hier geen deel van uitmaken.'

'Dit moet je moeder zijn. Ik had u hier niet verwacht, mevrouw Hardy.'

'Waar zou ik anders moeten zijn als mijn dochter gewond is? Ben jij de nieuwe minnaar?' Snel bekeek ze hem van top tot teen. 'Ik heb wel iets over je gehoord. Niet van jou,' zei ze, naar Cilla kijkend. 'We moeten praten. Maar ga voorlopig maar even bij Mario staan.'

'Nee. Hij is geen Mario en hij volgt je niet braaf op de hielen als een goed gedresseerd schoothondje. Gun ze dat niet, Ford.'

'Ik ga naar binnen om koffie te halen,' zei hij. 'Moet ik de politie bellen als ik daar ben?'

'Nee. Maar bedankt.'

'Goh, wat een typisch zuidelijke man. En ook zo knap,' merkte Dilly op toen Ford doorliep naar het huis. 'Je smaak is erop vooruitgegaan.'

'Ik ben hartstikke kwaad op je.' Sterker nog, haar woede vibreerde en duwde in haar borstkas. 'Pas heel, heel goed op met wat je zegt.'

'Denk je soms dat het makkelijk voor me is om naar dit huis te komen? Ik doe wat ik moet doen.' Dilly hief haar kin op, de dappere moeder die haar gewonde dochter steunde. Er werden vragen afgevuurd, maar Dilly liep erdoorheen als een soldaat die stoïcijns de vuurlinie trotseerde.

'Toe, alsjeblieft.' Ze stak een hand op en verhief haar stem. 'Ik begrijp dat jullie belangstelling hebben, en in zekere zin kan ik die ook waarderen. Ik weet dat jullie lezers en kijkers meeleven en dat doet me deugd. Maar jullie moeten begrijpen dat deze familie opnieuw een moeilijke tijd doormaakt. En dit is… pijnlijk. Mijn dochter heeft iets verschrikkelijks meegemaakt. Ik sta voor haar klaar, zoals iedere moeder zou doen.'

'Dilly! Dilly! Wanneer heb je gehoord van Cilla's ongeluk?'

'Ze belde me zodra ze daartoe in staat was. Hoe oud een vrouw ook is, als ze gewond is, wil ze haar moeder. Zelfs al zei ze dat ik niet hoefde te komen, dat ik de repetities voor mijn voorstelling niet hoefde te onderbreken, dat ik me niet hoefde bloot te stellen aan het verdriet en de herinneringen die deze plek bij me oproept, ik moest natuurlijk naar haar toe.'

'Volgens eigen zeggen ben je niet meer in dit huis geweest sinds kort na Janet Hardy's zelfmoord. Hoe is het voor u om nu weer hier te zijn?'

'Ik kan er niet over denken. Nog niet. Alleen mijn dochter is belangrijk. Pas als we tijd hebben gehad om onder vier ogen met elkaar te praten, dan zal ik die gevoelens nader bekijken. Mijn moeder…' Haar stem brak, op commando. 'Mijn moeder zou willen dat ik al mijn energie in mijn dochter, haar kleindochter, stak.'

'Wat zijn jouw plannen, Cilla? Ga je het huis openstellen voor het publiek? Er wordt gezegd dat je hier memorabilia onder wilt brengen.'

'Nee. Ik ben van plan om hier te gaan wonen. Ik woon hier al,' verbeterde ze, kil en met heldere stem terwijl haar woede bleef kloppen. 'Deze boerderij is al generaties in mijn familie, zowel van de McGowan- als de Hardy-kant. Ik ben hem aan het verbouwen en opknappen, en het zal een woonhuis worden, zoals het ook altijd is geweest.'

'Klopt het dat je tijdens je verbouwing bent geplaagd door inbraken en vandalisme?'

'Er zijn incidenten geweest, maar die zie ik niet als een plaag.'

'Wat zeg je op de beweringen dat de geest van Janet Hardy rondwaart in het huis?'

'Mijn moeders geest is hier,' zei Dilly voor Cilla kon antwoorden. 'Ze was dol op haar Little Farm en ik geloof dat haar geest, haar stem, haar schoonheid en haar gratie hier nog zijn. Daar zijn wij het bewijs voor.' Dilly trok Cilla dichter tegen zich aan. 'Haar geest leeft voort in ons. In mij en in mijn dochter. En nu zijn hier in zekere zin drie generaties Hardy-vrouwen. Goed, ik wil mijn dochter mee naar binnen nemen zodat ze kan rusten. Ik vraag jullie als moeder om onze privacy te respecteren. Als jullie nog meer vragen hebben, zal mijn man die proberen te beantwoorden.'

Dilly hield haar hoofd vlak bij dat van Cilla en liep samen met haar naar het huis.

'Een beetje overdreven wat betreft dat moedergedoe,' zei Cilla.

'Dat geloof ik niet. Wat is er met die boom gebeurd?'

'Welke boom?'

'Die daar stond, met de rode bladeren. Die was groter. Veel groter.'

'Die was beschadigd, dood. Ik heb hem vervangen.'

'Het ziet er anders uit. Er waren meer bloemen.' Dilly's stem beefde, maar Cilla wist dat het ditmaal niet uit berekening was. 'Mama was dol op bloemen.'

'Als het klaar is, zullen er meer bloemen zijn.' Cilla voelde het evenwicht met elke stap verschuiven, totdat zij Dilly ondersteunde. 'Je hebt jezelf in de val gelokt. Nu moet je wel naar binnen.'

'Dat weet ik. De veranda was wit. Waarom is die niet wit?'

'Ik moest hem bijna helemaal vervangen. Hij is nog niet geverfd.'

'De deur klopt niet.' Haar ademhaling versnelde alsof ze renden in plaats van wandelden. 'Dat is niet haar deur. Waarom is alles anders?'

'Er was veel beschadigd, er was schimmel en bruine zwam. Jezus, mam, de afgelopen tien jaar is er alleen het noodzakelijkste aan onderhoud gedaan en de twintig jaar daarvoor was het niet veel beter. Je kunt een huis niet zo lang verwaarlozen zonder dat het beschadigd raakt.'

'Ik heb het niet verwaarloosd. Ik wilde het vergeten. Nu gaat dat niet meer, of wel soms?'

Cilla voelde haar moeder trillen en ze wilde haar troosten, maar Dilly duwde haar weg toen ze naar binnen gingen.

'Dit is verkeerd. Er klopt niks van. Waar zijn de muren? De kleine zitkamer? De verf heeft de verkeerde kleur.'

'Ik heb wat dingen veranderd.'

Met een hete, glinsterende blik in haar ogen draaide ze zich op haar prachtige schoenen naar Cilla. 'Je zei dat je het ging restaureren.'

'Ik zei dat ik het ging opknappen en dat doe ik ook. Ik maak het van mij, terwijl ik tegelijk respecteer hoe het vroeger was.'

'Ik zou het nooit aan je hebben verkocht als ik had geweten dat je het zou slopen.'

'O, jawel,' zei Cilla koeltjes. 'Jij wilde het geld en ik wilde hier wonen. Als je het in oude staat had willen behouden, heb je daar tientallen jaren de tijd voor gehad, mam. Je houdt helemaal niet van dit huis, het is een pijnlijke herinnering voor je. Maar ik ben er gek op.'

'Jij weet niet hoe ik me voel! Hier heeft ze me meer van zichzelf gegeven dan waar dan ook. Na Johnnie, natuurlijk. Ik kwam altijd na haar geliefde zoon.' De woorden waren doorspekt met tranen. 'Maar hier had ik meer van haar dan waar dan ook. En nu is alles veranderd.'

'Nee, niet alles. Ik heb het pleisterwerk laten repareren en de vloer zal opnieuw worden afgewerkt. De vloeren waar zij op heeft gelopen. Ik laat het fornuis en de koelkast die zij heeft gebruikt opknappen en dan ga ik ze gebruiken.'

'Dat grote, oude fornuis?'

'Ja.'

Dilly drukte haar vingers tegen haar lippen. 'Soms probeerde ze koekjes te bakken. Dat kon ze helemaal niet. Ze liet ze altijd aanbranden en daar moest ze om lachen. Toch aten we ze op. Verdomme, Cilla. Ik hield zo veel van haar.'

'Dat weet ik.'

'Ze zou met me naar Parijs gaan. Wij tweetjes. Alles was geregeld. Toen ging Johnnie dood. Hij verpestte altijd alles voor me.'

'Jezus, mam.'

'Zo vond ik het toen. Nadat de schrik en het heftige verdriet wat gezakt was, want ik hield natuurlijk wel van hem. Zelfs als ik hem wilde haten. Maar daarna, toen ze niet meer naar Parijs wilde, dacht ik: dat heeft hij ook nog voor me verpest.' Dilly haalde langzaam, trillend adem. 'Ze hield meer van hem toen hij dood was dan van mij terwijl ik leefde. Hoe hard ik ook liep, ik kon hem nooit inhalen.'

Ik weet hoe je je voelt, dacht Cilla. Maar dan ook exact. Op haar manier hield Dilly meer van haar overleden moeder dan ze ooit van haar levende dochter kon houden.

Misschien ging dit ook om verlossing. Daarom zette Cilla nog een stap. 'Ik geloof dat ze heel, heel veel van je hield. Volgens mij werd alles verdraaid en gebroken de zomer dat hij stierf en is ze er nooit compleet van hersteld. Als ze meer tijd had gehad…'

'Waarom heeft ze die dan niet genomen? In plaats daarvan heeft ze die pillen geslikt. Ze heeft me in de steek gelaten. Per ongeluk of niet, en ik zal echt altijd blijven geloven dat het een ongeluk was, ze heeft de pillen geslikt terwijl ze zich tot mij had kunnen wenden.'

'Mam.' Cilla liep naar haar toe en raakte haar wang aan. 'Waarom heb je me nog nooit verteld hoe je je voelde?'

'Het komt door dit huis. Dat maakt me van streek. Het rakelt alles op. Dat wil ik niet. Dat wil ik gewoon niet.' Ze opende haar tas en haalde er een zilveren pillendoosje uit. 'Geef me eens wat water, Cilla. Uit een flesje.'

Dilly zou de ironie er nooit van inzien, dacht Cilla. De dochter die treurde omdat haar moeder pillen boven haar had verkozen, zette hetzelfde gedrag desondanks voort.

'Goed.'

In de keuken haalde Cilla een fles water uit haar minikoelkast. Ze pakte een glas en deed er ijs in. Dilly zou het moeten stellen zonder haar gebruikelijke schijfje citroen, peinsde ze. Ze schonk het water in en keek naar buiten.

Ford stond met Brian en haar vijverexpert bij de verstikte wateren. Hij hield een beker koffie in zijn hand en de duim van zijn andere hand had hij door een van de riemlussen van zijn spijkerbroek gestoken.

Lang en mager, dacht ze, met dat vleugje klungeligheid. Slordig bruin haar met gebleekte punten. Zo ongelooflijk, heerlijk normaal. Alleen door naar hem te kijken werd ze al rustig, de wetenschap dat hij zou blijven, deze man die superhelden creëerde en alle seizoenen van *Battlestar Galactica* op dvd had, de oude en de nieuwe serie nog wel. Een man van wie ze bijna zeker wist dat hij nog geen inbussleutel van een moersleutel kon onderscheiden en die geloofde dat zij zichzelf kon redden. Tot hij dacht dat ze dat niet kon.

'God, wat fijn dat jij er bent,' mompelde ze. 'Wacht op me.'

Ze bracht het water naar haar moeder, zodat Dilly het kalmeringsmiddel dat ze op dat moment gebruikte kon innemen.

23

'Dus ze zijn vertrokken.' Ford gebaarde naar het huis met het blikje cola dat hij uit Cilla's keuken had gestolen.

'Ja. Na een grootse finale van moederlijke omhelzingen in het zicht van de camera's.'

'Terug naar Californië?'

'Nee, ze blijven vannacht in Washinton, in de Willard. Op die manier kan ze nog een paar hinderlagen voor de pers in scène zetten om reclame te maken voor haar show in het National Theater in september.' Cilla stak haar handen op en schudde haar hoofd. 'Nee, zo berekenend is het niet. Ongeveer tachtig procent ervan was berekening, maar de rest was oprechte bezorgdheid om mij. Ze had zich ook telefonisch kunnen laten informeren en geruststellen als het niet in haar voordeel was geweest om deze reis te maken. Ze moet de publiciteit heel hard nodig hebben om hiernaartoe te komen. Ik bedoel, naar dit huis. Tot vandaag heb ik nooit helemaal begrepen, of liever gezegd, heb ik nooit echt geloofd dat het haar daadwerkelijk overstuur maakt. Dat maakt het wat makkelijker om te vergeven dat ze alles zo heeft verwaarloosd en het maakt het ook makkelijker dat ze zo bitter was toen ik haar een aanbod deed dat ze onmogelijk kon afslaan.'

'Was het niet logischer om het aan jou te geven als zij het niet wilde hebben of het niet aankon?'

'Nee, niet als je Dilly bent. Bij haar is het: voor wat hoort wat. Ik heb nooit geweten hoe onbemind ze zich op het laatst voelde en dat ze bovendien het gevoel had dat ze in Janets hart op de tweede plek kwam, na haar broer. En daar zou ze best eens gelijk in kunnen hebben. En ja, ik weet dat ze vandaag iets heeft gedaan waarvan ze wist dat ik het niet wilde, en dat ze dat niet alleen kan rechtvaardigen omdat het in haar voordeel was, maar ook door zichzelf ervan te overtuigen dat het in mijn belang was. Dat is een gave van haar.'

'Ze zal een interessante schoonmoeder zijn.'

'Toe, hou op.' Paniek greep haar bij de keel. 'Laten we het daar niet over hebben.'

'We zijn het tuinhek al door en slenteren over het tuinpad. En voorlopig is "meanderend" het sleutelwoord,' zei hij, en hij hief zijn cola op om er nog een slokje van te nemen. 'We hebben geen haast.'

'Ford, je moet goed begrijpen dat…'

'Cilla, sorry dat ik stoor,' zei Matt die naar buiten liep. 'Volgens mij worden de vloerplanken voor de tweede verdieping bezorgd. Ik dacht dat je ze wel even wilde bekijken en controleren, voor we ze naar boven brengen.'

'Ja, ja. Graag. Ik kom zo.'

'Gaan jullie de vloeren nu al leggen?' vroeg Ford aan haar.

'Het hout voor de vloeren moet eerst een paar dagen rusten, het moet acclimatiseren. Aangezien we boven inbouwkasten maken, moet de vloer… ach, laat maar.'

'Oké. Zeg, als mijn diensten hier verder niet nodig zijn, dan ga ik proberen om nog iets van mijn werkdag te redden.'

'Goed, goed,' zei ze terwijl ze haar zenuwen in bedwang probeerde te houden.

'O, ik ben trouwens klaar met het scannen van die foto's voor jou. Help me even onthouden dat ik ze aan je geef.'

'O, die was ik helemaal vergeten. Ik moet je opa bedanken.'

'Ik denk dat het voor hem al beloning genoeg was om je alleen met een handdoek om te zien.'

'Lief dat je me daar nog even aan helpt herinneren.' Ze liepen naar de voorkant van het huis waar de bestelwagen langzaam achteruitrijdend haar oprit op kwam. 'O, gaaf!'

'Ik laat je nu alleen, zodat je je kunt verlustigen aan je houten planken.' Hij nam haar gezicht in zijn handen en zoende haar. 'We zullen op je wachten.'

Dat zouden ze inderdaad doen, dacht ze. Dat was precies wat hij en

zijn rare hondje zouden doen. En dat was zowel heerlijk als angstaanja-
gend.

Ford sloot zichzelf vier uur achter elkaar op in zijn mentale doos. Zijn
werk vorderde gestaag. Zelfs met alle afleidingen – een sexy buurvrouw,
inbraken, een nieuwe vriend in het ziekenhuis, bezorgdheid om de sexy
buurvrouw en het feit dat hij verliefd op haar werd – maakte hij prima
vorderingen.

Het kwam bij hem op dat Brid misschien rond dezelfde tijd af zou
zijn als Cilla's huis. Over superieure synchroniciteit gesproken. Maar nu
had hij het verdiend om te stoppen met werken en lekker op de veranda
te gaan zitten. Hij deed de doos open en nam wat afstand om het werk
van die dag kritisch te bekijken.

'Je bent verdomd goed, Sawyer. Laat niemand je iets anders wijsmaken.'

Met zijn schouder nog warm van het klopje dat hij zichzelf had gegeven, liep hij naar beneden en hij bleef even staan om uit het raam te
kijken. Er was geen verslaggever meer te bekennen en hij was blij voor
Cilla. Er waren ook geen pick-ups te zien, wat inhield dat haar werkdag er ook zo'n beetje op moest zitten. Hij liep naar de keuken om een
koud biertje te pakken en Spock binnen te roepen uit de achtertuin
om samen met hem op de veranda te gaan zitten en te wachten op
Cilla.

In de koelkast vond hij een briefje dat op een van zijn biertjes was geplakt.

Is het werk af? Zo ja, kom dan op bezoek bij Chez McGowan.
Neem de achterdeur.

Hij grijnsde toen hij het briefje zag. 'Dat laat ik me geen twee keer zeggen.'

Ze zat op de patio van leisteen aan een teakhouten tafel onder een felblauwe parasol. Drie koperen potten die barstensvol stonden met een
variëteit aan planten vrolijkten de drie traptreden van de veranda op.
Met haar honkbalpetje op, haar benen voor zich uitgestrekt en bij de en-

kels over elkaar geslagen vond hij dat ze er zowel ontspannen als prachtig uitzag.

Ze glimlachte naar hem – ontspannen en op haar gemak – toen hij tegenover haar ging zitten. 'Ik ben aan het luieren,' zei ze tegen hem, en ze gaf Spock een aai.

'Dat zie ik. Wanneer heb je die gekregen?' Met een vinger wees hij naar de parasol.

'Die is vandaag binnengekomen en ik kon de verleiding niet weerstaan om hem op te zetten. Toen ik daarmee klaar was, heeft Shanna de potten hierheen gesleept. Ik had ze op een van mijn strooptochten gekocht, met het idee dat ik er nog wel iets mee zou doen. Maar zij zag de tafel staan en is toen snel naar de kwekerij gegaan om planten te halen en die hier in de potten te zetten. Gewoon omdat ze het leuk vond. Ik zal ze moeten verplaatsen wanneer we de buitenkant gaan beitsen en verven, maar voorlopig vind ik het heerlijk om naar ze te kijken.'

Ze verschoof wat en pakte twee biertjes uit een oude emmer voor gipsplaatspecie die vol ijs zat. 'En het leukste is nog dat jij hier lekker samen met mij kunt luieren.'

Hij maakte de flesjes open en stootte zijn flesje toen tegen het hare. 'Op de eerste keer luieren onder deze blauwe parasol. En dat we dat nog maar vaak mogen doen. Ik neem aan dat je een leuke dag hebt gehad.'

'Hij had hoogte- en dieptepunten. De dag kon natuurlijk niet veel slechter eindigen dan hij was begonnen, hoewel er wel wat obstakels genomen moesten worden. Mijn blijdschap over de vloeren was van korte duur toen ik ontdekte dat ze de verkeerde soort hardhout hadden gestuurd. Ze beweerden dat ik had gebeld om de bestelling van noten- in eikenhout te veranderen, maar dat was gelul. Daardoor loopt het werkschema voor de tweede verdieping een hele week vertraging op. Ik heb de kast in de derde slaapkamer afgemaakt en ik ben begonnen met de kast in de vierde. De verkoper heeft een van de deurpanelen voor de stoomdouche verkeerd gesneden waardoor we daar ook vertraging oplopen, maar de badkuip die ik voor de derde badkamer wilde hebben is net in de uitverkoop gegaan. De verzekeringsmaatschappij wil me geen leenauto geven nadat ze twee claims in twee dagen aan hun broek hebben gekregen en ze zullen ongetwijfeld mijn premie verhogen. Toen heb ik maar besloten om te gaan luieren in plaats van kwaad te worden.'

'Heel verstandig.'

'Nou ja, vertragingen en tegenvallers horen bij het werk. De rozen staan in bloei en ik heb een blauwe parasol. Maar genoeg over mij. Hoe was jouw werkdag?'

'Veel beter dan gemiddeld. Ik heb een groot probleem in mijn werk opgelost en daarna liep het op rolletjes. En vervolgens trof ik een heel aardige uitnodiging aan in mijn koelkast.'

'Ik dacht dat dat het eerste zou zijn wat je zou zien nadat je uit je roes was gekomen. Ik ben zelfs nog even naar boven gegaan, maar als ik iemand ooit bijna in trance heb zien werken, dan ben jij het wel.' Nieuwsgierig en belangstellend hield ze haar hoofd schuin. 'Wat was dat probleem dat je hebt opgelost?'

'De schurk. Eerst leek hij op meneer Eckley, mijn leraar wiskunde uit de vierde klas. Geloof me, die man was het kwaad in hoogst eigen persoon. Maar terwijl het personage zich ontwikkelde, wist ik dat hij niet het juiste uiterlijk had, lichamelijk dan. Ik wilde een slanker postuur en een iets gemener, maar alsnog knap uiterlijk. Misschien een beetje aristocratisch en liederlijk. Maar wat ik ook probeerde, alles leek uiteindelijk op John Carradine of Basil Rathbone.'

'Beiden zijn knap. Ingevallen wangen, priemende ogen.'

'En veel te voor de hand liggend voor het personage. Ik bleef maar vastzitten. Maar vandaag wist ik het opeens. Ik moest helemaal geen liederlijke schurk met scherpe jukbeenderen en een felle blik hebben. Ik ben op zoek naar iemand met een dun laagje glans en verfijning over een afschuwelijke hoeveelheid gladheid. Niet de slanke en knokige Carradine, maar iets brozers dat tegen het afgeleefde aanzit. Het contrast tussen uiterlijk en vastbeslotenheid,' legde hij uit. 'Het verschil tussen imago en vastberadenheid. Het is een stuk boosaardiger wanneer een man gevoelloos vernietigt terwijl hij een Armani-pak draagt.'

'Dus je hebt hem op een publiciteitsagent uit Hollywood gebaseerd?'

'Nogal. Hij is nummer Vijf.'

Ze slaagde er nauwelijks in om de slok bier door te slikken. 'Mario? Dat meen je niet.'

'Toch wel. Ik hoefde vandaag maar een blik op hem te werpen toen hij voor het huis stond, en de schellen vielen me van de ogen. Hij is het precies, de bouw, de houding, het kapsel van vijfhonderd dollar en dat dunne glanzende laagje olie. Ik snap niet waarom ik dat niet doorhad toen ik hem de eerste keer zag. Ik denk dat ik toen nog te veel met meneer Eckley in mijn hoofd zat.'

'Mario.' Ze sprong op om Ford bij zijn haren te grijpen en haar lippen stevig op de zijne te drukken. Ze gaf hem zo'n harde klapzoen dat Spock prompt zijn vreugdedansje deed. 'Dit maakt dat hele gezeik van vanochtend de moeite waard. Dank je wel.'

'Ik heb het eigenlijk niet voor jou gedaan. Alle vreugde die jij eraan ontleent is slechts een prettige bijkomstigheid.'

'Ik doe het ervoor.' Ze liet zich weer in haar stoel vallen. 'Uiteindelijk is dit toch nog een dag geworden die beter is dan gemiddeld.'

In de koele schaduw van de schuur ging Cilla aan de slag met de volgende lading lijstwerk. Ze hield van het werk en van de stilte. Er mochten dan nog kilometers lijsten zijn om af te krabben, na te maken, te beitsen en te lakken, maar ze wilde niet te veel van dit project uit handen geven. Op een dag zou ze door haar huis lopen en elk stukje gerestaureerd lijstwerk bewonderen, dacht ze terwijl ze lagen witte verf en raadselachtige lichtblauwe verf van het notenhout afkrabde. Maar het mooiste van alles was nog wel dat ze zou kunnen zeggen: dat heb ik zelf gedaan. Elke centimeter.

Ze had zich zo luchtig mogelijk gekleed, in een mouwloos T-shirt en een legergroene short, als tegemoetkoming aan de hitte die zelfs de schaduw was binnengeslopen. Toen ze even ophield met werken om wat water te drinken, keek ze naar de hoveniers die met de vijver bezig waren. Ze verwijderden en splitsten waterlelies en ze groeven kattenstaarten uit die zich te veel hadden verspreid.

Zodra dat klaar was en de vijver ecologisch in evenwicht was, kon ze de vijver best zelf onderhouden, peinsde ze. Wel zou ze voor de rest van het terrein wat hulp nodig hebben, zelfs wanneer ze een grasmaaimachine waar je op kon zitten had gekocht. Ze dacht dat ze het wel leuk zou vinden om wat in de tuin te werken; gras maaien, onkruid wieden, in de herfst bladeren bij elkaar blazen en opharken, in de winter sneeuwruimen en in de lente nieuwe bloemen planten.

Maar het was onrealistisch om te geloven dat ze alles in haar eentje kon – het huis, de vijver, de tuinen – en tegelijk een bedrijf zou kunnen leiden.

Een schoonmaakbedrijf, dacht ze, terwijl ze haar fles water aan haar riem hing en haar schuurblok weer oppakte. Er zou beslist elke week een schoonmaakbedrijf moeten langskomen. Misschien zou ze met Brian praten over een maandelijkse onderhoudsbeurt, stel van maart tot en met oktober, in elk geval tot ze beter doorhad welke dingen er moesten gebeuren en hoeveel ze daar zelf van kon doen.

Bovendien had ze advies nodig over de moestuin die ze wilde aanleggen, vooral omdat ze daar dit jaar geen tijd voor had gehad, iets wat ze wel had gehoopt. En ze moest weten of het land moest worden geploegd en beplant, en waarmee. En wie moest dat verdomme voor zijn rekening nemen? Als ze toegaf aan haar knagende verlangen en een paard kocht, zou ze nog meer advies nodig hebben. Zo'n dier had training, onderdak, eten en verzorging nodig, dus dat was waarschijnlijk een idioot idee.

Maar… zou het geen prachtig gezicht zijn om een stel paarden in een van de weilanden te zien grazen en spelen? Zouden die al het werk, alle tijd en alle kosten niet waard zijn?

Volgend jaar, hield ze zichzelf voor. Misschien.

Ze kon niet ineens eigenwijs en zelfvoldaan worden enkel omdat alles een paar dagen op rolletjes had gelopen en omdat ze dolgelukkig was. De werkelijkheid bestond uit lekkende kranen, bladluis, bloedgierst, verstopte dakgoten en onwillige apparatuur. Met dat alles, en met nog veel meer, zou ze de rest van haar leven te maken hebben.

Was dat niet geweldig?

Ze zong terwijl ze het oude lijstwerk van notenhout schuurde.

'Ik was vergeten hoeveel jouw stem op de hare lijkt.'

Ze keek op, kneep haar ogen tot spleetjes en glimlachte toen Gavin uit het zonlicht in de schaduw stapte. 'Maar dan zonder haar bereik, diepte of natuurlijk vibrato.'

'Ik vond dat het prachtig klonk. Interessant overigens dat een meisje van jouw leeftijd "Blue Skies" zingt.'

'Deze plek vraagt gewoon om oude klassiekers. Of misschien vraagt zij er wel om. En ach,' zei ze terwijl ze naar boven wees, 'vandaag hebben we die blauwe luchten beslist in huis.'

'Ik ben door de voordeur naar binnen gekomen en toen heb ik het resultaat van je werk gezien.' Met een vinger tikte hij op het lijstwerk. 'Dat is ook iets wat ik was vergeten of iets wat me nooit is opgevallen toen ik hier al die jaren geleden af en toe kwam. Het is prachtig, werkelijk beeldschoon.'

'Ik krijg er een goed humeur van, vandaar dat ik zong. Ik vroeg me al af wanneer je weer zou langskomen, zodat ik je kon overhalen om opnieuw de verfkwast ter hand te nemen.'

'Laat maar zien welke muren moeten worden gedaan en waar de verf staat.'

'Er is een slaapkamer die een paar lagen Spiced Cognac nodig heeft.' Ze gebaarde naar de kranten die hij bij zich had. 'Wij zorgen voor afdekmateriaal, dat hoef je niet zelf mee te nemen.' Toen hij niet glimlachte, kreeg ze een kort onheilspellend gevoel in haar buik. 'O, o.'

'Ik heb gehoord over de media-invasie hier en het bezoekje van je moeder. Er is verslag van gedaan, op televisie en in de krant.'

'Ja, ik heb er wat van gezien. Hoor eens, ik weet dat ze jouw naam ook hebben vermeld, en…'

Hij onderbrak haar met een zwaai van zijn hand. 'Dat doet er niet toe. Cilla, ik wist niet zeker of ik dit wel moest doen, maar waarschijnlijk vertelt iemand het je vroeg of laat toch wel. Misschien is het beter als je het van mij hoort. Patty was vanochtend in de supermarkt. Ze hadden deze net bij de kassa neergelegd.'

'De sensatiebladen.' Ze knikte en trok haar werkhandschoenen uit. 'Ik wist dat die er elk moment mee naar buiten konden komen. Maak je geen zorgen. Ik ben eraan gewend.' Ze stak een hand uit om de kranten te pakken.

De koppen waren schreeuwerig. Dat was altijd het geval bij de tabloids, wist ze, maar de schreeuw leek een stuk schriller wanneer het over haar ging.

De foto's waren nog erger, korrelig en opdringerig. Op de voorpagina stond een foto van Cilla die zo was genomen dat haar gewonde gezicht duidelijk te zien was. Ze werd stevig vastgehouden door Dilly bij wie er één traan over haar wang biggelde. Achter hen dreef het spookachtige beeld van Janet met het bijschrift: '"De geest van mijn moeder zit hier nog steeds gevangen," beweert Bedelia Hardy. Fotografisch BEWIJS bevestigt haar treurige verklaring.'

Op een foto bij het artikel haalde Cilla het lijstwerk, waar ze nu mee bezig was, uit het huis. HET KOST CILLA MOEITE OM JANETS GEEST TE VERDRIJVEN UIT HAAR BOERDERIJ IN VIRGINIA.

Ford was er ook niet ongeschonden vanaf gekomen, zag ze. Ze hadden zijn foto, zijn naam en hun belachelijke bijschriften niet op de voorpagina maar in de krant zelf neergezet.

'Oké, het is erger. Een stuk erger dan ik had verwacht.' Ze stak haar vader de kranten weer toe. 'Het is niet alleen voorpaginanieuws in elke krant, er worden ook nog verscheidene artikelen verderop in de krant aan besteed. Mam zal in de wolken zijn. Nee, het kan me niet schelen hoe dat klinkt,' snauwde ze voor haar vader wat kon zeggen. 'Zij heeft er meer van gemaakt dan het is. Iedereen met wie ik werk en met wie ik zakendoe zal deze rotzooi onder ogen krijgen. En Ford wordt nu ook meegesleurd in deze ellende omdat hij zo dom is geweest om verliefd op me te worden. En nu zal hij vast…'

'Is hij verliefd op je?' onderbrak Gavin haar. Ze wilde haar schouders ophalen, maar Gavin legde een hand op haar schouder. 'Is hij verliefd op je? En ben jij verliefd op hem?'

'Beide partijen hebben "ik hou van je" al in de mond genomen, althans, ik heb erop gezinspeeld. Al beweert die snertkrant daar dat Janet het via mij heeft gezegd, terwijl ze erover speculeren of Cilla's woedende minnaar is verleid door de geest van haar grootmoeder. En zeg nou niet dat ik me er niet door overstuur moet laten maken. Zeg alsjeblieft niet dat iedereen weet dat al die verhalen onzin zijn. Die kranten verkopen zo goed omdat mensen het heerlijk vinden om onzin te lezen.'

'Ik wilde zeggen dat ik Ford altijd graag heb gemogen. En als hij jou gelukkig maakt, vind ik hem nog veel aardiger.'

'Hij zal echt niet blij met mij zijn wanneer hij dit allemaal ziet en hij zijn familie, zijn vrienden en zelfs zijn uitgever moet uitleggen waarom zijn naam en zijn foto overal te zien zijn.' Hulpeloos drukte ze een hand tegen haar onrustige buik. 'Ik wist wel dat ze hem er ook bij zouden betrekken. Ik heb hem er nog voor gewaarschuwd, maar ik wist niet dat het zo erg zou worden.'

'Je overschat jezelf of je onderschat Ford. Al heb je hoe dan ook het recht om overstuur en heel erg kwaad te zijn. Ik heb lang niet zo veel ervaring met roem als jij, maar ik weet dat je twee dingen kunt doen.'

Hij sprak rustig en in zijn ogen lag een plechtige blik. 'Of je trekt van leer en schopt flink wat herrie en eist dat ze dingen rectificeren en terugnemen. Dreig met gerechtelijke stappen. Of je negeert alles. Als je het eerste doet, heb je een kleine kans op bevrediging, maar daardoor zal het verhaal pas goed op gang komen en verkopen zij alleen maar meer kranten. Als je het laatste doet, zal het aan je blijven vreten, althans een tijdje.'

'Ik weet best dat ik het moet negeren. Maar het verdwijnt niet. Ze zullen telkens met de ergste foto's op de proppen blijven komen, elke keer dat ze weer een artikel over Janet Hardy willen schrijven, of wanneer mam uiteindelijk van nummer Vijf gaat scheiden. Ik moet echt nog een hele poos laaiend zijn voor ik mezelf erbij neer kan leggen.'

'Ik kan een puppy voor je kopen.'

'Een wat?' Verbaasd streek ze met haar hand door haar haren. 'Waarom?'

'Dan kun je die stomme kranten op de vloer leggen zodat hij erop kan poepen en plassen.'

Ze glimlachte flauwtjes. 'Ik heb altijd al een puppy willen hebben, maar volgens mij moet het huis eerst af zijn voor ik een huisdier neem.'

'Nou, dan ga ik snel de slaapkamer voor je verven. Spiced Cognac was het toch?'

'Precies. Ik laat je wel even zien waar alles staat.'

Ford stapte uit de doos om een fles water te halen en de potloodtekeningen die hij net had voltooid te bekijken. Hij was tevreden met de subtiele veranderingen in Cass nadat ze was ontwaakt en versmolten met Brid. De blik in haar ogen, de andere lichaamshouding als ze alleen was. Ze was veranderd, en niet alleen omdat ze schreeuwde om macht of omdat het symbool van haar rang in haar arm gebrand was. De rustige, zichzelf wegcijferende wetenschapster zou langzamerhand haar draai vinden, tot dat personage meer een masker zou zijn dan haar werkelijke ik.

En dat verlies zou een probleem worden in toekomstige boeken.

Er waren offers nodig om het pad naar het noodlot in te slaan, zoals de Onsterfelijke haar had verteld in tekening drie, pagina 61. Als die keuze gemaakt was, zou ze nooit meer helemaal de persoon zijn die ze vroeger was geweest.

Hoe zou ze dat verwerken? vroeg Ford zich af. Hoe zou ze omgaan met de persoon die ze was geworden en met haar oude ik die ze had achtergelaten op die reis?

Het zou interessant zijn om dat te ontdekken en hij hoopte dat de lezers dat ook zouden vinden.

Het kon geen kwaad om wat blogs te bezoeken en een paar cryptische aanwijzingen te geven voor wat de lezers te wachten stond, dacht hij. Hij moest zijn e-mail toch nog bekijken. Als hij een uurtje pauze nam, konden zijn creatieve gedachten mooi een beetje sudderen.

Net toen hij voor zijn desktopcomputer wilde gaan zitten, werd er op de deur geklopt. Omdat hij voorzichtig was geworden sinds de Invasie van de Journalisten, keek hij eerst even uit het raam voordat hij opendeed.

'Hallo, meneer McGowan.'

'Ford. Ik hoop dat ik niet ongelegen kom.'

'Nee, hoor. Ik nam net een pauze. Kom binnen.'

'Er zijn een paar dingen die ik met je wil bespreken.'

'Tuurlijk.' Stom dat je je nu zenuwachtig voelt, dacht Ford. Het was een hele tijd geleden dat hij werkstukken had moeten inleveren en eindexamen had gedaan. 'Wilt u misschien iets koels drinken?'

'Ja, graag. Ik heb net wat dingen in de grondverf gezet bij Cilla.'

'Zijn daar soms problemen?' vroeg Ford terwijl hij Gavin voorging naar de keuken.

'Er is iets met de verwarming, een langdurige discussie of laden of deurtjes beter zijn bij een bepaalde kast en Buddy zit te zaniken over O-ringen. Maar voor de rest heb ik het idee dat het werk lekker gaat.'

'Cilla lijkt in staat te zijn om alles tegelijk te doen. Ga zitten. Wilt u wat ijsthee?'

'Lekker.' Gavin wachtte terwijl Ford de koude thee in hoge met ijsklontjes gevulde glazen schok. Daarna legde hij de tabloids op het aanrecht.

Ford draaide de bovenste krant een stukje zodat hij hem beter kon zien. 'Au. Heeft Cilla die dingen gezien?'

'Ja, maar jij blijkbaar nog niet.'

'Nee, ik ben bijna de hele dag in Centuria geweest. Ik was aan het werk, bedoel ik,' legde hij uit. 'Hoe neemt ze het op?'

'Niet erg goed.'

'Jezus, kan het nog afgezaagder?' vroeg Ford, en hij tikte op de foto waar "de geest" van Janet op stond. 'Een kind van twaalf kan dat beter met Photoshop. Maar dat fotootje van Cilla als kind bij het artikel is best schattig.'

Zwijgend sloeg Gavin de krant open en keek naar Ford die een snelle blik op de kranten wierp en zijn eigen foto zag. 'Verdorie, ik moet naar de kapper. Dat ben ik al tijden van plan. Hmm, CILLA'S WOEDENDE MINNAAR SNELT HAAR TE HULP. Volgens mij zie ik er helemaal niet zo woedend uit op die foto. Bezorgd past beter. Eigenlijk zouden ze…'

Ineens drong de hele zin, en het feit dat Cilla's vader aan zijn aanrecht ijsthee zat te drinken, tot hem door en hij schraapte zijn keel. 'Hoor eens, meneer McGowan, Cilla en ik… Ik bedoel het is niet… … nou, eigenlijk wel, maar…'

'Ford, ik ben heus niet gechoqueerd omdat Cilla en jij het bed delen en ik heb geen jachtgeweer.'

'Oké.' Hij nam een grote slok thee. 'Nou, goed dan.'

'Is het echt goed?' Gavin pakte de volgende krant. 'Als je deze leest, zul je zien dat er wordt gesuggereerd dat je bent verleid door de eenzame, gevangen ziel van Janet Hardy of dat je haar kleindochter hebt verleid in een poging om Janets minnaar te worden.'

Ford liet een snuivend geluid horen. 'Ja, sorry hoor, maar dit is gewoon raar. Als ze echt fantasie hadden, zou ik de reïncarnatie van een stoere kerel zijn, Bogart of Peck of zo, die zijn wellust voor de reïncarnatie van Janet Hardy probeert te bevredigen door Cilla te neuken wanneer hij maar kan. O, jezus, het spijt me dat ik dat over neuken zei. Echt waar.'

Gavin leunde achterover en nam een slok thee. 'Jij was een van mijn beste leerlingen. Intelligent en creatief. Een beetje vreemd en excentriek, maar nooit saai. Ik heb altijd genoten van wat we je unieke denkproces kunnen noemen. Ik heb Cilla vanochtend nog verteld dat ik je altijd graag heb gemogen.'

'Fijn om dat te horen, gezien de omstandigheden.'

'En wat is je bedoeling met mijn dochter, gezien die omstandigheden?'

'O, verdraaid. Ik heb net dit ding in mijn borst gekregen.' Ford gaf er een klap op. 'Denk je dat extreme nervositeit bij iemand van mijn leeftijd tot een hartaanval kan leiden?'

'Dat betwijfel ik, maar ik zal het alarmnummer bellen mocht het nodig zijn.' In Gavins ogen lag een directe blik en hij gaf een kort knikje. 'Nadat je de vraag hebt beantwoord.'

'Ik wil met haar trouwen, maar zij is nog niet zover. Ik heb nog steeds last van dat ding,' voegde hij eraan toe, en hij wreef met de muis van zijn hand over zijn borst. 'We zijn nog maar…' Het is vast niet handig om daarover te beginnen, dacht Ford. 'We kennen elkaar nog maar een paar maanden, maar ik ben zeker van mijn gevoelens. Ik hou van haar. Moet ik u vertellen over mijn vooruitzichten en zo? Dit is mijn eerste keer.'

'Dat is het voor mij ook. Ik zou zeggen dat de vooruitzichten van jou en Cilla meer dan in orde zijn. En ik moet ook zeggen dat jullie in mijn ogen heel goed bij elkaar passen.'

'O, het gaat weg.' Ford haalde voor het eerst weer makkelijk adem. 'Ze heeft me nodig. Ze heeft iemand nodig die begrijpt en waardeert wie ze is en wie ze wil worden. En ik heb haar nodig, want ik wacht al mijn hele leven op degene die zij is en wie ze heeft besloten te worden. Wat overigens een grote verrassing voor me was.'

'Dat is een uitstekend antwoord.' Gavin stond op. 'Ik zal deze hier laten,' zei hij, wijzend op de kranten. 'Dat kun je met Cilla afhandelen op de manier die jou het beste lijkt. Ik ga verven. Ik laat mezelf wel uit.' Vlak voor hij de keuken verliet, keek hij nog even om. 'Ford, ik zou niet blijer kunnen zijn.'

Zelf ook heel blij ging Ford aan de bar zitten en las alle kranten en elk artikel door. En hij wist precies hoe hij het ging aanpakken.

Het kostte behoorlijk wat tijd, maar het eindresultaat mocht er zijn. Samen met Spock stak hij de weg over. De voordeur zat op slot en hij gebruikte de reservesleutel die ze hem had gegeven. Hij riep haar en toen hij geen reactie kreeg, liep hij de trap op. Het geluid van de douche loste het raadsel op waar Cilla was. Hij overwoog even verlangend om zich bij haar te voegen, maar dat zou de volgorde van de gebeurtenissen verpesten.

Trouwens, als je een vrouw verraste die in een afgesloten huis onder de douche stond, leidde dat onherroepelijk tot gegil en deze vrouw kon een behoorlijke keel opzetten. Daarom stelde hij zich er tevreden mee om op de rand van het bed in de logeerkamer te gaan zitten – dat nog altijd het enige bed in huis was – en te wachten.

Ze gilde niet toen ze hem zag, al wees de hoeveelheid lucht die ze naar binnen zoog terwijl ze een paar passen terugdeinsde erop dat al het glas in een omtrek van vijf kilometer zou zijn geknapt als ze dat wel had gedaan.

'Jezus, Ford. Ik schrok me het lazarus!'

'Sorry. Ik dacht dat je nog erger zou schrikken als ik de badkamer in kwam terwijl je onder de douche stond.' Hij balde zijn hand alsof hij het handvat van een mes omklemde, bewoog hem op en neer en gaf een redelijk goede imitatie van de douchescène uit *Psycho* ten beste.

'Het had erger gekund. Is Spock er niet?'

'Hij wilde weten of er denkbeeldige katten in de achtertuin zijn.'

'Ik moet me aankleden. Waarom ga je niet op het terras zitten? Ik ben over een paar minuutjes beneden.'

Ongelukkig, dacht hij. Geërgerd. Met een vage sluier van moedeloosheid. Zijn idee zou helpen of het verergeren. Daar kon hij net zo goed meteen achter komen.

'Ik heb iets voor je.'

'Wat dan? Waarom neem je dat niet mee naar beneden, dan zal ik…' Haar stem stierf weg toen hij het dunne pakje, verpakt in een pagina van een roddelkrant, achter zijn rug vandaan haalde.

Ze maakte de handdoek wat beter vast boven haar borsten. 'Dus je hebt ze gezien.'

'Ja. O, en twee van jouw onderaannemers, mijn zogenaamde vrienden voor het leven, Matt en Brian, zijn onder werktijd stiekem naar mij toe gegaan om me ermee te pesten. Straf ze naar eigen goeddunken. Maar maak eerst het pakje open.'

'Het spijt me echt. Ik heb de belangstelling en de verschillende invalshoeken totaal onderschat. En ik er ben met open ogen ingelopen door mijn moeders publiciteitsagente te gebruiken. Stom, stom, stom!'

'Goed, jij wint de prijs voor grootste stommiteit. Maak het cadeautje open.' Hij klopte naast zich op het bed.

Ze ging zitten en keek naar het pakje dat hij op haar schoot legde.

'Ik heb een pagina genomen waar geen verhaal over ons op stond. We zouden een plakboek kunnen beginnen.'

'Het is niet grappig, Ford.'

'Dan zul je het cadeautje niet leuk vinden. Geef het maar weer aan mij, dan begraaf ik het in de achtertuin. Dan vind ik misschien tegelijk wat wormen die we kunnen opeten.'

'Echt niet grappig. Je hebt geen flauw idee...' Ze werd kwaad en scheurde het papier stuk, waarna ze alleen verbouwereerd omlaag kon staren.

Het was een dun boekje, en het zag eruit als een stripboek. Op de voorkant stond een grote kleurentekening van Ford en haar in een hartstochtelijke omhelzing. Boven hun hoofd, in een bijzonder opvallend lettertype, stond de titel:

DE AMOUREUZE AVONTUREN EN
DE VELE LEVENS VAN CILLA EN FORD

'Heb je een stripverhaal geschreven?'

'Het is meer een zeer kort, geïllustreerd verhaal. Geïnspireerd op recente gebeurtenissen. Toe, lees het maar.'

Ze wist niks te zeggen, niet in het begin althans. De vijf pagina's die hij in zwart-wit had gedaan, compleet met tekstballonnen, bijschriften en illustraties, varieerden van bespottelijk tot pornografisch of ongelooflijk grappig.

Haar gezicht bleef uitdrukkingsloos terwijl ze het las, want tenslotte had ze nog wel enige acteervaardigheden.

'Weet je.' Met een vinger tikte ze op een plaatje van een spiernaakte

Ford die een blote Cilla optilde terwijl Spock zijn poten voor zijn ogen sloeg. 'Ik geloof niet dat dit op ware schaal is. Een bepaald lichaamsdeel is nogal overdreven.'

'Het is mijn lichaamsdeel en ik ben de kunstenaar.'

'En denk je echt dat ik ooit "O, Ford, Ford, beuk me de hemel in" zal zeggen?'

'De beste stuurlui staan aan wal.'

'Maar ik vind dit deel in het begin wel leuk, als de geile geesten van Janet en Steve McQueen boven ons zweven terwijl we liggen te slapen.'

'Dat leek heel toepasselijk aangezien de legende wil dat ze het bij de vijver hebben gedaan. En als ik dan toch bezeten ben door iemands geest wil ik wel dat het die van een gave gozer is.'

'Hij is de allergaafste,' beaamde ze. 'Ik vind het ook leuk hoe die paparazzo uit de boom valt terwijl hij foto's door het slaapkamerraam neemt, en de kleine x'en in zijn ogen op het volgende plaatje, voor Spock hem meesleept om hem te begraven. Maar ik geloof dat ik het laatste plaatje het leukste vind, waarin we alle vier een sigaretje roken in bed met een uitdrukking van seksuele voldoening op ons gezicht.'

'Ik hou van een gelukkig einde.'

Ze keek van het boek naar zijn ongelooflijk groene ogen. 'En dit is jouw manier om me te vertellen dat ik het allemaal niet zo serieus moet nemen.'

'Het is mijn manier om je een andere invalshoek te geven, zo je wilt.'

Ze schoof naar achteren om tegen het hoofdeinde te gaan zitten. 'Laten we een tekstlezing doen. Ik zal Cilla en Janet spelen, en dan doe jij Ford en Steve.'

'Goed.' Hij schoof ook naar achteren om naast haar te zitten.

'Daarna gaan we het naspelen.'

Met een grijns keek hij haar aan. 'Nog beter.'

24

Elke dag kwamen er bezoekers langs. Sommige verwelkomde ze, andere negeerde ze. Ze kon weinig doen aan de mensen die aan de kant van de weg parkeerden of daar kwamen staan om foto's te maken van het huis, van het terrein en van haar. Ze haalde haar schouders op als werklui het leuk vonden om te poseren. Ze kon het hun niet kwalijk nemen dat zij het amusant vonden en een stukje wilden meepikken van deze kortstondige roem.

Vroeg of laat, zo hield ze zichzelf voor, zou de belangstelling wel afnemen. Als haar blik op een stel paparazzi viel dat haar achtervolgde terwijl ze ijzerwaren en hout kocht, deed ze alsof ze niet bestonden. Als ze foto's van haar huis of van haarzelf in de boulevardkranten of roddelbladen zag, dwong ze zichzelf aan andere dingen te denken. En toen de publiciteitsagente van haar moeder belde met verzoeken om interviews en fotoreportages, hing Cilla resoluut op.

Ze ging haar eigen gang en ze hoopte dat een van de huidige ondeugende meiden van Hollywood iets zou doen wat zo schandalig was dat de aandacht van haar werd afgeleid. Terwijl de hete julimaand overging in augustus, concentreerde zij zich op het huis. Ze had nog genoeg te doen.

'Waarom wil je hier een gootsteen als je er dáár ook een installeert?' wilde Buddy weten.

'Die ene is een spoelbak, Buddy, en eerlijk gezegd weet ik niet waarom ik er een wil. Ik wil het gewoon. Die gootsteen moet hier.' Ze legde een vingertop op de herziene, en absoluut laatste, bouwtekening van haar keuken. 'De vaatwasser komt hier. De koelkast. En de spoelbak komt daar in het kookeiland.'

'Je moet het zelf weten.' Hij zei het op zijn gebruikelijke toon, die haar vertelde dat ze van toeten noch blazen wist. 'Ik zeg alleen maar dat wanneer je dat eiland hier plaatst, je een hap neemt uit de hoekruimte door er een gootsteen in te plaatsen.'

'Daar komt een snijblad overheen. Als ik dingen wil snijden, laat ik die erop en als ik iets wil wassen haal ik hem eraf.'

'Wat dan?'

'Jezus, Buddy. Eh… groenten.'

Hij keek haar aan met een frons als van een buldog. 'Wat ga je dan wassen in die andere gootsteen?'

'Het bloed op mijn handen nadat ik jou heb doodgestoken met mijn schroevendraaier.'

Zijn mond vertrok wat. 'Jij hebt hele bizarre ideeën.'

'Vind je? Nou, dan heb ik er nog een voor je. Ik wil een kraan boven het fornuis om pannen te vullen.'

'Dus je wilt niet alleen twee gootstenen, maar ook nog zo'n raar ding dat aan de muur bevestigd zit en heen en weer zwenkt boven het fornuis om pannen met water te vullen?'

'Precies. Misschien wil ik wel heel grote pannen met water vullen om pasta te koken of om mijn voeten te wassen. Of om het hoofd van norse loodgieters in te koken die met me in discussie gaan. Misschien heb ik wel een kranenfetisj gekregen. Maar die kraan komt er.'

Ze liep naar hem toe, tikte met haar vuist op de muur waar ze met een timmermanspotlood een cirkel met een kruis erin had getekend. 'En ik wil hem hier hebben.'

Hij sloeg zijn ogen ten hemel alsof hij God vroeg wat Cilla bezielde. 'Daar zijn leidingen voor nodig, dus we moeten dat pleisterwerk stuk snijden om ze op hun plaats te krijgen en ze vast te zetten.'

'Ja, dat weet ik.'

'Het is jouw huis.'

'Inderdaad.'

'Ik heb gehoord dat je nog een huis hebt gekocht. Dat oude huis bij Bing.'

'Het heeft er alle schijn van.' De kleine tintelingen in haar buik waren zowel een teken van spanning als zenuwen. 'De overdracht is pas in oktober, maar het lijkt er wel op.'

'Ik neem aan dat je in dat huis ook van die chique frutsels wilt.'

'Het doet je vast deugd als ik zeg dat ik het daar wat eenvoudiger wil laten.' Ze moest haar lippen in de plooi houden toen ze zijn teleurgestelde blik zag.

'Dat zeg je nu. Nou, ik kan donderdag met het voorwerk beginnen.'

'Dat is mooi.'

Ze liet hem achter met zijn gefrons en zijn berekeningen.

De keukenkastjes moesten binnen een paar weken af kunnen zijn, schatte ze. Als het nodig was konden ze zolang worden opgeslagen terwijl de water- en elektriciteitsleidingen provisorisch werden gelegd, gekeurd, afgemaakt en opnieuw werden gekeurd. Het pleisterwerk gerepareerd, alles geverfd en de vloertegels gelegd. Als haar aanrechtbladen op tijd werden gebracht, had ze tegen Labor Day misschien wel een keuken die klaar was, afgezien van de keukenapparatuur die ze liet opknappen.

Misschien zou ze toch nog een feest kunnen geven. Al was het voornemen om een feestje te plannen waarschijnlijk genoeg om alles te beheksen.

'Klop, klop!' Cathy Morrow stak haar hoofd om de voordeur. 'Brian zei dat je het niet erg zou vinden als ik zomaar even binnenval.'

'Nee, hoor. Hoe gaat het ermee?'

'Prima. Behalve dan dat ik barst van nieuwsgierigheid. Brian heeft ons verteld hoe prachtig alles eruitziet, dus toen moesten Tom en ik even langskomen om het met eigen ogen te zien. Tom is achter gaan kijken waar jullie de stenen muur weer optrekken. Om er struiken tegenaan te zetten, zei Brian.'

'Op die manier geef je de tuin hoogte en diepte en er hoeft minder gras te worden gemaaid.'

'Ik geloof niet dat Brian ooit zo veel werk heeft gedaan voor een privéklant, non-commercieel, bedoel ik. Hij is gewoon... O, Cilla! Dit is echt prachtig.'

Met een vlaag van trots keek Cilla naar Cathy die door de woonkamer liep. 'Hij is helemaal klaar, alleen de vloer moet nog opnieuw worden gepolitoerd, maar we gaan alle vloeren tegelijkertijd doen. En er moet nog meubilair komen en accessoires en frutsels, kunst, vitrage en gordijnen en nog een paar kleine dingen zoals...'

'Het is zo open en warm. Ik vind de lichtinval prachtig. Zijn dat klavertjes op die astragaal, of hoe dat dan ook mag heten?'

'Het heet een medaillon, en ja. Dobby heeft geweldig werk geleverd. En de armatuur klopt met de architectuur van het huis. Ik weet niet wat er oorspronkelijk heeft gezeten. Ik heb geen foto's kunnen vinden waar het op stond en mijn vader kon het zich niet meer herinneren. Maar ik vind dat de eenvoudige vormen van de kunstnijverheid en het ontwerp met de diamantvorm in amber en diepblauw goed bij elkaar passen.'

'Het ziet er schitterend uit. Maar… o, lieve god. De open haard.'

'Het middelpunt.' Cilla liep naar de open haard en streelde het diepblauwe graniet. 'Ik wilde dat hij af zou steken tegen de muur zoals de lucht afsteekt tegen de bergen. En een diepe kleur als deze vroeg om een stevige schoorsteenmantel.'

'Was hij niet… Ja, de schoorsteenmantel was eerst van baksteen.'

'De bakstenen waren beroet en zaten vol gaten. Bovendien voldeed de haard niet meer aan de veiligheidsvoorschriften, zoals je wel kunt zien aan de brandplekken die de vonken op de vloer hebben achtergelaten.'

'Het is raar, alles wat ik me van deze kamer en het huis herinner, is dat het vreselijk modern was ingericht. De grote, lippenstiftroze sofa met de witte, satijnen kussens erop. Ik was diep onder de indruk. En hoe Janet eruitzag toen ze in haar blauwe jurk op de bank zat. Ze was zo mooi. Nou ja, iedereen zag er toen mooi uit,' voegde Cathy er met een lachje aan toe. 'Beroemde mensen, rijke mensen, belangrijke mensen. Ik kon gewoon niet geloven dat ik erbij was. We waren alleen uitgenodigd omdat Toms vader hier in de buurt een man van aanzien was, maar dat kon mij niks schelen. We zijn hier drie keer uitgenodigd en elke keer was het zo spannend dat het bijna pijn deed.

Jeetje, de laatste keer dat ik hier ben geweest was ik jonger dan jij nu. Toentertijd, bedoel ik. Wat is dat alweer lang geleden,' zei ze met een weemoedige zucht. 'De laatste keer was op een kerstfeestje. Alle kerstversiering, de lichtjes. Champagne, eindeloze glazen champagne, de muziek. Die verbazingwekkende bank. De mensen smeekten net zolang of ze wat wilde zingen tot ze toegaf. Er stond ook een kleine, witte vleugel bij het raam, en… O! Wie was die man ook alweer, met wie iedereen dacht dat ze een hartstochtelijke verhouding had… die componist? Die man die uiteindelijk homoseksueel bleek te zijn. Hij is aan aids overleden.'

'Lenny Eisner.'

'Ja, precies. God, wat een knappe vent was dat. Maar goed, hij speelde piano en zij zong. Het was betoverend. Dat moet de kerst zijn geweest voor je oom omkwam. Het spijt me,' zei Cathy plotseling. 'Ik ben hardop aan het dagdromen.'

'Nee, ik luister graag naar verhalen over hoe het was. Over hoe zij was.'

Cathy streek haar glanzende lange haar naar achteren. 'Ik kan je vertellen dat niemand stralender was dan Janet. Volgens mij was... Ja, Marianna was toen een paar weken oud en het was de eerste keer dat we een oppas hadden geregeld. Ik vond het eng om haar alleen te laten en ik voelde me ook ontzettend ongemakkelijk omdat ik nog steeds dik was van de zwangerschap. Maar Janet vroeg naar de baby en ze vertelde me hoe mooi ik eruitzag. Dat was heel vriendelijk van haar omdat ik tijdens mijn zwangerschap dik was geworden als een walvis en na de geboorte nog maatje nijlpaard had. Ik weet nog dat mijn schoonmoeder me op de huid zat omdat ik te veel canapéetjes at. Hoe kon ik afvallen als ik zo veel bleef eten? Irritante vrouw. O, maar ik herinner me ineens dat Toms vader er die avond geweldig uitzag. Heel robuust en knap. Tot grote ergernis van mijn schoonmoeder flirtte Janet met hem, maar dat vond ik vermakelijk.'

Geamuseerd door de herinnering liet ze een kort lachje horen. 'Toms moeder en ik hebben het nooit goed met elkaar kunnen vinden. Ja, hij zag er die avond heel knap uit. Je zou nooit hebben geloofd dat hij twaalf jaar later zo vreselijk aan zijn einde zou komen door kanker. Ze stonden daarbinnen: Janet en Drew, Andrew, Toms vader. En toen waren ze er allebei opeens niet meer. O, verdorie, het spijt me echt. Hoe ben ik op zo'n morbide onderwerp uitgekomen?'

'Oude huizen. Die zitten vol verhalen over leven en dood.'

'Ja, daar zeg je wat. Eigenlijk draait alles om het leven van nu, nietwaar? En om wat je hier doet. O, dat was ik helemaal vergeten. Ik heb twee mimosa's voor je meegenomen.'

'Heb je drankjes meegenomen?'

Cathy lachte zo hard dat ze haar buik moest vasthouden. 'Nee, bomen. Nou ja, over een paar jaar zullen het bomen zijn, als je ze wilt hebben. Ik heb er een stuk of twintig uit zaadjes opgekweekt tot plantjes om weg te geven. Ik heb namelijk een stel prachtige, oude mimosa's. Maar als je ze niet wilt, zal ik het je niet kwalijk nemen. Ze zijn pas dertig centimeter hoog en het duurt nog wel een paar jaar voor ze gaan bloeien.'

'Ik wil ze dolgraag hebben.'

Ze staan op je veranda in een paar oude plastic bloempotten. Zullen we ze naar Brian brengen, dan kan hij je vertellen waar ze het volgens hem het beste doen?'

'Dat is het eerste geschenk voor mijn nieuwe huis.' Cilla ging Cathy voor naar buiten en pakte een van de zwarte, plastic potten met daarin de tere, uitwaaierende zaailing. 'Ik vind het geweldig om ze als jonge plantjes te kunnen planten en ze dan elk jaar groter te zien worden. Het is grappig dat je langskwam en het over feestjes had. Ik zat erover te denken om er zelf een te geven, misschien ter gelegenheid van Labor Day.'

'O, dat moet je doen. Hartstikke leuk.'

'Het probleem is alleen dat het huis dan nog niet helemaal af is en het is dan ook nog niet ingericht of leuk aangekleed of…'

'Wat geeft dat nou?' Cathy was duidelijk al helemaal in de stemming en ze gaf Cilla een por met haar elleboog. 'Dan geef je gewoon nog een feestje als alles klaar is. Dit feestje wordt dan een soort… prelude. Ik wil je best helpen, en je weet dat Patty dat ook wil. En Fords moeder. Sterker nog, als je ons niet tegenhoudt, zouden we hier de boel overnemen.'

'Hmm. Ik zal erover denken.'

Toen de werklui waren vertrokken en het stil werd in huis, nadat twee tere zaailingen met roze bloesems als poederdonzen, die pas over een aantal jaar zouden gaan bloeien, waren geplant op een zonnig plekje tussen de tuin en een braakliggende akker, ging Cilla op een omgekeerde emmer in de woonkamer zitten die vroeger van haar grootmoeder was geweest. In het huis dat nu van haar was.

Ze stelde zich voor hoe het eruit zou zien vol mensen die prachtig gekleed en gekapt waren. De bonte lichtjes van Kerstmis, de elegantie van het kaarslicht en het vuur in de open haard, stralend, schitterend en flakkerend.

Een lippenstiftroze bank met witte, satijnen kussens.

En Janet, een licht dat feller straalde dan de rest, die zich in elegant blauw van gast naar gast bewoog met een kristallen glas bruisende champagne in de hand.

Haar kleindochter zat op de omgekeerde emmer, hoorde de droomstemmen en ademde de niet-bestaande geur van een kerstboom in.

Ford trof haar daar aan, alleen in het midden van de kamer, in het langzaam afnemende licht van een late zomeravond.

Te eenzaam, dacht hij. Niet gewoon eenzelvig, deze keer niet. Niet rustig peinzend, niet zich koesterend, maar totaal alleen en heel, heel erg afwezig.

Omdat hij haar terug wilde, liep hij naar haar toe en hurkte voor haar neer. Die spectaculaire ogen bleven nog een paar tellen staren naar wat in het verleden lag en kwamen toen terug. Terug naar hem.

'Er is hier ooit een kerstfeestje geweest,' zei ze. 'Dat moet het laatste kerstfeest zijn dat ze heeft gegeven, want het was de kerst voordat Johnnie om het leven kwam. Er waren lichtjes, muziek en een hele menigte mensen. Mooie mensen. Canapés en champagne. Ze heeft voor hen gezongen, met Lenny Eisner aan de piano. Ze had een roze bank. Een lange felroze bank met kussens van wit satijn. Cathy heeft me erover verteld. Het is wel heel Doris Day-achtig, vind je niet? Felroze, lippenstiftroze. Het zou hier nu helemaal niet meer staan, dat felroze bij deze mistig groene kleur van de muren.'

'Het is niet meer dan verf en stof, Cilla.'

'Je drukt er iets mee uit. Trends veranderen, dingen raken in of uit de mode, maar daarnaast is er persoonlijke smaak. Ik zou nooit een roze bank met kussens van wit satijn kopen. Dat heb ik veranderd en daar heb ik geen spijt van. Het zal nooit zo elegant of brutaal en sprankelend zijn als het bij haar was. En dat vind ik ook niet erg. Maar soms, wanneer ik hier alleen ben, moet ik, en ik weet dat het volslagen waanzinnig klinkt, maar dan moet ik haar vragen of zij het met de veranderingen eens is.'

'En? Is ze dat?'

Met een glimlach legde ze haar voorhoofd tegen het zijne. 'Ze denkt er nog over na.' Ze leunde achterover en zuchtte. 'Nou, aangezien ik toch gekke dingen zeg, kan ik je nu net zo goed een gekke vraag stellen.'

'Laten we buiten op de veranda gaan zitten op het plekje dat speciaal bestemd is voor gekke vragen. Ik ben veel te lang om op mijn hurken te zitten.' Hij trok haar overeind.

Ze gingen op de treden van de veranda zitten, hun benen voor hen uitgestrekt, terwijl Spock door de voortuin liep. 'Weet je zeker dat dit de plek op de veranda is voor de gekke vragen?'

'Ik heb een seizoenkaart.'

'Goed. Heb jij Brians grootvader gekend? De vader van zijn vader?'

'Amper. Hij is overleden toen we nog klein waren. Ik heb alleen een indruk van hem. Een grote, stevige man. Machtig.'

'Hoe oud zou hij zijn geweest ten tijde van dat laatste kerstfeest? Rond de zestig?'

'Dat weet ik niet. Iets in die richting, denk ik. Hoezo?'

'Niet te oud, dus,' zei Cilla peinzend. 'Janet hield van oudere mannen, en van jongere. Eigenlijk hield ze van alle mannen ongeacht leeftijd, afkomst of geloof.'

'Denk jij dat Brians grootvader iets met Janet Hardy heeft gehad?' Zijn lachje klonk heel verbaasd. 'Dat is gewoon… bizar.'

'Waarom?'

'Ja, hoor eens. Je voorstellen dat grootouders affaires hebben, betekent dat je je moet voorstellen dat ze seks hebben en dat is op zich al bizar.'

'Dat valt nogal mee wanneer je grootmoeder nooit ouder is geworden dan negenendertig.'

'Daar zeg je zo wat.'

'Bovendien hebben grootouders nou eenmaal seks. Daar hebben ze recht op.'

'Jawel, maar ik wil niet dat dat beeld zich in mijn hoofd vastzet. Straks ga ik me nog voorstellen dat mijn grootouders het doen, en ja hoor? Zie je nou wel?' Hij gaf een goedmoedige stomp tegen haar arm. 'Het zit al in HDTV in mijn hoofd. Nu ben ik voor het leven getekend. Je wordt bedankt.'

'Ja, dit is beslist het deel van de veranda waar gekke vragen worden gesteld. Hij had die brieven kunnen schrijven, Ford.'

'Mijn opa?'

'Nee. Nou ja, eigenlijk wel, nu je het zegt. Hij heeft zelf toegegeven dat hij smoorverliefd op haar was en hij heeft al die foto's van haar genomen.'

Ford liet zijn hoofd in zijn handen zakken. 'Je zorgt echt voor een serie afschuwelijke beelden in mijn hoofd.'

'Zou hij het jou vertellen als je het hem zou vragen?'

'Dat weet ik niet, en ik ga hem dat ook niet vragen. Nooit van mijn leven. En ik verlaat nu het gekkevragengedeelte van de veranda.'

'Wacht, wacht. Dan wisselen we van grootvader en nemen we die van Brian. Het is moeilijk om te geloven dat jouw grootvader al die foto's zo liefdevol zou hebben bewaard als hun affaire zo slecht was afgelopen. Maar Brians grootvader was er wel het type voor, nietwaar? Hij was een machtig en vooraanstaand man. En hij was getrouwd. Hij had een gezin en een succesvolle carrière. Hij was alom bekend. Hij kan die brieven best geschreven hebben.'

'In aanmerking genomen dat hij ongeveer een kwart eeuw dood is, valt dat moeilijk te bewijzen of te weerleggen.'

Dat was lastig maar het hoefde geen onoverkomelijke hindernis te zijn, dacht ze. 'Er zijn waarschijnlijk nog wel voorbeelden van zijn handschrift te vinden.'

'Ja.' Ford slaakte een zucht. 'Ja.'

'Als ik er daar een van kan bemachtigen en dat met de brieven vergelijk, dan weet ik het. Ze zijn allebei overleden, dus daarmee zou de kous af zijn. Het zou geen zin hebben om dat nieuws wereldkundig te maken. Maar…'

'Jij zou het weten.'

'Precies, en dan kan ik het deel van haar leven waarvan ik nooit had verwacht het te zullen vinden, afsluiten.'

'En als ze niet overeenkomen?'

'Dan blijf ik waarschijnlijk hopen dat ik op een dag de juiste vraag aan de juiste persoon zal stellen.'

'Ik zal eens zien wat ik voor je kan doen.'

Het duurde een paar dagen voor Ford een plan van aanpak had bedacht. Hij kon niet liegen. Niet dat hij er niet toe in staat was, maar hij was er verdomd slecht in. De enige keren dat hij succesvol had weten te liegen, was als de persoon tegen wie hij loog medelijden met hem kreeg en het over zijn kant liet gaan. Hij had geleerd om de waarheid te zeggen en er dan het beste van te hopen.

Hij keek toe hoe Brian en Shanna een lading veenmos met de grond achter de voltooide stenen muur vermengde.

'Pak eens een schep,' zei Brian tegen hem.

'Dat zou ik kunnen doen, maar waarderend en bewonderend toekijken heeft ook zijn waarde. Vooral als je bewonderend naar Shanna's kont kunt kijken.'

Gehoorzaam schudde ze ermee.

'We weten allemaal dat je eigenlijk naar mijn kont kijkt,' zei Brian terug.

'Dat is waar. Ik gebruik Shanna alleen als afleidingsmanoeuvre. Om nog overtuigender te zijn, zou ze zich misschien een beetje verder kunnen bukken en... ik ben verkocht,' zei hij toen ze deed wat hij vroeg en in lachen uitbarstte.

Het kwam vast doordat ze hun hele leven al bevriend waren, vermoedde Ford. Nog een reden waarom hij onmogelijk tegen ze kon liegen. Maar tijd rekken kon wel.

'Wat gaan jullie planten?'

Brian rechtte zijn rug, streek met zijn arm over zijn bezwete voorhoofd en wees naar een stel struikjes in kweekpotten. 'Maak jezelf eens nuttig, als je toch niets beters te doen hebt. Breng die even hierheen zodat we een begin kunnen maken met ze neer te zetten en te kijken hoe ze staan.'

'Hij is gewoon een beetje pissig omdat ik tien dagen vrij neem. Ik ga naar Los Angeles om Steve een bezoekje te brengen.'

'Ja?' Ford tilde een azalea op. 'Dus...?'

'"De toekomst staat nog niet vast."'

Je moest wel houden van een vrouw die met citaten uit *The Terminator* strooide. 'Doe hem de groeten van me.'

Hij wachtte tot zij de planten die hij aangaf hadden neergezet, ze opnieuw rangschikten, ruzieden over de plaatsing en uiteindelijk naar beneden sprongen om de opstelling te bestuderen en te keuren.

'Goed, dan, je hebt gelijk,' gaf Shanna toe. 'We zullen de rododendron en die lavendelheide omwisselen.'

'Ik heb altijd gelijk.' Zelfvoldaan prikte Brian met zijn duim tegen zijn borst. 'Daarom ben ik de baas.'

'Heb je even tijd als baas zijnde?' vroeg Ford. 'Ik wil je namelijk iets vragen.'

'Tuurlijk,' antwoordde Brian toen ze wegliepen.

'Luister, dit moet onder ons blijven,' begon Ford. 'Cilla heeft een stel brieven gevonden die zijn geschreven door een man met wie haar oma een verhouding heeft gehad.'

'Nou en?'

'Een grote, geheime verhouding met een getrouwde man. Vlak voor haar dood is er een einde aan gekomen.'

'Nogmaals: Nou en?'

'Nou, ze zijn niet ondertekend, en Janet heeft ze niet alleen bewaard, maar ook verstopt en daardoor worden het mysterieuze brieven. Sterker nog, tot de stoppen doorsloegen bij Hennessy, dachten we dat de inbraken een poging van de mysterieuze man waren om de brieven terug te krijgen.'

'Maar die vent moet inmiddels toch een jaar of honderd zijn?'

'Zou kunnen, maar dat hoeft niet. En er zijn genoeg mannen van in de zeventig die vroeger vrouwen hebben geneukt met wie ze niet getrouwd waren.'

'Heel schokkend,' zei Brian droog. 'Hé, misschien was het Hennessy wél, en heeft hij een hartstochtelijke affaire met de knappe, sexy filmster gehad. Al heb ik het idee dat hij als verzuurde klootzak geboren is.'

'Het zou niet onmogelijk zijn. Maar, eh… om wat meer bij de kring van logische mogelijkheden te komen… Kijk, ze heeft jouw grootvader ook gekend, en hij was een belangrijk man in deze buurt en hij kwam op haar feestjes.'

Ford stond daar en krabde over zijn hoofd terwijl Brian dubbelsloeg van het lachen. 'Jezus, jezus!' wist Brian uit te brengen. 'De grote Andrew Morrow zaliger die het met Janet Hardy doet?'

'Het behoort tot de logische mogelijkheden,' hield Ford vol.

'Niet voor mij, Saw. Ik kan me hem niet meer zo goed herinneren, maar ik weet nog wel dat hij een harde, intolerante man was.'

'In mijn wereld zijn intolerante mannen vaak degenen die stiekem worden gepijpt voordat ze teruggaan naar moeder de vrouw en hun kroost.'

Brian kwam wat tot bedaren en dacht erover na. 'Ja, daar zeg je iets. En een leven met mijn grootmoeder zal niet makkelijk zijn geweest. Water was nooit nat genoeg voor dat mens. Godsamme, ze zat altijd op mijn moeder te vitten. Tot aan haar dood toe. Ergens zou het wel leuk zijn als grote Drew Morrow een paar keer van bil is gegaan met Janet Hardy.'

Ford vond het verzwijgen van haar vermeende zwangerschap en de nare strekking van de laatste brieven geen liegen. Dat was gewoon... iets verzwijgen. 'Heb jij nog iets met zijn handschrift erop? Een verjaardagskaartje of een brief of zo?'

'Nee. Maar mijn moeder waarschijnlijk nog wel. Zij bewaart allerlei familiepaperassen en dat soort zaken.'

'Kun je een voorbeeld van zijn handschrift bemachtigen zonder haar te vertellen waar je het voor nodig hebt?'

'Waarschijnlijk wel. Er staat een doos met spullen van mij in haar garage. Schoolschriften en rapporten, dat soort rommel. Misschien zit daar iets bij. Ze zit me al jaren achter de broek dat ik die spullen mee moet nemen naar mijn eigen huis. Ik kan haar van die doos verlossen en er een blik in werpen.'

'Geweldig. Bedankt.'

'Hé,' riep Shanna uit de verte. 'Zijn jullie nou uitgeluld of moet ik dit hele terras zelf beplanten?'

'Zeur toch niet zo,' schreeuwde Brian terug.

Ford bekeek haar aandachtig. Ze had een goed figuur, ze kon schuine moppen tappen en ze was knap. 'Waarom heb je nooit iets met haar geprobeerd?'

'Die kans heb ik laten lopen en daarna ben ik haar als mijn zus gaan beschouwen.' Hij haalde zijn schouders op. 'Maar we hebben een afspraak gemaakt. Als we op ons veertigste allebei nog vrijgezel zijn, dan gaan we een week naar Jamaica voor waanzinnige seks met elkaar.'

'Nou, succes ermee.'

'Het duurt nog maar negen jaar,' riep Brian terwijl hij terugliep naar Shanna.

Heel even was Ford met stomheid geslagen. Negen jaar? Was dat alles? Hij stond er nooit bij stil dat hij veertig zou worden. Veertig was een heel ander decennium. Dan werd het tijd om volwassen te zijn.

Hoe kon dat ineens al over negen jaar zijn?

Hij stak zijn handen diep in zijn zakken en maakte rechtsomkeert naar het huis om Cilla te zoeken.

In de keuken, waar stukken en brokken van het aanrechtblad waren weggeslagen en naar buiten gesjouwd en waar vreemd gevormde pijpen uit de vloer staken die eruitzagen alsof een stel dronken knaagdieren zich eraan te goed had gedaan, werkte Buddy aan een brede gleuf in de gepleisterde muur.

Buddy draaide zich om met een of ander groot stuk gereedschap in zijn hand dat Ford deed denken aan een metalen papegaaienkop op de nek van een giraffe.

'Waarom plaatst iemand in vredesnaam een kraan boven het fornuis?' vroeg Buddy op hoge toon.

'Geen idee. Eh… Voor het geval er brand uitbreekt?'

'Wat een gelul.'

'Een betere reden kan ik niet verzinnen. Is Cilla in de buurt?'

'Die vrouw is altijd in de buurt. Ga eens op zolder kijken. Toiletten op zolder,' mompelde Buddy terwijl hij weer aan het werk ging. 'Kranen boven het fornuis. Straks wil ze nog een bad in de slaapkamer.'

'Nou, ik heb wel eens gezien dat… Nee, niks,' zei Ford toen Buddy hem aan keek met tot spleetjes geknepen ogen. 'Ik heb helemaal niks gezien.'

Hij baande zich een weg door het huis en zag dat het lijstwerk in de gang en het halletje bijna klaar was. Op de eerste verdieping keek hij even rond in een paar kamers. In een kamer waarvan de muren in een subtiele tint wazig bruin waren geschilderd, kon hij de verf nog ruiken. In de grote slaapkamer bestudeerde hij de drie kleuren die op de muur waren geschilderd. Kennelijk wist ze nog niet of het zilvergrijs, grijsblauw of matgoud moest worden.

Hij liep door de gang en ging daarna de trap op die was verbreed. Ze stond naast Matt, en ze hielden allebei een stuk hout op tegen het licht dat door het raam naar binnen scheen.

'Ja, ik vind dat contrast tussen eiken- en notenhout heel leuk.' Matt knikte. 'Weet je wat we kunnen doen? We kunnen de lijsten van notenhout maken. Heb jij je… Hoi, Ford.'

'Hoi.'

'Topoverleg,' zei Cilla tegen hem. 'Inbouwkasten.'

'Ga rustig verder.'

'Kijk, het zit zo.' Met zijn potlood begon Matt op de gipsplaats te tekenen en Fords aandacht dwaalde af naar de stroken verf die op de tegenoverliggende muur waren geschilderd. Daar had ze hetzelfde zilvergrijs gebruikt en een warme, vrolijke gele kleur die in een strijd verwikkeld was met wat hij abrikooskleurig zou noemen.

Hij ging naar de badkamer om naar de tegels en de kleuren te kijken.

Daarna liep hij de kamer weer in, net op tijd om Matt en Cilla het eens te horen worden over het materiaal en het ontwerp.

'Ik ga hier een begin mee maken in mijn werkplaats,' zei Matt tegen haar.

'Hoe voelt Josie zich?'

'Warm en ongeduldig. En ze vraagt zich af waarom ze van de winter niet heeft beseft dat ze de hele zomer hoogzwanger zou zijn.'

'Bloemen,' stelde Ford voor. 'Koop onderweg naar huis een bos bloemen voor haar. Dan heeft ze het nog steeds warm, maar dan is ze blij.'

'Misschien doe ik dat wel. Ik zal nog even navragen of de vloeren dinsdag wel komen. Vooropgesteld dat de bestelling niet nog eens de mist ingaat, kunnen we hierboven beginnen met timmeren.' Daarna wendde hij zich tot Ford. 'Rozen doen het toch altijd goed?'

'Rozen zijn niet voor niets een klassieker.'

'Goed. Ik hou je op de hoogte over die vloeren, Cilla.'

Terwijl Matt de trap af liep, liep Ford naar Cilla, hij nam haar kin in zijn hand en kuste haar. 'Dat bleke zilver daar, het matte goud in de grote slaapkamer.'

Ze hield haar hoofd schuin. 'Zou kunnen. Waarom?'

'Dat past beter bij de badkamers dan die andere kleuren. En hoewel het beide warme tinten zijn, heeft het grijs iets koels. Het blijft een zolder, hoe erg je hem ook opleukt. En die kleur in de slaapkamer is rustgevend, maar ook erg krachtig. Zeg, waarom plaatst Buddy een kraan boven je fornuis?'

'Om pannen te vullen.'

'Aha. Ik heb Brian gesproken.'

'Dat doe je wel vaker.'

'Over de brieven. Zijn grootvader.'

'Heb… heb je het hem verteld?' Haar mond viel open. 'Heb je hem zomaar verteld dat ik vermoed dat zijn grootvader misschien een stel geboden heeft overtreden met mijn grootmoeder?'

'Ik geloof niet dat er geboden ter sprake zijn gekomen. Jij wilde een voorbeeld van het handschrift. Brian kan er waarschijnlijk eentje voor je regelen.'

'Goed, maar… Had je het niet een beetje stiekem en in bedekte termen kunnen vragen? Had je niet kunnen liegen?'

'Ik ben heel slecht in stiekem. En zelfs al krijg ik een gouden plak als de grootste stiekemerd, dan zou ik alsnog niet tegen een vriend liegen. Hij begrijpt dat ik het hem in vertrouwen heb verteld, en hij zou het vertrouwen van een vriend nooit beschamen.'

Ze liet een diepe zucht ontsnappen. 'Jullie zijn echt op een totaal andere planeet opgegroeid dan ik. Weet je zeker dat hij niks tegen zijn vader zal zeggen? Ik zou me geen raad weten van schaamte.'

'Dat weet ik zeker. Hij maakte trouwens nog wel een interessante opmerking. Stel je voor dat Hennessy die brieven heeft geschreven?'

Cilla's mond viel opnieuw open. 'De Hennessy die zijn truck als moordwapen wilde gebruiken?'

'Nou, denk er eens goed over na. Jij zou toch ook gek worden als je een affaire hebt met een vrouw wier zoon er – in jouw ogen – verantwoordelijk voor is dat jouw zoon in een rolstoel zit? Maar ik geef toe dat het behoorlijk vergezocht is. Ik ga die brieven herlezen met dit in mijn achterhoofd. Om te kijken of het mogelijk is.'

'Zal ik je eens wat zeggen? Als het die kant op gaat, als het ook maar een beetje die kant op dreigt te gaan, dan wil ik het niet weten. De rillingen lopen over mijn rug bij het idee dat mijn oma het met Hennessy heeft gedaan.'

Ze zuchtte en liep met hem naar beneden. 'Ik heb vandaag met de politie gesproken,' zei ze. 'Er komt geen rechtszaak. Ze hebben de zaak geschikt. Hennessy pleit schuldig, of hoe het ook heet. Hij moet minimaal
twee jaar op de psychiatrische afdeling van de staatsgevangenis zitten.'

Ford pakte haar hand. 'Wat vind jij daarvan?'

'Eerlijk gezegd weet ik dat niet precies. Ik kan het voorlopig maar beter naast me neer leggen, en me op het hier en nu concentreren.'

Ze liep de grote slaapkamer in en keek naar de proefstroken die op de
muur waren geschilderd. 'Ja, wat de kleur betreft heb je gelijk.'

25

Cilla bracht de zondagmorgen door met het doorbladeren van huis-en interieurtijdschriften, het speuren op internet naar ideeën en verkopers en het maken van favorieten van mogelijkheden en kansen. Ze kon nauwelijks geloven dat ze het stadium had bereikt waarin ze over meubilair kon gaan nadenken.

Dat zou natuurlijk nog weken duren, en daarbij moest ze ook nog tijd incalculeren om naar antiekwinkels te gaan en zelfs om op vlooien-markten rond te neuzen. Misschien zou ze ook bij garageverkopen moe-ten gaan kijken, maar toch was het langzamerhand zover dat ze met het bestellen van banken, stoelen, tafels en lampen niet langer te veel op de zaken zou vooruitlopen.

Er moest ook beddengoed worden gekocht, peinsde ze, er moesten spullen komen voor in de keuken en het kantoor, gordijnen voor de ra-men, kleedjes. Al die leuke, kleine dingetjes die nog moesten gebeuren om een huis in te richten. De dingen die van een huis een thuis maakten. Haar thuis.

Haar eerste, echte thuis.

Hoe meer het werkelijkheid werd, hoe meer ze besefte dat ze vreselijk naar een thuis verlangde. Ze hoefde enkel naar buiten te gaan en naar de overkant van de weg te kijken om het te zien.

Nu ze met haar laptop, tijdschriften en notitieboekjes aan Fords bar zat, bedacht ze dat ze sinds maart flinke vorderingen had gemaakt. Nee, het was al veel eerder dan maart begonnen, verbeterde ze zichzelf. Ze was deze reis een hele poos geleden begonnen toen ze heel doelbewust een tocht door het Blue Ridge-gebergte had gemaakt om de Little Farm van haar oma met eigen ogen te aanschouwen en om te zien waar haar vader vandaan kwam, en misschien ook om, een beetje, te begrijpen waarom hij hier weer naartoe was gegaan en haar alleen had gelaten.

En ze was verliefd geworden, dacht ze nu. Op de glooiende heuvels die tot aan de bergen liepen, op de dichte bossen, op de kleine en grote stadjes, op de huizen en de tuinen en op de kronkelende wegen en de beken. Maar ze was vooral verliefd geworden op de oude boerderij die verzakt achter een stenen muurtje had gestaan en werd omsloten door de verwaarloosde, overwoekerde tuin.

Misschien was het het kasteel van Doornroosje geweest, peinsde ze, maar zelfs toen had ze er al een thuis in gezien.

Datgene waar ze van had gedroomd en waar ze naar had verlangd, was nu bijna van haar.

Ze zat aan de bar koffie te drinken en stelde zich voor dat ze wakker werd in een kamer met muren die de kleur hadden van een stralende, hoopvolle ochtendschemering, dat ze een leven leidde dat ze zelf wilde in plaats van een leven dat voor haar bepaald was.

Ford gromde slaperig toen hij binnenkwam.

Moet je hem nou zien, dacht ze. Nauwelijks wakker, dat lange, bijna slungelige, magere lichaam gekleed in een marineblauwe boxershort en een versleten T-shirt met een afbeelding van Yoda erop. Die dikke bos verward bruin haar met door de zon gebleekte plukken, en die groene, versufte ogen waar een beetje een norse blik in lag.

Was hij niet ongelooflijk aanbiddelijk?

Hij schonk ruw koffie in een mok, deed er suiker en melk in en zei toen: 'God, ochtenden zijn echt klote.' Hij nam een slok uit de mok alsof zijn leven ervan afhing.

Daarna draaide hij zich om en steunde een elleboog op het aanrecht. 'Hoe komt het dat jij zo helder bent?'

'Misschien omdat ik al drie uur op ben. Het is al na tienen, Ford.'

'Jij hebt geen eerbied voor de zondag.'

'Dat is waar. Ik schaam me diep.'

'Nee, dat doe je helemaal niet. Maar makelaars hebben ook geen eerbied voor de zondag. Vicky belde me net op mijn mobieltje en maakte me wakker uit een ongelooflijk hete droom over jou, mij en vingerverf. Het werd net interessant toen ik tot mijn grote ergernis zo wreed werd gestoord. Maar goed, de verkopers zijn nog eens vijfduizend dollar gezakt met hun prijs.'

'Vingerverf?'

'Als kunstenaar kan ik je vertellen dat het het begin was van een meesterwerk. Er is nog maar een verschil van tienduizend dollar tussen ons bod en dat van de verkoper, zei Vicky, de gemene droomverstoorster. Dus…'

'Nee.'

'Verdomme.' Hij leek net een jochie dat te horen had gekregen dat er geen koekjes in de koektrommel zaten. 'Ik wist dat je nee zou gaan zeggen, wat je overigens niet zei toen ik met kobaltblauw rond je navel ging. Kunnen we niet gewoon…'

'Nee. Wanneer je die tienduizend dollar kunt gebruiken voor renovaties en reparaties zul je me dankbaar zijn.'

'Maar ik wil die lelijke bouwval graag hebben. Ik wil dat hij van mij wordt. Ik ben er dol op geworden, Cilla, zoals een dik jochie dol is op taart.' Hij probeerde het met een hoopvolle glimlach. 'We zouden het verschil kunnen delen.'

'Nee, we houden voet bij stuk. Verder heeft er nog niemand een bod op dat pand gedaan. De verkoper heeft geen zin om ook maar iets aan die reparaties en renovatie te doen. Hij laat zijn prijs heus nog wel verder zakken.'

'Maar misschien ook niet.' Zijn versufte blik maakte plaats voor een bezorgde gelaatsuitdrukking. 'Misschien is hij wel net zo koppig als jij.'

'Oké, moet je horen.' Ze leunde achterover, een ervaren rot aan de onderhandelingstafel. 'Als hij niet toegeeft, als hij jouw bod niet binnen veertien dagen accepteert, dan kun je het verschil delen. Maar je moet nog veertien dagen voet bij stuk houden.'

'Afgesproken. Nog twee weken.' Hij probeerde zijn hoopvolle glimlach nog een keer uit. 'Denk jij wel eens aan roerei?'

'Eigenlijk nooit, maar ik denk wel aan iets anders. Ik keek naar die grote, zachte bank daar, aangezien ik net op zoek was naar banken, en toen vroeg ik me af wat er zou gebeuren als ik me erop zou uitstrekken.'

Ze gleed van de kruk af en keek glimlachend naar hem om terwijl ze naar de bank liep. 'En ik vroeg me af of ik hier in mijn eentje zou moeten liggen, helemaal alleen met mijn ongebluste verlangens en wellusti-ge gedachten.'

'Oké, het woord "wellustig" heeft me verleid.'

Hij ging om de bar heen, liep door de kamer en maakte een sprong. 'Hallo, hemelse schoonheid.'

Met een diepe lach sloeg ze haar benen om hem heen, kwam overeind en rolde tot hun posities omgedraaid waren. 'Ik geloof dat ik ditmaal boven zit.' Ze boog haar hoofd, nam zijn onderlip tussen haar tanden en beet zachtjes.

'Zo eerbiedig ik de zondag.'

'Ik heb je volledig verkeerd ingeschat.' Hij ging met zijn handen over haar lichaam, over het ruimvallende witte topje. 'Cilla.'

'Je bent helemaal verfomfaaid en sexy en…' Ze trok zijn Yoda shirt uit en gooide het opzij. 'Praktisch naakt.'

'Het enige wat ontbreekt is de vingerverf.' Hij duwde zich op, sloeg zijn armen om haar heen en drukte zijn mond op de hare. 'Ik mis je. Vanaf het moment dat ik wakker word en jij er niet meer bent.'

'Maar ik ben nooit ver weg.' Ze klampte zich aan hem vast en liet hem alleen even los zodat hij haar witte topje kon uittrekken. En, o, die han-den, zijn langzame stevige handen. 'Hier, hier.' Ze nam zijn hoofd tussen haar handen en duwde het naar beneden tot zijn mond zich om haar borst sloot.

Alles in haar spande zich en rolde zich op en ontspande zich toen weer.

Ze verlangde hevig naar hem, door die handen die drukten en die mond die zich te goed deed. Ze wilde hem in zich, heet en hard. Ze wrie-melde zich uit haar korte broek en hapte naar adem toen hij haar streel-de en plaagde. Kreunend bewoog ze omhoog en zakte weer omlaag, en ze vulde zichzelf met hem.

'Dit is wat ik wil op een zondagmorgen.'

Ze nam hem en bewoog omlaag en omhoog. Met haar handen zette ze zich schrap tegen de armleuning van de bank. Slanke, harde spieren, haar in de kleur van gebrande honing, ijsblauwe ogen die zo helder wa-ren dat ze een spiegel van zijn hart waren.

Geen enkele droom of fantasie kon zich met de werkelijkheid van haar meten. Geen wens of wonder kon de vergelijking aan.

'Ik hou van je, Cilla. Ik hou van je.'

Haar adem stokte; haar hart sloeg een paar slagen over. Haar lichaam spande zich, en de pijl die het afschoot, trof doel.

Ze ging naast hem liggen en drukte zich tegen hem aan. Hij vond het heerlijk hoe goed ze tegen elkaar pasten, ledemaat tegen ledemaat en hoe haar haren tegen zijn huid aanvoelde.

'Zeg... waar koop je eigenlijk vingerverf?'

Hij grijnsde en liet zijn vingers loom over haar rug gaan. 'Dat zoek ik wel uit en dan koop ik meteen een voorraadje.'

'Ik haal het stoflaken wel. Waar heb je deze bank gekocht?'

'Geen idee. Ergens waar ze meubels verkopen.'

'Hij is flink groot en de vorm en de stof zijn mooi. Hij zit lekker. Ik moet zo langzamerhand eens aan meubels gaan denken, en ik heb die enorme woonkamer om in te richten. Zitjes, verlichting en kunst. Dat soort dingen heb ik nog nooit gedaan. Ik vind het een beetje intimiderend.'

Hij wierp een korte blik opzij toen Spock binnen kwam wandelen. De hond keek even naar hen beiden, naakt en verstrengeld op de bank, en liep weer weg. Gewoon jaloers, dacht Ford. 'Heb jij nog nooit meubilair gekocht?'

'Ja, tuurlijk wel, je moet toch ergens op zitten. Maar ik heb nog nooit dingen uitgekozen met het idee dat ik ze lang zal houden. Het was altijd tijdelijk.' Ze liet haar lippen langs zijn sleutelbeen gaan en wreef met haar neus langs zijn schouder. 'En ik heb met inrichters gewerkt aan huizen die ik had opgeknapt. Een pand verkoopt beter als je het een beetje leuk inricht. Dus ik weet wat goed werkt in een kamer, of ik heb er een mening over. Maar dit is anders. Tijdelijk inrichten lijkt op een set aankleden. Je zet het op en breekt het weer af.'

'Had je dan geen huis of appartement of zoiets in Los Angeles?'

'Steve had een huis. Na ons huwelijk van vijf minuten ben ik een tijdje in het BHH gaan wonen.'

'Het BHH?'

'Het Beverly Hills Hotel. Daarna ben ik een beetje gaan rondreizen of ik woonde bij Steve wanneer ik wat werk had weten te bemachtigen. Ik heb ook een blauwe maandag gestudeerd en toen had ik een appartementje buiten de campus. Toen Steve het pand in Brentwood kocht om op te knappen, ben ik daar gaan wonen. Daarna heb ik de gewoonte gekregen om zolang in de panden te trekken die we opknapten. Op die manier leerde ik de huizen beter kennen.'

Plek, huis, pand. Geen van alle is ooit een thuis geweest, dacht Ford. Zij had nooit gehad wat hij en iedereen die hij kende als vanzelfsprekend beschouwde. Zij had nooit een thuis gehad. Hij herinnerde zich hoe ze in de grote, lege woonkamer met de prachtige muren en het schitterende lijstwerk had gezeten, en hij stelde zich een kerstfeest van lang geleden voor.

Zij probeerde via het verleden haar toekomst te vinden.

'We kunnen de bank daar neerzetten,' zei hij, omdat hij haar ineens wanhopig graag iets wilde geven. 'Dan zie je hoe hij staat en dan heb je meteen iets om op te zitten behalve die ongelooflijk veelzijdige emmer.'

'Dat is heel lief van je.' Ze gaf hem een afwezige zoen voor ze overeind kwam om haar kleren bijeen te zoeken. 'Maar het is praktischer om met de meubels te wachten tot de vloeren klaar zijn. Maar nu ik in de val ben gelopen om een feest te geven, moet ik in elk geval op zoek naar geschikt tuinmeubilair.'

'Een feest?'

'Had ik je dat nog niet verteld?' Ze trok haar topje weer aan. 'Ik ben zo stom geweest om tegen Cathy Morrow te zeggen dat ik eventueel een feestje wil geven rond Labor Day, maar dat het huis dan nog niet af is en ook nog niet is ingericht. Ze stortte zich meteen op het eerste deel van mijn zin en negeerde het tweede deel volkomen. Nu belt Patty steeds met ideeën voor het menu en je moeder heeft aangeboden om haar gebarbecuede varkensvlees te maken.'

'O, dat is een aanrader.'

'Daar twijfel ik niet aan. Het probleem is alleen dat ik de tijd moet zien te vinden om het feest te plannen terwijl ik bezig ben met keukenkastjes ophangen, sierlijsten bevestigen, deurtjes plaatsen, de vloer opnieuw in de lak zetten en alle andere klusjes van een ontzettend lange lijst. Bovendien moet ik ook nog de wereld van sofa's, banken, divans en canapés verkennen.'

'Je moet gewoon een grill kopen, een berg vlees en een heleboel alcoholische drankjes.'

Hoofdschuddend keek ze hem aan. 'Jij bent een man.'

'Dat klopt. Een feit dat ik zojuist afdoende heb bewezen.' En aangezien het zondag was, hoorde hij nog een kans te krijgen om dat te bewijzen. 'Een feestje is leuk, Cilla. Er komen mensen die je al kent en aardig vindt. Mensen in wier gezelschap je graag verkeert. Dan kun je de blits maken met het werk dat je hebt verricht. Dat kun je aan hen laten zien. Daarom heb je de hekken toch laten weghalen?'

'Ik…' Hij had gelijk. 'Wat voor soort grill?'

Hij wierp haar een glimlach toe. 'We gaan winkelen.'

Met een overdreven gebaar sloeg ze haar handen in elkaar. 'De meeste vrouwen kunnen er alleen van dromen om een man dat te horen zeggen. Ik moet me eerst aankleden. Als we toch gaan winkelen, kan ik meteen verf en wat gereedschap halen en nog een keer naar keukenverlichting kijken.'

'Waar ben ik aan begonnen?'

Ze wierp hem een glimlach toe waarna ze de kamer uit liep. 'We nemen mijn auto wel.'

Hij trok zijn boxershort aan, maar bleef waar hij was terwijl hij aan haar dacht. Ze wist niet hoeveel ze over zichzelf had onthuld. Ze had met geen woord gerept over het huis of de huizen waar ze was opgegroeid.

Daarentegen kon hij het huis van zijn kindertijd tot in de kleinste details beschrijven. Hij wist precies met welke hoek de zonnestralen, op elk willekeurig moment van de dag, door de ramen van zijn kamer naar binnen schenen of die liet baden in het licht. De groene wastafel in de badkamer, het stukje uit een van de keukentegeltjes waar hij ooit een fles appelsap van bijna vier liter had laten vallen.

Hij herinnerde zich de pijnscheut die hij had gevoeld toen zijn ouders het huis hadden verkocht, ook al was hij toen het huis al uit geweest en had hij in New York gewoond. Ook al waren zijn ouders slechts een paar kilometer verderop gaan wonen. Jaren later voelde hij die pijnscheut nog steeds wanneer hij langs het oude bakstenen huis reed.

Liefdevol gerestaureerd lijstwerk, brieven verborgen in een boek, een oude schuur die weer rood was geschilderd. Al die dingen, elke stap en elk detail, waren schakels die ze zelf smeedde om een keten met het verleden te scheppen.

Hij zou alles doen wat in zijn vermogen lag om die te helpen smeden, zelfs als dat neerkwam op het kopen van een grill.

'Hé, Ford.'

'Ik ben hier achter,' riep Ford toen hij Brians stem hoorde. Net toen Brian binnenkwam, stond hij op van de bank. 'Een Weber of een Viking?'

'Lastige keus,' zei Brian zonder een nadere verklaring nodig te hebben. 'Zoals je weet, heb ik een Weber, maar met een Viking zit een man altijd goed.'

'En een vrouw dan?'

'Vrouwen horen niet aan de grill te staan. Zo denk ik erover.' Hij bukte zich en raapte Fords aan de kant gegooide T-shirt op. 'Dit is een aanwijzing. Eentje die me vertelt dat ik te laat ben om een partijtje ochtendseks te verstoren. Verdorie, dan had ik die tweede kop koffie toch niet moeten nemen.' Hij gooide het T-shirt in Fords gezicht en bukte zich om Spock te begroeten.

'Je bent gewoon jaloers omdat jij geen ochtendseks hebt gehad.'

'Hoe weet je dat?'

'Omdat je hier bent. Waarom ben je hier eigenlijk?'

Brian gebaarde naar het aanrecht en Cilla's stapeltje paperassen terwijl hij naar Fords koelkast liep. 'Waar is Cilla?'

'Die is zich boven aan het aankleden zodat we straks kunnen gaan winkelen en kunnen overleggen of het een Weber of een Viking moet worden.'

'Je hebt hier cola light,' constateerde Brian terwijl hij een blikje echte cola uit de koelkast haalde. 'Dat is een duidelijk teken dat een man smoorverliefd is. Ik ben gisteren bij mijn moeder langs geweest.' Brian maakte het blikje open en nam een grote slok. 'Tot haar grote blijdschap heb ik niet één, maar twee dozen rommel meegenomen die ze voor me had bewaard. Wat moet ik in 's hemelsnaam met een potloodtekening van een huis, een grote gele zon en mensen met rondjes als hoofdjes en harkjes als handjes?'

'Geen idee, maar je mag het niet weggooien. Volgens mijn moeder tart je de goden als je spullen uit je kindertijd weggooit die je ouders hebben bewaard.' Ford pakte zelf ook een blikje cola. 'Ik heb drie dozen.'

'Denk maar niet dat ik vergeet dat het jouw schuld is dat ik die spullen nu heb.' Hij haalde een envelop uit zijn zak en gooide hem op het aanrecht. 'Maar aangezien ik gisteravond geen vrouwelijk gezelschap heb weten te scoren, heb ik een deel van die oude spullen bekeken en toen ben ik dit tegengekomen. Het is een kaartje dat mijn grootvader aan mijn moeder heeft gegeven ter gelegenheid van mijn geboorte. Hij heeft er wat dingen in geschreven.'

'Bedankt, ik sta bij je in het krijt.'

'Nou, zeg dat wel. Ik ben nu de trotse eigenaar van al mijn rapporten, van de lagere tot en met de middelbare school. Laat me weten of het handschrift overeenkomt. Ik begin het nu ook interessant te vinden.'

'Of als het niet overeenkomt.' Ford pakte het kaartje en bekeek de krachtige, duidelijke letters waarin Cathy's naam geschreven stond.

'Ik moet Shanna ophalen om haar naar de luchthaven te brengen.' Hij ging op zijn hurken zitten en aaide over Spocks kop en zijn kronkelende lijf. 'Zeg Cilla maar dat ik morgen een paar mannetjes langs stuur om de rest van de mulch te verspreiden, en dan moet ik ook nog wel even tijd hebben om de tuin te bekijken van dat nieuwe pand dat ze gaat kopen.'

'Goed. Deze krijg je weer van me terug.'

Meesmuilend keek Brian naar het kaartje. 'Ja, daar zit ik nou echt over in.'

Ford ging naar boven en liep de slaapkamer in waar Cilla haar haar net in een staart deed. 'Ik ben klaar,' zei ze tegen hem. 'Terwijl jij je aankleedt, ga ik nog even naar de overkant om een paar dingen te bekijken voor we gaan.'

'Brian is net langs geweest.'

'O, heeft hij het nieuwe pand al bekeken?'

'Nee, hij zei dat hij dat volgende week wil doen. Hij had dit meegenomen.' Ford hield het kaartje omhoog.

'Is dat… Ja, natuurlijk, dat moet wel. Ik had niet verwacht dat hij al zo snel iets zou vinden. Wauw.' Ze drukte met een hand op haar buik. 'Een groot mysterie dat misschien wel wordt opgelost. Ik word er een beetje nerveus van.'

'Wil je dat ik het ga vergelijken en het je dan vertel?'

Ze liet haar hand zakken. 'Zeg, ik ben geen slapjanus hoor.'

'Dat weet ik.'

'Laten we dan maar meteen beginnen.'

'Ze liggen in mijn kantoor.'

Ze liep met hem zijn kantoor in en keek toe hoe hij het boek van de boekenplank haalde en het op de werkbank legde zodat zij het kon openen.

'Het blijft maar in mijn hoofd rondspoken dat ze de *The Great Gatsby* heeft gekozen. Het rijke, schitterende leven, de glitter en daarna de verveling, romantiek, verraad en uiteindelijk een droevig lot. Ze was vreselijk ongelukkig. Onlangs heb ik nog een keer over haar gedroomd. Dat heb ik je toen niet verteld. Het was een van mijn Janet en Cilla dromen. Forrest Hills. Daar liggen ze allebei begraven. Johnnie en zij. Ik ben er maar één keer geweest. Haar graf was letterlijk bedolven onder de bloemen. Ik werd er verdrietig van toen ik ernaar keek. Al die bloemen van onbekenden, die verwelkten in de zon.'

'Jij hebt haar bloemen hier geplant. En ook al verwelken ze, ze komen toch weer terug. Jaar in jaar uit.'

'Ik mag graag denken dat ze dat fijn zou vinden. Mijn persoonlijke eerbetoon aan haar.' Ze sloeg het boek open en haalde het stapeltje brieven eruit. 'Ik zal deze openmaken,' zei ze terwijl ze er één uitkoos. 'Maak jij die andere maar open.'

Ford haalde het kaartje eruit. Hij verwachtte een vrolijke foto van een baby, of een sentimenteel plaatje van moeder met kind aan te treffen. In plaats daarvan zag hij zwaar, roomkleurig papier met de initialen van Andrew Morrow erop. 'Nogal formeel,' zei hij, en hij maakte het kaartje open.

Mijn gelukwensen voor mijn schoondochter bij de geboorte van haar zoon. Ik hoop dat deze rozen je plezier schenken. Ze zijn slechts een klein teken van mijn grote trots. Weer is er een nieuwe generatie van de familie Morrow geboren met Brian Andrew.
Veel liefs, Drew.

Cilla legde de brief naast de kaart.

Mijn schat, mijn lieveling.

Woorden schieten tekort om mijn verdriet en medeleven tot
uitdrukking te brengen. Kon ik je maar vasthouden en troosten met
meer dan enkel woorden op papier. Weet dat ik in mijn hart bij je
ben. Dat ik altijd aan je denk. Geen enkele moeder zou haar kind
mogen verliezen om vervolgens gedwongen te worden om op zo'n
openbare manier te rouwen.
Ik weet dat je zielsveel van jouw Johnnie hield. Als je je op dit
moment ergens mee kunt troosten dan is het met de gedachte dat hij
die liefde elke dag van zijn korte leven heeft gevoeld.
Alleen de jouwe.

'Is dat passend? Is het lotsbeschikking?' vroeg Cilla zachtjes. 'Dat ik het
verlies van een zoon vergelijk met de geboorte van een ander? Het is een
lieve brief,' ging ze verder. 'Het zijn beide lieve briefjes en tegelijk zijn ze
ook vreemd afstandelijk. De woorden lijken me zo zorgvuldig gekozen.
Beide gebeurtenissen zouden de pagina moeten vullen met emoties en
intimiteit. Maar de toon en de opbouw zouden beide van dezelfde persoon afkomstig kunnen zijn.'

'Het handschrift lijkt erg op elkaar. Niet… nou ja, ze zijn niet exact
hetzelfde. Kijk eens naar de manier waarop hij de letter Z schrijft. Aan
het begin van een woord, zoon, ze, lijkt die een drukletter. In de brief is
de Z van zou en zielsveel in traditioneel schuinschrift geschreven.'

'Maar de hoofdletter A is in beide gevallen op dezelfde manier geschreven en de W ook. De schuinheid van de letters is bijna hetzelfde. En
ze zijn jaren na elkaar geschreven.'

'Het woord mijn lijkt in beide gevallen wel door dezelfde persoon geschreven te zijn en de hoofdletter I ook. Maar de hoofletter D in de brief
en op het kaartje lijken niet erg op elkaar.' Ford wist dat hij het met de
blik van een kunstenaar bekeek, maar hij wist niet of dat iets positiefs of
negatiefs was. 'Maar die op het kaartje is van een handtekening. Sommige mensen schrijven de eerste letter van hun handtekening anders dan

ze bij een gewoon woord zouden doen. Ik weet het niet, Cilla.'

'De resultaten geven geen uitsluitsel. Jij kent zeker niet toevallig een handschriftkundige?'

'We kunnen er eentje zoeken.' Hij keek haar recht in de ogen. 'Wil je het langs die weg proberen?'

'Nee. Misschien wel. Ik weet het niet. Verdorie. Geen pasklare antwoorden.'

'Misschien kunnen we een voorbeeld te pakken krijgen dat qua tijd dichter bij de periode ligt waarin de brieven zijn geschreven. Ik kan Brian vragen of hij daarnaar wil zoeken.'

'We bergen hem voorlopig maar even op.' Ze vouwde de brief op en deed hem weer in de envelop. 'Nu we dit hebben gezien, weten we één ding zeker. Het was Hennessy niet. Ik was die brief van na Johnnies overlijden even vergeten. Ook al was hij smoorverliefd geweest, het bestaat gewoon niet dat hij die brief na het ongeluk heeft geschreven. Niet als hij bij zijn eigen zoon in het ziekenhuis lag.'

'Je hebt gelijk.'

'Kijk, als ik een lijstje had, had ik nu een naam kunnen doorstrepen. Dat is al iets. Dat moet maar even genoeg zijn. In elk geval voorlopig.'

Ford deed het boek dicht en zette het terug op de plank. Hij draaide zich om en pakte haar hand. 'Wat zeg je ervan als we een grill gaan kopen?'

'Dan zou ik zeggen dat dat precies is wat ik wil doen.'

Hij liet het briefje met het monogram echter op zijn bureau liggen toen hij zich ging aankleden. Hij zou een handschriftkundige kunnen zoeken. Eentje die niet in Virginia woonde en voor wie de naam Andrew Morrow geen enkele betekenis had. Hij zou kijken waar dat toe leidde.

Cilla's plezier toen haar notenhouten parketvloer op donderdagochtend eindelijk werd gebracht, was voor het middaguur al voorbij doordat haar tegelzetter naar haar werkplaats naast de schuur stormde.

'Hoi, Stan. Jij staat pas voor donderdag ingeroosterd. Ben je…'

Ze deinsde snel achteruit bij het zien van de moorddadige blik in zijn ogen zag. 'Hé, wat is er aan de hand?'

'Denk je nou echt dat je mensen zo kunt behandelen? Dat je zo tegen mensen kunt praten?'

'Hè? Wat?' Hij liep dreigend op haar af tot ze tegen de zijkant van de schuur aan stond. Ze was totaal verbouwereerd om de doorgaans zo vriendelijke Stan met een kloppende ader op zijn voorhoofd voor haar te zien staan. Cilla stak haar handen omhoog zowel ter verdediging als in een gebaar van vrede.

'Je denkt zeker dat je beter bent dan wij omdat je uit een rijke familie komt en op tv bent geweest?'

'Ik weet niet waar je het over hebt. Waar…'

'Waar haal je godverdomme het lef vandaan om mijn vrouw te bellen en zo tegen haar tekeer te gaan?'

'Ik heb nooit…'

'Als je klachten hebt over mijn werk, dan kom je bij mij. Begrepen? Je belt niet naar mijn huis om tegen mijn vrouw te schreeuwen.'

'Stan, ik heb je vrouw nooit gesproken.'

'Beweer je nu dat zij liegt?' Hij bracht zijn gezicht vlak bij het hare, zo dichtbij dat ze zijn woede kon voelen.

'Ik beweer helemaal niets.' De angst vormde een brok onder in Cilla's keel, dus laste ze tussen al haar woorden een zorgvuldige pauze in. 'Ik weet niet waar zij het over heeft en ik weet al helemaal niet waar jij het over hebt.'

'Toen ik gisteren thuiskwam was ze zo van streek dat ze nauwelijks kon praten. Ze begon te huilen. De enige reden dat ik gisteravond niet meteen hiernaartoe ben gekomen is dat ze me smeekte dat niet te doen en ik wilde haar niet in die toestand achterlaten. Ze heeft last van een te hoge bloeddruk en dan maak jij haar overstuur omdat je mijn werk niet goed vindt.'

'Hoor eens, ik heb nooit naar jouw huis gebeld. Ik heb nooit met je vrouw gesproken en ik ben absoluut niet ontevreden over je werk. Integendeel. Waarom zou ik je anders in godsnaam hebben ingehuurd om de vloer in mijn keuken te leggen?'

'Nou vertel jij het me maar, verdomme.'

'Dat kan ik niet!' schreeuwde ze terug. 'Hoe laat heb ik volgens haar dan gebeld?'

'Gisteravond tegen tienen, dat weet je donders goed. Ik kwam rond half elf thuis en toen lag ze op bed, rood aangelopen en trillend omdat jij als een waanzinnige tegen haar hebt staan schreeuwen.'

'Heb je mij ooit als een waanzinnige horen schreeuwen? Gisteravond rond tien uur was ik bij Ford. Ik ben voor de televisie ingedommeld. Vraag het hem maar. Jezus, Stan. Je werkt hier nou al maanden. Je zou toch moeten weten dat ik niet op die manier te werk ga.'

'Ze zei dat jij had gebeld. Cilla McGowan.' Maar onder zijn woede werd de verwarring zichtbaar. 'Je zei tegen Kay dat ze een stomme boerentrien is en dat de mensen hier onbehouwen boeren zijn. Je hebt ook gezegd dat ik niet kan tegelen en dat je dat overal zou gaan rondvertellen. Het zou mijn eigen stomme schuld zijn als ik dan werkloos word. Je hebt zelfs gezegd dat je overweegt me voor de rechter te dagen vanwege de wanprestatie die ik geleverd zou hebben.'

'Als je vrouw een boerentrien is, dan ben ik dat ook. Toevallig woon ik hier tegenwoordig ook. Ik huur geen mensen in die slecht werk leveren. Sterker nog, ik heb je vorige week nog aanbevolen bij mijn stiefmoeder. Als zij er ooit in slaagt mijn vader over te halen om hun grote badkamer op te laten knappen dan…' Ze merkte dat ze buiten adem was van opwinding, maar de angst was verdwenen. 'Waarom zou ik dat in godsnaam doen als ik vind dat je slecht werk levert, Stan?'

'Ze heeft dit niet uit haar duim gezogen.'

'Nee.' Ze moest even diep ademhalen. 'Goed. Weet ze zeker dat degene die belde mijn naam heeft gebruikt?'

'Cilla McGowan, en daarna zei Kay dat jij… ze,' verbeterde hij zichzelf, duidelijk bereid om Cilla het voordeel van de twijfel te gunnen. 'Volgens Kay zei jij daarna: "Weet je wel wie ik ben?" op dat hatelijke toontje dat mensen die vinden dat ze belangrijk zijn gebruiken. Daarna ben je tegen haar tekeergegaan. Het heeft me bijna een uur gekost om haar te kalmeren toen ik thuiskwam van de zomercompetitie. Ik heb haar een Tylenol PM gegeven zodat ze in slaap zou vallen. Zo overstuur was ze.'

'Het spijt me. Ik vind het vreselijk dat iemand mijn naam heeft gebruikt om haar overstuur te maken. Ik weet niet waarom…' De druk zakte naar haar borst en bleef duwen en duwen. 'De leverancier van het parket zei dat ik had gebeld om mijn bestelling te veranderen. Van noten- naar eikenhout. Maar dat had ik helemaal niet gedaan. Ik dacht dat er een vergissing in het spel was, maar misschien is dat niet zo. Misschien wil iemand me een loer draaien.'

Stan bleef een poosje staan, stak zijn handen in zijn zakken en haalde ze er weer uit. 'Jij hebt niet gebeld.'

'Nee, dat klopt. Stan, ik probeer hier een naam en een bedrijf op te bouwen. Ik probeer zakenrelaties aan te gaan met onderaannemers en onderhoudsmensen. Nadat iemand hier had ingebroken en mijn badkamers had vernield, heb jij me tussendoor geholpen om alles te repareren en opnieuw te leggen. Ik weet dat je me toen hebt gematst met het arbeidsloon.'

'Jij had een probleem. En bovendien was ik trots op dat werk en ik wilde het weer in orde maken.'

'Ik weet niet hoe ik het weer in orde moet maken met je vrouw. Ik kan met haar gaan praten om alles uit te leggen.'

'Dat doe ik wel.' Hij zuchtte diep. 'Het spijt me dat ik zo tegen je tekeer ben gegaan.'

'Als ik in jouw schoenen had gestaan, had ik hetzelfde gedaan.'

'Wie zou zoiets doen? Jou zo'n streek leveren en Kay overstuur maken?'

'Dat weet ik niet.' Cilla dacht aan mevrouw Hennessy. Haar man zat een straf van twee jaar uit op een psychiatrische afdeling. 'Maar ik hoop dat ik er een eind aan kan maken voor het nog eens gebeurt.'

'Ik kan maar beter naar huis gaan om alles recht te zetten met Kay.'

'Goed. Kom je donderdag nog steeds?'

Hij glimlachte een beetje schaapachtig. 'Ja. Eh… Voor het geval je me een keer thuis moet bellen, moet je misschien een codewoord bedenken of zoiets.'

'Ja, misschien wel.'

Ze stond in de schaduw van haar schuur waar de lijsten tegen de muur stonden en op de zaagbokken lagen om te drogen. En ze vroeg zich af hoe vaak ze nog voor de misdaden, zonden en vergissingen van anderen zou moeten boeten.

26

In haar slaapkamer keek Cilla naar de pas geverfde muren terwijl haar vader de deksel weer op het blik verf deed. Ze zag dat het krachtige licht van de middag de kamer binnenstroomde en de muren deed gloeien.

'Het lijstwerk is nog niet eens geplaatst, de vloeren moeten nog worden gedaan en toch voel ik een tinteling van verrukking nu ik hier sta.'

Hij kwam overeind en keek zelf lang en aandachtig de kamer rond. 'Dat is verduiveld mooi gedaan.'

'Je zou er je brood mee kunnen verdienen.'

'Het is altijd handig om ergens op terug te kunnen vallen.'

'Je hebt verdomme bijna het hele huis geschilderd.' Na die woorden draaide ze zich naar hem toe. Ze wist nog steeds niet wat ze daarvan moest denken of wat ze tegen hem moest zeggen. 'Daarmee heb je me weken tijd bespaard. Alleen een bedankje is niet genoeg.'

'O jawel, hoor. Ik vond het op heel veel manieren leuk om te doen. Ik vond het fijn om hier deel van uit te maken. Van deze transformatie. Jij en ik hebben heel veel zomers samen gemist. Het heeft me heel gelukkig gemaakt dat ik een deel van deze zomer tijd met je heb kunnen doorbrengen.'

Een poosje kon ze alleen maar naar hem kijken, haar knappe vader. Daarna deed ze iets wat ze nog nooit had gedaan. Ze liep als eerste naar hem toe. Ze drukte een kus op zijn wang en sloeg haar armen daarna om hem heen. 'Mij ook.'

Hij hield haar stevig vast en ze voelde zijn zucht tegen haar huid. 'Herinner je je de eerste dag dat we elkaar hier zagen? Toen ik door de achterdeur naar binnen kwam en jij je lunch met me deelde op de verzakte veranda?'

'Ja, dat weet ik nog.'

'Ik kon me destijds niet voorstellen dat we dit ooit zouden bereiken. Te veel verwaarlozing en er was te veel tijd verstreken. Voor het huis en voor ons.' Hij duwde haar zachtjes terug, en ze zag met enige verbazing en schrik, dat zijn ogen vochtig waren. 'Jij hebt ons een kans gegeven. Het huis en mij. En hier sta ik dan naast mijn dochter. Ik ben zo trots op je, Cilla.'

Toen haar eigen ogen volschoten, stopte ze haar gezicht tegen zijn schouder. 'Je hebt ook gezegd dat je trots op me was na afloop van het concert in Washington, en een keer daarvoor, toen je naar de set van *Family* was gekomen om te kijken hoe ik een scène opnam. Maar dit is de eerste keer dat ik het echt geloof.'

Ze drukte hem nog een keer tegen zich aan en deed toen een stap achteruit. 'Ik denk dat we elkaar leren kennen via latexverf voor binnenshuis en eierschaalkleurige lakverf.'

'Waarom zouden we het daartoe beperken? Zullen we buiten eens een kijkje gaan nemen?'

'Ik ga je niet het huis laten verven. Die kamers waren nog tot daaraan toe.'

Met samengeknepen lippen keek hij de kamer rond. 'Ik vind anders wel dat ik geslaagd ben voor de auditie.'

'Ja, het interieur. Dit is een huis met twee verdiepingen. Een heel groot huis met twee verdiepingen. Als je dat wilt verven, heb je steigers en heel hoge ladders nodig.'

'Ik deed vroeger al mijn stunts zelf.' Hij lachte toen ze haar ogen ten hemel sloeg op een manier die hij alleen als dochterlijk kon omschrijven. 'Nou, misschien niet, en is dat ook al een hele tijd geleden, maar ik heb een fantastisch evenwichtsgevoel.'

Ze probeerde het op de strenge manier. 'Dan moet je tijdens de hondsdagen van augustus op steigers en heel hoge ladders staan.'

'Je kunt me heus niet bang maken.'

En met een eenvoudige, praktische reden. 'Het is een veel te grote klus voor één man.'

'Dat is waar. Ik zal beslist hulp nodig hebben. Welke kleur had je in gedachten?'

Ze kreeg het gevoel dat er op een vriendelijke manier over haar heen werd gewalst. 'Luister nou, eerst moet de oude verf ervanaf worden gekrabd op de plekken waar hij is afgebladderd, en…'

'Ach, dat zijn maar details. Laten we maar eens een kijkje nemen. Wil je dat alles tegen Labor Day geverfd is, of niet?'

'Tegen Labor Day? Het staat pas gepland voor half september wanneer het hopelijk iets koeler is. De schildersploeg die de schuur heeft geverfd…'

'Ik wil graag met ze samenwerken.'

Compleet van haar stuk gebracht zette ze haar handen in haar zij. 'Nou zeg, en ik dacht nog wel dat jij zo gezeglijk was.'

Met een kalme uitdrukking op zijn gezicht gaf hij een tikje tegen haar wang. 'Dat kan gebeuren. Hoe zit het met het lijstwerk, en de veranda's?'

Ze blies haar wangen op en ademde uit. Nu begreep ze het. Gezeglijk? Om de donder niet. Hij negeerde haar argumenten eenvoudigweg en ging stug door. 'Goed, we zullen de stalen bekijken van de kleuren waar ik tussen aarzel. Zodra ik heb bepaald welke kleur het moet worden, mag jij de veranda's en de luiken doen. Maar je gaat niet aan steigers hangen of uitschuifbare ladders beklimmen.'

Hij wierp haar enkel een glimlach toe en sloeg toen een arm om haar schouders zoals ze hem ook bij Angie had zien doen. Daarna liep hij samen met haar naar beneden.

Hoewel het niet op haar lijst stond, en ze het liefst naar boven wilde om te zien hoe de vloer in haar kantoor vorderde, of Stan het tegelwerk al af had en om te beginnen met het lijstwerk in de slaapkamer, maakte ze drie blikken verf open. 'Ik zou een diepe kleur kunnen nemen, zoals dit blauw. Door het grijs erin wordt het wat donkerder en dat zou mooi geaccentueerd worden door het witte lijstwerk.' Ze smeerde wat verf op het hout.

'Dat geeft het pit.'

'Ja. Of ik kan het kalm en traditioneel houden met dit vaalgeel, ook weer met wit lijstwerk, of misschien crème. Crème is waarschijnlijk mooier. Zachter.'

'Mooi en bescheiden.'

'Of ik kan deze wat subtielere kleur blauw nemen, weer met grijstinten erin, voor een warme uitstraling, waarschijnlijk in combinatie met zachtwit voor het lijstwerk.'

'Waardig, maar warm.'

Ze deed een stap achteruit, hield haar hoofd eerst naar de ene en toen naar de andere kant. 'Ik heb ook geeltinten overwogen. Iets vrolijks, maar nog zacht genoeg om niet op een reusachtige narcis te lijken. Misschien moeten we nog even wachten. Misschien moeten we er maar gewoon mee wachten.' Ze beet op haar lip. 'Tot…'

'Ik heb je beslissingen zien nemen over alles wat met dit huis en de tuinen te maken heeft. Waarom heb je hier zo veel moeite mee?'

'Omdat iedereen dit zal zien. Elke keer dat ze hier langsrijden. Veel mensen zullen vaart minderen en ernaar wijzen. 'Dat is het huis van Janet Hardy.' Cilla lege de kwast neer en veegde haar handen af aan haar werkshort. 'Het is maar verf en het zijn maar kleuren, maar het doet er wel degelijk toe wat de mensen zullen zien wanneer ze erlangs rijden en aan haar denken.'

Hij legde een hand op haar schouder. 'Wat wil je dat ze zien wanneer ze voorbij rijden?'

'Dat ze van vlees en bloed was en geen personage in een oude film, of een stem op een cd of een oude langspeelplaat. Ze was een mens van vlees en bloed die gevoel had, moest eten, heeft gelachen en heeft gewerkt. Iemand die een heel leven heeft geleid. En ze is hier gelukkig geweest. Een tijdje, althans. Gelukkig genoeg om het niet te verkopen. Zij heeft het in haar bezit gehouden zodat ik hier een leven op kon bouwen.'

Ze lachte even beschaamd. 'Dat is nogal wat om van een paar lagen verf te verwachten. Jezus, volgens mij moet ik weer in therapie.'

'Hou op.' Hij gaf een kort rukje aan haar schouder. 'Natuurlijk is het belangrijk. Mensen piekeren om heel wat minder belangrijke redenen over welke verf ze moeten nemen. Dit huis, deze plek, was van haar. Sterker nog, het was iets wat ze voor zichzelf had uitgekozen, en wat ze waardeerde. Iets wat ze nodig had. En nu is het van jou, dus hoort het ook belangrijk te zijn.'

'In zekere zin is het ook van jou geweest. Dat vergeet ik niet. Dat is nu belangrijker dan toen ik aan de klus begon. Zeg jij het maar.'

Hij liet zijn hand zakken en deed zowaar een stap achteruit. 'Cilla.'

'Alsjeblieft. Ik wil heel graag dat jij die keuze maakt. De keuze van McGowan. De mensen zullen aan haar denken wanneer ze voorbij rijden. Maar als ik over het terrein loop of de oprit op rij na een lange werkdag, dan wil ik aan haar en aan jou denken. Dan zie ik voor me hoe jij hier als klein jochie achter de kippen aanzat. Zeg jij het nou maar, pap.'

'De tweede kleur blauw. De warme en waardige kleur blauw.'

Ze stak haar arm door de zijne en bestudeerde de nieuwe kleur die over de oude, afbladderende verf was geschilderd. 'Volgens mij zal het volmaakt worden.'

Toen Ford aan het einde van de middag naar Cilla liep, zag hij dat Gavin op de veranda de verf aan de voorkant van het huis eraf aan het krabben was.

'Hoe gaat het ermee, meneer McGowan?'

'Ik vorder traag maar gestaag. Cilla is ergens binnen.'

'Ik heb net een huis gekocht.'

'Werkelijk?' Gavin hield op met werken en fronste zijn wenkbrauwen. 'Ga je verhuizen?'

'Nee, nee. Ik heb net een, eh… een ongelooflijk goor pandje gekocht waarvan Cilla zegt dat ze het kan opknappen. Om daarna met winst te verkopen. De verkoper heeft mijn bod zonet aanvaard. Ik ben een beetje misselijk, en ik weet niet of het komt doordat ik opgewonden ben of omdat ik een groot, gapend gat voor mijn voeten zie ontstaan waar al mijn geld in zal verdwijnen. Ik zit straks met twee hypotheken. Volgens mij moet ik even gaan zitten.'

'Pak die schraper daar en help me hiermee. Daar word je wel rustiger van.'

Met een wantrouwende blik keek Ford naar de schraper. 'Gereedschap en ik zijn al lang geleden overeengekomen om voor het welzijn van de mensheid bij elkaar uit de buurt te blijven.'

'Het is maar een schraper, Ford. Geen kettingzaag. Je krabt 's winters toch ook ijs van je voorruit?'

'Alleen als het niet anders kan. Ik blijf liever thuis tot de dooi inzet.' Toch pakte Ford de schraper en probeerde de techniek van ijs afschrapen van glas toe te passen op het afschrapen van afbladderende verf van een huis. 'Ik heb straks twee hypotheken en ik word veertig.'

'Hebben we soms een reisje door de tijd gemaakt? Jij bent toch nog maar dertig?'

'Eenendertig. Minder dan tien jaar te gaan voor ik veertig ben, en vijf minuten geleden zat ik nog te blokken voor mijn eindexamen.'

Gavins lippen vertrokken een beetje terwijl hij doorging met schrapen. 'Het wordt steeds erger. Elk jaar gaat sneller.'

'Nou bedankt,' zei Ford bitter. 'Net wat ik wilde horen. Ik was van plan om er de tijd voor te nemen, maar dat kan natuurlijk niet als er minder tijd is dan je denkt.' Met de schraper in zijn hand draaide hij zich om en hij stak hem bijna door een ruit. 'Maar als jij er klaar voor bent en zij is dat nog niet, wat moet je dan in vredesnaam doen?'

'Gewoon doorgaan met schrapen.'

Ford schraapte; zowel de verf van de muur als de huid van zijn knokkels. 'Onzin. Als metafoor voor het leven is dat klote.'

Precies op het moment dat Ford pruilend aan zijn pijnlijke knokkels zoog, kwam Cilla naar buiten. 'Wat ben je aan het doen?'

'Ik schraap verf en een paar lagen vel af. En je vader filosofeert.'

'Laat me eens kijken.' Ze nam Fords hand in de hare en bekeek zijn knokkels nauwkeurig. 'Je overleeft het wel.'

'Dat zal wel moeten. Ik heb straks twee hypotheken. Au!' zei hij toen Cilla even in zijn pijnlijke vingers kneep.

'Sorry. Hebben ze je bod aanvaard?'

'Ja. Ik moet morgen naar de bank om een hele stapel papieren te tekenen. Ik ga zo hyperventileren,' besloot hij. 'Ik heb een zak nodig om in te ademen.'

'Is de overdracht in november?'

'Ik heb me aan de richtlijnen van het bedrijf gehouden.'

Ze gaf hem een stomp. 'Ben je bang?'

Als reactie trok hij een grimas die zowel zuur als zwakjes was. 'Ik sta op het punt om me in de schulden te steken. Voor een bedrag met heel veel nullen. Het vliegt me even aan. Weet je dat de reukzin de sterkste is van alle zintuigen? Ik ruik steeds dat huis weer.'

'Leg dat neer voor je jezelf echt verwondt.' Ze pakte de schraper uit zijn hand en legde hem op het raamkozijn. 'Kom even met me mee.' Ze gaf haar vader een knipoogje en trok Ford daarna mee het huis in.

'Weet je nog hoe de keuken er hier uitzag toen je die voor het eerst zag?'

'Ja.'

'Lelijk, vuil, beschadigde vloeren, gebarsten pleisterkalk, kale peertjes. Heb je dat beeld vast?'

'Ja.'

'Doe je ogen even dicht.'

'Cilla.'

'Ik meen het. Doe ze even dicht en hou dat beeld voor je.'

Hij schudde zijn hoofd, maar deed wat ze zei. Daarna liet hij zich door haar mee naar achteren trekken. 'Ik wil graag dat je vertelt wat je ziet wanneer je je ogen opendoet. Niet nadenken of het nader preciseren. Gewoon je ogen opendoen en me vertellen wat je ziet.'

Hij gehoorzaamde. 'Een grote kamer, leeg. Veel licht. Muren met de kleur van lichtgeroosterd brood. En vloeren, grote vierkante tegels, honingtinten en crème, waar buizen doorheen steken. Grote ramen zonder kozijnen, zonder lijstwerk, die uitkijken op een patio met een blauwe parasol en op tuinen met rozen die bloeien als een gek en heel veel groen. En de bergen die afsteken tegen de lucht. Ik zie Cilla's droom.'

Hij wilde een stap naar voren doen, maar ze trok hem terug. 'Nee, nog niet over de tegels lopen. Stan heeft ze pas een uur geleden gevoegd.'

'Het zal ons lukken.'

'Reken maar. Het zal veel planning en moeite kosten en je moet bereid zijn om oplossingen te bedenken voor onverwachte problemen en je voor honderd procent in te zetten voor het eindresultaat. We zullen wat moois van dat huis maken, Ford. En als ons dat is gelukt, hebben we allebei iets om trots op te zijn.'

Hij wendde zich tot haar en drukte een zoen op haar voorhoofd. 'Goed, goed. Ik moet weer schrapen.'

Ze liep met hem naar buiten en zag tot haar stomme verbazing dat hij haar vader gedag zwaaide en vervolgens doorliep.

'Waar gaat hij nou heen? Hij zei dat hij weer ging schrapen.'

Gavin glimlachte inwendig toen Cilla hoofdschuddend weer naar binnen ging. Het was fijn om te weten dat zijn dochter een plek en een doel had gevonden, en een man die van haar hield.

En het was ook fijn om te weten dat ze buiten het bereik was van de man die haar kwaad had willen doen.

De volgende ochtend liep Cilla van Fords huis naar het hare en ontdekte dat haar banden waren stukgesneden. Naast de linkervoorband lag weer een pop op haar buik op de grond. Uit haar rug stak het korte handvat van een aardappelschilmesje.

'Je had terug moeten gaan om mij te halen. Verdomme nog aan toe, Cilla.' Ford ijsbeerde over de oprit en daarna terug naar de veranda waar zij op een van de treden zat. 'Stel je voor dat hij, of zij, of wie dan ook, er nog was geweest?'

'Dat was niet zo. De politie was hier binnen een kwartier. Ze kennen de weg zo langzamerhand. Ik dacht dat het geen zin had om jou…'

'Dus omdat ik niet met een cirkelzaag of met een boor kan omgaan, heb je niks aan mij?'

'Zo bedoelde ik het niet en dat weet je best.'

'Rustig aan, Ford.' Matt kwam tussen hen in staan.

'Bekijk het maar. Dit is al de tweede keer dat iemand een van die verdomde poppen heeft vermoord om haar bang te maken. En dan gaat zij hier een beetje in haar eentje op de politie zitten wachten terwijl ze mij laat slapen. Dat vind ik verdomde stom.'

'Je hebt gelijk. En toch moet je nu even kalm doen,' zei Matt tegen Ford. Daarna zei hij tegen Cilla: 'Hij heeft gelijk. Dat was inderdaad hartstikke stom van je. Je bent een prima voorman en je bent een van de beste timmerlui met wie ik ooit heb gewerkt, maar je wordt nou eenmaal door iemand gesard en bedreigd en dan getuigt het niet van veel verstand als je zoiets vindt en hier dan in je eentje blijft staan.'

'Het was een laffe aanval van een bullebak, en niemand heeft jou gevraagd om de weg over te rennen en Ford uit zijn bed te sleuren zodat jullie een front tegen mij kunnen vormen. Ik ben niet stom. Als ik bang was geweest, dan was ik de weg over gerend om Ford uit zijn bed te sleuren. Ik was kwaad, verdomme nog aan toe.'

Ze sprong overeind omdat ze zittend, opkijkend naar twee geërgerde mannen, het gevoel kreeg dat ze zwak en klein was. 'Ik ben nog steeds kwaad. Ik ben laaiend en ik ben het spuugzat om gesard en bedreigd te worden, zoals jij het noemt. Ik heb er genoeg van om van de weg te worden gedrukt, om goed werk vernield te zien worden, en van alle andere dingen. Geloof me, als degene die dit op zijn geweten heeft er nog was geweest, had ik waarschijnlijk het mesje uit die achterlijke pop gerukt en hem ermee in zijn keel gestoken. En daarna was ik nog steeds laaiend geweest.'

'Als je zo slim bent,' zei Ford heel kil, 'dan weet je dat het stom was.'

Ze deed haar mond open, sloot hem weer en gaf het op. Vervolgens ging ze weer zitten. 'Ik wil wel toegeven dat ik wat onbezonnen was, maar stom gaat me te ver.'

'Koppig en onbezonnen,' gaf Ford terug. 'Dat is mijn laatste bod.'

'Jij je zin. Goed, als jij weer naar bed gaat en jij weer aan het werk, dan kan ik hier blijven tobben.'

Matt liep zwijgend naar Cilla toe, gaf haar een bemoedigend tikje op haar hoofd en ging naar binnen. Daarna kwam Ford naast haar zitten.

'Alsof het mij wat kan schelen of jij een cirkelzaag kunt bedienen.'

'Godzijdank vind je dat niet erg.'

'Ik heb er niet eens aan gedacht om jou te halen. Ik was te kwaad. Ik snap het niet, ik begrijp er echt niks van.' Ze ging verzitten en deed zichzelf – en hem – een plezier door haar hoofd even tegen zijn schouder te drukken. 'Hennessy zit in een psychiatrische instelling. Als zijn vrouw dit doet, waarom dan? Ik weet dat hij twee jaar heeft gekregen, maar dat is mijn schuld toch niet? Misschien is zij wel even gek als hij.'

'Of misschien heeft Hennessy die andere dingen ook niet gedaan. Dat hij je van de weg heeft gereden staat buiten kijf. Hij is gek, dat spreek ik niet tegen, maar misschien heeft hij de rest niet gedaan. Dat heeft hij ook ontkend.'

'Nou, mooi is dat. Dan zijn er dus minstens twee mensen die me het leven zuur willen maken.' Ze boog zich voorover en zette haar ellebogen op haar dijen. 'Het zou om de brieven kunnen gaan. Iemand weet van die brieven, weet dat ik ze heb gevonden en dat ze dus nog steeds bestaan. Als Andrew ze heeft geschreven, is iemand anders misschien op de hoogte van die brieven, de affaire en de zwangerschap... Hij heeft hier in deze contreien nog steeds een goede naam. Om zijn reputatie te beschermen, zou…'

'Wie dan? Brians vader? Brian? Trouwens, het ziet er niet naar uit dat Andrew ze heeft geschreven. Ik heb kopieën naar een handschriftkundige gestuurd.'

'Wat?' Ineens zat ze weer rechtop. 'Wanneer?'

'Een paar dagen nadat Brian het kaartje had gebracht. En ja, het was… onbezonnen om dat te doen zonder het tegen jou te zeggen of met je te overleggen. Bij deze staan we dus weer quitte.'

'O, verdraaid, Ford. Als de pers hier lucht van krijgt…'

'Dat gebeurt niet. Waarom zouden ze? Ik heb iemand in New York gevonden, een man die Andrew Morrow niet van Bruce Wayne kan onderscheiden. Ik heb hem een kopie van een pagina van een van de brieven gestuurd en daar stond niets op wat naar Janet of de plek verwees of zelfs maar naar de periode. Ik ben voorzichtig geweest.'

'Goed, goed.' Natuurlijk was hij voorzichtig geweest, dacht ze.

'De conclusie was dat de brieven en het kaartje niet door dezelfde persoon zijn geschreven. De man durfde er geen eed op te doen omdat het kopieën waren en omdat ik hem had verteld dat de brief en de kaart vier jaar na elkaar zijn geschreven. Maar hij wilde dus niet zeggen dat ze door dezelfde persoon waren geschreven. Hij heeft wel gezegd dat de stijl vergelijkbaar was en dat beiden misschien hebben leren schrijven van dezelfde persoon.'

'Zoals een leraar?'

'Bijvoorbeeld.'

Dat was een geheel nieuw spoor, besefte Cilla. 'Dus misschien is het iemand die met Andrew op school heeft gezeten. Een vriend. Een goede vriend. Of iemand die dezelfde school heeft bezocht, les heeft gehad van dezelfde leraar, maar dan later. Dat beperkt de mogelijkheden niet echt.'

'Ik kan het wel uitzoeken, of dat in elk geval proberen. Ik zal met mijn grootvader praten. Andrew en hij moeten ongeveer van dezelfde leeftijd zijn. Misschien kan hij zich nog wat herinneren.'

Cilla keek aandachtig naar haar vier lekke banden. 'Dat lijkt me een goed idee. Als je iets te weten wilt komen, moet je vragen stellen. Ik moet nu aan het werk. En jij moet naar de bank.' Ze duwde met haar schouder tegen de zijne. 'Is het weer goed tussen ons?'

'Pas als we seks hebben gehad.'

'Ik zal het op mijn lijstje zetten.'

Ford bracht zijn auto tot stilstand voor het huisje in de buitenwijk. Hij hoorde het gebrom van een grasmaaimachine toen hij uitstapte, daarom liep hij samen met Spock naar de zijkant van het huis en ging het hek van harmonicagaas door.

Zijn opa, gekleed in een poloshirt, bermudashort en Hush Puppies, liep met de elektrische grasmaaier over het vierkante gazonnetje, tussen de hortensia's door en om de rozenstruiken en de esdoorn heen.

Vanaf het hek zag Ford het zweet vanonder zijn petje van de Washington Redskins langs de slapen van zijn grootvader druppelen. Ford riep en maakte brede armgebaren terwijl hij naar zijn opa toe liep. Hij zag dat er een glimlach op het gezicht van zijn opa verscheen toen hij Ford in de gaten kreeg.

Charlie zette de maaimachine uit. 'Kijk eens aan. Hallo. En jij ook hallo, Spock,' voegde hij eraan toe terwijl hij op zijn dij tikte als teken voor de hond om zijn voorpoten erop te zetten voor een aai over zijn kop. 'Wat brengt jou hier vandaag?'

'Ik kom de rest van je gazon maaien. Opa, het is veel te heet voor je om te gaan grasmaaien.'

'Ik had het eerder willen doen.'

'Ik dacht dat je een jochie uit de buurt betaalde om je gras te maaien. Dat vertelde je immers toen ik zei dat ik zou komen om het te doen.'

'Dat was ik ook van plan.' Op Charlies gezicht verscheen een uitdrukking die Ford beschouwde als Quint-koppigheid. 'Ik vind het leuk om mijn gras te maaien. Ik loop nog niet op mijn laatste benen, hoor.'

'Nee, jij zet je beste beentje nog steeds voor. Maar je gaat toch niet in de tuin werken als het bijna achtendertig graden is en vochtig genoeg om in je eigen adem te verdrinken? Ik maak de boel hier wel af. Waarom schenk jij niet iets kouds voor ons in? En Spock kan wel een bak water gebruiken,' voegde Ford eraan toe in de wetenschap dat zijn opa daar gevoelig voor was.

'Nou, goed dan. Zet je de grasmaaier weer in het schuurtje wanneer je klaar bent? En niet de rozenstruikjes maaien. Kom mee, Spock.'

Binnen twintig minuten was hij klaar. Zijn grootvader had hem door de hordeur aan de achterkant met argusogen in de gaten gehouden. Dat betekende dat de airconditioning binnen niet aanstond, dacht Ford.

Tegen de tijd dat Ford de grasmaaimachine had opgeborgen, de kleine cementen patio was overgestoken en door de hordeur naar binnen was gegaan, droop hij van het zweet. 'Het is augustus, opa.'

'Ik weet heus wel welke maand het is. Denk je soms dat ik seniel ben?'

'Nee, je bent gewoon gek. Luister nou, airconditioning is echt geen uitvinding van de duivel.'

'Het is nog niet heet genoeg om de airconditioning aan te zetten.'

'Het is heet genoeg om je inwendige organen te laten koken.'

'Er waait een lekker fris briesje naar binnen.'

'Ja, een briesje uit de hel.' Ford plofte neer aan de keukentafel en dronk met grote slokken de ijsthee op die Charlie had klaargezet terwijl Spock lag te snurken. Waarschijnlijk flauwgevallen door de hitte, dacht Ford. 'Waar is oma?'

'Je tante Ceecee heeft haar opgehaald voor een kletssessie van de boekenclub in je moeders boekwinkel.'

'O. Als zij er was, zou ze me koekjes geven. Ik weet dondersgoed dat Spock er een paar heeft gehad voor hij buiten westen raakte.'

Charlie proestte van de lach, en stond op om de doos dunne citroenkoekjes van het aanrecht te pakken, waar hij hem had gezet nadat hij Spock had getrakteerd. Hij schudde er een paar op een schoteltje en zette dat voor Ford neer.

'Dank je wel. Ik heb een huis gekocht.'

'Maar je hebt al een huis.'

'Ja, maar dit huis is een investering. Cilla gaat het voor me opknappen en grote wonderen verrichten, daarna ga ik het verkopen en ben ik een rijk man. Of ik raak mijn hele hebben en houden kwijt zodat ik bij oma en jou moet intrekken om hier aan de hitte te bezwijken. Ik reken op een wonder, want ik heb gezien wat ze met haar eigen huis heeft gedaan.'

'Ik heb gehoord dat ze de boel daar flink heeft opgeknapt. En dat ze heel veel heeft veranderd.'

'Ten goede, vind ik.'

'Op haar Labor Day-feestje zal ik het met eigen ogen kunnen zien. Oma is al wezen winkelen voor nieuwe kleren. Het zal raar zijn om daar na al die jaren weer naar een feest te gaan.'

'Er komen zeker heel wat mensen die daar ook naar feestjes zijn geweest toen Janet nog leefde?' Een volmaakte opening, dacht Ford. 'Ma, pa en Brians ouders. Jij hebt Brians grootvader toch gekend?'

'Iedereen in deze contreien kende Andrew Morrow.'

'Waren jullie bevriend?'

'Met Drew Morrow?' Charlie schudde zijn hoofd. 'Het was geen onaardige vent, maar ik kan niet zeggen dat we in dezelfde kringen verkeerden. Hij was ouder dan ik. Misschien wel zes of acht jaar.'

'Dus jij zat niet bij hem in de klas.'

'We zaten wel op dezelfde school. Destijds was er maar één. Alles wat Andrew Morrow deed, lukte. Bovendien had hij een vlotte babbel,' zei Charlie, en hij bevochtigde zijn keel. 'Hij kon iedereen ervan overtuigen om hem geld te lenen, en mijn hemel, wat heeft hij de beurzen gespekt van degenen die dat ook echt hebben gedaan. Hij kocht land op, bouwde er huizen, kocht meer en liet er winkels en kantoorgebouwen neerzetten. Hij heeft verdomme het hele dorp gebouwd. Hij is ook nog burgemeester geweest. Er waren geruchten dat hij gouverneur van Virginia zou worden, maar hij heeft zich nooit verkiesbaar gesteld. Er deden namelijk ook verhalen de ronde dat hij wat zaakjes had gedaan die het daglicht niet konden verdragen.'

'Met wie trok hij op toen jullie nog jongens waren?'

'O, eens even nadenken.' Charlie noemde wat namen die Ford niets zeiden. 'Sommigen van hen zijn niet teruggekomen na de oorlog. Hij is een tijdje met Hennessy omgegaan, die vent die nu in het gesticht zit.'

'Echt waar?'

'Hij heeft kort iets gehad met Hennessy's zus Margie, maar hij heeft het uitgemaakt toen hij Jane Drake leerde kennen, de vrouw met wie hij is getrouwd. Zij kwam uit een rijke familie.' Grijnzend wreef Charlie zijn duim over zijn vingers. 'Oud geld. Een man heeft natuurlijk veel geld nodig om land te kopen en huizen te bouwen. Zij was trouwens ontzettend knap om te zien. En ze was heel hooghartig.'

'Ik kan me haar nog wel herinneren. Ze keek altijd boos. Volgens mij kun je met geld geen geluk kopen als je op de verkeerde plekken gaat winkelen. Misschien heeft Morrow wat aangenamer gezelschap opgezocht.'

'Dat zou best kunnen.'

'Misschien heeft hij zich daarom ook nooit als gouverneur verkiesbaar gesteld,' speculeerde Ford. 'Een onaangename verhouding, de dreiging dat het nieuws bekend zou worden, negatieve publiciteit. Het zou niet de eerste keer zijn geweest dat een politieke carrière om zeep wordt geholpen door een vrouw, en ook niet de laatste.'

Charlie streek even met zijn vingers over de zijkant van zijn hals 'Politici,' zei hij op een toon die minachting uitdrukte voor de hele soort. 'Maar goed, in deze contreien mocht bijna iedereen hem. Hij heeft Buddy's vader geholpen om zijn loodgietersbedrijf van de grond te krijgen. Hij heeft voor veel werkgelegenheid gezorgd in de vallei. Buddy is nu bezig op de boerderij?'

'Ja, dat klopt.'

'Daar heeft hij ook gewerkt in de tijd van Janet. Samen met zijn vader. Buddy had toentertijd nog wat meer haar op zijn hoofd en een wat minder dikke pens. Volgens mij had hij toen zo'n beetje de leiding over het bedrijf. Toen was hij ongeveer van jouw leeftijd, of misschien ietsje ouder.'

Ford knoopte de informatie in zijn oren en probeerde het gesprek een wending te geven. 'Als er in die tijd maar één school was, moeten jullie heel veel dezelfde leraren hebben gehad. Net als Brian, Matt, Shanna en ik. Meneer McGowan heeft ons allemaal lesgegeven, net als Matts broertje en Brians oudere zus. Op de basisschool heeft mevrouw Yates ons leren schrijven. Ze vond altijd dat ik een belabberd handschrift had. Ik durf te wedden dat ze verbaasd zou staan als ze wist wat ik tegenwoordig doe. Wie heeft jou leren schrijven, opa?'

'Jeetje, daar komen een hoop herinneringen door naar boven.' Er verscheen een glimlach op zijn gezicht en de herinneringen zorgden voor een wazige blik in zijn ogen. 'Mijn moeder is ermee begonnen. Dan zaten we aan tafel en moest ik de letters overtrekken die zij had geschreven. Ik was ontzettend trots toen ik mijn eigen naam kon schrijven. Op school heeft mevrouw Macey ons allemaal schoonschrift geleerd. Ze gaf mij een lager cijfer omdat ik schreef zoals mijn moeder het me had geleerd. Ze liet me nablijven en dan moest ik het alfabet op het bord schrijven.'

'Hoe lang heeft ze daar lesgegeven?'

'Jaren voor en jaren nadat ik er op school zat. Op mijn zesde vond ik haar stokoud, maar waarschijnlijk was ze rond de veertig. Het was een harde tante.'

'Heb je ooit leren schrijven zoals zij wilde?'

'Nee, nooit.' Charlie glimlachte en nam een hap van zijn koekje. 'Mama had het me prima geleerd.'

Onder de blauwe parasol bracht Ford verslag uit aan Cilla terwijl ze een koud biertje dronken. 'Het is niet veel. Ze hebben een lerares gemeen in de persoon van de pietluttige mevrouw Macey. Veel mensen van Morrows generatie, en van die daarna, hebben van haar leren schrijven. Hij is een tijdje bevriend geweest met Hennessy, althans, tot hij Hennessy's zus aan de kant zette voor de rijke en hooghartige Jane. Dankzij hem zijn het loodgietersbedrijf van Buddy's vader en nog een paar andere bedrijven groot geworden. Hij heeft wel of geen zakengedaan die niet helemaal zuiver waren en/of buitenechtelijke relaties gehad waardoor hij zich niet verkiesbaar kon stellen als gouverneur. Hij had hooggeplaatste vrienden en je zou kunnen zeggen dat hij vrienden aan hoge plaatsen hielp. Het zou kunnen dat sommigen van hen jouw grootmoeder via hem hebben leren kennen en dat daaruit een verhouding is voortgekomen.'

'De mensen die je kent en hoe je met ze in verband staat, is hier bijna hetzelfde als in Hollywood.' Of waar dan ook, peinsde Cilla. 'Wanneer heeft Buddy hier gewerkt? Toen hij in de dertig was? Het kost me een beetje moeite om me voor te stellen dat Janet smoorverliefd wordt op een loodgieter, vooral als het Buddy is. Al was hij toen natuurlijk maar een paar jaar jonger dan zij.'

'Kun jij je voorstellen dat Buddy dingen schrijft als "Ik leg mijn hart en mijn ziel in jouw heerlijke handen"?'

'Nee, totaal niet. Er zijn meer verbanden tussen het heden en het verleden dan ik besefte, of waar ik oog voor had. Ik kom misschien wel nooit te weten of er meer achter de situatie van toen stak dan alleen de continuïteit van deze plek. Zoals de zaken er nu voorstaan, kom ik misschien nooit te weten hoe de gebeurtenissen hier met elkaar in verband staan, als ze dat al doen.'

'Het huis van de Hennessy's staat te koop.' Ford legde een hand op de hare. 'Ik reed erlangs nadat ik bij mijn grootvader was geweest. De gordijnen zijn dicht en er staat geen auto op de oprit. Er staat wel een spiksplinternieuw makelaarsbord in de voortuin.'

'Waar is zij?'

'Dat weet ik niet, Cilla.'

'Als zij verantwoordelijk is voor wat er vanochtend is gebeurd, wilde ze me misschien een laatste keer laten weten dat ik dood mag vallen.'

Ford had het gevoel dat dat niet klopte. De plaatjes pasten niet, en de afbeeldingen erop namen geen echte vormen aan. Hij zou ermee blijven schuiven, ze veranderen en ordenen tot hij niet alleen het hele plaatje had, maar het hele verhaal, dacht hij.

27

Goedgemutst hing Cilla haar eerste keukenkastje op.
'Dat ziet er goed uit.' Met zijn duimen in zijn zakken gestoken knikte Matt goedkeurend. 'Dat natuurlijke kersenhout zal heel mooi staan bij die afwerking van notenhout.'

'Wacht maar tot de deurtjes erin zitten. Die zijn echt heel mooi. Die waren het wachten meer dan waard. De kerel is een ware kunstenaar.'

Ze legde haar waterpas op de bovenkant en hing het kastje recht.

'Het is prachtig werk, maar het zijn er ook heel veel.' Hij liet zijn blik onderzoekend door de ruimte gaan. 'Maar die krijgen we er vandaag allemaal wel in. Hoe lang duurt het nog voor de keukenapparatuur weer terug is?'

'Drie weken, misschien vier. Of zes. Je weet hoe dat gaat.'

'Die oude spullen zullen hier prachtig staan.' Hij knipoogde naar haar terwijl ze van de ladder af kwam. 'Laat Buddy je niets anders wijsmaken.'

'Dan heeft hij in elk geval weer iets anders om over te klagen dan mijn pannenkraan.'

Liefkozend streek ze met haar hand over het volgende keukenkastje. 'Laten we deze nu ophangen.'

'Wacht even,' zei Matt toen zijn mobieltje ging. Hij keek naar het display. 'Dag, schat. Wat? Wanneer?'

Door de toon van zijn stem en omdat de laatste twee woorden samenstroomden tot één keek Cilla in zijn richting.

'Ja, ja. Goed, ik kom eraan. Josies vliezen zijn gebroken,' zei hij, zijn mobiel snel uitzettend. 'Ik moet ervandoor.' Vol vreugde tilde hij Cilla op.

'Dus dat doen jullie hier de hele dag,' zei Angie die de kamer binnen kwam.

Matt kon alleen dwaas grijnzen. 'Josie is aan het bevallen.'

'O, o! Waarom ben je dan nog hier?'

'Ik ga al.' Hij zette Cilla weer neer. 'Wil jij Ford bellen? Hij vertelt het dan wel verder. Het spijt me dat ik...' Hij gebaarde naar de keukenkastjes.

'Zit daar maar niet over in.' Cilla gaf hem een zet. 'Hup, wegwezen. Jij moet vader worden.'

'Het wordt een meisje. Ik krijg vandaag een dochter.' Op weg naar de deur greep hij Angie, en hij boog haar achterover als een danser. Hij gaf haar een kus, trok haar sierlijk weer overeind en rende vervolgens de deur uit.

'Nou, dat noem ik nog eens goede timing.' Met een lachje tikte Angie op haar lippen. 'Hij kan goed zoenen. Wauw, dit wordt een geweldige, grootse dag. Ik moet Suzanna bellen, dat is Josies jongere zus. We zijn vriendinnen. O, en nog eens wauw. Moet je dit allemaal zien.'

'Zo langzamerhand begint het erop te lijken. Kijk gerust even rond. Ik moet Ford bellen.'

Terwijl Cilla ging bellen, liep Angie door de keuken, waarna ze de bijkeuken in ging om even later weer terug te komen.

'Mannen zijn vreemde wezens,' zei Cilla terwijl ze haar mobieltje weer aan haar gereedschapsriem haakte. 'Hij zei: "Gaaf. Begrepen. Tot ziens."'

'Een man van weinig woorden.'

'Doorgaans niet.'

'Nou, dan zal ik er een paar gebruiken om te zeggen: "Cilla, dit ziet er geweldig uit."' Angie spreidde haar armen. 'Ik sta echt paf. Hoe weet je in vredesnaam waar al die kastjes moeten komen?'

'Ik heb een opstelling gemaakt.'

'Ja, maar dat heb je dus ook gemaakt. Het kost mij al moeite om te bepalen of ik mijn bed van de ene naar de andere kant van de slaapkamer kan verplaatsen en waar de ladekast moet komen als ik dat zou doen.'

'Ik vond het moeilijk om een college uit te zitten, laat staan dat ik zelf voor de klas zou staan, zoals jij gaat doen. Iedereen heeft zijn eigen talent.'

'Ja, daar zit wat in. Hoe dan ook.' Angie salueerde kort. 'Soldaat McGowan meldt zich voor dienst.'

'Pardon?'

'Ik kom schilderen. Ik zou je natuurlijk ook kunnen helpen met het ophangen van de keukenkastjes nu Matt het druk heeft met andere dingen. Maar ik denk dat je gelukkiger zult zijn met mijn schilderkunsten dan met mijn keukenkastjes-ophangkunsten. Hoe hang je die eigenlijk op?' vroeg ze. 'Ik bedoel, hoe blijven ze aan de muur zitten? Ach, laat ook maar, ik ga toch liever schilderen.'

'Angie, je hoeft niet te…'

'Maar ik wil het graag. Pap zei dat ze aan de voorkant en aan de zijkanten klaar waren met het verwijderen van de oude verflaag en dat ze vandaag aan de achterkant willen beginnen. En dat we misschien de delen die al zijn afgekrabd in de grondverf kunnen zetten als er wat meer hulp zou zijn. Ik heb vandaag vrij. Ik ben de "wat meer hulp".'

Ze trok aan een van de pijpen van haar wijde, witte schildersbroek. 'Kijk, ik ben er helemaal op gekleed.'

'Hoe mooi je kleding ook is, ik wil niet dat je je verplicht voelt.'

Angies gezichtsuitdrukking veranderde van plagerig in plechtig. 'Zul je me ooit als een zus beschouwen?'

'Dat doe ik al.' Onhandig pakte Cilla de waterpas. 'Natuurlijk doe ik dat al. Ik bedoel… we zijn zussen.'

'Nou, in dat geval zeg ik: "Hou je mond en vertel me waar de verf staat."' Om haar mond verscheen een sluw glimlachje. 'Anders zeg ik tegen pap dat je gemeen tegen me doet.'

Haar geamuseerde gevoel kwam en ging weer weg, maar de zachte gloed bleef. 'Je lijkt heel erg op hem. Op eh… de man die ons zussen heeft gemaakt.'

'Ik heb alleen zijn goede eigenschappen, maar jij…'

'De verf staat achter in de schuur. We kunnen hier naar buiten gaan.' Cilla deed de achterdeur open. 'Misschien vind ik het niet leuk om een jongere zus te hebben die een schattig cheerleader-figuurtje heeft.'

'Misschien vind ik het niet leuk om een zus te hebben met superlange benen en lang, perfect haar. Maar ik heb een mooier kontje.'

'Niet waar. Dat van mij is beroemd.'

'Ja, je hebt het uitgebreid laten zien in *Terror at Deep Lake*.'

'Ik heb mijn kont helemaal niet laten zien in die film. Ik had een bikini aan.' Ze probeerde haar lachen in te houden en bleef staan om haar sleutels te pakken, waarbij ze even naar het huis keek. 'O, verdomme!'

Angie draaide zich om en keek met open mond naar haar vader die twee verdiepingen hoog op een steiger verf stond af te krabben.

'Pap! Kom naar beneden!' gilden ze in koor. Gavin keek eerst om zich heen en toen naar beneden en wuifde vrolijk naar hen.

'Ik had hem nog zo gezegd dat hij niet naar boven mocht gaan. Geen steigers en geen uitschuifbare ladders.'

'Hij luistert niet, zeker niet wanneer hij iets wil doen. Dan doet hij alsóf hij luistert waarna hij gewoon zijn eigen gang gaat. Is het eigenlijk wel veilig?' vroeg Angie terwijl ze Cilla's arm beetpakte. 'Ik bedoel, die steiger kan toch niet omkiepen of instorten?'

'Nee, maar…'

'Dan blijven we hier niet staan kijken. Wij gaan de verf halen. Ik loop om naar de voorkant van het huis en jij gaat naar binnen, dan kunnen we hem niet meer zien. En we zullen dit nooit ofte nimmer aan mijn moeder vertellen.'

'Goed.' Cilla draaide zich doelbewust om en stak de sleutel in het hangslot van de schuur.

Olivia Rose Brewster kwam om vijf voor half drie 's middags ter wereld.

'Matt is in de wolken,' zei Ford tegen Cilla terwijl ze naar het ziekenhuis reden. 'Hij deelt kauwgomsigaren uit en hij heeft een idiote grijns op zijn gezicht. De baby is behoorlijk schattig, ze heeft een hele bos zwart haar. Ethan was zo kaal als mijn oom Edgar, maar dit meisje heeft al een flinke bos.'

'Oom Ford lijkt anders ook behoorlijk in zijn sas.'

'Het is een kick. Een behoorlijk grote kick. Josie zag er nogal afgepeigerd uit toen ik haar vlak na de bevalling zag.'

'Wat had je dan gedacht? Dat ze er fotogeniek bij zou liggen nadat ze net heeft moeten persen om zeven pond en een ons uit haar…'

'Al goed, al goed. Bespaar me de bijzonderheden.' Hij speurde naarstig naar een plaatsje op het parkeerterrein van het ziekenhuis. 'Ik heb

Matt gesproken toen jij aan het opruimen was. Hij zei dat moeder en dochter het goed maken.'

'Het is leuk om hier terug te komen voor iets vrolijks.' Ze liet haar blik omhoog gaan in de richting van de intensive care.

'Heb jij Shanna nog gesproken sinds ze weer terug is?'

'Nee, nog niet.'

'Ze heeft het geweldig naar haar zin gehad.' Ford pakte Cilla's hand toen ze over het parkeerterrein liepen. 'Ze zei dat Steve er goed uitziet. Hij is weer wat aangekomen nadat hij zo veel was afgevallen en volgens haar heeft hij wel wat weg van een Romeinse gladiator. Hij gebruikt zijn kruk alleen maar wanneer hij moe is.'

Ford trok de zware glazen deur open.

'Ik heb hem foto's van het huis ge-e-maild. Ik moet er ook nog een paar nemen van de keukenkastjes. Cadeauwinkel. Cadeautjes voor moeder en kind.'

'Ik heb haar al een bos bloemen en een grote roze teddybeer gegeven,' wierp Ford tegen.

'Zeven pond en een ons uit haar…'

'Op naar de cadeauwinkel.'

Beladen met bloemen, ballonnen van zilverfolie, een pluche lammetje waar muziek uit kwam en een stapel kleurboeken voor de nieuwe grote broer liepen ze de kraamafdeling op.

Josie zat rechtop in bed met de ingepakte baby in haar armen. Het meisje had een felroze mutsje op haar donkere haar. Josies jongere zus stond ernaast en kirde opgetogen bij het zien van een luchtig wit jurkje terwijl Brian een kauwgomsigaar uit de verpakking haalde en Matt een foto maakte van zijn vrouw en zijn dochter.

'Nog meer bezoekers!' riep Josie stralend uit. 'Cilla, je bent je vader en Patty net misgelopen.'

'Ik ben hier voor iemand anders,' zei Cilla, en ze boog zich voorover naar het bed. 'Hallo, Olivia. Wat is ze mooi, Josie. Je hebt prachtwerk geleverd.'

'Hé, ze heeft anders mijn kin en mijn neus,' beweerde Matt.

'En je grote mond. Wil je haar even vasthouden, Cilla?'

'Ik dacht dat je het nooit zou vragen. Kom, laten we ruilen.' Ze legde het pluche lammetje op het bed en pakte de baby op. 'Kijk nou toch. Wat ben jij een schatje. Hoe voel je je nu, Josie?'

'Goed, hoor. Heel goed. Ditmaal waren het maar zevenenhalf uur van bloed, zweet en tranen. Bij Ethan was ik twee keer zolang bezig.'

'Ik heb ook wat spulletjes bij me voor de grote broer.' Ford legde de kleurboeken aan het voeteneind van het bed.

'O, wat lief van jullie! Mijn ouders hebben hem net meegenomen voor het eten. Hij ziet er zo groot en stevig uit. Ik kan nauwelijks… O, de hormonen zijn nog niet uitgewerkt,' kon ze nog net uitbrengen voor haar ogen vol tranen schoten.

'Wat een drukte, hier!' riep Cathy toen Tom en zij naar binnen kwamen met een boeket roze rozen en gipskruid. 'Laat me die prachtige baby eens zien.'

Gehoorzaam draaide Cilla zich naar haar toe.

'O, moet je al dat haar eens zien. Tom, kijk eens wat een schatje.'

'Ze is een plaatje.' Tom plaatste de bloemen tussen het oerwoud aan andere boeketten en gaf Brian een por tegen zijn schouder. 'Wanneer krijgen we er een van jou? Matt ligt er nu al twee voor. En ook op jou, Ford.'

'Luiwammesen,' stemde Josie in. Ze stak haar armen uit om Olivia weer over te nemen.

'Ik stel heel hoge eisen,' zei Brian. 'Ik neem alleen genoegen met een vrouw die net zo volmaakt is als mam.'

'Daar heb je je heel mooi uitgekletst,' zei Cathy, maar ze liep stralend van genoegen naar Brian toe en kuste hem op zijn wang. Daarna draaide ze zich om en gaf ze Matt een kus. 'Gefeliciteerd.'

'Bedankt. We dachten dat het nog een week zou duren. Toen Josie me vanochtend belde, dacht ik dat ze me eraan wilde herinneren dat ik een karamel-kokosijsje voor haar mee moest nemen. Daar heeft ze er bergen van gegeten.'

'Ja, dat is waar,' zei Josie lachend.

'Ik bleef pindarotsjes eten. Oneindige hoeveelheden pindarotsjes. Ik bof dat ik al mijn tanden en kiezen nog heb.'

'Na Brians geboorte heeft ze ze nooit meer aangeraakt,' zei Tom.

'Het zal waarschijnlijk een hele tijd duren voor ik weer een kokosnoot kan zien,' zei Josie, en ze streelde Olivia's wang. 'Godzijdank hoefde ik niet nog een week.'

'En nu kun je goede sier maken met de baby op Cilla's feestje. Daar verheugen we ons allemaal op,' voegde Cathy eraan toe. 'Je zou kunnen zeggen dat dat huis jouw kindje is.'

'Zonder de roze teddybeer en de mooie, witte jurkjes,' beaamde Cilla.

Matt deelde nog meer sigaren uit. 'Ik moest vandaag verstek laten gaan. We waren net bezig met de keukenkastjes. Hoe staan de zaken ervoor?'

'Het kookeiland moet nog worden geplaatst, de deuren moeten er nog in en dan de rest van de keukenapparatuur. We zullen klaar zijn voor de aanrechten arriveren, precies volgens schema.'

'Ik ga overleggen met Patty en Fords moeder. Als jij Tom lief aankijkt, maakt hij misschien zijn speciale spareribs wel,' zei Cathy tegen Cilla.

'Wat maakt ze zo speciaal?' vroeg Cilla glimlachend

Het zit hem allemaal in de kruiden waar je ze mee insmeert,' beweerde Tom. 'Dat is een familiegeheim.'

'Hij wil mij het recept niet eens geven.'

'Het wordt alleen doorgegeven aan bloedverwanten. Velen hebben geprobeerd om het geheim te ontrafelen, maar niemand is erin geslaagd. We moeten weer eens gaan, Cathy.'

'We hebben een etentje met vrienden. Rust jij maar lekker uit, Josie. Ik kom morgen nog even bij jou en die prachtige baby op bezoek wanneer ik hier ben.'

Het duurde een aantal minuten voor iedereen afscheid had genomen, vooral omdat er weer andere mensen binnenkwamen. Tegen de tijd dat Cilla en Ford naar buiten liepen, had ze een kauwgomsigaar in haar zak.

'Het is leuk om te zien dat jouw ouders en de ouders van Matt en Brian zo veel belangstelling tonen voor jullie allemaal. Het heeft wel iets weg van een stam.'

'Wij en Shanna kennen elkaar allemaal van kind af aan. Haar ouders zijn ongeveer tien jaar geleden gescheiden. Ze zijn allebei hertrouwd en ergens anders gaan wonen.'

'Maar goed, drie van de vier paren zijn nog bij elkaar. Dat is ruim boven het landelijk gemiddelde. Matt en Josie zagen er heel gelukkig uit. Er schoten kleine straaltjes van geluk uit hun ogen. Hoe lang zijn ze al getrouwd?'

'Ongeveer zes jaar, denk ik. Maar ze zijn al veel langer bij elkaar. Zeg, als je ergens wat wilt gaan eten is dat prima.' Hij tikte met zijn vingers op het stuur. 'Maar ik wil eigenlijk wel naar huis.'

'Nee, dat hoeft niet. Is er iets aan de hand?'

'Nee, er is niks.' Behalve dan dat hij last had van een reusachtige aanval van nervositeit, dacht hij. En van de plotselinge en onontkoombare wetenschap dat hij de volgende stap moest zetten, de volgende zet moest doen.

Of ik er nou klaar voor ben of niet, dacht hij. Daar gaat-ie.

Hij schonk twee glazen wijn in en bracht ze naar de veranda waar ze Spock streelde met haar voet en ondertussen naar het huis aan de overkant van de weg keek.

'Die laag grondverf aan de voorkant van de begane grond, op de veranda, is bepaald niet stijlvol. Maar het is in elk geval schoon. En het laat zien dat ik toewijding en goede bedoelingen heb. Het was toch zo gek, Ford. Echt, het was heel raar om met iemand van Matts team keukenkastjes op te hangen in de wetenschap dat mijn vader aan de achterkant bezig was oude verf te strippen en dat Angie aan de voorkant bezig was met de grondverf. En rond lunchtijd kwam Patty langs met een hele lading stokbroodjes en hapjes. En nog voor die allemaal waren verslonden, had zij ook een verfkwast in haar hand. Ik wist niet wat ik ervan moest denken of hoe ik het moest opvatten.'

'Familie helpt gewoon mee.'

'Maar dat is het hem nou net. Grofweg de helft van mijn leven was familie een illusie. Een toneelset. Als kind droomde ik vaak over mijn moeder. Van die levensechte dromen waarin ik gesprekken voer met mensen. Die heb ik wel vaker. Maar zij was op die set, en maakte deel uit van die illusie, een combinatie van haar en Lydia, de actrice die Katies moeder speelde.'

'Dat lijkt me vrij normaal, gezien de omstandigheden.'

'Mijn therapeut zei dat mijn onderbewuste ze met elkaar heeft vermengd omdat de werkelijkheid me niet beviel. Nogal wiedes. Maar het stak ingewikkelder in elkaar. Ik wilde delen van beide werelden. Maar in die werelden was ik mezelf en niet Katie. Ik was Cilla. Katie had haar familie. Nou ja, acht seizoenen lang.'

'En Cilla niet.'

'Het was een ander soort structuur.' Een heel wankele, dacht ze nu. 'Later heb ik er afstand van genomen. Dat moest wel. En door hier te komen, heb ik opnieuw afstand genomen. Het is vreemd om in dit stadium uit te zoeken hoe je ergens bij moet horen, hoe je de tijd moet inhalen of hoe je lid moet worden van een familie.'

'Word dan de mijne.'

'Wat?'

'Word dan mijn familie.' Hij zette het doosje met de ring tussen hen op tafel. 'Trouw met me.'

Heel even kon ze niet denken en was ze sprakeloos, alsof ze plotseling een enorme klap op haar hoofd had gekregen. 'O, mijn god. Ford.'

'Het is geen giftig insect, hoor,' zei hij toen ze haar handen met een ruk wegtrok. 'Maak eens open.'

'Ford.'

'Maak open, Cilla. Je moet een man die een aanzoek doet niet kwaad maken. Je mag hem blij maken of afwijzen, maar je moet hem niet kwaad maken.'

Toen ze aarzelde, gromde Spock naar haar en duwde met zijn kop tegen haar scheenbeen.

'Maak nou maar open.'

Dat deed ze, en in de zachte avondschemering glansde de ring als een droom. Als een heerlijke, heldere droom.

'Je draagt niet vaak sieraden en als je dat wel doet, zijn het nooit opzichtige. Jij hebt liever iets subtiels met klasse.' Opnieuw voelde hij dat ding in zijn borstkas, de hete, drukkende steen die hij ook bij haar vader in de keuken had gevoeld. 'Dus toen dacht ik, ik ga die meid niet imponeren met een enorme diamant. Bovendien werk je met je handen, dus daar moeten we ook rekening mee houden. Vandaar dat het me een beter idee leek om de diamanten te laten verzinken in plaats van ze te laten uitsteken. Een paar dagen geleden heeft mijn moeder me geholpen om hem uit te kiezen.'

Er ontstond nog een laag paniek in haar keel. 'Je moeder?'

'Zij is ook een vrouw. Dit is de eerste ring die ik ooit voor een vrouw heb gekocht, dus ik wilde hulp hebben. Ik vond het idee van die drie stenen wel leuk. Het verleden, het heden en de toekomst. We hebben ieder ons eigen verleden, we hebben het heden en ik wil graag een toekomst met jou. Ik hou van je.'

'Hij is schitterend, Ford. Zonder meer. En de gedachte die erachter zit, maakt hem nog mooier. Maar ik ben een heel slechte keus.' Ze nam zijn handen in de hare. 'Alleen bij het idee van een huwelijk verstijf ik al. Ik heb er niet de juiste fundamenten voor. Neem nou waar we het zonet over hadden. Jij hebt twee ouders die samen één huwelijk hebben. Jij gelooft erin. Ik heb twee ouders die onderling zeven huwelijken hebben. Hoe kan ik er dan in geloven?'

Vreemd genoeg zorgden haar zenuwen, angsten en twijfels ervoor dat dat ding in zijn borstkas oploste, merkte hij. 'Dat is onzin, Cilla. Zo zijn wij niet. Hou je van me?'

'Ford...'

'Zo'n moeilijke vraag is dat niet. Ja of nee.'

'Voor jou is het gemakkelijk. Jij kunt ja zeggen en voor jou is het zo simpel. Als ik zeg: "Ja, ik hou van je", dan is het ongelooflijk griezelig. Mensen houden van elkaar en daarna gaat het stuk.'

'Ja, en er zijn ook mensen die van elkaar houden waarbij het niet stuk gaat. Het is gewoon een nieuwe stap, Cilla. De volgende stap.'

'En is dit dan meanderen? Noemde je het niet zo?'

'Ik heb het tempo wat opgevoerd. Dat wil overigens niet zeggen dat ik niet kan wachten.' Ford deed het doosje dicht en schoof het naar haar toe. 'Neem mee en draag bij je. Denk er eens over na.'

Ze staarde naar het doosje. 'Jij denkt dat ik de verleiding niet kan weerstaan om het doosje open te maken en naar de ring te kijken. Jij denkt dat ik bang ben dat die ring me zal betoveren.'

Hij glimlachte. Geen wonder dat hij van haar hield. 'Ik daag je uit.'

Ze legde haar handen over het doosje en stopte het, langzaam ademhalend, in haar zak. 'Ik ben een voormalige actrice en in mijn familie komt alcoholisme, drugsgebruik en zelfmoord voor. Ik zou verdomme niet weten waarom je wat met mij zou willen beginnen.'

'Ik moet gek zijn.' Hij tilde haar hand op en kuste die. Spock liet zich helemaal meeslepen door het moment en likte haar enkel. 'Om de paar dagen zal ik je vragen "Nou?" Als ik dat doe, kun je me vertellen hoe je op dat moment tegenover mijn aanzoek staat.'

'Het sleutelwoord is dus "nou"?'

'Inderdaad. Verder zal ik het er niet over hebben. Jij draagt die ring gewoon bij je en denkt erover na. Afgesproken?'

'Goed,' zei ze na een poosje. 'Goed.'

Hij pakte zijn glas en stootte het tegen het hare. 'Waarom bestellen we niet wat Chinees?'

Spock maakte een vreugdedansje om hun voeten.

Ze wist niet hoe hij het had geflikt. Echt, ze wist het niet. Hij had haar een aanzoek gedaan. Hij had haar een ring gegeven die volmaakt voor haar was, precies bij haar paste, omdat hij haar begreep. Toen hij de ring had uitgezocht, had hij gedacht aan wie zij was. Ze monteerde de koperen handvatten op de keukenkastjes en bedacht dat haar reactie – of liever gezegd, haar onwil – en haar hakkelende afschuw door zijn aanzoek hem moesten hebben gekwetst.

Toch had hij vlindergarnalen en kung pao kip besteld nadat hij zijn zegje had gedaan, zijn aanzoek had gedaan. Te oordelen naar zijn eetlust had zijn maag niet in de knoop gezeten, wat de hare wel deed. Daarna had hij voorgesteld om wat te ontspannen met het eerste seizoen van *Buffy, the Vampire Slayer* (korte serie, voor het zomerseizoen).

En ergens tijdens aflevering drie, net toen ze zich ontspannen genoeg voelde om aan iets anders te denken dan de ring in haar zak, had hij haar ten onder doen gaan met trage, flakkerende kussen en lome, aanhoudende liefkozingen. Tegen de tijd dat ze bijkwam uit het seksuele waas, kon ze alleen nog maar aan de ring denken.

Bijna twaalf uur later moest ze nog steeds aan die ellendige ring denken.

Ze geloofde niet in het huwelijk. Zo eenvoudig lag het. Zelfs samenwonen was iets vol angels en voetklemmen. Ze was er verdorie nog maar amper aan gewend dat hij tegen haar had gezegd dat hij van haar hield en dat ze hem bovendien geloofde. Haar huis was nog niet af en ze had haar bedrijf nog niet opgezet. Alles wat ze hier had bereikt, had ze gedaan terwijl ze maandenlang was lastiggevallen.

Had ze soms nog niet genoeg aan haar hoofd? Had ze het niet druk genoeg zonder dat er een verlovingsring in haar zak zat en ze gekweld werd door zorgen omdat ze niet wist wanneer Ford misschien "Nou?" zou zeggen?

'Hallo?'

'Cilla?'

Bij het horen van de stemmen sloeg Cilla een paar keer met haar hoofd tegen de deur van het keukenkastje. Geweldig, dacht ze, echt fantastisch. Patty en Fords moeder. Dat ontbrak er nog aan.

'O, daar ben je,' zei Patty. 'Je bent druk bezig.'

Cilla zag dat twee paar ogen meteen inzoomden op de derde vinger van haar linkerhand. Daarna zag ze een teleurgestelde blik in de twee paar ogen verschijnen. Mooi was dat, nu deed ze ook nog twee vrouwen van middelbare leeftijd verdriet.

'We hoopten dat je een paar minuutjes zou hebben om het menu van het feest te bespreken,' begon Patty. 'We vonden dat we in elk geval een deel van de boodschappen voor je kunnen gaan doen en de spullen zolang kunnen opslaan, aangezien je daar zelf nog geen plek voor hebt.'

Je hoopte op veel meer, dacht Cilla. 'Laten we niet om de hete brij heen draaien. Ja, hij heeft me gevraagd. Ja, de ring is schitterend. Nee, ik draag hem niet. Dat kan ik niet.'

'Past hij dan niet?' vroeg Patty.

'Dat weet ik niet. Ik wil er niet aan denken en toch moet ik eraan denken. Hij was behoorlijk gewiekst,' voegde ze er een beetje driftig aan toe. 'Ik waardeer het, nee, eigenlijk waardeer ik het niet, dat jullie hier op deze manier naartoe komen, maar ik probeer te begrijpen waarom jullie dat doen. Ik heb al genoeg aan mijn hoofd, en dan voegt hij dit er nog even aan toe. Ik weet niet eens of hij wel heeft geluisterd naar wat ik hem heb verteld en of hij de redenen begrijpt waar…' Haar stem stierf weg.

Hij luistert niet, had Angie over hun vader gezegd. Zeker niet wanneer hij iets wil doen. Dan doet hij alsóf hij luistert waarna hij gewoon zijn eigen gang gaat.

'O, god, nou wordt-ie helemaal mooi. Hij is pap. Hij is pap met een laagje klungel eromheen. Hij is kalm en onverstoorbaar en hij hakt ijverig en geduldig door, zodat je niet eens doorhebt dat hij je muur heeft geslecht en je ineens machteloos bent. Zo steekt dat type in elkaar.'

'Je bent niet verliefd op een type, maar op een man,' verbeterde Penny haar. 'Of je bent niet verliefd.'

Fords moeder, bracht Cilla zichzelf in herinnering. Even oppassen. 'Ik hou genoeg van hem om hem tijd te geven om alle redenen waarom dit niks kan worden in overweging te nemen. Ik wil hem niet kwetsen.'

'Natuurlijk zul je hem kwetsen. En hij jou. Dat hoort nou eenmaal bij een relatie. Ik zou geen man willen die ik niet kan kwetsen. En ik zou al helemaal niet willen trouwen met een man die mij niet kan kwetsen.'

Verbouwereerd keek Cilla naar Penny. 'Daar begrijp ik helemaal niks van.'

'Tegen de tijd dat je het wel begrijpt, denk ik dat je klaar bent om te kijken of de ring past. Ik vind je keukenkastjes prachtig. Ik krijg zelf ineens ook zin in nieuwe kastjes. Kunnen we niet even ergens gaan zitten om het menu kort door te nemen? Daarna zullen we je weer met rust laten.'

Cilla zuchtte. 'Misschien lijkt hij niet zozeer op mijn vader. Misschien is hij jou wel.'

'Nee, hoor, ik ben altijd een stuk gemener geweest dan Ford. Zullen we daar gaan zitten?' vroeg Penny, en ze wees door het raam naar buiten. 'Daar, onder die blauwe parasol.'

Toen Penny wegliep, kwam Patty naast Cilla staan en sloeg een arm om haar middel. 'Ze houdt van haar jongen. Ze wil dat hij gelukkig is.'

'Dat weet ik. En dat wil ik ook.'

Misschien moest ze een lijst maken, peinsde Cilla. Redenen die ervoor pleitten om de ring uit het doosje te halen en redenen die daartegen pleitten. Bij alle andere dingen die ze deed was ze afhankelijk van lijstjes, diagrammen, tekeningen. Dan was het toch verstandig om ook een lijstje te maken als er zo'n belangrijke beslissing moest worden genomen?

Dat lijstje zou nog het makkelijkste deel zijn, dacht ze toen ze na het sporten en voor ze aan het werk ging nog wat Special K nam. Ze kon waarschijnlijk hele bladzijden volschrijven met die redenen. Sterker nog, ze zou er verdomme een boek over kunnen schrijven, zoals vele anderen boeken hadden geschreven over de Hardy-vrouwen.

Om eerlijk te zijn waren er ook een paar redenen die vóór pleitten. Maar kwamen die niet voornamelijk voort uit emoties? En waren haar emoties niet verstrengeld met zenuwen omdat ze in angstige spanning wachtte – en dat wist hij donders goed – tot hij naar haar toe zou komen en 'Nou?' zou vragen.

En dat had hij in de afgelopen dagen niet één keer gedaan.

Vandaar dat ze zich een ongeluk schrok en ze bijna haar kom met Special K liet vallen toen hij plotseling binnenkwam.

'Je hebt zeker te veel koffie gehad?' opperde hij, en hij vulde een kom met Frosted Flakes voor zichzelf. Spock rende ook naar binnen en liep meteen door naar zijn etensbak. 'Hoe kun je dat spul naar binnen werken? Het lijken wel kleine twijgjes.'

'Dit in tegenstelling tot die suikerbommetjes van jou?'

'Precies.'

Hij was niet alleen om zes uur 's ochtends op, hij was ook nog eens vrolijk en hij had een heldere blik in zijn ogen, dacht ze. En ze wist dat hij tot laat had doorgewerkt. Maar hij was op, in de kleren en hij at Frosted Flakes omdat hij erop stond om haar naar de overkant van de weg te begeleiden en daar te wachten tot er een paar van de werklui waren gearriveerd.

Zou zoiets ook op de lijst met voors en tegens moeten komen te staan?

'Je weet best dat ik niet word aangevallen als ik 's ochtends vroeg om half zeven de weg oversteek.'

'Die kans is niet zo groot.' Hij glimlachte en ging verder met eten.

'En ik weet dat je gisteravond tot laat hebt doorgewerkt, dus vind ik het onnatuurlijk dat je al zo vroeg op bent.'

'Ik heb ook nog lekker gejogd. Weet je, ik heb ontdekt dat ik de meeste dagen zo rond twaalf uur al heel veel heb gedaan als ik zo vroeg opsta. Het is overigens wel een gewoonte waar ik zo snel mogelijk weer vanaf wil zodra het kan en hopelijk zal dat in de nabije toekomst zijn. Maar op dit moment werkt het goed.' Hij zweeg even en verorberde Frosted Flakes. 'Als het zo doorgaat, heb ik aan het eind van de dag tien hoofdstukken geïnkt en dan heb ik zelfs nog tijd om een paar nieuwe plaatjes als lokkertje op mijn website te zetten.'

'Ik zou je graag helpen, maar…'

'Jij zoekt altijd naar de bezwaren. Dat vind ik leuk aan jou, want dat dwingt mij om alles van de zonnige kant te bekijken. Naar zaken of dingen die ik over het hoofd heb gezien of als vanzelfsprekend heb beschouwd. Jij herinnert me eraan dat ik gek ben op mijn werk. En aangezien ik van mijn werk hou, is het interessant om een tijdje meer werk dan anders te verzetten. En als beloning voor al deze ijver neem ik je mee naar de Caymaneilanden, een van mijn lievelingsplekken. We gaan rond half januari, dan kunnen we genieten van zee en zand terwijl onze buren sneeuw moeten ruimen.'

'Dan ben ik twee huizen aan het verbouwen. Ik…'

'Je zult de vakantie moeten inroosteren. Maar we kunnen de zon en het zand altijd naar februari verzetten. Ik vind alles best.'

'Dat valt vies tegen, maar je bent goed in het doen alsof.' Ze deed de vaatwasser open om haar kom, lepel en mok erin te zetten. 'Jij bent net een klein lek, Ford.'

Zijn ogen bleven lachen terwijl hij zijn ontbijt at. 'O, ja? Echt waar?'

'Een klein lek waardoor het water, als er niets aan wordt gedaan, zich overal een weg doorheen baant. Door steen, metaal of hout. Je hoort zo'n lekkage niet en het lijkt in de verste verte niet op een vloedgolf, maar uiteindelijk is het effect hetzelfde.'

Hij schudde met zijn lepel naar haar. 'Dat zal ik maar als een compliment opvatten. De aanrechtbladen komen vandaag, hè?'

'Ja, vanmorgen. En vanmiddag gaat Buddy de rest van de afvoer in orde maken.'

Hij zette zijn ontbijtspullen naast die van haar in de vaatwasser. 'Een belangrijke dag, dus. Laten we meteen beginnen.' Hij verhief zijn stem en zei: 'Wandelen', waarop Spock naar binnen snelde en rondjes om hem heen begon te rennen.

Ze liep met hen naar buiten en bleef toen even staan om naar de Little Farm te kijken. Alles was 's zomers groen. Ze zag de grote rode schuur waarvan de functionele lijnen werden verzacht door de ronding van de stenen muur en de vormen van de planten. Ze kon een glimp van de vijver zien met nog wat opstijgende ochtendnevel erboven en de sierlijk gebogen takken van een jonge wilg die aan de rand stond. Aan de achterkant lagen de weilanden die vol stonden met distels en guldenroede en daarachter strekten de bergen zich uit over de breedte van de ochtendhemel.

En het huis vormde het middelpunt, grillig en sterk, met zijn witte veranda en de voorgevel die voor de helft warm en waardig blauw was geverfd.

'Ik ben blij dat mijn vader me heeft overgehaald om de buitenkant alvast te schilderen, al stond dat pas veel later op het programma. Ik wist niet dat het zo bevredigend zou zijn om ernaar te kijken. Wanneer alles is geschilderd, zal het net lijken alsof een sterke, oude actrice die karakterrollen speelt een heel goede facelift heeft gehad.'

Ze lachte en de stemming werd luchtiger. Ze pakte zijn hand vast onder het lopen. 'Een facelift die haar wel haar waardigheid en stijl laat behouden.'

'Dat vind ik wel een goede beschrijving, in aanmerking genomen hoeveel er al aan is verzaagd en vertimmerd. Maar ik hou niet zo van dat facelift-gedoe.'

'Het is gewoon een vorm van onderhoud.'

Hij beefde zowat van ontzetting. 'Jij zou toch nooit…'

'Wie weet?' Ze haalde haar schouders op. 'Ik ben ijdel genoeg om niet te willen dat mijn lichaam verzakt en om het weer vast te sjorren mocht dat wel gebeuren. Mijn moeder heeft er al twee achter de rug, naast andere dingen die ze heeft laten doen.' Lachend om de verbijsterde afschuw in zijn ogen, gaf ze hem een duwtje. 'Er zijn ook heel wat mannen die het een en ander laten doen.'

'Zet die gedachte maar gauw van je af. Begraaf haar maar ergens op een afgelegen plek. Heb jij post in je brievenbus gedaan die de postbode moet meenemen?' vroeg hij, en hij duwde haar naar de brievenbus waarvan het rode vlaggetje omhoog was gezet.

'Nee. Wat raar. Ik heb er niets in gedaan sinds de post gisteren is bezorgd. Misschien heeft een van de werklui het vlaggetje omhoog gedaan.'

'Of iemand heeft er iets ingelegd wat voor jou bestemd is. Dat hoort eigenlijk niet. Dat vindt de postbode niet leuk.' Hij liep ernaartoe en wilde het klepje openmaken.

'Wacht, niet doen.' Ze greep zijn hand terwijl haar hart in haar keel sloeg. Naast hen begon Spock te grommen bij het horen van de paniek in haar stem. 'Ratelslang in de brievenbus. Dat is geheimtaal voor een onverwachte, onaangename, gevaarlijke verrassing.'

'Ja, dat weet ik. Het is de codenaam voor de laatste aflevering van het derde seizoen van *Lost*. Toe, ga eens wat naar achteren.'

'Wacht tot ik…'

Hij wachtte echter niet, maar plaatste zijn lichaam tussen Cilla en de brievenbus en rukte vervolgens de klep omlaag.

Er lag geen opgerolde slang in te sissen. Er was geen slang die een uitval deed en langs de paal van de brievenbus naar beneden gleed. Wel zat er een pop in met opgeheven armen alsof ze zich ergens tegen wilde verdedigen. De blauwe ogen waren open en er lag een versteende glimlach op Cilla's jonge gezichtje. De kogel had een klein gaatje met verschroeide randen in het midden van het voorhoofd achtergelaten.

28

De maat was vol, vond Ford. De politie had de pop en zou op onderzoek gaan. En tot nu toe had de politie nog geen reet kunnen doen om de bedreigingen aan Cilla's adres te laten ophouden.

Het waren geen geintjes of pesterijen. Het waren bedreigingen. Het zoeken naar vingerafdrukken op de pop en de brievenbus, het stellen van vragen en zelfs het vaststellen – als dat al zou lukken – van het kaliber van het gebruikte wapen zouden het probleem niet verhelpen. Niets van dat alles zou de uitdrukking van geschrokken afschuw op Cilla's gezicht kunnen voorkomen als zoiets nog een keer zou gebeuren.

Iedereen wist dat er nog iets zou gebeuren. En die volgende keer, die elk moment zou kunnen komen, zou het Cilla kunnen zijn in plaats van een pop.

Ja, de maat was meer dan vol.

Hij bracht zijn auto tot stilstand voor het huis van de Hennessy's. Je moest toch ergens beginnen? dacht hij. En misschien zou het hier ook eindigen. Hij liep naar het huis en bonkte op de voordeur.

'Je verdoet je tijd.' Een vrouw met een gigantische strooien tuinhoed liep naar het witte hek dat de afscheiding vormde tussen de huizen. 'Er is niemand thuis.'

'Weet u misschien waar ze zijn?'

'Iedereen weet waar hij is. Hij zit in het gesticht.' Ze tikte tegen haar slaap onder de rand van haar hoed en draaide een rondje met haar vinger. 'Een paar maanden geleden heeft hij geprobeerd om een vrouw te vermoorden op Meadowbrook Road. De kleindochter van Janet Hardy, de vrouw die vroeger dat kleine meisje speelde in die tv-serie. Als je hem wilt spreken, moet je bij het Central State Hospital in Petersburg zijn.'

'En mevrouw Hennessy?'

'Ik heb haar de afgelopen weken in geen velden of wegen gezien. Zoals je ziet staat het huis te koop.' Ze weest op het makelaarsbord en stopte een kleine tuinschaar in een zak aan haar gereedschapsriem. Ford wist dat ze zich opmaakte voor een gezellig kletspraatje bij het hek.

'Ze heeft een naar leven gehad. Haar zoon is als tiener verlamd geraakt. Hij is ongeveer een jaar geleden overleden. Die man van haar had nooit een goed woord over voor de mensen hier in de buurt. Hij schreeuwde of balde zijn vuist wanneer de kinderen te veel lawaai maakten bij het spelen en als iemand aanbood hem te helpen, zei hij dat ze zich met hun eigen zaken moesten bemoeien. Als ik zijn vrouw was geweest, zou ik bij hem zijn weggegaan nadat die jongen was overleden, maar zij is gebleven. Het kan zijn dat ze is vertrokken nu hij opgesloten zit, maar ik denk eerder dat ze naar Petersburg is gegaan. Ik weet niet of er al kijkers voor het huis zijn geweest. Ik hoop dat het huis wordt gekocht door iemand die weet hoe een goede buur zich hoort te gedragen.'

Het was een flink stuk rijden naar Petersburg en weer terug, dacht Ford. 'Ik neem aan dat u het wel zou hebben gezien als ze was verhuisd. Ik bedoel qua meubels en bagage, en zo.'

'Misschien wel als ik thuis was geweest.' Ze keek Ford iets doordringender aan vanonder de brede rand van haar hoed. 'Jij bent toch geen familie van ze?'

'Nee, mevrouw.'

'Nou, ik kan je wel vertellen dat ik haar al een paar dagen niet heb gezien en geen enkel geluid uit het huis heb horen komen. Ik ben de bloemen die in haar tuin staan maar water gaan geven. Ik kan er niet tegen wanneer iets doodgaat door verwaarlozing.'

Net als Ford probeerde Cilla het van de zonnige kant te bekijken. Die zonnige kant kon zijn dat een verminkte pop in haar brievenbus geen schade aanrichtte aan haar onroerend goed. Eigenlijk had het haar alleen wat tijd en stress gekost.

Een andere zonnige kant kon zijn dat de politie al deze ellende heel ernstig nam. Goed, de politie had dan wel geen geluk gehad bij het natrekken van de herkomst van de poppen, vooral niet omdat die dingen heel regelmatig op eBay werden aangeboden en in tweedehands- of speciaalzaken werden verkocht. Zo'n pop kon zelfs uit iemands privéverzameling zijn gestolen. Maar het troostte haar toch een beetje om te weten dat de agenten deden wat ze dachten dat ze moesten doen.

En haar werklui waren kwaad namens haar. Het was altijd positief als er mensen aan jouw kant stonden, ook al konden ze niet meer doen dan hun verontwaardiging uiten en steun betuigen.

Bovendien zagen haar nieuwe aanrechtbladen en spatplaten er verdomd gaaf uit. Daardoor nam haar stressniveau aanzienlijk af. De warme, goudkleurige strepen en spikkels, de zwarte en witte vlekjes tegen de diepe, chocoladebruine achtergrond lieten haar keukenkastjes goed uitkomen. En de koperen kranen zouden een ware blikvanger worden. Ze had het helemaal bij het juiste eind gehad toen ze voor een aanrecht met watervalrand had gekozen. Wat stom dat ze daar zo lang over had lopen dubben. Het gaf de aanrechten echt cachet en uitstraling.

Cilla ging met haar hand over het kookeiland alsof ze de warme naakte huid van een minnaar streelde en kon nog net voorkomen dat ze begon te spinnen als een kat.

'Ik vind het nogal donker, vooral met de enorme hoeveelheid spullen die je hier hebt staan.'

Cilla keek hem enkel aan met haar hoofd een beetje schuin, en daarna zei ze op een toon die ze anders tegen een stout jongetje zou gebruiken: 'Buddy.'

Zijn lippen vertrokken en hij slaagde er niet in zijn glimlach te verbergen. 'Ach, het ziet er best leuk uit. Die keukenkastjes zijn beslist mooi. Het zijn er nogal veel, maar die glazen deurtjes breken het geheel een beetje. Ik ga je gootstenen installeren. Ik kom morgen terug nadat we alles hebben gedicht om de afvoer aan te sluiten en de vaatwasser en de kranen te regelen. Ik snap trouwens niet waarom iemand koperen kranen wil hebben.'

'Ach, ik ben gewoon gek.'

'Een beetje wel. Nou, ga je me nog helpen om die gootstenen te monteren of blijf je daar alleen zelfvoldaan staan kijken?'

Terwijl ze bezig waren met de eerste gootsteen, floot Buddy een wijs- je tussen zijn tanden. Een paar maten later betrapte Cilla zich erop dat ze met hem mee neuriede.

'Dat is "I'll Get By", zei Cilla. 'Het lied waar mijn grootmoeder be- kend mee is geworden.'

'Onwillekeurig moet je aan haar denken als je hier bent. Heb je die klem hier al vast zitten?'

'Die zit vast.'

'Laten we de aansluiting dan even testen. Dit is de tweede keer dat ik een gootsteen plaats in dit huis.'

'Echt waar?'

'Ik heb de gootsteen die je nu laat vervangen nog voor je grootmoe- der geplaatst. Ik neem aan dat die zo'n jaar of veertig à vijfenveertig is meegegaan. Waarschijnlijk is het wel tijd voor een nieuwe. Zo is het goed, zo is het goed,' mompelde hij. 'Dat past prima. Heel mooi.' Hij te- kende de plek voor de bevestigingsklemmen af.

'Laten we hem eruit tillen.'

Cilla pakte het plankje dat aan de gootsteen was vastgemaakt. 'Je va- der en jij hebben hier destijds veel van het werk gedaan.'

'Ik heb nog steeds werk zat.'

'Je hebt veel gedaan voor Andrew Morrow.'

'Dat klopt. We hebben de hele riolering voor Skyline Development gedaan. Drieëndertig huizen,' zei hij terwijl hij zijn boor pakte. 'Die op- dracht heeft me zo veel opgeleverd dat ik zelf een van die huizen kon ko- pen. Aanstaande oktober woon ik er zevenendertig jaar. Heel veel men- sen hebben hun huis aan Drew Morrow te danken. En in het merendeel van die huizen heb ik de plees gezet.'

Nadat de twee gootstenen waren geplaatst, ging Cilla naar buiten om haar vader op te sporen. Ze had hem die ochtend van de steigers afge- houden, en hem bij de neus genomen door hem te vragen of hij haar een plezier wilde doen en de luiken van de ramen wilde schilderen.

Het leek erop dat hij het even leuk vond om met de verfspuit bezig te zijn als om twee hoog op de steiger te staan. 'Zullen we een pauze ne- men?' vroeg ze, en ze bood hem een fles water aan.

'Goed idee.' Hij wreef even over haar arm. 'Hoe gaat het nu met je?'

'Een stuk beter sinds ik weer aan het werk ben. En nog beter wanneer ik met een grote grijns op mijn gezicht naar mijn aanrechtbladen kijk. Er is me iets ingevallen toen ik aan het werk was met Buddy. Zijn vader en hij hebben hier klussen gedaan. Net als Dobby, overigens. Ik vraag me af wie hier nog meer werken die hier ook hebben gewerkt toen de boerderij nog van Janet was. Of mensen die ik niet heb ingehuurd of die nu met pensioen zijn. Misschien zijn ze kwaad omdat ik de boerderij renoveer. Dat is even idioot als Hennessy die me aanrijdt vanwege iets wat voor mijn geboorte is gebeurd.'

'Daar zou ik over na moeten denken. Ik was nog maar een tiener, Cilla. Ik kan niet zeggen dat ik daar veel aandacht aan heb besteed.'

Hij zette zijn hoed af en streek met zijn hand door zijn haar. 'Er waren natuurlijk wel hoveniers. De tuinen waren een echte bezienswaardigheid. Ik zal Charlie eens vragen of hij zich herinnert wie zij daar destijds voor heeft ingehuurd. Ik weet nog wel dat ze mensen in dienst had die je huismeesters zou kunnen noemen. Een echtpaar dat op het huis paste wanneer zij er niet was, en dat was nogal eens het geval. Zij zorgden ervoor dat de boerderij klaar was voor bewoning wanneer Janet werd verwacht. Iets in die geest. Meneer en mevrouw Jorganson. Ze zijn al jaren geleden overleden.'

'Wie hebben destijds het huis gestoffeerd, de elektriciteitsleidingen aangelegd en het verfwerk gedaan?'

'Dat kan Carl Kroger zijn geweest. Hij deed toentertijd veel klusjes. Ik zal eens navraag doen, maar ik weet dat hij een paar jaar geleden met pensioen is gegaan. Ik geloof dat hij naar Florida is verhuisd. Dat weet ik alleen omdat ik bij zijn dochter in de klas heb gezeten en omdat ik háár dochter heb lesgegeven. Ik kan me eigenlijk niet voorstellen dat Mary Beth Kroger, tegenwoordig heet ze Marks, jou zoiets zou aandoen.'

'Het is waarschijnlijk een stom idee. Gewoon een strohalm waar je je aan vastklampt.'

'Cilla, ik wil de zaken niet verergeren of je nog ongeruster maken dan je al bent, maar heb je er wel eens bij stilgestaan dat degene die dit doet, wie dat ook maar is, een wrok tegen jou koestert? Tegen jou persoonlijk en niet tegen jou als de kleindochter van Janet Hardy?'

'Maar waarom dan? Ik ben een ex-kindsterretje, een mislukte volwassen actrice die een paar matig verkopende cd's heeft uitgebracht. De enige banden die ik had met dit gebied waren met haar en met jou. Patty, Angie en jij waren letterlijk de enige mensen die ik kende toen ik hier kwam. En laten we eerlijk zijn, zo goed kende ik jullie nou ook weer niet. Ik heb een paar honderdduizend dollar in de plaatselijke economie gepompt. Ik kan me niet voorstellen dat iemand daar boos om is.'

'Je hebt gelijk. Ik weet dat je gelijk hebt. Het komt door de poppen. Dat is echt een rechtstreekse aanval op jou. Dit gaat verder dan vandalisme, Cilla. Het verminken van die poppen, het kind dat je was, lijkt veel persoonlijker dan de rest.'

Ze keek hem onderzoekend aan. 'Ben je hier om te schilderen of om mij in de gaten te houden?'

'Dat kan ik tegelijk doen. Tenminste, tot de school weer begint. De zomer is voorbijgevlogen,' zei hij langs haar heen kijkend. 'Ik zal het missen als ik hier straks minder vaak kan zijn. We zijn flink opgeschoten sinds juni.'

Jij en ik. Ze wist welke woorden hij niet hardop zei. 'Zeg dat wel. Ondanks alles is het de mooiste zomer van mijn leven.'

Ford keek toe terwijl Cilla de door haar vader geschilderde luiken voor de ramen aan de voorkant hing. De geur van verf hing in de lucht, samen met de geur van gras, hitte en anjers, die in een grote blauwe pot op de veranda stonden.

'Ik wil dit gewoon even afmaken. Je hoeft me niet zo in de gaten te houden.'

'Dat doe ik ook niet. Ik observeer je alleen maar. Het heeft iets heel bevredigends om zelf lekker te zitten op een zomerdag en te kijken naar iemand die hard aan het werk is.'

Ze wierp hem even een blik toe terwijl hij op zijn gemak zat te genieten. 'Weet je, ik kan je eigenlijk best leren hoe je een paar schroeven moet indraaien.'

'Waarom zou ik dat moeten leren als ik jou heb?'

'Die opmerking zal ik negeren aangezien je die mooie bloembak voor me hebt gekocht, en je hebt beloofd om straks steaks op de grill te leggen. Overigens wel op de grill die ik in elkaar heb gezet.'

'We hebben ook maïskolven en verse tomaten van het stalletje langs de weg. We gaan een feestmaal bereiden.'

Ze testte het luik, keek of het waterpas hing en ging toen verder met het volgende luik.

'Maar voor we dat doen,' vervolgde hij, 'moeten we eerst de wat vervelender zaken afhandelen. Ik ben vanochtend bij de Hennessy's langs geweest. Zij was er niet,' voegde hij eraan toe toen Cilla hem aankeek. 'Volgens haar buurvrouw is ze al een paar weken niet thuis geweest. Een theorie was dat ze naar Petersburg is verhuisd om dichter bij het ziekenhuis te kunnen zijn waar haar man is. Dat vermoeden bleek juist te zijn.'

'Hoe weet jij dat?'

'Ik heb de meest voor de hand liggende hotels en motels daar in de buurt gebeld. Ze staat ingeschreven bij de Holiday Inn Express.'

'Jeetje, jij bent een superspeurder,' reageerde ze.

'Ik heb de Seeker alle kneepjes van het vak geleerd. Of andersom. Maar goed, ik heb overwogen om erheen te rijden, maar dat leek me eigenlijk tijdverspilling. Het ligt hier meer dan honderdvijftig kilometer vandaan. Het is niet erg waarschijnlijk dat ze ruim driehonderd kilometer heeft gereden in het holst van de nacht om een pop in jouw brievenbus te zetten die zij door het hoofd heeft geschoten. Waarom zou ze zo ver uit de buurt gaan wonen als ze jou te grazen wilde nemen? Ze heeft immers een huis dat op twintig minuten afstand ligt.'

Hij wist hoe hij verbanden moest leggen, dacht Cilla. Hij maakte er panelen van die een logische lijn volgden. 'Ik vind het vreselijk dat dat hout snijdt, dat ik er de logica van inzie. Het zou makkelijker en eenvoudiger zijn als zij het is. Als ik dat niet meer kan geloven, moet het iemand anders zijn. Dan moet ik accepteren dat iemand anders me haat.'

Ze schoof haar pet naar achteren, en keek afwezig naar Spock die een van zijn katten besloop in de voortuin. 'Vandaag vroeg ik me af of het Buddy was omdat hij een van mijn grootmoeders liedjes floot. Toen dacht ik: hé, Buddy, ben jij toevallig ooit een wilde, hartstochtelijke affaire met mijn grootmoeder begonnen toen je op een avond een lek kwam repareren? Of heeft ze je toenaderingspogingen misschien zo cru afgewezen dat je mij nu kwaad wilt doen? Ik heb me hetzelfde afgevraagd bij Dobby terwijl ik heel goed weet dat hij er veel te oud voor is. Maar hij heeft een zoon, en die zoon heeft ook weer een zoon. Ik was vandaag zelfs verknipt genoeg om me af te vragen of de bijzonder vriendelijke Jack zijn tijd besteedt aan het schieten op mijn plastic beeltenis omdat er vijfendertig jaar geleden iets, wat dan ook, is gebeurd met Janet. Maar misschien had mijn vader ook wel gelijk toen hij zei dat er iemand kan zijn die een ziekelijke afkeer heeft van Katie en daarom wraak op mij wil nemen.'

'Denkt je vader dat je wordt bedreigd door iemand die een tv-personage haat?'

'Nee, niet helemaal. Hij opperde dat degene die hierachter zit een persoonlijke wrok tegen mij koestert. Maar dat slaat ook weer nergens op.' Ze zuchtte en liet de schroevendraaier zakken. 'En omdat het allemaal nergens op slaat, blijf ik in een kringetje ronddraaien en dat maakt me duizelig en boos. Daar komt nog bij dat ik hier over een paar dagen tientallen mensen over de vloer krijg. En als ik iemand de aardappelsalade aangeef, zal ik me afvragen of dat de dader is. Ik zal me afvragen of degene die me glimlachend bedankt voor de aardappelsalade misschien dezelfde is die me door het hoofd wil schieten.'

Hij kwam overeind en liep naar haar toe. 'Als jochie ben ik met enige regelmaat in elkaar geslagen, maar mijn moeder zei altijd dat ik daar sterk van werd. En dankzij die sterkte kan ik nu tegen jou zeggen dat niemand, echt niemand, jou iets zal doen wanneer ik in de buurt ben. Je kunt me op mijn woord geloven.'

'Tot nu toe is het niemands prioriteit geweest om te voorkomen dat ik gewond raak. Daarom geloof ik je. Ik heb nog nooit iemand gekend bij wie ik me zo veilig voel als bij jou, Ford.'

Hij kuste haar zacht, deed een stap achteruit en zei toen: 'Nou?'

'O, verdomme. Daar ben ik met open ogen ingetuind. Alsof ik je een seintje had gegeven.' Ze rukte zich los en raapte haar schroevendraaier op. 'Hoor eens, het is een lange dag geweest en ik heb geen zin om hier nu over te praten.'

Hij legde alleen zijn hand onder haar kin en hief haar gezicht op tot ze elkaar recht aankeken.

'Ik weet het niet. Ik weet het gewoon nog niet. Ik heb de lijstjes nog niet gemaakt.'

Hij wreef met zijn duim over haar kaak. 'Welke lijstjes?'

'Mijn lijstjes met voors en tegens. En ik waarschuw je: als je gaat doordrammen, zal ik een monoloog van tien minuten afratelen over de dingen die tegen pleiten. Niet alleen de redenen die ik al eerder heb opgesomd, maar nog veel meer.'

'Vertel me dan één van de dingen die voor pleit.' Zijn greep werd strakker toen ze haar hoofd schudde. 'Eentje maar.'

'Je houdt van me. Ik weet dat je van me houdt en ik weet dat je het meent. Ze noemen het niet voor niets "op iemand vallen". Het is het gestuntel dat daarna komt, als de roes van verliefdheid wegtrekt, en je je afvraagt waar je in vredesnaam mee bezig bent en je op zoek gaat naar een ontsnappingsmogelijkheid, wat het "niet meer verliefd zijn" zo vreselijk maakt. Bovendien is het geen praktisch voordeel,' hield ze vol terwijl hij alleen met een glimlach over haar kaak streelde. 'Een van ons tweeën moet praktisch zijn. Stel je voor dat ik ja zeg. Ja, laten we samen naar Vegas gaan, zoals mijn grootmoeder en mijn moeder ook hebben gedaan, en daar in de Chapel of Love trouwen. Wat zou er dan…'

'Dan zou ik zeggen: jij gaat pakken en ik boek de vlucht.'

'Doe niet zo belachelijk.' Ze probeerde geërgerd te zijn, maar haar zenuwen bleken haar nog steeds in de weg te zitten. 'Jij wilt echt geen afgezaagd bliksemhuwelijk in Vegas. Jij neemt dit serieus. Net zoals je je vriendschappen, je werk en je familie serieus neemt. Je neemt *StarWars* serieus, net als je afkeer van Jar Jar Binks…'

'Ja, jezus. Kom op, zeg, iedereen die…'

'Jij bent serieus,' ging ze verder voor hij in een tirade tegen Jar Jar kon uitbarsten, 'wat betreft het leven dat jij op je eigen voorwaarden wilt leiden. Het feit dat je gemakkelijk in de omgang bent verandert daar niets aan. Jij vraagt je serieus af welk soort kryptoniet dodelijker is voor Superman.'

'Dat is het klassieke, groene kryptoniet. Ik heb je toch verteld dat het goudkleurige kryptoniet de kracht van Kryptonbewoners voorgoed kan wegnemen? Maar…'

'Ford!'

'Sorry. Dat even terzijde. We hadden het over Vegas.'

'We gaan niet naar Vegas. God, je laat me helemaal duizelen. Je bent totaal niet praktisch. Je verliest de werkelijkheid uit het oog.'

'Zullen we die theorie eens op de proef nemen? Stel me maar een praktische vraag.'

'Goed, goed. Waar zouden we moeten wonen? Tossen we erom, vragen we het je Magic 8-ball? Of misschien kunnen we...'

'Jezus, Cilla, we zouden natuurlijk hier gaan wonen. Hier,' zei hij weer, en hij tikte met zijn knokkels tegen de muur van het huis.

Zijn onmiddellijke antwoord bracht haar uit haar evenwicht. 'Hoe moet het dan met jouw huis? Daar ben je gek op. Het is een geweldig huis. Alsof het pasklaar voor jou is gemaakt.'

'Ja, voor mij. Maar niet voor ons samen. Tuurlijk, ik hou ervan en er zit ook veel van mij in. Maar het blijft gewoon een huis voor mij. En Spock is overal gelukkig.' Hij keek om zich heen en zag nog net dat Spock een gehate, onzichtbare kat ving en hem vernietigde. 'Ik heb lang niet zo veel van mezelf in mijn huis gestopt als jij in dit huis. Dit is jouw thuis, Cilla. Ik heb gezien hoe je het hebt opgeknapt.' Hij raapte haar schroevendraaier op. 'Met meer dan alleen een schroevendraaier. Met veel meer dan gereedschap, spijkers en liters verf. Dit is jouw plek. Ik wil dat het onze plek wordt.'

'Maar...' Maar, maar, haar hoofd zat vol bedenkingen. 'En jouw atelier dan?'

'Ja, dat is een geweldige ruimte. Maar daar vind je vast wel wat op.' Hij gaf haar de schroevendraaier terug. 'Maak zo veel lijstjes als je wilt, Cilla. Liefde is groen kryptoniet. Het is sterker dan al het andere tezamen. Ik ga naar de achtertuin om de grill aan te maken.'

Ze bleef verdoofd achter met een stuk elektrisch gereedschap in haar hand terwijl de hordeur achter hem dichtsloeg. Ze dacht: wat? Is liefde kryptoniet? Zij vond er vast wel wat op?

Hoe kon ze een man begrijpen, laat staan met hem trouwen, die dacht zoals hij? Een man die dit soort dingen zei en daarna kalm wegliep om de barbecue op te stoken? Waar waren zijn boosheid, zijn onzekerheid en zijn ergernis? Hoe kon hij zeggen dat hij zijn huis zou opgeven en bij haar zou intrekken zonder erbij stil te staan waar hij moest gaan werken? Het was allemaal niet logisch. Het was gewoon niet logisch.

Maar als ze de privéfitnessruimte nou aan de zuidkant van het huis bouwde, een idee waarmee ze al eerder had gespeeld, dan kon ze er een verdieping op zetten en die in het bestaande huis laten overgaan. Niet recht, maar met een hoek om het wat interessanter te maken. Een steile wenteltrap zou een goed idee zijn en bovendien was het leuk om die te maken. Dat zou beide werkruimtes geheel gescheiden houden en het zou hun allebei privacy geven. Daar kwam nog bij dat het atelier op het zuiden lag waardoor het prachtig licht zou hebben. Daarna kon ze…

Allemachtig, dacht ze. Ze had er iets op gevonden en het was nog een verdomd goed idee ook. Ze legde de schroevendraaier neer en beende naar de veranda. Spock, die zijn quotum onzichtbare katten had gedood, kwam eraan getrippeld en liep met haar mee.

Haar idee zou niet alleen harmonieus samensmelten met het bestaande huis, maar zou het ook nog eens verbeteren. De lijn van het dak zou onderbroken worden en een schattig balkonnetje zou het helemaal af maken. Hoge ramen, waar je ook door naar binnen kon gaan.

Verdomme, verdomme, verdomme. Ze zag het helemaal voor zich, en ze wilde het hebben. Ze banjerde de treden af en liep om de zuidkant van het huis naar achteren terwijl Spock vrolijk achter haar aan sprong. O ja, ja. Het was niet alleen te verwezenlijken, dacht ze, opeens leek het huis erom te smeken.

Ze stak haar handen diep in haar zakken en haar vingers stootten op het doosje met de ring. Kryptoniet, dacht ze terwijl ze het uit haar zak haalde. Dat was nou het probleem. Het grote probleem. Ze begreep hem wel degelijk. En wat pas echt eng was, maar tegelijkertijd ook geweldig, was dat hij haar begreep.

Hij vertrouwde haar. Hij geloofde in haar.

Toen ze naar de patio liep, had Ford de grote grill al aan het roken. Waarom wist ze niet, maar de maïskolven lagen met bladeren en al ondergedompeld in een grote kom water. Hij had de wijn mee naar buiten genomen. De geur van rozen, zoete erwten en jasmijn hing in de lucht terwijl hij haar een glas inschonk. Het zonlicht viel door de bomen heen en weerkaatste op de vijver waar Spock heen was gelopen om wat te drinken.

Heel even dacht ze aan de glamour die hier vroeger was geweest, aan de gekleurde lichten en de mooie mensen die zich als een wolk parfum over de gazons hadden verspreid. Daarna dacht ze aan hem, enkel aan hem. Hij stond op de stenen die ze zelf had helpen leggen en bood haar niet alleen een glas wijn aan, maar ook een leven waarvan ze nooit had gedacht het te zullen krijgen.

Ze ging naast hem staan met een hand in haar zak en nam een slok. 'Ik heb een paar vragen. De eerste is dat ik barst van nieuwsgierigheid waarom je de maïs verzuipt.'

'Mijn moeder zei dat het zo moest.'

'Oké. Als ik er iets op vind, hoe weet jij dan dat jij dat zou willen?'

'Als ik het niet wil,' zei hij terwijl hij verder ging met het gesprek alsof er helemaal geen onderbreking was geweest, 'dan ben ik prima in staat om nee te zeggen. Dat heb ik al heel jong geleerd, met uiteenlopende resultaten. Maar als we het over bouwen en ontwerpen hebben is de kans groot dat alles wat jij verzint goed zal werken.'

'De volgende vraag. Kan ik jou kwetsen?'

'Cilla, jij kunt mijn hart in bloederige stukjes uit mijn borstkas trekken.'

Dat begreep ze, en ze wist dat hij hetzelfde zou kunnen doen bij haar. Was dat niet bijzonder? Was dat geen wonder? 'Zo veel pijn zou ik Steve nooit hebben kunnen doen, en hij mij ook niet. Hoeveel we dan ook van elkaar hielden en nog steeds houden.'

'Cilla…'

'Wacht. Nog een vraagje. Heb je me gevraagd om die ring bij me te dragen omdat je hoopte dat die als kryptoniet zou werken en me langzaam maar zeker zou verzwakken tot ik erin zou toestemmen om met je te trouwen?'

Hij schuifelde wat heen en weer en nam nog een slok wijn. 'Dat heeft misschien wel meegespeeld.'

Met een knikje trok ze haar hand uit haar zak, en ze bestudeerde de fonkelende ring nauwkeurig. 'Kennelijk heeft het gewerkt.'

Zijn grijns flitste op, een kwikzilverachtige blijdschap. Maar toen hij naar haar toe liep, sloeg ze met een hand tegen zijn borstkas. 'Niet zo snel.'

'Maar ik wil je omhelzen.'

'Wacht. Wacht,' zei ze zacht. 'Alles wat ik eerder heb gezegd is waar. Ik heb me voorgenomen om nooit meer te trouwen. Waarom zou je dat hele proces moeten doorlopen wanneer de kansen zo in je nadeel zijn? Ik heb heel veel mislukkingen achter de rug. Soms was dat mijn eigen schuld en soms was het gewoon niet anders. Het huwelijk leek zo onnodig en zo moeilijk, zo vol met knopen die nooit helemaal ontward kunnen worden. Met Steve was het makkelijk. We waren vrienden en zouden dat altijd blijven. Hoeveel ik dan ook van hem hield, het was nooit moeilijk of beangstigend. We namen er allebei geen enkel risico mee.'

Ze kreeg een brok in haar keel van alle opborrelende emoties. Maar ze wilde – nee, ze moest – ook de rest kwijt. 'Met jou ligt het anders omdat we elkaar op een gegeven moment pijn zullen doen. Als dit misgaat, kunnen we geen vrienden blijven. Als dit misgaat, zal ik je de rest van mijn leven haten.'

'Ik denk dat ik jou dan nog meer zou haten.'

'Waarom had je nou echt niks beters kunnen zeggen? We gaan niet naar Vegas.'

'Oké, maar volgens mij laat je daar een mooie kans mee liggen. Hoe denk jij over huwelijken in de achtertuin?'

'Ik krijg het gevoel dat je dit al die tijd al van plan was.'

'Jij bent wat ik al die tijd al van plan was.'

Hoofdschuddend legde ze haar handen op zijn wangen. 'Ik wil dolgraag in de achtertuin trouwen. Ik wil dolgraag samen met jou in dit huis wonen. Ik begrijp niet dat iets wat ik zo eng vind me ook zo gelukkig maakt.'

Heel zacht drukte hij zijn lippen op de hare, en hij liet de kus voortduren in de geparfumeerde lucht terwijl de zonnestralen door de bomen schenen. 'Ik geloof in ons.' Hij kuste haar opnieuw en wiegde heen en weer met haar. 'Jij bent de enige met wie ik kan dansen.'

Ze legde haar hoofd op zijn schouder en deed haar ogen dicht.

De Little Farm
1973

'Ik geloof in de liefde,' zei Janet terwijl ze achterover leunde tegen de witte, satijnen kussens op de lippenstiftroze bank. 'Waarom zou ik me er anders zo vaak in hebben gestort? Het duurde nooit lang, en dan brak mijn hart of het sloot zich. Maar ik heb mijn hart altijd weer opengesteld. Steeds opnieuw. Dat weet je best. Jij kent alle boeken, je hebt alle verhalen gehoord en je hebt de brieven gelezen. Jij hebt de brieven, dus je weet dat ik tot op het laatst heb liefgehad.'

'Het heeft je nooit gelukkig gemaakt. Niet het soort geluk dat blijvend is.' Cilla zat in kleermakerszit op de grond en sorteerde foto's. 'Deze foto is genomen op de dag dat je met Frankie Bennett bent getrouwd. Je lijkt zo jong en gelukkig. Maar het is kapotgegaan.'

'Het ging hem meer om de filmster dan om de vrouw erachter. Dat was een les die ik moest leren. Maar hij heeft me Johnnie geschonken. Mijn mooie jongetje. Johnnie is nu overleden. Ik heb mijn mooie jongetje verloren. Het is al een jaar geleden en ik wacht nog steeds tot hij thuis zal komen. Misschien wordt dit ook een jongetje.'

Ze legde een hand op haar buik en pakte haar borrelglas, en ze schudde de ijsklontjes die de wodka verkoelden.

'Je moet eigenlijk niet drinken als je zwanger bent.'

Janet haalde haar schouders op en nam een slok. 'In mijn tijd deden ze daar nog niet zo moeilijk over. En trouwens, binnenkort ben ik toch dood. Wat ga je met al die foto's doen?'

'Dat weet ik niet. Ik denk dat ik de mooiste in ga lijsten. Ik wil dat er foto's van jou in het huis staan. Vooral foto's van jou bij de boerderij. Daar was je gelukkig.'

'Ik ben er intens gelukkig geweest, maar ook diepbedroefd. Ik heb Carlos Chavez, mijn derde echtgenoot, in deze kamer verteld dat hij zijn biezen kon pakken. We hadden een venijnige ruzie, bijna hartstochtelijk genoeg om te overwegen hem terug te nemen. Maar ik had er genoeg van. Hij vond het hier vreselijk. "Janet," zei hij dan met dat accent van een Spaanse stierenvechter waar ik in eerste instantie voor was gevallen, "waarom moeten we hier zo ver bij de bewoonde wereld vandaan kamperen? Er is hier in de wijde omtrek geen fatsoenlijk restaurant te vinden." Carlos kon de liefde bedrijven als een koning,' voegde ze eraan toe, en ze hief haar glas op. 'Maar buiten het bed verveelde hij me dood. Het probleem was dat we niet genoeg tijd buiten het bed hadden doorgebracht voor ik met hem ben getrouwd. Seks is een slechte reden om met iemand te trouwen.'

'Ik verveel me geen moment bij Ford. Hij heeft een godin van me gemaakt en toch, als hij me aankijkt, ziet hij me zoals ik ben. Te veel mannen hebben jou niet gezien zoals je was.'

'Op een gegeven moment wist ik zelf niet meer wie ik was.'

'Maar in de brieven, de brieven die je hebt bewaard, noemde hij je Trudy.'

'De laatste liefde, de laatste kans. Dat kon ik toen onmogelijk weten. Of misschien wist een deel van me het wel. Misschien wilde ik liefhebben en worden bemind door wat ik had verloren of wat ik had opgegeven. Heel even kon ik weer Trudy zijn.' Ze streelde met haar vingers over een van de witte kussens. 'Maar dat was ook een illusie, ik kon haar nooit meer terugkrijgen en hij heeft Trudy nooit gezien.'

'De laatste kans,' zei Cilla met de foto's om zich heen terwijl Janet op de felroze bank zat. 'Waarom was het je laatste kans? Je was je zoon verloren, een afschuwelijke en tragische gebeurtenis. Maar je had ook een dochter die jou nodig had. En je droeg een kind in je. Je hebt je dochter in de steek gelaten, iets wat haar haar hele leven heeft gekweld, en ik denk dat het mij ook heeft achtervolgd. Je hebt haar in de steek gelaten en door een einde te maken aan je leven heb je ook een einde gemaakt aan het kind dat je droeg. Waarom heb je dat gedaan?'

Janet nipte van haar drankje. 'Als er iets is wat je voor mij kunt doen, dan is het die vraag beantwoorden.'

'Hoe dan?'

'Alle informatie die je nodig hebt, heb je al. Verdomme nog aan toe, het is jouw droom. Je moet wel opletten, hoor.'

29

Het was waanzin. Ze moest wel gek zijn om een feestje te geven. Ze had geen meubels, borden of een opscheplepel. Het duurde nog minstens drie weken voor haar fornuis en koelkast zouden worden bezorgd. Ze had verdorie niet eens een kleed. Het enige wat ze had was een setje tuinmeubelen, een paar goedkope plastic stoelen en een hele verzameling lege specie-emmers. Haar kookgerei beperkte zich tot een Weber-grill, een warmhoudplaatje en een magnetron.

Wel had ze genoeg voorraad. Een miljoen feestelijke papieren bordjes, servetjes, plastic bekertjes, vorken en messen. Ook was er zo veel eten – waarvan ze niet wist hoe ze het moest klaarmaken – in Fords koelkast gepropt dat ze bijna het hele district te eten kon geven. Maar waar moesten de mensen zitten?

'Aan de picknicktafels die mijn vader, jouw vader en Matt zullen meenemen,' zei Ford tegen haar. 'Kom nou weer in bed.'

'Maar stel dat het gaat regenen?'

'Dat is niet voorspeld. Er is dertig procent kans op hagel en een sprinkhanenplaag, en tien procent kans op aardbevingen. Cilla het is zes uur 's ochtends.'

'Ik moet de kip gaan marineren.'

'Nu?'

'Nee. Dat weet ik niet. Ik moet mijn lijstje erbij pakken. Ik heb alles opgeschreven. Ik heb gezegd dat ik een krabdip zou maken. Ik weet niet waarom ik dat heb gezegd. Ik heb nog nooit krabdip gemaakt. Waarom heb ik dat spul niet gewoon gekocht? Wat probeer ik nou te bewijzen? En dan is er nog de pastasalade.' Ze hoorde de agitatie in haar tirade, maar ze kon niet ophouden. 'Ik heb gezegd dat ik die ook zou maken. Jarenlang pastasalade eten wil nog niet zeggen dat je het kunt klaarmaken. Ik ben de afgelopen jaren af en toe bij een dokter geweest, maar wat is de volgende stap? Dat ik mensen ga opereren?'

Hoewel hij zwaar in de verleiding kwam, trok hij het kussen niet over zijn hoofd. 'Schiet je voortaan elke keer dat je een feestje geeft zo in de stress?'

'Reken maar.'

'Fijn dat ik het weet. Kom weer in bed.'

'Helemaal niet. Zie je dan niet dat ik al in de kleren ben? Ik ben aangekleed en ik loop te ijsberen en ik kan maar aan één ding denken: dat ik het moment wil uitstellen dat ik naar beneden moet om die kip het hoofd te bieden.'

'Nou goed dan.' Hij ging overeind zitten en streek zijn haar achterover. 'Heb jij gisteren ja gezegd tegen mijn aanzoek?'

'Kennelijk wel.'

'Dan gaan we samen naar beneden om die kip het hoofd te bieden.'

'Echt waar? Wil je dat voor me doen?'

'Ik zal de krabdip en de pastasalade met je klaarmaken. Zover gaat mijn liefde voor jou. Ook al is het pas zes uur 's ochtends.' Spock kwam overeind, geeuwde en rekte zich uit. 'Kennelijk gaat zijn liefde ook zover. Cilla, als we dan toch mensen gaan vergiftigen, dan doen we het samen.'

'Ik voel me nu al een stuk beter. Ik weet heus wel wanneer ik me aanstel.' Ze liep naar hem toe, boog zich voorover en drukte een kus op zijn nog slaperige mond. 'En ik weet dat ik bof met iemand die me door dik en dun bijstaat tot en met de krabdip toe.'

'Ik vind krabdip niet eens lekker. Waarom eten mensen zulke dingen?' Hij gaf een rukje aan haar, trok haar toen op bed en ging op haar liggen. 'Er wordt van de gekste dingen dipsaus gemaakt. Dipsaus met spinazie, dipsaus met artisjok. Heb je je ooit afgevraagd waarom?'

'Nee, eigenlijk niet.'

'Waarom zijn ze niet tevreden met wat smeerkaas op een cracker? Eenvoudige, maar klassieke kost.'

'Je kunt me niet afleiden met smeerkaas op een cracker.' Ze duwde hem van zich af. 'Ik ga naar beneden.' Ze trok haar blouse weer recht. 'Ik ben er klaar voor.'

Al met al bleek het helemaal niet afschuwelijk of intimiderend te zijn, ontdekte Cilla. Niet met een partner. Vooral wanneer die partner er net zo weinig verstand van had als zij. Het was bijna leuk. Met wat oefening en wat meer ervaring zou pasta koken of knoflook persen best eens echt leuk kunnen worden in plaats van bijna, dacht ze.

'Ik heb vannacht over Janet gedroomd,' zei ze tegen hem.

'Waarom hebben ze de eenvoudige tomaat in zo veel verschillende formaten?' Hij hield een grote vleestomaat en een handjevol cherrytomaten omhoog. 'Is dat iets wetenschappelijks? Is het de natuur? Daar moet ik nog eens onderzoek naar doen. Waar ging je droom over?'

'Ik denk dat hij over liefde ging, althans, op een bepaald niveau. En mijn onderbewuste probeerde te onderzoeken wat die droom betekende. Of wat hij voor haar betekende. We waren in de woonkamer van de boerderij. De muren waren mijn muren, ik bedoel dat de ruimte van mij was, de kleur van de verf. Zij zat op die felroze bank. Ik had de foto's uitgespreid op de glanzende, witte salontafel. Foto's waar ik de hand op had weten te leggen, de foto's die je grootvader heeft genomen, foto's waarvan ik denk dat ik ze wel eens in boeken heb gezien. Het waren er honderden. Ze dronk wodka uit een whiskyglas. Ze zei dat het een jaar geleden was dat Johnnie was gestorven en dat ze hoopte dat deze baby een jongetje zou zijn. Ze zei dat het haar laatste kans was. Haar laatste liefde, haar laatste kans.

Het is zo vreemd. Ze wist dat ze binnenkort zou sterven. Omdat ik het wist. Ik heb haar gevraagd waarom ze het had gedaan. Waarom ze die laatste kans had laten schieten en er vervolgens een eind aan had gemaakt.'

'Wat zei ze?'

'Dat ik die vraag voor haar moest zien te beantwoorden. Ze zei ook dat ik alle informatie al had, maar dat ik niet oplette. Daarom ben ik gefrustreerd wakker geworden, want zoals zij al zei, was het mijn droom. Als ik dan al iets weet, waarom wéét ik het dan niet?'

Ford wijdde zich aan zijn taak: het snijden van de vleestomaat. 'Is het te moeilijk om te aanvaarden dat ze misschien te verdrietig was, te diep in de put zat, en dat dit voor haar de enige uitweg was om een einde aan de pijn te maken?'

'Nee. Maar ik kan mezelf er ook niet echt van overtuigen. Dat heb ik nooit helemaal gekund of ik heb het nooit helemaal gewild. En sinds ik hier ben en aan het huis werk, ben ik er steeds minder in gaan geloven en wil ik dat ook steeds minder,' gaf Cilla toe. 'Ze heeft hier iets gevonden. Denk maar aan alles wat ze heeft genomen en weer heeft moeten loslaten: mannen, huwelijken, huizen en bezittingen. Ze stond erom bekend dat ze dingen aanschafte en vervolgens weer wegdeed. Maar dit huis heeft ze aangehouden, sterker nog, ze heeft het zo geregeld dat het ook nog lang na haar dood in de familie zou blijven. Hier heeft ze iets gevonden waar ze behoefte aan had, iets wat haar tevredenstelde.'

Ze keek door het raam en zag Spock zijn ochtendronde maken. 'Ze had hier een hond,' mompelde Cilla. 'En een oude jeep. Een fornuis en een koelkast die toen al ouderwets waren. Ik denk dat deze plek op een bepaalde manier echt voor haar was. De rest was dat niet. Voor de slimmeriken is het gewoon werk. Een goede baan. Roem kan een nevenproduct zijn, maar het is vergankelijk en wispelturig en een groot deel ervan is een illusie. Die illusie had ze hier niet nodig.'

'En doordat ze hier verliefd is geworden, werd het nog echter?'

Ze keek hem aan en was dankbaar dat hij haar gedachtegang volgde. 'Dat lijkt wel logisch, hè? Het ergste wat haar ooit is overkomen, is hier gebeurd toen Johnnie omkwam. Dat was een onontkoombaar feit. Maar ze is telkens terug blijven komen en dan moest ze dat feit onder ogen zien. Ze heeft het huis niet laten dichtspijkeren of te koop gezet. Hij noemde haar Trudy en zij wilde dolgraag geloven dat dat de vrouw was van wie hij hield. Ik geloof dat ze die laatste kans met twee handen wilde aangrijpen. Ik denk dat ze het kind wilde, Ford. Ze had al een kind verloren. Hoe had ze zoiets dan kunnen doen? Waarom zou ze zelfmoord hebben gepleegd als ze zich daarmee de kans op een ander kind ontzegde?'

'En als ze besefte dat die man juist niet van Trudy hield, dat het de zoveelste illusie was?'

'Mannen komen en gaan. Dat is altijd zo geweest bij haar. Ik denk dat ik me dat door de droom van afgelopen nacht heb herinnerd en er vrede mee heb gesloten. Haar enige ware liefde was Johnnie. En haar werk. Ze hield hartstochtelijk van het werk. Maar Johnnie was van haar. Mijn moeder heeft dat altijd geweten. Ze heeft altijd geweten dat ze niet helemaal aan hem kon tippen. De laatste liefde, de laatste kans? Volgens mij was het kind dat voor haar. Ik kan eenvoudigweg niet geloven dat ze zelfmoord heeft gepleegd vanwege een mislukte affaire.'

'Je zei dat ze aan het drinken was in je droom. Wodka.'

'Haar vaste drankje.' Toen de kookwekker afliep, pakte Cilla de pan met pasta en liep ermee naar de gootsteen om de pasta af te gieten in een gereedstaand vergiet. 'Maar er kwamen geen pillen voor in mijn droom.'

Ze bleef even staan terwijl ze naar de opstijgende waterdamp keek. 'Waar waren de pillen, Ford? Ik kom steeds weer uit bij die brieven en de boosheid die uit de laatste paar brieven sprak. Hij wilde niet dat ze in dit huis zat. Ze vormde een bedreiging voor hem, een onvoorspelbare, wanhopige vrouw die in verwachting was van zijn kind. Maar zij wilde er geen afstand van doen, niet van het huis, niet van het kind en niet van de laatste kans. Dus heeft hij haar die afgenomen. Daar kom ik telkens weer bij uit.'

'Als je gelijk hebt, is de volgende stap dat we dat moeten bewijzen. We hebben al geprobeerd om erachter te komen wie die brieven heeft geschreven. Ik weet niet hoeveel andere richtingen we nog op kunnen.'

'Ik heb het gevoel alsof… alsof we de juiste richting al hebben gevonden of er al dicht in de buurt zijn geweest, maar toen iets over het hoofd hebben gezien wat vlak voor onze neus lag. Maar kennelijk heb ik toen even niet goed opgelet en daardoor hebben we de aanwijzing gemist.'

Ze draaide zich om. 'Dit is mijn werkelijkheid nu, Ford. Jij, jij en de boerderij en dit leven. Dankzij haar heb ik dat gevonden en kan ik het voor mezelf nemen. Daarvoor sta ik bij haar in het krijt. En ik ben haar te veel verschuldigd om het goed te maken door wat rozen te planten en planken te timmeren en in de verf te zetten. Te veel om alleen dit huis weer tot leven te wekken als eerbetoon. Ik ben haar de waarheid schuldig.'

'Wat je hebt gevonden en wat je hebt genomen, is misschien met haar begonnen. En als je de waarheid wilt achterhalen, zal ik doen wat ik kan om je daarbij te helpen. Maar wat je met de boerderij hebt gedaan, is meer dan een eerbetoon aan Janet Hardy. Het is een eerbetoon aan jezelf, Cilla: wat jij allemaal kunt en waar jij voor wilt werken, wat je bereid bent te geven. De muren in de droom waren van jou.'

'En ik heb nog niks in de kamers gezet. Ik praat er dan wel over, maar ik zet de stap niet. Geen stoel, geen tafel, behalve dan de meubels die ik nodig had voor Steve. Dat is iets wat ik dat nog moet rechtzetten.'

Daar had hij op gewacht. Hij had gewacht tot ze die stap zou zetten. 'Ik heb een huis dat vol spullen staat. Dat is een mooie aanleiding om daar dingen uit te kiezen.'

Ze liep naar hem toe en sloeg haar armen om zijn hals. 'Ik kies jou. Ik kies de man die om zeven uur 's ochtends tomaten met me staat te snijden omdat ik gek ben. De man die niet alleen belooft om me te helpen, maar dat ook werkelijk doet. De man die mij laat inzien dat ik heb geboft omdat ik de eerste vrouw in drie generaties Hardy's ben die verliefd is geworden op een man die me begrijpt. We gaan iets uitkiezen en naar de overkant van de weg brengen. Dan zetten we dat in het huis, zodat het niet van haar en niet van mij is. Dan is het van ons.'

'Ik stem voor het bed.'

Ze grijnsde even. 'Afgesproken.'

Het was natuurlijk belachelijk dat twee mensen die voorbereidingen troffen voor een feestje ineens ophielden met hun werk om een bed te demonteren, het frame, hoofdeinde, voeteneinde, matras, boxspring en beddengoed naar beneden te brengen en alles in de pick-up te laden en naar de andere kant van de weg te rijden met een hond op sleeptouw en daar alles in omgekeerde volgorde te doen.

Maar voor Cilla was het niet alleen symbolisch, het werkte ook nog therapeutisch.

Al was Fords voorstel om het bed op zijn nieuwe plek uit te proberen net iets te veel van het goede.

Vanavond, had ze tegen hem gezegd. Beloofd.

Nu was het hun kamer, dacht ze, terwijl ze de kussens opklopte. Hun kamer, hun bed, hun huis. Hun leven.

Ze zou zeker foto's van Janet in het huis neerzetten zoals ze in haar droom had gezegd. Maar er zouden ook andere foto's komen. Foto's van haar en Ford, van vrienden en familie. Ze zou aan haar vader vragen of hij nog foto's van zijn ouders of van zijn grootouders had die ze kon nabestellen. Ze zou de oude schommelstoel die op zolder had gestaan repareren en opnieuw in de lak zetten, en ze zou vrolijk servies kopen en Fords fijne grote bank in hun woonkamer neerzetten.

Ze zou ervoor zorgen dat ze het verleden niet vergat en bouwen aan een toekomst. Was dat niet altijd het doel geweest? En ze zou blijven zoeken naar de waarheid. Voor Janet, voor haar moeder en voor haarzelf.

In Fords huis kneep ze er even tussenuit en glipte naar buiten om Dilly in New York te bellen.

'Mam.'

'Cilla, het is nog maar negen uur 's ochtends. Je weet toch dat ik mijn slaap hard nodig heb? Ik heb vanavond een optreden.'

'Dat weet ik. Ik heb recensies gelezen. "Bedelia Hardy viert triomfen met haar volwassen en gepolijste optreden." Gefeliciteerd.'

'Nou, dat "volwassen" hadden ze van mij niet hoeven schrijven.'

'Ik ben vreselijk trots op je en ik kijk al uit naar je triomfen in Washington over een paar weken.'

Na een korte stilte zei Dilly: 'Bedankt, Cilla. Ik ben sprakeloos.'

En toen haar moeder vervolgens een heel verhaal afstak over het harde werken, de drie toegiften, het teruggeroepen worden op toneel en de bloemenzee in haar kleedkamer, luisterde Cilla glimlachend naar haar. Dilly zat nooit lang om woorden verlegen.

'Ik ben natuurlijk volledig uitgeput. Maar op een of andere manier vind ik de energie wanneer ik die het hardst nodig heb. En Mario zorgt heel goed voor me.'

'Daar ben ik blij om. Mam, Ford en ik gaan trouwen.'

'Wie?'

'Ford, mam. Je hebt hem ontmoet toen je hier was.'

'Je kunt niet van me verwachten dat ik me iedereen kan herinneren die ik ontmoet. Die lange? De buurman?'

'Hij is lang en hij woont aan de overkant van de weg.'

'Wanneer is dit allemaal gebeurd?' wilde Dilly weten terwijl er humeurigheid in haar stem doorklonk. 'Waarom ga je met hem trouwen? Als je weer terugkomt naar Los Angeles…'

'Mam, luister nou even. Luister naar me en zeg niets tot ik ben uitgesproken. Ik ga niet terug naar Los Angeles. Ik ga niet meer in de showbizz werken.'

'Je…'

'Alleen even luisteren. Dit is nu mijn thuis en ik ben bezig om hier mijn leven op te bouwen. Ik ben verliefd op een geweldige man die ook van mij houdt. Ik ben gelukkig. Ik ben op dit moment net zo gelukkig als jij bent wanneer je in de schijnwerpers staat. Je moet één ding voor me doen. Eén dingetje maar, voor deze ene keer. Of je het nu meent of niet, ik wil dat je zegt: "Ik ben blij voor je, Cilla."'

'Ik ben blij voor je, Cilla.'

'Dank je wel.'

'Ik ben echt blij voor je. Ik begrijp alleen niet waarom…'

'Dat is genoeg, mam. Wees gewoon blij voor me. Je hoeft het niet te begrijpen. Ik zie je over een paar weken.'

Dat is genoeg, dacht Cilla opnieuw. Misschien zou er op een dag meer zijn, maar misschien ook niet. Dus zo was het genoeg.

Ze liep het huis weer in, naar Ford.

De versterkingen arriveerden met borden en schalen, tafels en kilo's ijs. Penny stuurde Ford weg om bij de boerderij te helpen met uitladen voor ze met Patty de keuken in liep waar Cilla stond te zwoegen op een pastasalade.

'Iemand moet het proeven. Ford en ik zijn emotioneel te erg bij de pasta betrokken. Wij zijn niet meer objectief.'

'Wat ziet hij er mooi uit,' riep Patty. 'Is dat geen prachtige salade, Pen?'

Maar Penny had met haar adelaarsblik Cilla's ring in minder dan drie seconden gezien en ze pakte Cilla's hand stevig vast. 'Wanneer?'

'Gisteravond.'

'Wat? Wat heb ik gemist? O, god. Is dat wat ik denk dat het is? Echt waar? O, laat me eens kijken.' Patty kwam ook dichterbij en bekeek de ring. 'O, wat mooi. Wat verschrikkelijk mooi. Ik ben zo blij. Ik ben zo blij voor jullie twee.'

Er hoeft hier bepaald niet gesouffleerd te worden vanuit de coulissen, dacht Cilla terwijl Patty haar armen om haar heen sloeg en hen van de ene naar de andere kant wiegde.

'Het heeft gelukkig niet lang geduurd voor je bij je verstand was. Laat mij even, Patty. Ze wordt mijn schoondochter.' Penny duwde Patty zachtjes opzij en nam haar plaats in om Cilla te omhelzen. 'Hij is echt een fantastische vent.'

'Alleen het beste is goed genoeg.'

'Ik weet vrijwel zeker dat je hem bijna verdient.' Penny deed glimlachend en met vochtige ogen een stap achteruit. 'Ze zullen vast prachtige kleinkinderen maken, hè, Patty?'

'Nou, eh…'

'Daar zullen we nu nog niet om zeuren. Niet al te erg, althans,' voegde Patty eraan toe. 'Eerst mogen we zeuren over de bruiloft. Hebben jullie al een datum geprikt?'

'Nee, niet echt. We hebben alleen maar…'

'Het is te laat om nog voordeel te hebben van het najaar. Over zes weken zijn de herfstkleuren op hun mooist. En er moet nog ontzettend veel geregeld worden.'

'We dachten zelf aan een bruiloft in de open lucht op de boerderij. Iets eenvoudigs,' begon Cilla.

'Ideaal.' Patty begon op haar vingers af te tellen. 'In mei. Begin mei, vind je ook niet? Mei is zo'n mooie maand, en dat geeft ons voldoende tijd om alle details te regelen. De trouwjurk is het allerbelangrijkste. Eerst komt de bruidsjurk en daar wordt alles omheen gebouwd. We moeten gaan winkelen. Ik sta gewoon te popelen!' Patty vloog Cilla opnieuw om de hals.

'Kapitein Morrow meldt zich bij de voorbereiding,' zei Cathy terwijl ze beladen met tassen binnenkwam. 'Wat is hier aan de hand? Hebben jullie allemaal uien staan snijden?'

'Nee.' Patty wreef haar tranen weg. 'Cilla en Ford gaan trouwen.'

'O!' Cathy gooide de tassen op een hoop op het aanrecht en zette er snel eentje rechtop om te voorkomen dat de inhoud eruit viel. Met een stralende glimlach draaide ze zich om. 'Gefeliciteerd. Wanneer is de grote dag?'

'In mei, denken we,' zei Patty tegen haar. 'Dat dachten we toch? O, hemel. Ze wordt vast de mooiste bruid die er is. Een bruiloft in de buitenlucht op de boerderij. Is dat geen geweldig idee? Stel je eens voor hoe de tuin er volgend jaar mei uitziet.'

'Het wordt het hoogtepunt van het jaar. Iets eenvoudigs,' voegde Penny eraan toe. Bij het zien van de schittering in haar ogen, vermoedde Cilla dat Penny en zij iets anders verstonden onder 'eenvoudig'. 'Laten we gewoon zeggen dat het dé gebeurtenis van het jaar wordt.'

'Jullie tweeën maken die meid nog bang.' Cathy sloeg een arm om Cilla heen en zei toen lachend: 'Voor je het weet vlucht ze de bergen in.'

'Nee, hoor, ik blijf hier. Dit is leuk,' zei Cilla. 'Het wordt dé gebeurtenis van het jaar maar dan op een eenvoudige manier.'

'Precies.' Cathy kneep even in Cilla's schouder. 'Goed, dames, als we niet snel aan het werk gaan, dan zijn er straks een heleboel hongerige mensen en wordt dit dé ramp van het jaar.'

Het was veel gemakkelijker dan ze zich had voorgesteld en ook nog eens verbazend bevredigend. In de namiddagszon hadden zich tientallen mensen over het terrein verspreid. Ze zaten aan geleende picknicktafels, op de trappen of aan opvouwbare kaarttafels op de veranda. Ze aten en dronken en bewonderden het huis en de tuin. Niemand leek zich zorgen te maken over het gebrek aan meubilair en formaliteit.

Ze keek naar Dobby die in een tuinstoel zat die hij zelf had meegenomen en zich te goed deed aan haar pastasalade en voelde een belachelijke vlaag van trots. Haar huis mocht dan nog niet af zijn, dacht ze, maar het was meer dan klaar om gasten te verwelkomen.

Ze ging bij Gavin staan die de hamburgers op de grill omkeerde. 'Waarom ben jij met het koken opgezadeld?' vroeg ze.

'Dan kan Ford even pauze nemen,' zei hij terwijl hij Cilla een glimlach toewierp. 'Ik oefen alvast om schoonvader te worden. Het is een mooi feest, Cilla. Het is fijn dat er hier weer een feest wordt gegeven.'

'Ik beschouw het als het eerste jaarlijkse Labor Day-feest op de boerderij. Volgend jaar wordt het nog mooier.'

'Leuk dat je dat zo zegt. Volgend jaar.'

'Ik voel me hier helemaal op mijn plaats, al moet er nog een heleboel gebeuren. En er is ook nog een heleboel waar ik achter moet komen.' Ze haalde diep adem. 'Ik heb mama vanochtend gesproken.'

'Hoe gaat het met haar?'

'Volgens de recensies is ze volwassen, gepolijst en viert ze triomfen. Het zal moeilijk voor haar zijn om naar de bruiloft te komen op de boerderij. Ze komt wel, maar het zal moeilijk voor haar zijn. Geldt dat ook voor jou?'

'Hoe bedoel je?'

'Dat zij hier is tijdens de plechtigheid, de bruiloft.'

'Helemaal niet.' De oprechte verbazing in zijn stem troostte haar. 'Ik heb niet alleen slechte tijden met haar beleefd, Cilla. Er moest een eind aan komen zodat ik kon bereiken wat ik heb bereikt en vermoedelijk ook zodat je moeder volwassen kon worden, zich kon ontplooien en triomfen kon vieren.'

'Dan hoef ik me daar gelukkig geen zorgen meer over te maken. Ik wil hier graag trouwen. Het is nu ons plekje, van Ford en van mij. En ik vind het fijn om te weten dat mijn ouders elkaar daar voor het eerst hebben gekust. Dat mijn grootmoeder door de tuinen heeft gelopen, maar ook dat jouw grootvader die velden heeft geploegd. Het werkt allemaal door. Dat is precies wat ik mijn hele leven heb gewild. Kijk nou eens naar dat huis,' mompelde ze.

'Het heeft er nog nooit zo mooi en echt uitgezien als nu.'

'Dat wil ik ook; dat het mooi en echt is. Ben jij hier nog wel eens geweest na Johnnies dood?'

'Een paar keer. Ze leek het leuk te vinden om me te zien. De laatste keer dat ik haar heb bezocht was een paar maanden voor haar dood. Ik deed wat amateurtoneel in Richmond. Mijn vader was ziek, daarom ging ik naar hem toe. Toen ik hoorde dat zij hier was, ben ik bij haar op bezoek gegaan. Het leek beter met haar te gaan of ze deed heel erg haar best om beter te worden. We hebben het natuurlijk over hem gehad. Volgens mij dacht ze continu aan hem. Ze had niemand meegenomen, niet zoals daarvoor toen het huis altijd vol mensen leek te zijn. We hebben ongeveer een uur met elkaar zitten praten in de woonkamer.'

'Op de bank met de kussens van wit satijn,' voegde Cilla eraan toe.

'Ja.' Hij lachte een beetje. 'Hoe weet jij dat?'

'Ik heb erover gehoord. Erg Doris Day.'

'Ja, eigenlijk wel. Ik moet er iets over hebben gezegd, want ik weet nog dat ze vertelde dat ze weer heldere kleuren in het huis wilde hebben. Het was tijd voor iets nieuws en iets helders, daarom had ze die bank helemaal vanuit Los Angeles laten bezorgen.'

Hij prikte in de kip op de grill en draaide een hamburger om. 'Ze is de volgende dag teruggegaan en ik ben zelf voor de rest van de zomer naar Richmond gegaan. Dus dat moet de laatste keer zijn geweest dat ik haar heb gezien. Eigenlijk is dat wel een mooi beeld. Janet die op die roze Hollywood-bank zit terwijl haar hond onder de koffietafel ligt te snurken.'

'Ik vraag me af of ik een foto van haar heb waarop ze op de bank zit. Fords grootvader heeft me vreselijk veel foto's gegeven. Die moet ik nog eens goed bekijken. Als ik er een kan vinden, zal ik jou een afdruk geven. Zeg, geef dat grote bord maar aan mij.' Ze pakte het bord aan waar Gavin een stapel hamburgers, hot dogs en gegrilde kip op had gelegd. 'Ik lever dit wel even af bij de afdeling carnivoren en daarna ga ik op zoek naar Ford.'

Ze liep tussen de menigte in de achtertuin door, om de mensen op de veranda heen en ging vervolgens de keuken in. Aan de stapel lege en afgewassen borden zag ze dat Patty of Penny hier net nog was geweest. Dat bezorgde haar een licht schuldgevoel, daarom besloot ze om de twee borden die ze bij zich had af te wassen in plaats van ze alleen in de gootsteen te zetten.

Het gaf haar een fijn gevoel om door het keukenraam naar buiten te kijken terwijl ze de borden afwaste. Even een momentje voor zichzelf. Haar vader stond nog steeds bij de grill, maar hij had gezelschap gekregen van Fords vader en Brian. Buddy en zijn vrouw zaten samen met Tom en Cathy aan een picknicktafel en Patty bleef even bij ze staan om een praatje te maken. Matt gooide een bal naar zijn zoontje terwijl Josie toekeek met de baby op haar arm.

Penny had gelijk, dacht Cilla met een lachje. Ford en zij zouden prachtige kinderen krijgen. Dat was iets om over na te denken.

Toen de telefoon ging die ze in de houder had gezet om op te laden, nam ze nog altijd glimlachend op. 'Met Cilla. Waarom ben jij niet hier?'

'Spreek ik met mevrouw McGowan?'

'Ja. Mijn excuses.'

'U spreekt met rechercheur Wilson. Ik heb nieuws voor u.'

Toen Ford via de voorkant binnenkwam, zag hij dat ze bij de gootsteen naar buiten stond te kijken. 'Kijk ons nou eens gastheer en gastvrouw spelen. Jij doet de afwas en ik zet het vuil buiten. Ik heb een paar zakken in jouw pick-up gezet. Een van ons beiden moet morgen naar de vuilstortplaats.'

Hij sloeg zijn armen om haar heen, trok haar tegen zich aan en voelde meteen dat er iets mis was. 'Wat is er?' Hij draaide haar om en bestudeerde haar gezicht. 'Wat is er aan de hand?'

'Hennessy is dood. Hij heeft zelfmoord gepleegd. Hij heeft een strop gemaakt van zijn overhemd en…'

Hij trok haar hard tegen zich aan. Ze beefde even en klampte zich toen aan hem vast. 'O, god, Ford. O, god.'

'Sommige mensen kun je niet redden, Cilla. Daar valt gewoon niets aan te doen.'

'Hij heeft nooit kunnen verwerken wat zijn zoon is overkomen. Al die jaren had hij een doel en hij had zijn verbittering. Maar toen zijn zoon stierf, was alleen nog zijn verbittering over.'

'En die heeft hem gedood.' Hij duwde haar een stukje naar achteren en keek haar diep in de ogen om zich ervan te vergewissen dat ze het goed begreep. 'De haat heeft hem gedood, Cilla.'

'Ik neem mezelf niks kwalijk. Dat moet ik voor mezelf blijven zeggen en het blijven denken, zodat ik dat ook niet ga doen. En dat zal ook niet gebeuren. Maar het valt niet te ontkennen dat ik er toch een rol in heb gespeeld. Door hem ben ik er deel van gaan uitmaken. Ik denk dat zoiets een ander soort wraak is. Ach, Ford, denk eens aan zijn arme vrouw. Zij heeft niks meer. En hoe erg het ook lijkt, ergens ben ik ook opgelucht.'

'Hij heeft je gekwetst en hij wilde je lichamelijk kwaad doen. Heb je wat tijd nodig? Ik kan wel naar buiten gaan om een eind aan het feest te maken.'

'Nee, nee. Hij heeft al genoeg op zijn geweten.' Ze keek door het raam naar buiten naar de mensen op haar gazon. 'Ik zal niet toestaan dat hij dit ook nog verpest.'

'Ford, jou moest ik net hebben.' Gavin gaf hem de spatel en de tang en pakte toen het bord op. 'Jouw beurt.' Met zijn vrije hand hief hij een biertje op. 'En de mijne.'

'Weet je wel zeker dat de jongere generatie met de grill kan omgaan?' vroeg Tom.

'Wij verslaan jullie altijd met grillen,' antwoordde Brian. 'Waar en wanneer dan ook.'

'Ik heb het gevoel dat er een grillwedstrijd aan zit te komen. Maar voor we dat regelen, wil ik eerst mijn toekomstige schoonzoon misbruiken. Ik wil graag dat jij met mijn leerlingen gaat praten die het vak "creatief schrijven" volgen.'

'O. Nou, eh…'

'Kijk, het zit zo. We wilden eigenlijk een programma van drie of vijf lessen opstellen over het vertellen van verhalen in woord en beeld. Onze tekendocente vindt het een heel spannend idee.'

'O,' zei Ford opnieuw, waarop Brian in lachen uitbarstte.

'Hij moest net terugdenken aan de tijd op de middelbare school dat hij voorzitter was van de "studiebollen"-club.'

'Drie jaar lang is mijn broek van mijn kont getrokken en mijn onderbroek tussen mijn billen.'

'Matt, Shanna en ik hebben ons best gedaan om je zo veel mogelijk te beschermen.'

'Niet vaak genoeg.'

'Ik geef je mijn erewoord dat jouw kont niet zal worden tentoongesteld of zal worden misbruikt als ik erbij ben.'

Ford keek zuur naar Gavin. 'Mag ik een bewapende escorte mee?'

'We moeten de details en de data regelen en bespreken wat jij wilt hebben of nodig hebt. Ik kan mijn deel van de lessen met je doornemen, maar je moet ook contact opnemen met Sharon. Dat is onze docente tekenen. Ze is overigens gek op jouw werk. Ik zal haar contactgegevens even voor je opschrijven. Eh…' Hij keek naar zijn volle handen. 'Heb je iets om op te schrijven? En iets om mee te schrijven?'

'Nee. Jeetje, wat jammer, dan moeten we de hele zaak maar afblazen.'

'Toevallig heb ik iets bij me.' Met een grijns haalde Tom een klein, in leer gebonden notitieblokje en een pen uit zijn zak. 'Sharon, zei je?'

Gavin gaf hem de informatie en wierp Ford een steelse blik toe toen hij hem het velletje papier overhandigde. 'Je wilt toch met mijn dochter trouwen, of niet soms?'

'Ja.' Met het gevoel dat hij klem zat stopte Ford het velletje papier in zijn zak.

'Ik ga dit afgeven en dan kom ik terug om je te vertellen wat ik globaal in gedachten heb.'

'Ik had moeten weten dat er addertjes onder het gras zouden zitten,' mompelde Ford toen Gavin weg liep.

'Wen er maar aan.' Tom pakte Fords schouder stevig beet. 'Nu jij verloofd bent en Matt een prachtig gezin heeft, vraag ik me af hoe lang het nog duurt voor de laatste van de Musketiers zich gaat settelen.'

'Jouw beurt,' zei Ford vrolijk.

Brian schudde zijn hoofd. 'Rotzak. Gezien de omstandigheden vraag ik me af waarom ik je vertel dat we dit feest vanavond voortzetten met een pokeravondje, alleen voor mannen, bij mij thuis. We rekenen erop dat jij het overgebleven bier en eten meeneemt, Rembrandt.'

'Ik ben vreselijk slecht in pokeren.'

'Daarom juist. Zelfs gezien de omstandigheden.'

'Ik weet niet of ik…'

'Zie je wel?' zei Brian terwijl hij naar zijn vader wees. 'Hij zit nu al onder de plak. En dan vraag je mij waarom ik nog vrijgezel ben.'

'Ik zit helemaal niet onder de…'

'Zijn broek wordt nog altijd van zijn kont getrokken. Maar nu door een vrouw.'

'Jezus. Waarom ben ik ook alweer bevriend met jou?'

'Het begint om negen uur. Vergeet het bier niet.'

Met flink wat hulp van vrienden ging het opruimen snel. Het vuilnis ging in zakken, restjes in plastic bakjes en recyclebare spullen in bakken. Een kleine colonne van getrouwen bracht de spullen van Ford weer naar zijn huis.

'Twee huizen en nog steeds niet voldoende ruimte,' zei Angie. 'Wat moet ik met deze taart doen?'

'Die kan Ford wel meenemen naar Brian.'

'Ik denk niet dat ik…'

Met een blik bracht Cilla hem tot zwijgen. 'Toe, wees een man. Verdwijn even een paar uur uit mijn twee huishoudens. Ik red me prima.'

'Natuurlijk redt ze zich.' Patty deed een deksel op een bakje met drie-bonensalade. 'Waarom ook niet? Is er soms iets gebeurd?' vroeg ze toen ze de blik zag waarmee Ford naar Cilla keek. 'Is er iets mis?'

'Hennessy heeft vannacht zelfmoord gepleegd. Ford is bang dat ik het me te veel zal aantrekken.'

'O, schatje toch.'

'Ja, dat, en daar komt bij dat ik je niet graag alleen laat.'

'Wij blijven wel bij haar,' zei Patty meteen.

'Wij allemaal,' voegde Penny eraan toe. 'Dan houden wij ons eigen feestje, alleen voor de dames.'

'Daar komt niks van in. Ik heb geen oppas nodig. Ik wil de foto's be-kijken die je vader me heeft gegeven,' zei ze terwijl ze Fords moeder een bakje aanreikte. 'Een paar uurtjes rust is precies wat ik nodig heb. En daar bedoel ik niets kwaads mee.'

'Maar…'

'En ik wil wat schetsen maken voor de fitnessruimte en de aanbouw voor de studio zonder dat je me op de vingers kijkt. 'Toe, ga nou maar. Ik blijf hier wel tot je weer terug bent,' voegde ze eraan toe toen ze meer tegenwerpingen in zijn ogen zag verschijnen. 'Brid, de krijgshaftige go-din, heeft geen lijfwachten nodig. Toe, ga weg.'

'Best. Ik heb toch maar een paar uurtjes nodig om te verliezen.'

'Dat is de juiste instelling.'

'Goed, dames, laten we ieder onze eigen borden bij elkaar zoeken en ze inladen. Ik breng iedereen wel thuis aangezien de mannen ons in de steek hebben gelaten.' Penny legde haar handen op Cilla's schouders. 'Ik bel je morgen om af te spreken waar en wanneer Patty, jij en ik onze eer-ste vergadering gaan houden voor het huwelijk van het jaar.'

'Moet ik nou bang worden?'

'Ja, ontzettend.' Penny gaf een zoen op haar wang. 'Je bent een lieve meid.'

Te oordelen naar de manier waarop Penny iedereen de deur uit werk-te, zou Cilla een erg interessante schoonmoeder krijgen, eentje die in veel opzichten op haarzelf leek.

'En nu jij,' zei ze tegen Ford.

'Ik denk dat ik binnen een uur wel kan verliezen.'

'Stop. Ik zit hier prima. Niemand zal me lastig komen vallen. Sterker nog, ik ben al een hele tijd niet meer lastiggevallen. Maar Hennessy is dood en dat zal de media ter ore komen. En dan begint het circus voor een deel weer van voren af aan. Voor het zover is, kan ik wel een rustig, normaal avondje gebruiken. En ik wil niet dat een van ons zich voortaan zorgen gaat maken als ik een rustig, normaal avondje alleen wil doorbrengen. Bovendien… heb ik al een lijfwacht.' Ze boog zich voorover om Spock te aaien.

'Doe de deur toch maar op slot.'

'Dat zal ik doen.' Ze gaf hem een kus en duwde hem toen de deur uit. 'Nooit gokken dat je die ene kaart krijgt om een straat te maken.' Daarna deed ze de deur dicht en draaide hem achter zijn rug op slot.

Ze keerde zich om, slaakte een diepe zucht en grijnsde toen naar Spock. 'Ik dacht dat ze nooit weg zouden gaan.'

Tevreden liep ze de trap op naar de doos met foto's.

30

Het deed haar heel veel plezier om de foto's door te kijken. Opeens vroeg Cilla zich af of Ford er misschien ook een paar wilde uitkiezen om in te lijsten en neer te zetten. De groepsfoto bijvoorbeeld. Haar vader, zijn moeder, haar oom, Janet, en… die man moest de jonge en knappe Tom Morrow zijn. Brian leek beslist op hem.

Ze begon de foto's te sorteren op soort en daarna legde ze de stapeltjes in min of meer chronologische volgorde.

Ze zag haar moeder opgroeien van meisje tot jonge vrouw. Wat was het toch vreemd dat ze een stuk beter met elkaar konden opschieten naarmate de afstand tussen hen groter was, dacht Cilla. Het was minder vreemd dat ze altijd beter met elkaar overweg konden als haar moeder laaiend enthousiaste recensies kreeg, dacht ze er een tikkeltje cynisch achteraan.

Geen negatieve gedachten, hield Cilla zichzelf voor terwijl ze een foto van Janet in de deuropening van de boerderij op het stapeltje foto's legde dat ze wilde inlijsten.

Zou iemand op deze groepsfoto's haar minnaar zijn geweest? vroeg ze zich af. Of hadden ze er juist voor opgepast om niet samen te worden gefotografeerd? Of hadden ze gedaan alsof ze niets voor elkaar voelden terwijl onderhuids al die hartstocht borrelde?

Geen negatieve gedachten, hield ze zich opnieuw voor. Toch kon ze het niet laten om te speculeren en de foto's nader te bestuderen. Zou het te zien zijn? Cilla kreeg het idee dat iedere man die samen met Janet op de foto stond half verliefd op haar was. Zo veel macht had ze gehad.

God, zelfs Buddy, die toen een stuk magerder was, leek door Janet te zijn betoverd op de foto van hen samen op de veranda. Daarop deed Janet net alsof ze hem de hersens wilde inslaan met zijn pijptang.

Ze was altijd onweerstaanbaar geweest. Of ze nou in een flodderige spijkerbroek liep of haute couture droeg. En ze had er spectaculair uitgezien in een rode jurk tegen de witte piano. Die foto moet met kerst zijn genomen, dacht ze terwijl ze de foto nauwkeurig bekeek. Rode kaarsen en hulst op de glanzende piano, fonkelende lichtjes die weerkaatsten in het raam.

Dat was de laatste kerst voor Johnnies dood geweest. Haar laatste feest. Het was te pijnlijk om die in te lijsten, vond Cilla. Hetzelfde gold voor de andere foto's van die avond. Ze voelde een steek van pijn in haar hart bij het zien van een foto waarop haar ouders samen voor de kerstboom stonden. En bij een foto van de arme Johnnie die met een grijns een maretak boven zijn hoofd hield.

Alle jonge mensen – Gavin, Johnnie, Dilly, Fords moeder, een jongen die Jimmy Hennessy moest zijn en de jongen die op die noodlottige avond samen met Johnnie om het leven was gekomen – zaten dicht naast elkaar op de bank in hun mooiste feestkleding. Voor eeuwig glimlachend.

Nee, die zou ze ook nooit kunnen inlijsten.

Ze legde hem apart en pakte er een waar Tom op stond. Het duurde even voor ze de vrouw naast hem als Cathy herkende. Haar haar was toen nog muisvaal geweest en ze had het onhandig opgestoken in een soort pluizige bal. Ze zag er erg verlegen en zenuwachtig uit op de foto. Babyvet, herinnerde Cilla zich, wat extra werd benadrukt door de jurk en het kapsel. Aan haar mooie parels en de glinstering van diamanten was te zien dat ze geld had, maar ze was beslist nog niet in een mooie zwaan veranderd.

Maar misschien zou ze het leuk vinden om een afdruk van de foto te krijgen.

Ze ging verder met sorteren en hield weer op toen ze een foto tegenkwam waarop Janet op de armleuning van de bank zat en Cathy op de bank zelf. Ze lachten allebei. Cathy zag er mooier uit op het spontane kiekje, vond Cilla. Iets meer op haar gemak en in haar ongedwongen glimlach schemerde al iets door van de vrouw die ze uiteindelijk zou worden.

Net toen Cilla de foto op de stapel wilde leggen, trok ze verbaasd haar wenkbrauwen op en bekeek ze hem nog een keer. In haar achterhoofd begon er iets aan haar te knagen. Net toen ze de foto's van wat zij in gedachten de 'laatste Kerstmis' noemde voor zich uitspreidde, ging de deurbel.

Spocks angstige geblaf vermengde zich met het gerinkel.

Ford drukte op de knop van Brians Sky Box voor een blikje cola. Zonder alcohol was hij al slecht genoeg in poker. De mannen die hem binnenkort zijn geld afhandig zouden maken, verzamelden zich rond de bar die Matt had gebouwd in wat Brian zijn Kamer voor Echte Kerels noemde.

Bar, pooltafel, pokertafel, reusachtige flatscreen-tv – die bijna altijd op het sportkanaal stond afgestemd – leren leunstoelen en een bank. Een echte sportinrichting. En natuurlijk nog een tv voor videospelletjes.

Zo een wilde hij in zijn nieuwe studio, bedacht hij. Een man had nou eenmaal ruimte voor zichzelf nodig. Hij zou tegen Cilla kunnen zeggen dat hij het een beetje afgescheiden wilde hebben van de werkruimte.

Misschien moest hij haar even bellen. Hij tastte in zijn zak naar zijn mobieltje en toen hij het eruit haalde dwarrelde het papiertje dat hij eerder in dezelfde zak had gestoken naar de grond.

'Geen vrouwen,' zei Brian hoofdschuddend. 'Dus er wordt ook niet met vrouwen gebeld. Geef hier.'

'Ik ga jou mijn mobieltje niet geven.' Ford boog zich voorover en raapte het briefje op.

'Je zit onder de plak. Hé, Matt. Ford belt nu al naar huis om te kijken hoe het met Cilla gaat.'

'Jezus, hij is nog erger dan ik.'

'Jullie mobieltjes, graag. Sterker nog, dat geldt voor iedereen,' verkondigde Brian. 'Aan de speltafel zijn mobieltjes verboden. De regels van het huis. Leg ze maar op de bar.' Daarna wendde Brian zich weer tot Ford: 'Hier met dat ding.'

'Jezus, wat kun jij moeilijk doen. Waarom mag ik je ook alweer?'

'Omdat je nog steeds van me wint bij *Grand Theft Auto*.'

'O, ja. Dat is waar ook.' Hij leverde zijn mobieltje in en kreeg ogenblikkelijk het gevoel dat hij naakt en hulpeloos was. Ik heb geen telefoon, dacht hij, ik moet zo pokeren en binnenkort loop ik een trauma op omdat ik terug moet naar de middelbare school. Hij wierp even een blik op het briefje.

Wat je al niet deed in naam van liefde en vriendschap.

Hij wilde het papiertje weer in zijn zak doen, maar bekeek het nog eens goed.

Zijn hart klopte een keer hard in zijn borstkas en leek daarna naar zijn maag te zakken.

Het handschrift was een beetje beverig en slordig. Logisch, aangezien Tom rechtop had gestaan en een pen met een dikke punt had gebruikt toen hij de informatie had opgeschreven.

Hij kreeg onmiddellijk de neiging om het te ontkennen. Hij kon er niet helemaal zeker van zijn. Het was onmogelijk om er zeker van te zijn. Tenminste, tot hij het briefje naast de brieven kon leggen om ze te vergelijken. Of ze naar de handschriftkundige zou sturen. Maar het bleef hoe dan ook vreemd.

Het was Brians vader. Het kon gewoon niet.

En toch was het zo logisch als wat.

Hij keek door de kamer naar Tom die bij zijn eigen vader en die van Cilla stond. Tom wierp Brian een grijns toe terwijl ze met hun flesjes Rolling Rock klonken. Hij herinnerde zich dat Tom hem een keer had geholpen met vliegeren toen ze met zijn allen op vakantie waren in Virginia Beach. En dat hij een tent voor hen had opgezet in de grote achtertuin van de familie Morrow zodat ze een nachtje konden kamperen.

En hij dacht aan Steve in het ziekenhuis. Aan Cilla die naar gebroken tegels stond te staren. Aan een pop in een roze uitgaansjurk die aan een rode esdoorn hing die Brian had geplant.

Ford liep naar Tom toe en tikte hem op zijn schouder. 'Ik moet je even spreken.'

'Dat kan. Wil je wat pokertips van me?'

'Kunnen we even naar buiten gaan?'

Tom trok verbaasd zijn wenkbrauwen op en zei toen: 'Ja, best. Een beetje frisse lucht voor je vader een van zijn sigaren opsteekt.' Daarna zei hij tegen de rest van het gezelschap: 'Ford en ik gaan even naar buiten zodat ik hem wat pokertips kan geven.'

'Veel succes,' riep Brian. 'Maar doe er niet te lang over. We gaan zo inzetten.'

Het had geen zin om tijd te verspillen, dacht Ford. Of om het uit te stellen. Er was geen sprake van dat hij met dat gespannen gevoel in zijn borst aan de pokertafel zou kunnen plaatsnemen.

'De avonden worden weer kouder,' zei Tom terwijl ze Brians veranda op stapten. 'Er is alweer een zomer voorbij.'

'Jij hebt een affaire gehad met Janet Hardy.'

'Wat?' Met een ruk draaide Tom zijn hoofd om. 'Jezus, Ford.'

'Ze heeft je brieven bewaard. Maar dat wist je. Een van de jongens bij Cilla op het werk hoorde dat ze dat tegen Gavin zei. De meesten van hen werken ook voor jou. Het is een sappig verhaal. Veel te leuk om niet verder te vertellen.'

'Ik heb Janet Hardy amper gekend. Het is gewoon belachelijk dat je zoiets denkt...'

'Hou op. Het handschrift komt overeen.' Hij haalde het briefje tevoorschijn. 'Wat dit soort dingen betreft, heb ik een behoorlijk scherpe blik. Vorm, stijl en manier van schrijven. Ik durf te wedden dat je vader je heeft leren schrijven. Hij wilde je alvast een zetje in de goede richting geven.'

Toms gezichtsuitdrukking werd harder en om zijn mond ontstonden diepe rimpels. 'Het is niet alleen beledigend dat je me beschuldigt, het gaat je bovendien niks aan.'

In Ford ontstond een kilte waarvan hij niet had geweten dat hij die bezat. Een harde, ijzige woede. 'Cilla gaat mij wel wat aan. Wat er met haar grootmoeder is gebeurd en wat er met Cilla gebeurt, gaat mij wel degelijk wat aan.'

'Haar grootmoeder heeft zelfmoord gepleegd. En Hennessy is verantwoordelijk voor wat er op de boerderij is gebeurd. Dit verbaast me, Ford. En je stelt me teleur. Ik ga weer naar binnen. Ik wil er geen woord meer over horen.'

'Ik heb altijd respect voor je gehad en ik hou van Brian.' Misschien kwam het door de ontzettend koele en rustige toon waarop hij het zei dat Tom stil bleef staan. 'Daarom sta ik nu hier met jou. Daarom wilde ik eerst met jou praten voor ik naar de politie stap.'

'Waarmee dan? Een stapeltje niet-ondertekende brieven die ruim dertig jaar geleden zijn geschreven en een briefje dat ik vanmiddag snel heb gekrabbeld?'

'Ik heb nooit gezegd dat ze niet waren ondertekend,' zei Ford, en hij liep weg.

'Wacht. Toe, wacht even.' In paniek pakte Tom zijn schouder beet. 'Dit is geen zaak voor de politie, Ford. Niemand schiet er wat mee op als dit uitkomt. Wil je soms dat ik mijn affaire opbiecht? Nou, goed dan. Ik was helemaal door haar betoverd en ik heb mijn vrouw bedrogen. Ik ben niet de eerste man die een slippertje maakt. Ik ben er niet trots op. En ik heb een einde gemaakt aan de affaire. Waarom zou je mij willen straffen en Brian en Cathy willen kwetsen en voor schut zetten vanwege een vergissing die ik heb gemaakt toen ik notabene jonger was dan jij nu bent?'

'Je hebt geprobeerd ze terug te krijgen en je hebt iemand het ziekenhuis in geslagen.'

'Ik raakte in paniek.' Hij stak zijn handen op. 'Ik wilde enkel die brieven vinden om ze te vernietigen. Ik raakte in paniek toen ik hem hoorde binnenkomen. Ik had geen enkele uitweg meer. Het was niet mijn bedoeling om hem zo hard te raken. Het ging puur instinctief. Godsamme, ik dacht dat ik hem had doodgeslagen.'

'En toen heb je de motor maar boven op hem geduwd om daar helemaal zeker van te zijn.'

'Hoor eens, ik verkeerde in een shock. Ik dacht dat hij dood was. Wat kon ik verder doen? Het enige wat ik kon bedenken was dat het op een ongeluk moest lijken. Het gaat nu weer goed met hem. Hij is helemaal hersteld,' hield Tom op rustige toon vol. 'Wat heeft het voor zin om er nu een probleem van te maken?'

Ford kon hem slechts aanstaren. Hij zag de man die hij had gerespecteerd, van wie hij zelfs had gehouden en die hij zijn hele leven had beschouwd als een tweede vader, voor zijn ogen veranderen. 'Hij was bijna dood geweest, Tom. Hij had eraan kunnen overlijden. Waar was dat voor nodig? Om jouw reputatie te beschermen omdat je een slippertje had gemaakt? Om iets te verbergen waarvan jij dacht dat het allang begraven was?'

'Ik heb het gedaan om mijn gezin te beschermen.'

'Je meent het. Wat heb je nog meer gedaan om "je gezin te beschermen"? Laten we eens even teruggaan. Helemaal terug naar het begin. Heb jij Janet Hardy vermoord?'

Een beetje geïrriteerd door de onderbreking liep Cilla naar de deur en keek door het zijraam. De irritatie maakte plaats voor verbazing toen ze opendeed voor Cathy.

'Goed volk, Spock. Zie je wel?'

Hij hield op met beven en sprong naar voren en stootte tegen Cathy's benen als teken van begroeting.

'Het spijt me vreselijk. Nog geen vijf minuten nadat Penny me had afgezet, kwam ik erachter dat ik mijn ringen bij jou heb laten liggen.' Cathy drukte haar ringloze hand tegen haar borst. 'Ik doe ze altijd af bij de gootsteen. Althans, dat hoop ik maar. God, als ik ze kwijt ben dan… Nee, ze liggen er vast. Ik ben gewoon een beetje nerveus.'

'Dat zou ik ook zijn. Ik weet zeker dat ze er nog liggen. We zullen ze meteen gaan halen.'

'Bedankt, Cilla. Ik voel me zo stom. Ik zou me geen raad weten als ik ze kwijt was.'

'Ik pak even mijn sleutels.' Ze griste de sleutels van een tafeltje dat bij de deur stond. 'Kom, Spock. We gaan een eindje wandelen.'

Bij het horen van het woord 'wandelen', schoot de hond naar buiten en danste vrolijk over de veranda.

'Ze moeten er liggen,' sprak Cathy zichzelf moed in. 'Ik weet zeker dat ze er gewoon liggen. Ik heb mijn trouwring en mijn verlovingsring drie jaar geleden in de afvoer laten vallen. Ik was afgevallen en ik had de ringen niet kleiner laten maken. Ik was doodsbang tot Buddy, die ik helemaal in paniek belde, de afvoerpijpen uit elkaar haalde en de ringen weer terugvond. Sindsdien doe ik ze altijd af voor ik onder de douche ga of ga afwassen, of… ik draaf door.'

In het maanlicht staken ze de weg over. 'Maak je geen zorgen. Ik weet zeker dat ze nog gewoon liggen op de plek waar je ze hebt achtergelaten.'

'Natuurlijk.' Maar door de spanning in haar stem begon Spock bezorgd te janken. 'Ik heb ze in een glaasje gedaan bij je gootsteen herinner ik me nu. Als niemand heeft gezien dat ze daarin zaten en…'

'We vinden ze heus wel,' zei Cilla, en ze pakte Cathy's trillende arm vast.

'Je denkt vast dat ik gek ben.'

'Nee, helemaal niet. Ik heb mijn ring pas een dag en ik zou helemaal gek worden als ik dacht dat ik hem kwijt was.' Ze deed de deur open.

'Ik ga alleen even…' Cathy sprintte naar de keuken en Spock rende hoopvol achter haar aan.

Cilla deed de deur dicht en toetste toen de code in om de alarminstallatie uit te zetten en liep daarna naar Cathy toe.

Cathy stond in de keuken terwijl de tranen over haar wangen liepen. Spock wreef langs haar benen om haar te troosten. 'Precies waar ik ze had achtergelaten. Bij de gootsteen. Het spijt me.'

'Het geeft niet. Maak je niet druk.' Cilla haalde snel een oude kruk uit de bijkeuken. 'Ga maar even zitten.'

'God, dank je wel. Nu voel ik me een idioot. Ik weet wel dat ze verzekerd zijn, maar toch…'

'Het gaat niet om het geld.'

'Nee, precies. Moet je mij nou eens zien. Ik zie er vreselijk uit.' Ze haalde een tissue uit haar handtas om haar wangen droog te deppen. 'Cilla, mag ik daar een glaasje van hebben?' Cathy wees op de fles wijn op het aanrecht. 'En een aspirientje?'

'Tuurlijk. De aspirine ligt boven. Ik ben zo weer terug.'

Toen Cilla weer beneden kwam, zat Cathy aan het aanrecht met haar hoofd in één hand, en stonden er twee volle glazen wijn klaar. 'Ik weet dat ik het rustige avondje waar je je op had verheugd verstoor, maar ik heb een paar minuutjes nodig om weer tot mezelf te komen.'

'Hindert niet, Cathy.' Cilla zette de aspirine neer.

'Op trouwringen, verlovingsringen en alles wat ze symboliseren.' Cathy hief haar glas, hield het verwachtingsvol in de lucht en tikte het tegen dat van Cilla toen die het hare ook optilde.

'Ik hoop dat dit de laatste keer is dat ik helemaal in paniek bij je aanklop.'

'Ik vond anders dat je behoorlijk kalm was. Het zijn prachtige ringen. Ik heb ze al eens eerder bewonderd.'

'Tom wilde een nieuwe trouwring voor me kopen voor ons vijfentwintigjarig huwelijk, maar daar ik wilde ik niet van horen.' Haar ogen fonkelden even terwijl ze een slok wijn nam. 'Dus toen heeft hij me in plaats daarvan een diamanten armband gegeven. Ik heb een zwak voor diamanten. Het verbaast me dat ik jou nooit met diamanten heb gezien, behalve dan je schitterende nieuwe ring. Je grootmoeder bezat een paar heel mooie sieraden.'

'Die heeft mijn moeder nu. En bij het werk dat ik doe, kun je maar beter geen sieraden dragen.' Cilla haalde haar schouders op en dronk nog wat wijn.

'Met jouw uiterlijk heb je die ook niet nodig. Dat had zij overigens ook niet. Alleen wij mindere stervelingen hebben die versieringen nodig. Natuurlijk verdwijnt schoonheid met de jaren als je maar lang genoeg leeft. Maar die van haar verdween niet. Maar zij wel.'

'Ik zat net een paar oude foto's te bekijken en toen dacht ik…' Cilla drukte een hand tegen haar slaap. 'Het spijt me. Ik wist niet dat ik zo moe was. Dat heeft de wijn vast nog verergerd.'

'Je moet je glas nog leegdrinken. En daarna nog één, dan is de zaak wel bekeken, denk ik.'

'Liever niet. Het spijt me, Cathy, maar ik voel me niet zo lekker. Ik moet even…'

'Drink je wijn op.' Cathy deed haar handtas open en haalde een kleine revolver tevoorschijn. 'Ik sta erop,' zei ze terwijl Spock begon te grommen.

'Janet heeft zelfmoord gepleegd. En ik heb al meer dan dertig jaar berouw over de rol die ik daar misschien bij heb gespeeld.'

'Ze was zwanger.'

'Dat beweerde ze…' Iets in Fords ogen zorgde ervoor dat Tom een stilte liet vallen en vervolgens knikte. 'Ja, maar ik geloofde haar niet. Pas toen we elkaar onder vier ogen hadden gesproken. Nadat ze was overleden, op de dag van haar overlijden om precies te zijn, ben ik naar mijn vader gegaan om alles op te biechten. Hij was woedend. Hij had een bloedhekel aan vergissingen, vooral wanneer ze de familienaam aantastten. Hij heeft alles geregeld. We hebben het er nooit meer over gehad. Ik vermoed dat hij de patholoog-anatoom heeft betaald om de zwanger-schap uit het rapport te laten schrappen.'

En zijn politieke carrière was in rook opgegaan, dacht Ford.

'Het kon niet anders, Ford. Stel je voor wat het publiek met haar zou hebben gedaan als dit was uitgekomen. Stel je voor wat er van mijn familie zou zijn geworden als ik als de vader zou worden genoemd.'

'Jullie hebben elkaar onder vier ogen gesproken.'

'Ik ben naar de boerderij gegaan. Ik wilde dat zij het zou laten rusten, dat ze verder zou gaan met haar leven, maar ze bleef aandringen. Daarom ben ik naar haar toe gegaan, zoals ze had geëist. Ze had gedronken. Niet dat ze dronken was, nog niet, maar ze had wel een paar borrels op. Ze had de uitslag van de zwangerschapstest.'

'Had ze die bij zich?' vroeg Ford. 'De paperassen?'

'Ja, ze had haar echte naam gebruikt en ze was naar een arts gegaan die haar niet kende. Dat wil zeggen, niet persoonlijk. Ze zei dat ze een pruik had gedragen en zich had opgemaakt. Dat deed ze ook vaak wanneer wij ergens met elkaar hadden afgesproken. Ze wist hoe ze incognito kon blijven wanneer ze dat wilde. Ik geloofde haar, net als ik haar geloofde toen ze vertelde dat ze het kind wilde houden. Maar met mij was ze klaar. Ik verdiende haar noch het kind.'

Ford kneep zijn ogen tot spleetjes. 'Dus zij heeft jou de bons gegeven?'

'Daarvoor had ik er al een einde aan gemaakt. Ik neem aan dat ze wat dat betreft gewoon het laatste woord wilde hebben. We kregen ruzie, dat zal ik niet ontkennen. Maar toen ik wegging, leefde ze nog.'

'Wat is er met het rapport van de arts gebeurd?'

'Ik heb geen idee. Hoor eens, ze leefde echt nog toen ik naar huis ging om nog even bij mijn dochter te kijken. Ik dacht aan alles wat ik op het spel had gezet, aan alles wat ik kapot had kunnen maken. Ik dacht aan Cathy, aan de baby in haar buik. Ik dacht er ook aan dat ik Cathy een half jaar daarvoor bijna om een scheiding had gevraagd om bij een vrouw te kunnen zijn die niet echt bestond. Dat had ik kunnen doen. Sterker nog, dat had ik bijna gedaan.'

Hij leunde zwaar op de balustrade van de veranda en deed zijn ogen dicht. 'De betovering werd verbroken toen Cathy me vertelde dat ze zwanger was. Ik lag met mijn dochter op het bed in de kinderkamer en ik dacht aan het kind dat Cathy in het najaar zou krijgen. Ik dacht aan Cathy en ons leven samen. Ik heb Janet nooit meer gezien. Ik heb mijn gezin ook nooit meer op het spel gezet. Vijfendertig jaar, Ford. Wat bereik je ermee om het nu allemaal naar buiten te brengen?'

'Je hebt Cilla geterroriseerd. Je hebt bijna een man vermoord en alsof dat nog niet erg genoeg was, heb je Cilla daarna angst aangejaagd. Je hebt bij haar ingebroken, je hebt schunnige teksten op haar pick-up en haar muur geschreven en je hebt haar bedreigd.'

'Ja, ik heb ingebroken. Dat geef ik ook toe. Ik was op zoek naar de brieven en ik raakte helemaal buiten zinnen toen ik ze niet kon vinden. Ik heb in een vlaag van woede de tegels kapotgeslagen. Maar met de rest heb ik niets te maken. Dat was Hennessy. Ik besefte dat die brieven onbelangrijk waren. Ze deden er gewoon niet toe. Niemand zou me ermee in verband kunnen brengen.'

'Hennessy kan de rest niet hebben gedaan. Toen zat hij achter slot en grendel.'

'Geloof me, ik was het niet. Waarom zou ik liegen over een stenen muur of de poppen?' vroeg Tom heftig. 'Jij weet nu immers het ergste al.'

'Je vrouw wist het ook. Janet heeft haar gebeld. Dat heb je zelf in je laatste brief geschreven.'

'Janet was dronken en ze ging tekeer. Ik heb Cathy ervan overtuigd dat het niet waar was. Dat het door de alcohol, de pillen en het verdriet kwam. Cathy was natuurlijk wel overstuur, maar ze geloofde me. Ze…'

'Als jij zo lang met een leugen kunt leven, waarom zou zij dat dan niet kunnen? Jij beweert dat je de nacht waarop Janet overleed in de kinderkamer hebt geslapen.'

'Ja, ik… ik ben in slaap gevallen. Ik werd weer wakker toen Cathy de kamer in kwam om de baby te halen. Ze zag er zo moe uit. Ik vroeg of alles goed met haar was. Ze zei dat er niks aan de hand was. Dat alles uiteindelijk goed was gekomen.' In het maanlicht verdween zijn blos van schaamte en werd zijn gezicht spierwit van schrik. 'O, god.'

Ford wachtte niet op meer argumenten of smoesjes, maar zette het op een lopen. Cilla was alleen. En dat wist Cathy Morrow.

'Je hebt iets in de wijn gedaan.'

'Seconal. Net als bij die hoer van een grootmoeder van je. Maar zij dronk er wodka bij.'

Misselijkheid welde op in haar keel. Angst, begrip, de mengeling van drugs en wijn. 'De bank was niet roze en de jurk was niet blauw.'

'Drink nog wat wijn, Cilla. Je bent aan het wauwelen.'

'Jij hebt de bank en de jurk gezien op de avond dat je… op de avond dat je haar hebt vermoord. Dat is wat je je herinnert… die avond, niet het kerstfeest. Tom heeft die brieven geschreven, is het niet? Tom was haar minnaar, de vader van het kind dat ze droeg.'

'Hij was mijn echtgenoot en de vader van mijn kind en van het kind dat ik droeg. Heeft zij zich daar iets aan gelegen laten liggen?' Haar gezicht was vertrokken van woede. Geen waanzin zoals bij Hennessy, dacht Cilla. Pure, brandende woede.

'Heeft ze er ook maar een seconde bij stilgestaan wat een huwelijk en een gezinsleven betekende voor ze probeerde af te pakken wat van mij was? Zij had alles. Alles. Maar dat was niet genoeg. Dat is het nooit voor vrouwen zoals zij. Ze was bijna tien jaar ouder dan hij. Ze heeft mij voor schut gezet en zelfs dat was nog niet genoeg. Hij ging naar haar toe, hij heeft mij alleen gelaten en is naar haar toe gegaan op de avond dat ik onze dochter in slaap wiegde en onze baby in mijn buik voelde schoppen. Hij ging naar haar toe, en naar de bastaard die ze samen hadden verwekt. Drink die wijn op, Cilla.'

'Heb je haar ook onder schot gehouden?'

'Dat was niet nodig. Ze had al gedronken. Ik heb de pillen stiekem in haar glas gedaan. Mijn pillen,' voegde ze eraan toe. 'De pillen waarvan ik dacht dat ik ze nodig had toen ik ontdekte dat zij haar klauwen in hem had geslagen.'

'Hoe lang? Hoe lang wist je het al?'

'Maanden. Als hij thuiskwam, rook ik haar parfum. Soir de Paris. Haar geur. Ik zag haar in zijn ogen. Ik wist dat hij keer op keer naar haar toe ging. Hij raakte mij alleen aan als ik erom smeekte. Maar daar kwam verandering in. Het veranderde toen ik zwanger werd. Toen ik ervoor zorgde dat dat gebeurde. Hij kwam weer bij me terug, maar dat stond zij niet toe. Ze probeerde hem telkens terug te lokken. Maar ik wilde niet dat mensen medelijden met me zouden hebben. Ik wilde niet dat ze me met haar zouden vergelijken en me dan zouden uitlachen.

Ik schiet je neer als je niet drinkt. Ze zullen denken dat er opnieuw is ingebroken. Ditmaal met tragische afloop.' Ze stak haar hand nogmaals in haar handtas en haalde een grote plastic tas waar een pop in gevangenzat tevoorschijn. 'Voor het geval je liever de kogel wilt, zal ik deze achterlaten. Ik heb jaren geleden een aantal van die dingen gekocht. Ik kon de verleiding niet weerstaan. Ik heb nooit begrepen waarom tot jij hier kwam.'

Vechtend tegen de duizeligheid hief Cilla het glas op en bevochtigde haar lippen. 'Jij hebt haar zelfmoord in scène gezet.'

'Ze heeft het me gemakkelijk gemaakt. Ze vroeg of ik binnen wilde komen, alsof ik een oude vriendin was. Ze bood haar excuses aan voor wat ze had gedaan. Het speet haar als ze me had gekwetst of me pijn had gedaan. Ze kon het niet meer ongedaan maken, maar dat wilde ze ook niet. Dat zou namelijk het eind van hun baby betekenen. Het enige wat ze wilde was de baby en een kans om haar fouten uit het verleden goed te maken. Natuurlijk zou ze nooit de naam van de vader onthullen. De leugenachtige trut.'

'Je hebt haar drugs toegediend.'

'Toen ze begon weg te zakken heb ik haar naar boven geholpen. Ik voelde me toen vreselijk sterk. Ik moest haar bijna dragen, maar ik was sterk. Ik heb haar uitgekleed. Ik wilde dat ze er open en bloot bij zou liggen. Daarna heb ik haar meer pillen en meer wodka gegeven. Ik ben naast haar blijven zitten en heb toegekeken hoe ze stierf. Ik ben blijven zitten tot ze ophield met ademen. Daarna ben ik weggegaan.

Ik reed hierlangs. Nadat ze haar hadden meegenomen naar een plek waar ze nooit had thuisgehoord, reed ik erlangs. Ik genoot ervan om de boerderij steeds vervallener te zien raken terwijl ik als een vlinder uit mijn cocon kroop. Ik heb mezelf uitgehongerd. Ik heb oefeningen gedaan tot elke spier trilde. Schoonheidssalons, kuuroorden, liposuctie, facelifts. Hij zou nooit meer naar mij kijken en naar haar verlangen. Niemand zou mij ooit nog vol medelijden aankijken.'

Een imago, dacht Cilla. Een illusie. 'Ik heb jou nooit wat misdaan.'

'Je bent hiernaartoe gekomen.' Met haar vrije hand deed Cathy meer pillen in Cilla's glas en vulde het daarna weer aan met wijn. 'Proost.'

'Ik had het mis,' mompelde Cilla. 'Jij bent toch net zo gek als Hennessy.'

'Nee, gewoon een stuk doortastender. Dit huis verdiende het om een langzame, vreselijke dood te sterven. Zij is alleen maar gaan slapen. Dat was mijn vergissing. Jij hebt haar weer wakker gemaakt door hierheen te komen. Je kwam het me weer onder de neus wrijven. Je hebt mijn bloedeigen zoon rozen voor haar laten planten. Je hebt Ford verleid en die verdient veel beter. Ik had je laten leven als je zou zijn weggegaan. Als je dit huis gewoon in elkaar had laten vallen. Maar je bleef me er maar mee tergen. Dat pik ik niet, Cilla. Ik weet precies wie jij bent. Hennessy en ik zijn de enigen.'

'Ik ben Janet niet. Niemand zal geloven dat ik zelfmoord heb gepleegd.'

'Dat heeft zij anders wel gedaan. En je moeder heeft twee keer een zelfmoordpoging gedaan, al dan niet nep. De appel valt niet ver van de boom, zullen ze zeggen.' Terloops streek Cathy haar halflange haar met haar vrije hand naar achteren. 'Je bent onder druk gezet om je te verloven, je bent helemaal in de war omdat je verantwoordelijk bent voor de dood van een man wiens leven kapot was gemaakt door je grootmoeder. Ik zal kunnen getuigen hoe je door iedereen met rust gelaten wilde worden. Ach, hadden we het maar geweten.'

'Ik ben Janet niet,' zei ze, en ze gooide de rest van de inhoud van het glas in Cathy's gezicht.

Dit had tot gevolg dat Spock opsprong. Zijn gebrom veranderde ineens in een grom. Toen hij met zijn kop tegen Cathy stootte, greep Cilla de wijnfles en ze zag zichzelf ermee tegen Cathy's hoofd slaan. Maar de pillen hadden haar versuft en daardoor sloeg ze mis en schampte de fles amper langs Cathy's slaap.

Toch was het voldoende om Cathy op haar kruk te doen wankelen. Cilla sprong naar voren en gaf een duw terwijl de hond tegen de wankelende kruk opsprong. De revolver ging af en de kogel boorde zich in het plafond terwijl de kruk omviel.

Vechten of vluchten. Ze vreesde dat ze voor beide weinig kracht meer had. Toen haar knieën begonnen te knikken liet ze zichzelf boven op Cathy vallen en haalde haar nagels over Cathy's gezicht. Niet alleen de gil was bevredigend, maar vooral de zekerheid dat zelfs al zou ze sterven, de mensen het zouden weten. Ze had Cathy Morrow onder haar nagels. Ze greep Cathy bij haar haar, trok eraan en draaide er voor alle zekerheid ook nog aan. Genoeg DNA, dacht ze vaag terwijl haar blikveld aan de randen donker werd en Spocks agressieve gegrom blikkerig in haar oren begon te klinken.

Op goed geluk haalde ze nog een keer uit. Ze hoorde geschreeuw en toen een gil. Nog een schot. Daarna verloor ze het bewustzijn.

Fords hart sloeg een paar keer over toen hij Cathy's auto op zijn oprit zag staan. Hopelijk was hij niet te laat. Hij mocht gewoon niet te laat zijn. Hij bracht zijn auto abrupt tot stilstand achter de Volvo en rende naar zijn voordeur tot hij halverwege instinctief stopte.

Niet hier. De boerderij. Hij draaide zich om en zette het op een lopen. Het moest wel op de boerderij zijn. Hij vervloekte het feit, zoals hij al kilometers lang had gedaan, dat zijn mobieltje op Brians bar lag.

Toen hij het schot hoorde, verbleekte de angst die hij meende te kennen, die hij meende te hebben geproefd, bij dit gevoel van wilde en nietsontziende angst.

Hij wierp zichzelf tegen de deur en riep Cilla's naam terwijl hij Spocks manische geblaf hoorde. Iemand krijste als een dier. Hij vloog de keuken in en wat hij daar zag, zou voor altijd in zijn geheugen gegrift staan.

Cilla lag boven op Cathy en zwaaide wild met vuisten die bijna te zwaar leken om op te tillen. Cathy's gezicht zat onder het bloed en de blik in haar ogen was waanzinnig van pijn en haat, terwijl Spock naar haar hapte en gromde. In haar hand hield ze een revolver die ze op Cilla probeerde te richten.

Hij sprong naar voren en greep Cathy's pols met zijn ene hand en duwde Cilla met de andere bij Cathy vandaan. Hij voelde iets, alsof een bij hem in zijn biceps had geprikt, waarna hij het wapen uit Cathy's hand rukte.

'Ford! Godzijdank!' Cathy probeerde hem vast te pakken. 'Ze ging helemaal door het lint. Ik weet niet wat er is gebeurd. Ik heb geen idee wat ze heeft geslikt. Ze had een revolver en ik heb geprobeerd om…'

'Hou je kop,' zei hij kil en duidelijk. 'Als je ook maar één beweging maakt dan zweer ik dat ik voor het eerst van mijn leven een vrouw een mep zal verkopen. Af, Spock.' Daarna wendde hij zich opnieuw tot Cathy en zei: 'En geloof maar dat ik me niet zal inhouden. Dus hou je mond.' Hij richtte het wapen op Cathy terwijl hij langzaam naar Cilla toe liep. 'Tenzij je wilt dat ik iets ergers doe dan je buiten westen slaan. Cilla, Cilla.'

Hij keek of ze ergens gewond was en tilde een ooglid op terwijl Spock haar gezicht koortsachtig likte. 'Wakker worden!' Hij sloeg in haar gezicht, eerst zachtjes. 'Waag het niet om ook maar een centimeter te verschuiven,' waarschuwde hij Cathy met een stem die hij zelf amper herkende. 'Waag het niet. Cilla!' Hij sloeg haar opnieuw, maar nu wat harder en hij zag dat haar oogleden trilden. 'Kom overeind. Word wakker.' Met een hand trok hij haar overeind zodat ze kon gaan zitten. 'Ik bel een ziekenwagen en de politie. Het komt wel goed. Kun je me verstaan?'

'Seconal,' wist ze uit te brengen, waarna ze ze zich met een hand schrap zette. Vervolgens stak ze meedogenloos haar vingers in haar keel.

Een hele poos later zat Cilla onder de blauwe parasol. De lente was voorbij en de zomer bijna, dacht ze. Ze zou hier nog zijn wanneer de bladeren van kleur zouden veranderen en het roodbruin overal in de bergen te zien zou zijn. En ze zou hier ook zijn wanneer de eerste sneeuwbui van het seizoen zou komen, en de laatste. Zij zou hier alle volgende lentes zijn, mijmerde ze, en alle seizoenen die daarop zouden volgen.

Dit zou haar thuis zijn. Bij Ford en bij Spock. Haar helden.

'Je bent nog steeds bleek,' zei hij. 'Misschien kun je beter even gaan liggen in plaats van in de buitenlucht te zitten.'

'Jij ziet ook nog steeds bleek. Bovendien ben jij neergeschoten.'

Hij keek naar zijn arm die in het verband zat. Een schampschot was een betere omschrijving. 'Ja. Over een poosje zal dat heel stoer zijn. Dan kan ik zeggen dat ik ben neergeschoten toen ik naar binnen snelde, zij het weer iets te laat, om mijn grote liefde te redden voor zij zichzelf zou redden.'

'Je hebt me wel degelijk gered. Ik had al verloren. Ik mocht dan genoeg DNA-materiaal van haar onder mijn nagels hebben,' zei ze terwijl ze met haar vingers bewoog, 'Maar ik was verloren. Jij hebt me gered. En Spock. Wat een dapper hondje.' Ze boog zich voorover om Spock te knuffelen en mompelde: 'Jij hebt mijn leven gered en nu moet je er voortaan op passen.'

Ford boog zich naar haar toe en pakte haar hand. 'Dat is ook de bedoeling. Ik was bijna het verkeerde huis binnen gegaan. Nou is het afgelopen, Cilla. Geen twee huishoudens meer voor ons. Als ik het verkeerde huis in was gegaan, zou ik te laat zijn geweest.'

'Je hebt het op tijd ontdekt en daarna ben je naar mij toe gekomen. Welke held jij ook wilt tekenen, jij bent de mijne.'

'Held, godin en superhond. We boffen maar met z'n tweeën.'

'Ja, dat vind ik ook. Ford, het spijt me zo. Ik vind het vreselijk voor Brian.'

'We helpen hem er wel doorheen.' Dat stond buiten kijf, dacht Ford. Ze hadden geen keus. 'We vinden wel een manier om hem erdoorheen te slepen.'

'Ze heeft dat verraad al die jaren met zich meegedragen. En ze vond het afschuwelijk dat ik de boerderij wilde opknappen. Op een bepaalde manier was de boerderij voor ons allebei een symbool.' Cilla keek aandachtig naar haar mooie huis, de nieuwe verf en de ramen die glinsterden in het vroege ochtendzonnetje.

'Ik wilde de boerderij weer in oude luister herstellen en zij moest hem juist in verval zien raken, zien instorten. Elke plaat hout, elke laag verf was een klap in het gezicht voor haar. Het feest? Kun je je voorstellen hoe dat aan haar heeft geknaagd? Muziek, lachende mensen, eten en drinken. En gesprekken over een aanstaand huwelijk. Dat was onverteerbaar voor haar.'

'Ik heb hen alle twee mijn hele leven gekend en ik heb het nooit in de gaten gehad. Voor een schrijver ben ik kennelijk toch niet zo goed in het observeren van mensen.'

'Ze hebben het van zich afgeduwd en diep weggestopt. Zij heeft toegekeken toen Janet stierf.' Die wetenschap deed haar nog steeds pijn. 'Daar had ze de kracht voor. Net als ze de kracht had om alles achter zich te laten en zichzelf in een andere vrouw te veranderen. Om voor haar gezin te zorgen, met haar vriendinnen te gaan winkelen, koekjes te bakken en bedden op te maken. En om hier af en toe langs te rijden, zodat ze stoom af kon blazen.'

'Als een drukventiel.'

'Ja, zo zou ik het inderdaad omschrijven. En ik had het ventiel vastgezet. Mijn grootmoeder heeft geen zelfmoord gepleegd. Dat wordt groot nieuws. Camera's, artikelen, film van de week, misschien zelfs wel een bioscoopfilm. Boeken, talkshows, noem maar op.'

'Ik kan me er wel iets bij voorstellen. Je hoeft me er niet voor te waarschuwen. Je grootmoeder heeft geen zelfmoord gepleegd,' zei hij.

'Nee, dat klopt.' Toen de tranen kwamen, deden die aan als een redding. 'Ze heeft mijn moeder nooit in de steek gelaten. Niet op de manier die mijn moeder altijd heeft gedacht. Ze kocht een lippenstiftroze bank en witte kussens van satijn. Ze rouwde om een kind dat ze verloren had en ze trof voorbereidingen voor een nieuw kind. Ze was geen heilige,' ging Cilla verder. 'Ze is met de man van een andere vrouw naar bed geweest en ze zou zonder enige gewetenswroeging zijn gezin kapot hebben gemaakt. Nou ja, zonder al te veel gewetenswroeging.'

'Overspel komt van twee kanten. Tom heeft zijn vrouw en zijn gezin verraden. En zelfs nadat hij had gezegd dat hij er een eind aan had gemaakt, is hij weer met Janet naar bed gegaan. Hij had thuis een kind en een zwangere vrouw, maar toch ging hij naar bed met het imago, en hij weigerde de verantwoordelijkheid voor de gevolgen te dragen.'

'Ik vraag me af of het door de wreedheid van zijn laatste brief kwam dat Janet ineens niets meer voor hem voelde, maar dat ze toch nog een keer contact met hem heeft opgenomen om hem met de feiten om de oren te slaan: "Ik ben zwanger, jij hebt het kind verwekt, maar we hebben je niet nodig en willen verder niets met je te maken hebben."'

Ze ademde langzaam uit. 'Dat mag ik graag denken.'

'Dat lijkt wel logisch, hè? Het klopt helemaal met wat Tom me heeft verteld. Cathy heeft de uitkomst van de zwangerschapstest gestolen en vernietigd, maar ze wist niets van de brieven. Ze wist niets van *The Great Gatsby*.'

'Ik denk dat Janet de brieven heeft bewaard om zichzelf eraan te herinneren dat het kind tenminste met een illusie van liefde was verwekt. En zodat ze niet zou vergeten waarom het kind alleen van haar was. Ik geloof dat ze ervoor heeft gezorgd dat de boerderij niet verkocht kon worden omdat ze wilde dat die ooit voor het kind zou zijn. Johnnie was dood, en ze wist dat mijn moeder er geen echte band mee had. Maar ze had nog een kans.

Sommige vragen zullen wel altijd onbeantwoord blijven, maar ik heb de informatie die ik zocht. Ik vraag me af of ik nog over haar zal dromen, zoals ik altijd heb gedaan.'

'Wil je dat graag?'

'Misschien wel. Soms wel. Maar ik denk dat ik voortaan wil dromen over wat er zou kunnen gebeuren, over dingen waar ik op hoop, in plaats van over vroeger.' Ze glimlachte toen hij zijn lippen zachtjes over haar vingers bewoog.

'Ga een eindje met me wandelen,' zei hij terwijl hij opstond en haar overeind trok. 'Alleen jij en ik.' Hij keek naar Spock die zijn vreugde-dansje deed. 'Alleen wij.'

Ze liep met hem over de stenen, over het gras dat nog vochtig was van de dauw. De rozen stonden volop in bloei en de laatste zomerbloemen vouwden zich open. Ze liep naast hem terwijl de lieve, lelijke hond achter onzichtbare katten aan zat rondom de met waterleliebladeren bedekte vijver.

Dit was waar zij van droomde, dacht ze met haar hand in de zijne. Dit moment. Waarop zij met zijn drieën gelukkig, veilig en samen waren.

En thuis.